# S'ASSURER UN EMPLOI SUR LE MARCHÉ DU TRAVAIL, C'EST D'ABORD

# UNE QUESTION DE
# TECHNIQUE

LA FORMATION TECHNIQUE AU CÉGEP, C'EST PLUS DE **130** PROGRAMMES.

LE TAUX DE PLACEMENT EST DE **90**% ET PLUS DANS LA MAJORITÉ DE CES PROGRAMMES.

Fédération
des cégeps

**LA VIE EST BELLE D'ICI**

L'accès sûr et rapide à un métier ... Oui, la vie est belle d'ici !

# Formation professionnelle

**Administration, commerce et informatique**
- Comptabilité (DEP)
- Lancement d'une entreprise (ASP)
- Représentation (ASP)
- Secrétariat (DEP)
- Secrétariat juridique (ASP)
- Secrétariat médical (ASP)
- Soutien administratif (DEP)
- Soutien informatique (DEP)
- Vente-conseil (DEP)
- Vente d'appareil électronique (DEP)
- Vente en lunetterie (DEP)

**Arts**
- Décoration intérieure et étalage (DEP)

**Bâtiments et travaux publics**
- Dessin de bâtiment (DEP)
- Entretien général d'immeubles (DEP)
- Mécanique de machines fixes (DEP)
- Réfrigération * (DEP)

**Bois et matériaux connexes**
- Ébénisterie (DEP)

**Communication et documentation**
- Procédés infographiques (DEP)

**Électrotechnique**
- Électricité (DEP)
- Installation et réparation d'équipement de télécommunication * (DEP)
- Liaison en réseau d'équipement bureautique * (ASP)
- Réparation d'appareils électroniques audiovidéos * (DEP)
- Service technique d'équipement bureautique * (DEP)

**Entretien d'équipement motorisé**
- Carrosserie * (DEP)
- Mécanique automobile * (DEP)

**Fabrication mécanique**
- Dessin industriel (DEP)
- Fabrication de moules (ASP)
- Mise en œuvre de matériaux composites (DEP)
- Techniques d'usinage (DEP)
- Tôlerie de précision (DEP)
- Usinage sur machines-outils à commande numérique * (ASP)

**Mécanique d'entretien**
- Mécanique industrielle de construction et d'entretien (DEP)

**Métallurgie**
- Soudage-montage (DEP)

**Santé**
- Assistance aux bénéficiaires en établissement de santé (DEP)
- Assistance familiale et sociale aux personnes à domicile (DEP)
- Santé, assistance et soins infirmiers (DEP)

**Soins esthétiques**
- Coiffure (DEP)
- Épilation à l'électricité (Électrolyse) (ASP)
- Esthétique (DEP)
- Massothérapie (AF)

**Tourisme**
- Réception en hôtellerie (DEP)
- Vente de voyages (DEP)

*AF : Attestation de formation*
*ASP : Attestation de spécialisation professionnelle*
*DEP : Diplôme d'études professionnelles*

\* Programme aussi offert en anglais.

# Commission scolaire Marguerite-Bourgeoys

Renseignements et admission : **514.364.5300**

Admission en ligne : **www.srafp.com**

Venez voir **www.lavieestbelledici.qc.ca**

COMMISSION SCOLAIRE MARGUERITE-BOURGEOYS

# MA LIBRAIRIE COUP DE CŒUR

**Renaud-Bray**

jobboom
présente

# LES CARRIÈRES
# D'AVENIR

11e ÉDITION 2008

# Nous
## propulsons votre carrière

Un chef de file mondiale en solutions de transport novatrices, dans les secteurs des avions régionaux et avions d'affaires ainsi que dans ceux du matériel et des systèmes de transport sur rail et services connexes, Bombardier Inc. est une entreprise d'envergure internationale dont le siège social est situé au Canada. Ses revenus pour l'exercice clos le 31 janvier 2007 s'élevaient à 14,8 milliards $ US et ses actions se négocient à la Bourse de Toronto.

**Bombardier Aéronautique** est un chef de file mondial dans la conception et la fabrication d'avions et la prestation de services connexes pour les marchés des avions d'affaires, des avions régionaux et des avions spécialisés. Troisième avionneur civil dans le monde, le groupe offre des gammes complètes de biréacteurs et biturbopropulseurs régionaux, un large éventail d'avions d'affaires à réaction, ainsi que des programmes de multipropriété et de nolisement d'avions d'affaires, des services techniques, des services de maintenance et des services de formation au pilotage et à la maintenance.

**Bombardier Transport** est le chef de file mondial dans la conception et la fabrication de matériel roulant et la prestation de services connexes pour l'industrie du transport sur rail. Il offre la plus vaste gamme de produits qui comprend des véhicules-passagers sur rail destinés à être exploités en milieu urbain et sur les grandes lignes, ainsi que des locomotives, des bogies, des systèmes de propulsion, des solutions de contrôle ferroviaire et des systèmes de transport. Bombardier Transport compte un parc d'environ 100 000 véhicules à travers le monde.

Vous recherchez un milieu de travail stimulant qui évolue sans cesse? Vous cherchez à faire preuve d'excellence? Vous avez l'esprit d'équipe et l'esprit d'entreprise? Vous êtes innovateur et axé sur les résultats? Vous avez les qualités que nous recherchons. Le recrutement en ligne est une source important d'embauche. Vous pouvez également nous rencontrer lors de journées carrières.

---

## BOMBARDIER

800, boulevard René-Lévesque Ouest
Montréal (Québec)
H3B 1Y8

**Siège Social:**
Montréal (Québec)

**Bureaux et Installations de production:**
Au Québec: Dorval, Saint-Bruno, Mirabel, La Pocatière, Saint-Laurent
En Ontario: Kingston, Downsview, Thunder Bay
Ailleurs: États-Unis, Mexique, Europe, Asie-Pacifique

Consultez notre site Internet à l'adresse
www.carrieres.bombardier.com

UNIVERSITÉ DU QUÉBEC À TROIS-RIVIÈRE

# UQTR

une
## université pour MOI

# NOS SECTEURS
# DE FORMATION

Administration
Arts plastiques
Biochimie et chimie
Biologie – environnementale et médicale
Enseignement
Géographie et histoire
Ingénierie
Lettres et communication sociale
Loisir, culture et tourisme
Mathématiques et informatique
Philosophie
Physique
Psychologie et psychoéducation
Sciences comptables
Sciences de la santé

Tous nos
programmes sur
## www.uqtr.ca

UNIVERSITÉ DU QUÉBEC À TROIS-RIVIÈRES

# UQTR

# COMMENT DEVENIR UNE PERLE RARE

**Dans le cours d'une vie normale, on est appelé à faire au moins un choix de carrière. Les conseillers d'orientation vous diront que cette décision doit avant tout reposer sur vos champs d'intérêt, vos aptitudes et votre personnalité. Ensuite, il faut considérer le marché du travail pour connaître les meilleures possibilités d'emploi. C'est pour ce deuxième aspect que le guide *Les carrières d'avenir* peut vous être utile.**

Par **Christine Lanthier, directrice, recherche et rédaction**

En présentant les formations les plus demandées, les besoins de main-d'œuvre dans les 17 régions du Québec et la tendance de l'emploi dans 39 secteurs d'activité, cet ouvrage peut vous aider à déterminer où votre savoir-faire sera le plus valorisé ou quelles compétences vous pourriez acquérir pour décrocher l'emploi de vos rêves. Fruit de près de 400 entrevues auprès d'économistes, de services de placement, d'employeurs et de comités sectoriels de main-d'œuvre, cette onzième édition vous mettra au parfum de constats éclairants.

## AU BON ENDROIT, AU BON MOMENT

Le taux de chômage au Québec est tombé sous les 7 % durant la deuxième moitié de 2007, alors qu'il se maintenait au-dessus de 8 % depuis le début de la décennie. Cette bonne performance est due en grande partie à la création d'emplois dans le secteur des services. Il faudra s'y habituer : 95 % des 246 000 nouveaux postes prévus par Emploi-Québec entre 2007 et 2011 se trouveront dans cette catégorie. Le domaine de la santé est celui qui en générera le plus, soit 59 000. Le commerce et les services professionnels tels le génie, l'architecture et l'informatique, seront aussi des créateurs d'emplois importants. Ces domaines sont d'ailleurs représentés dans notre sélection des formations gagnantes; la santé regroupe à elle seule 37 programmes.

De son côté, le secteur manufacturier subit des pertes d'emplois. Affaibli par la concurrence chinoise et par la hausse du dollar canadien, il est contraint de se réinventer pour survivre.

On a besoin de moins de travailleurs dans les usines, mais ceux qui restent doivent être mieux outillés afin d'améliorer la productivité ou de créer de meilleurs produits. Ainsi, notre sélection des formations gagnantes fait état d'une demande importante de diplômés issus de programmes tels que *Technologie de maintenance industrielle* ou *Techniques de transformation des matières plastiques*. Mais comme ces diplômés sont rares, plusieurs offres d'emploi demeurent sans réponse.

Ce genre de cheminement scolaire fait partie d'une catégorie peu connue et sous-estimée par les jeunes : la formation professionnelle et technique. Résultat : année après année, le guide *Les carrières d'avenir* rapporte un déséquilibre entre l'offre et la demande pour plusieurs des programmes qu'offre ce type de formation. Outre le secteur manufacturier, cette situation touche en particulier l'agriculture, la construction et, depuis deux ans, les mines. Même le domaine forestier, actuellement en crise, s'en inquiète : sa main-d'œuvre est vieillissante et la relève potentielle n'est pas assez nombreuse dans les salles de classe.

## SAVOIR-FAIRE ET SAVOIR-ÊTRE

Au cours des prochaines années, la plupart des ouvertures ne viendront pas tant de la création d'emplois que des départs à la retraite, qui s'élèveront à 440 000 d'ici à 2011, selon Emploi-Québec. La population active n'augmentera pas suffisamment pour pourvoir tous les postes ainsi libérés. À partir de 2012, le nombre de personnes en âge de travailler commencera même à décliner.

Dans la majorité des secteurs d'emploi, les observateurs se disent inquiets du faible nombre de diplômés qui arrivent sur le marché chaque année. Déjà, certains employeurs accordent une attention particulière à l'attraction et à la rétention de leur personnel. Salaires bonifiés, horaires flexibles, formation en milieu de travail font partie des moyens déployés.

Mais tous n'attendent pas les nouveaux diplômés avec un contrat d'embauche prêt à être signé. Pour bien des employeurs, en particulier les PME, l'expression «pénurie de main-d'œuvre» veut dire difficulté à trouver des candidats non seulement diplômés, mais aussi fonctionnels. Prenons l'exemple des mécaniciens. Les ateliers de réparation n'ont pas toujours les moyens d'encadrer les jeunes. Ils ne cherchent pas simplement des mécaniciens; ils cherchent des mécaniciens rapides, débrouillards, courtois, bilingues... et avec cinq ans d'expérience!

Dans ce contexte, certains diplômés se rendent compte qu'il ne suffit pas d'avoir étudié dans un domaine où l'on manque de relève pour décrocher un emploi. Il faut aussi acquérir des compétences recherchées par les recruteurs. Faire des stages, développer son réseau de contacts, s'intéresser à l'actualité dans son domaine font partie des devoirs de tout futur travailleur. Autrement dit, il faut s'approprier sa carrière. Cette édition des *Carrières d'avenir* consacre les pages 32 à 51 à cet aspect. De plus, notre sélection des formations gagnantes s'attarde sur le profil recherché dans chacun des domaines présentés.

Bref, même si nous entrons dans une ère de pénurie de main-d'œuvre, les employeurs ont encore des objectifs à atteindre et des clients à satisfaire. Les candidats qui le comprennent profiteront d'offres d'emploi multiples et de conditions de travail améliorées.

Nous espérons que vos trouverez dans nos pages de bonnes pistes vers votre carrière d'avenir!

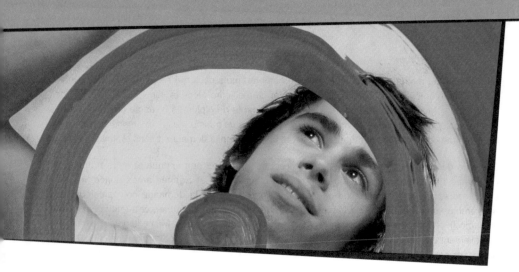

Les carrières d'avenir 2008

# Table des matières

## LES GRANDS DOSSIERS

De nombreux employeurs boudent les nouveaux diplômés en raison de leur manque d'expérience.
Pourtant, même «verts», les jeunes ont des atouts à offrir.

Les activités parascolaires, le bénévolat et les boulots d'étudiants en lien avec votre plan
de carrière intéressent les recruteurs autant, sinon plus, que votre diplôme.

Accumuler de l'expérience professionnelle tout en éduidant, c'est possible grâce aux
programmes d'alternance travail-études et de stages coopératifs.

Pour le découvrir, répondez au questionnaire!

Pour gérer une tour à bureaux ou un centre commercial, ça prend des pros!
Des employeurs décrivent le profil des candidats recherchés.

Les carrières en commerce de détail, c'est bien plus que la vente en magasin.
Explorez les possibilités!

Avec ma bourse, j'ai jamais autant calculé.

**MARC, FUTUR ÉTUDIANT EN MATHÉMATIQUES**

Uniquement grâce à sa Cote R, Marc a reçu une bourse d'admission de 2 500 $. C'est que l'Université Laval offre près de 1 million de dollars en bourses aux finissants des cégeps les plus méritants, afin qu'ils poursuivent des études universitaires.

**L'Université Laval voit aussi loin que vous** !

UNIVERSITÉ
**LAVAL**

PLUS DE
# 1000 000 $
## EN BOURSES

Pour savoir si vous êtes admissible, visitez le
**ulaval.ca/bourses**

**LE CONTENU DE CE GUIDE S'APPUIE SUR UNE RECHERCHE CONSIDÉRABLE. NOUS PRÉCISONS ICI NOTRE DÉMARCHE.**

Nous tenons d'abord à remercier de leur collaboration les nombreuses personnes jointes au cours de cette recherche : le gouvernement du Québec, plus particulièrement Emploi-Québec et les comités sectoriels de main-d'œuvre, le Conseil du trésor, le ministère de l'Éducation, du Loisir et du Sport (MELS), le ministère du Développement économique, de l'Innovation et de l'Exportation, le ministère des Ressources naturelles, de la Faune et des Parcs et le ministère de la Santé et des Services sociaux. Nous remercions également les personnes-ressources des services de placement des établissements d'enseignement universitaire, collégial et professionnel, de même que des acteurs clés comme Service Canada, les associations et les ordres professionnels, ainsi que plusieurs personnes-ressources issues des régions, des municipalités et des entreprises qui nous ont permis d'enrichir nos recherches, notre réflexion et l'information que nous publions dans ce guide.

## À PROPOS DE LA SÉLECTION DE 150 FORMATIONS GAGNANTES

L'ensemble de l'information présentée dans notre sélection a été entièrement mise à jour par rapport à la dernière édition, publiée en janvier 2007. La sélection des programmes est d'abord basée sur les résultats des enquêtes *La Relance au secondaire en formation professionnelle*, *La Relance au collégial en formation technique* et *La Relance à l'université*. Menées par le MELS, ces enquêtes visent à décrire et à faire connaître la situation des personnes diplômées, plusieurs mois après l'obtention de leur diplôme – environ 9 mois dans le cas des diplômés de la formation professionnelle et technique, et environ 20 pour les diplômés universitaires.

Pour faire partie de notre liste de formations gagnantes, un programme devait répondre aux critères suivants :

- Proportion de diplômés en emploi : 80 % ou plus;
- Taux d'emploi en rapport avec la formation : 80 % et plus;
- Taux de chômage : 10 % et moins;
- Cohorte d'au moins 10 diplômés.

Comme les employeurs expriment des besoins de plus en plus pointus, notre analyse des programmes ne s'arrête pas au placement des diplômés. Nous incluons aussi des informations sur les qualités requises pour exceller dans les professions relatives aux programmes traités, ainsi que sur les perspectives d'avancement et les défis professionnels qui y sont liés.

## Notre enquête sur le terrain

Entre août et octobre 2007, nous avons consulté environ 150 personnes-ressources et spécialistes issus des milieux scolaire et professionnel, ainsi que d'entreprises des secteurs privé et public. Ces personnes ont tour à tour validé et corroboré, de façons quantitative et qualitative, la pertinence de retenir les formations qui figurent dans la présente publication.

Dans tous les cas, si notre recherche approfondie sur le terrain (entrevues, documentation, etc.) ne permettait pas de valider de manière concluante le caractère prometteur d'une formation sélectionnée au départ selon les critères statistiques décrits ci-dessus, cette dernière était éliminée.

## En complément

Les formations classées dans la section *À surveiller* (voir page 288) sont aussi reconnues pour leur caractère prometteur : recrudescence marquée de la demande de diplômés, intégration possible dans des secteurs en croissance sur le marché du travail, perspectives d'emploi intéressantes mais momentanément au ralenti, etc.

La section *Les grandes surprises* (voir page 294) regroupe des formations qui affichent un bilan statistique se conformant à nos critères de sélection selon des données auxquelles nous n'avons eu accès qu'en novembre 2007, peu de temps avant de mettre sous presse. Il nous a donc été impossible de corroborer cette information de façon qualitative auprès de personnes-ressources sur le terrain.

Dans la section *D'autres formations à signaler* (voir page 302), nous présentons certains programmes d'études figurant dans le *Top 50 des programmes de formation professionnelle et technique offrant les meilleures perspectives d'emploi* (2007) préparé par la Direction générale des programmes et du développement (DGPD) du MELS. Malgré le fait que ces formations ne se conforment pas à nos critères statistiques, nous avons jugé pertinent d'en faire la mention étant donné le caractère prometteur que leur attribue la DGPD. Il est à noter que les autres formations figurant au *Top 50* de la DGPD qui se qualifiaient selon nos critères ont toutes été abordées dans notre *Sélection de 150 formations gagnantes*.

## Précision

Qu'une formation soit absente de cette sélection ne signifie aucunement qu'elle se résume à une impasse sur le marché du travail. À l'inverse, tous les programmes choisis ne garantissent pas nécessairement un emploi à la fin des études. Cependant, nous croyons qu'ils présentent des ouvertures prometteuses, en fonction des données dont nous disposons aujourd'hui.

▶ **Les statistiques des formations professionnelles et techniques**

En novembre 2007, le MELS nous donnait accès aux plus récents résultats des enquêtes intitulées *La Relance au secondaire en formation professionnelle* et *La Relance au collégial en formation technique* portant sur la situation des diplômés environ neuf mois après l'obtention de leur diplôme. Ainsi, les statistiques publiées à la fin de chaque texte concernent la situation en 2007 des diplômés de la promotion de 2005-2006.

**Les statistiques des formations universitaires**

Toujours en novembre 2007, nous avons actualisé notre sélection en nous basant sur les données de l'enquête *La Relance à l'université* du MELS. Cette enquête fait état de la situation des diplômés environ 20 mois après l'obtention de leur diplôme. Ainsi, les statistiques publiées à la fin de chaque texte concernent la situation en 2007 des diplômés de la promotion de 2005. En règle générale, les statistiques qui accompagnent un programme d'études que nous présentons correspondent à ce seul programme. Il arrive toutefois que des données s'appliquent à un regroupement de programmes. Le cas échéant, nous mentionnons de quel regroupement sont issues les statistiques.

**Précision sur les statistiques mentionnées par les personnes-ressources**

Les statistiques (taux de placement, etc.) mentionnées par les personnes-ressources ou simplement indiquées dans les textes de la sélection ainsi que dans les textes de la section *À surveiller* renvoient souvent à une situation locale propre à un établissement d'enseignement particulier. Elles peuvent donc différer des résultats provinciaux publiés dans les tableaux de statistiques tirés des enquêtes *Relance*.

## POUR INTERPRÉTER LES STATISTIQUES ISSUES DES ENQUÊTES *RELANCE*

Les données doivent être utilisées À TITRE INDICATIF seulement, vu l'évolution rapide du marché du travail.

Généralement, les définitions suivantes s'appliquent aux catégories statistiques tirées des enquêtes provinciales portant sur les diplômés des trois ordres scolaires :

**Personnes diplômées visées par les enquêtes**

Sont considérées comme «personnes diplômées» toutes les personnes ayant obtenu un diplôme spécifique au cours d'une période donnée (au cours de 2005 pour les baccalauréats et les maîtrises, et en 2005-2006 pour les diplômes d'études professionnelles [DEP], les attestations de spécialisation professionnelle [ASP] et les diplômes d'études collégiales [DEC]).

**En emploi**

Sont dites «en emploi» les personnes diplômées qui ont déclaré travailler à temps plein (*La Relance à l'université*) ou à temps partiel, pour leur compte ou pour autrui, sans étudier à temps plein.

### Temps plein

Sont dites «à temps plein» les personnes diplômées en emploi qui travaillent, en général, 30 heures ou plus par semaine.

### En rapport avec la formation

Sont dits avoir un emploi «en rapport avec la formation» les travailleurs à temps plein qui jugent que leur travail correspond à leurs études.

### Aux études

Sont dites «aux études» les personnes diplômées qui ont déclaré étudier à temps plein ou à temps partiel sans occuper d'emploi en parallèle.

### Taux de chômage

Rapport, exprimé en pourcentage, entre le nombre de personnes diplômées à la recherche d'un emploi et l'ensemble de la population active (constituée uniquement des personnes en emploi et de celles à la recherche d'un emploi).

### Salaire hebdomadaire moyen

Salaire brut moyen gagné par les travailleurs à temps plein au cours d'une semaine normale de travail lorsqu'ils travaillent pour autrui.

## RENSEIGNEMENTS SUPPLÉMENTAIRES

**Les fiches techniques des formations figurant de la page 224 à la page 304 comportent les entrées suivantes :**

### Secteur

Le MELS regroupe les programmes professionnels et techniques selon 21 secteurs de formation. Nous avons librement intégré les programmes universitaires à ce classement. Consultez l'*Index des formations par secteurs* aux pages 25 à 28.

### Numéro du programme

Les numéros des formations professionnelles et techniques correspondent à ceux en vigueur d'après le répertoire du MELS (2007). Nous n'avons pas indiqué de numéros pour les programmes universitaires, car ils varient d'un établissement à l'autre.

### Nom du programme

Les noms des formations professionnelles et techniques correspondent à ceux en vigueur d'après le répertoire du MELS (2007). Pour les formations universitaires toutefois, nous utilisons des appellations générales, car les titres des programmes peuvent varier d'un établissement à l'autre. ◎ 11/07

Cette classification par secteurs suit celle établie par le ministère de l'Éducation, du Loisir et du Sport. Nous avons librement réparti les programmes universitaires dans ces mêmes secteurs.

## SECTEUR 20 SERVICES SOCIAUX, ÉDUCATIFS ET JURIDIQUES

Les carrières d'avenir 2008

# LA FORMATION PROFESSIONNELLE À MARIE-VICTORIN

## c'est ta force

**PLUS DE 40 PROGRAMMES DE FORMATION DANS LES DOMAINES LES PLUS EN DEMANDE :**

- administration, commerce et informatique
- alimentation et tourisme
- arts
- bâtiment et travaux publics
- communication et documentation

- électrotechnique
- fabrication mécanique
- métallurgie
- santé
- soins esthétiques

**TROIS CENTRES DE FORMATION BRANCHÉS SUR LES EXIGENCES DU MARCHÉ DU TRAVAIL.**

COMMISSION SCOLAIRE
MARIE-VICTORIN

13, rue Saint-Laurent Est
Longueuil, (Québec)  J4H 4B7
450 670-0730, poste 2127 ou 2128

www.cesttaforce.csmv.qc.ca

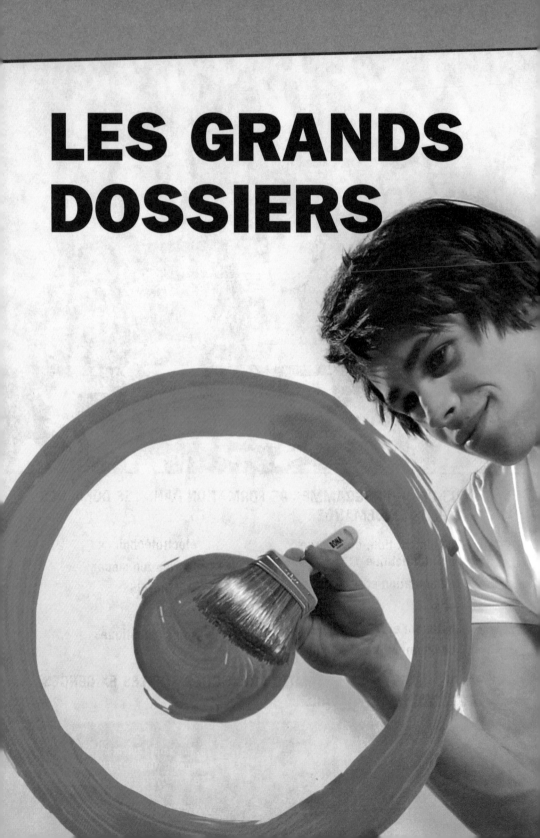

# LES GRANDS DOSSIERS

## PALLIER LE MANQUE D'EXPÉRIENCE

De nombreux employeurs boudent encore les nouveaux diplômés en raison de leur manque d'expérience. Pourtant, même «verts», les jeunes ont des atouts à offrir.

## PLONGER DANS LA RÉALITÉ

Les activités parascolaires, le bénévolat et les boulots d'étudiants liés à vos ambitions professionnelles parlent aux recruteurs autant, sinon plus, que votre diplôme et vos bonnes notes.

## RENTABILISER SES ÉTUDES

Accumuler une expérience professionnelle sur les bancs de l'école, c'est possible grâce aux programmes d'alternance travail-études et de stages coopératifs.

## SUIS-JE UN BON CANDIDAT À L'EMPLOI?

Pour le découvrir, répondez au questionnaire!

## BUREAUX EN GROS

La gestion des tours de bureaux et des centres commerciaux requiert l'apport de nombreux professionnels. Les grands joueurs de la gestion immobilière décrivent le profil des travailleurs les plus recherchés dans cette industrie.

## MAGASINEZ VOTRE EMPLOI

Au Québec, 246 000 travailleurs sont payés pour faire acheter... et on ne parle pas que de vendeurs! Explorez les diverses possibilités de carrière offertes dans le commerce de détail.

pages 32 >> 59

# PALLIER LE MANQUE D'EXPÉRIENCE

**MALGRÉ LA PÉNURIE DE MAIN-D'ŒUVRE, DE NOMBREUSES ENTREPRISES HÉSITENT À EMBAUCHER DE NOUVEAUX DIPLÔMÉS. LA RAISON INVOQUÉE? LE MANQUE D'EXPÉRIENCE. POURTANT, MÊME FRAÎCHEMENT SORTIS DES ÉCOLES, LES JEUNES ONT QUELQUES ATOUTS À OFFRIR AUX EMPLOYEURS.**

Par Anick Perreault-Labelle

**C**'est un vrai cercle vicieux : il faut un emploi pour acquérir de l'expérience, mais aussi de l'expérience... pour décrocher un emploi! Selon une enquête réalisée par le Centre d'étude sur l'emploi et la technologie (CETECH) auprès de 6 000 entreprises, 40 % des employeurs estiment que c'est le manque d'expérience des candidats qui explique que des postes soient vacants depuis plus de quatre mois. En 2005, pour pallier les besoins qu'engendrent ces 19 000 emplois à pourvoir, 49 % des entreprises sondées ont eu recours aux heures supplémentaires d'employés plus expérimentés pour éviter d'embaucher en deçà de leurs critères.

Choisir d'attendre un travailleur avec de l'expérience ou de former quelqu'un, c'est une question d'argent pour les employeurs, souligne Rabah Arrache, économiste au CETECH. «L'entreprise opte pour ce qui lui coûtera le moins cher.» Le mieux étant de trouver une ressource pour laquelle elle n'a rien à débourser.

«Dans une compagnie de 10 personnes, un nouvel employé doit être productif immédiatement après son embauche!»

– Simon Prévost,
  Fédération canadienne de
  l'entreprise indépendante

L'étude démontre que l'expérience est requise particulièrement pour les cadres et les superviseurs. Denis Racine, vice-président de l'agence de placement Synergie, confirme cette tendance. Les postes en gestion sont souvent réservés à des employés d'expérience. «Le facteur humain est au cœur de ces métiers. Or, c'est avec le temps qu'on voit si quelqu'un a de bonnes compétences humaines.» Estelle Laflamme, présidente de la firme, apporte d'autres explications. «En vente et en marketing, par exemple, les entreprises sont réticentes à engager des débutants parce que ce sont des milieux où les contacts professionnels comptent beaucoup.»

## FORMÉS, MAIS PAS ASSEZ

L'absence de connaissances pratiques est aussi montrée du doigt par les recruteurs qui hésitent à engager des jeunes. «J'avais une maîtrise en économie quand j'ai décroché mon premier emploi, mais je ne savais pas comment trouver les statistiques économiques dans une base de données», illustre Simon Prévost, vice-président pour le Québec de la Fédération canadienne de l'entreprise indépendante. «L'école n'enseigne pas assez aux étudiants ce qu'ils auront à faire dans leur vraie vie professionnelle», renchérit Guylaine Vézina, vice-présidente à la direction des opérations de Paramédic, un grossiste d'équipements médicaux. «Par exemple, ceux qui obtiennent une attestation d'études collégiales en gestion des approvisionnements et des achats ne savent pas qu'il faut parfois négocier serré avec un fournisseur!»

Les jeunes diplômés doivent donc généralement suivre une formation de base en entreprise lorsqu'ils sont embauchés. Le hic : certaines compagnies n'ont pas les ressources financières et humaines nécessaires. Les PME, surtout, exigent que leurs candidats connaissent bien leur domaine ▶

▶ d'emploi dès le départ. «Elles n'ont pas les moyens de payer la formation, explique Simon Prévost. Dans une compagnie de 10 personnes, un nouvel employé doit être productif immédiatement après son embauche!»

«Même si un équipement ne leur est pas familier, les diplômés en ont appris les principes et s'y adapteront rapidement.»

– Élisabeth Mazalon,
Université de Sherbrooke

Heureusement, certaines PME choisissent malgré tout de se tourner vers des jeunes sans expérience. C'est le cas de Celibec, une entreprise de conception de logiciels. «J'engage des diplômés en informatique du cégep ou de l'université même s'ils seront rentables seulement au bout d'un an, car je peux les former à notre sauce», confie Denis

Giroux, le président de la compagnie. Denis Racine remarque que, d'une manière générale, «les fabricants de biens de consommation, comme Procter & Gamble, préfèrent aussi les jeunes diplômés. Ils les font travailler dans les différents services de l'entreprise, les forment et les font monter dans la hiérarchie.»

### UN POTENTIEL À EXPLOITER

Par ailleurs, les années d'ancienneté dans un poste ne sont pas nécessairement un gage de compétence. «Ça existe des ouvriers ou des cadres qui travaillent mal depuis 20 ans!» lance Pierre-Marie Lagier, chargé de cours au Département d'organisation et ressources humaines de l'École des sciences de la gestion de l'Université du Québec à Montréal. Selon

## 2007, UNE ANNÉE EXCELLENTE POUR L'EMPLOI

«Le Québec a créé le tiers des nouveaux emplois au Canada en 2007, soit 70 500 pendant les 8 premiers mois de l'année», dit Joëlle Noreau, économiste principale au Mouvement Desjardins. Pour la même période en 2006, on comptait à peine 17 600 nouveaux emplois!

Cette hausse spectaculaire «est notamment liée à la force du marché résidentiel», évalue Joëlle Noreau. En effet, l'habitation fait appel à la construction et à l'ingénierie, entre autres, et entraîne des dépenses de décoration.

Au même moment, le milieu manufacturier a perdu 28 700 emplois. «C'est une tendance observée depuis 2003, note Marc Pinsonneault, économiste principal à la Banque Nationale. Ce secteur subit une forte concurrence internationale alors qu'il doit composer avec des matières premières plus chères.» Il est aussi dépendant des exportations défavorisées par la force du dollar canadien.

Le taux de chômage est demeuré bas au cours de 2007. Il se fixait à 6,9 % en juillet 2007, du jamais-vu en 30 ans! Mais comment expliquer qu'il y ait toujours du chômage alors que l'on crie au manque de main-d'œuvre? «Les chercheurs d'emploi ne sont peut-être pas qualifiés pour les postes disponibles ou ne veulent pas déménager là où il y a du travail», avance Marc Pinsonneault. Il faut aussi tenir compte des travailleurs immigrés qui peinent à faire reconnaître leurs compétences.

«Pour autant que l'économie américaine garde le cap, 2008 devrait être une autre bonne année pour l'emploi», croit Joëlle Noreau. L'économiste anticipe la création de 80 000 emplois au Québec. La fabrication de matériel de transport, l'informatique et les biotechnologies devraient être des secteurs particulièrement vigoureux, conclut-elle. ◉ 09-07

TOUT POUR REUSSIR .COM

TROUVE UN MÉTIER FAIT POUR TOI

120 MÉTIERS D'AVENIR QUI DEMANDENT
UNE FORMATION PROFESSIONNELLE AU SECONDAIRE
OU UNE FORMATION TECHNIQUE AU COLLÉGIAL.

Québec 🏵🏵

lui, la meilleure façon de jauger la compétence d'un candidat à l'emploi, c'est de le prendre comme stagiaire ou de tester ses capacités lors d'une simulation. C'est ce qu'a fait Jean-Michel Deblois, directeur de la production chez Cométal, un fabricant d'équipement architectural et mécanique. «Avant d'offrir des postes de dessinatrices techniques à deux nouvelles diplômées en dessin industriel et en conception assistée par ordinateur, je leur ai donné une tâche concrète à exécuter. J'ai pu vérifier leur compréhension des logiciels et leur rapidité.»

**Pour encourager les entreprises à engager des jeunes, des organismes offrent des subventions pouvant payer jusqu'à 60 % du salaire du nouveau diplômé durant quelques mois.**

Car même s'ils sont «verts», les jeunes diplômés ont des atouts à offrir. Habiles avec les nouvelles technologies, ils ont notamment une bonne capacité d'adaptation. «Même si un équipement ne leur est pas familier, les diplômés en ont appris les principes et s'y adapteront rapidement», soutient Élisabeth Mazalon, professeure au Département de pédagogie de l'Université de Sherbrooke. Leur rendement pourrait même être supérieur à celui d'un employé de longue date. «Ils seront beaucoup plus à l'aise avec une gestion informatisée des opérations qu'un travailleur comptant 20 ans d'expérience qui ne sait pas manier une souris!» renchérit Rossana Pettinati, présidente du comité Compétences chez les Manufacturiers et exportateurs du Québec.

Pour encourager les entreprises à engager des jeunes, des organismes offrent d'ailleurs des subventions pouvant payer jusqu'à 60 % du salaire du nouveau diplômé durant quelques mois. C'est le cas dans certaines chambres de commerce et de l'industrie comme celles du Saguenay et de Thérèse-de-Blainville et dans quelques centres d'aide aux entreprises. Au cours des trois dernières années, le Centre d'aide aux entreprises Haute-Yamaska et région a ainsi subventionné des stages rémunérés pour une quarantaine de finissants en marketing, en administration et en ressources ▶

▶ humaines. Pour 70 % d'entre eux, le stage s'est transformé en emploi permanent. «Cette subvention compense les sommes investies en formation et favorise l'embauche des jeunes diplômés», explique Roland Choinière, directeur général de l'organisme.

## AU BAS DE L'ÉCHELLE

Les jeunes diplômés qui ont du mal à se faire engager ont aussi leur part de responsabilité. «Ils postulent surtout pour des emplois dans des grandes entreprises afin d'avoir un meilleur salaire», constate Élisabeth Mazalon. En revanche, si les PME sont moins riches, elles ont par contre de plus petites équipes. Résultat : les tâches et responsabilités y sont plus variées et l'expérience acquise, plus riche.

«Les jeunes refusent de travailler de longues heures, mais exigent le gros salaire et un mois de vacances!» ajoute Guylaine Vézina de Paramédic. Or, même si on est ambitieux, «il faut comprendre les façons de faire d'une entreprise avant de gravir les échelons», note Rossana Pettinati.

Les débutants obtiennent d'ailleurs le plus souvent... des tâches de débutants. Chez Premier Tech, une entreprise d'assainissement de l'eau, «les jeunes recrues travaillent à des projets qui ne présentent pas de difficultés et on ne leur confie pas de dossiers stratégiques», dit Geneviève Boissonneault, analyste au développement organisationnel.

Bref, les nouveaux diplômés doivent être patients et «montrer qu'ils sont prêts à apprendre», dit Estelle Laflamme. Cela peut aller jusqu'à accepter un poste légèrement en dessous de leurs compétences le temps de faire leurs preuves, de se faire connaître et de décrocher finalement un emploi de rêve! ◎ 09/07

# Pour donner une direction à sa vie
## S'ORIENTER !

Le conseiller d'orientation : un conseiller, un *coach*, un expert en développement de carrière

Ordre des conseillers et conseillères d'orientation et des psychoéducateurs et psychoéducatrices du Québec

SECTEUR ORIENTATION

www.orientation.qc.ca

# HEC MONTRÉAL

Toujours d'avant-garde

# Osez l'international

**HEC Montréal**, au **10ᵉ rang** des meilleures écoles internationales hors États-Unis selon le magazine *BusinessWeek*.

 **Le choix parfait pour...**

> le baccalauréat en administration des affaires (B.A.A.) en trois ans;

> le B.A.A. trilingue, unique en Amérique du Nord (français, anglais et espagnol);

> les bourses d'admission de 2 000 $ à 8 000 $ offertes aux meilleurs candidats;

> les stages d'études à l'étranger (plus de 88 établissements dans 32 pays);

> le taux de placement variant entre 90 % et 100 % selon les spécialisations.

**1907-2007**

# www.hec.ca

# carrières d'avenir

Cégep **André-Laurendeau**

## permettant d'accéder à l'emploi et à l'université

### 180.A0
## Soins infirmiers

DEC-BAC avec l'Université de Montréal : obtenez les crédits d'une année en poursuivant vos études universitaires. Obtenez deux diplômes en 5 ans.

- Stage en Afrique (Cameroun)
- **Taux de placement 100 %**

### 243.C0
## Technologie de l'électronique industrielle

Branchez-vous sur la haute technologie.

- Accès aux programmes universitaires en Génie
- **Taux de placement 100 %**

### 412.A0
## Techniques de bureautique

- Développez des compétences en gestion et en communication
- Stages en entreprise
- **Taux de placement 100 %**

### 410.A0
## Techniques de la logistique du transport

- La gestion à l'échelle mondiale – possibilité de carrière internationale
- Alternance travail-études (stages rémunérés)
- Stage en France
- **Taux de placement 100 %**

### 221.B0
## Technologie du génie civil

- Gérez des projets d'envergure
- Alternance travail-études (stages rémunérés)
- Accès aux programmes universitaires en Génie
- **Taux de placement 94 %**

## Pour tout savoir
## claurendeau.qc.ca

1111, rue Lapierre
Montréal, arr. LaSalle
(Québec) H8N 2J4
**514-364-3320**

Angrignon

# PLONGER DANS LA RÉALITÉ

**VOUS ÉTUDIEZ DANS UN PROGRAMME DONT LES DIPLÔMÉS SONT RECHERCHÉS ET VOUS AVEZ D'EXCELLENTS RÉSULTATS SCOLAIRES. SUPER! MAIS POUR AUGMENTER VOS CHANCES D'ÊTRE EMBAUCHÉ, VOUS DEVRIEZ AUSSI BAIGNER DANS VOTRE DOMAINE D'EMPLOI DÈS LE DÉBUT DE VOS ÉTUDES. QUELQUES TRUCS POUR Y PLONGER.**

Par Sylvie L. Rivard

«**C**eux qui étudient dans des secteurs en pénurie de main-d'œuvre croient, à tort, qu'ils vont trouver automatiquement un *job* grâce à leur diplôme, fait valoir Marie-Josée Duplessis, conseillère en information scolaire et professionnelle au Carrefour jeunesse-emploi de Laval. Ils oublient que, sur le marché du travail, ils peuvent se retrouver en compétition avec des travailleurs plus scolarisés prêts à accepter le même poste qu'eux. Par ailleurs, au-delà de leur formation, certains n'ont rien à proposer pour mousser leur candidature.»

«Devant un diplômé qui n'a pas travaillé ou qui ne s'est impliqué d'aucune façon dans son domaine, le recruteur n'a rien de concret sur quoi s'appuyer pour savoir ce que le candidat est capable de faire dans le feu de l'action», signale Martine Lemonde, directrice des services professionnels chez Brisson Legris, Révélateurs de potentiels, une firme de consultants en évaluation et en gestion de carrière. Dans ce contexte, l'implication parascolaire et les boulots d'étudiants sont des atouts qui peuvent compenser le manque d'expérience du débutant, croit la spécialiste.

## COMMENT SE PRÉPARER?

Déjà, sur les bancs de l'école, il faut connaî-tre les compétences requises pour exercer le métier convoité. «Par exemple, un aspirant technicien de son qui se renseigne bien réalisera que les compétences sociales sont aussi importantes que la technique dans ce métier, explique Nancy Mercier, conseillère en emploi au Carrefour jeunesse-emploi Centre-Sud / Plateau Mont-Royal / Mile-End. Ce technicien travaille avec des artistes qui ont besoin d'être rassurés lors de la présentation d'un spectacle.»

**La capacité à communiquer, le bilinguisme et la maîtrise des logiciels informatiques et des nouvelles technologies font partie des compétences recherchées.**

Pour s'informer, il faut développer son réseau de contacts (professeurs, travailleurs, employeurs, famille, amis, etc.), suggère Nancy Mercier. En plus de nous mettre en relation avec d'éventuels employeurs, ces derniers constituent une mine d'information sur le marché du travail. «Si notre domaine d'études est lié à un ordre professionnel, on peut s'inscrire comme membre étudiant, participer à des activités sociales, aider à la tenue d'événements ou trouver un mentor pour se mettre au parfum», ajoute-t-elle. Dans le même esprit, des visites dans les salons d'information sur les emplois et la formation de notre secteur d'activité (salons de l'aéronautique, de la santé, etc.) permettent de recueillir des renseignements pertinents sur les exigences des différentes professions.

Une fois les compétences clés déterminées, les futurs diplômés doivent les développer. «Quand un travailleur n'a pas beaucoup d'expérience, le recruteur mise sur son potentiel, note Julie De Santis, conseillère en ressources humaines pour l'agence de placement Adecco Services de ressources ▶

d'emploi. Les programmes coopératifs ou d'alternance travail-études, qui comprennent des stages, sont également utiles pour se familiariser avec un secteur d'emploi (voir le dossier *Rentabiliser ses études*, p. 46).

Si rien ne se présente, il faut créer sa chance. Diplômée en gestion des ressources humaines à HEC Montréal, la conseillère en emploi Nancy Mercier a déniché un stage même si son programme de formation n'en comportait pas. Le Réseau HEC Montréal amorçait un programme de mentorat pour les diplômés du baccalauréat. Elle a participé au recrutement des mentors et à la présentation du projet aux étudiants.

▶ humaines. Des expériences comme un emploi d'été ou à temps partiel, du bénévolat ou un stage en entreprise permettent de développer des compétences transférables dans un premier emploi.»

**«Ce n'est pas deux semaines avant d'obtenir son diplôme qu'il faut penser à rédiger son CV.»**

– Julie De Santis,
  Adecco Services de ressources humaines

Marie-Josée Duplessis ajoute que les réalisations en lien direct avec la formation ont plus de poids. Par exemple, un étudiant en génie civil peut travailler avec un entrepreneur de construction durant l'été, à superviser le travail des ouvriers dans une rénovation résidentielle. Il développera ainsi sa capacité à résoudre des problèmes et à travailler en équipe. Cette expérience constituera un atout dans sa recherche

## LA BONNE ATTITUDE

Les employeurs engagent d'abord une personne, pas un bout de papier. «Et même en pénurie de travailleurs, leurs attentes demeurent élevées», observe Julie De Santis.

La capacité à communiquer (oralement et par écrit), le bilinguisme et la maîtrise des logiciels informatiques et des nouvelles technologies font partie des compétences recherchées. «Ces dernières années, les entreprises ont aussi restructuré leurs activités, constate-t-elle. Un nouveau poste en combine parfois deux, comme une réceptionniste-secrétaire.» On mise alors sur la polyvalence, la capacité d'adaptation au changement, l'autonomie, la faculté de travailler à plusieurs tâches ou dossiers simultanément, l'aptitude à gérer ses priorités et à atteindre des objectifs.

## GARE AUX GAFFES!
**En début de carrière, des erreurs, on en fait tous.
Voici quelques gaffes commises par des diplômés en entrevue.**

«Un candidat s'est déjà présenté avec une chemise hawaïenne détachée jusqu'au nombril. On voyait son torse avec tout ce qui venait avec... Sa tenue vestimentaire lui a enlevé toute crédibilité[1].»

«Un diplômé a répondu aux questions comme s'il discutait avec ses copains. Il tutoyait les intervieweurs. Il regardait seulement le gestionnaire – un homme –, ignorant la conseillère en ressources humaines. Au-delà des compétences, l'attitude et les qualités personnelles pèsent lourd dans la balance[1].»

«Surpris de commencer l'entrevue en français, un diplômé anglophone est devenu tellement rouge qu'on a dû arrêter l'entretien. Après plusieurs mots d'encouragement, l'entrevue a repris... en anglais. Peine perdue, la mauvaise préparation du jeune homme a eu gain de cause[1].»

«Amené à parler de ses forces, un candidat a préféré commencer par énumérer ses faiblesses en détail. Une drôle de façon de se vendre[2]!» ◉ **S. L. R.**

Sources : 1. Isabelle Therriault, chef de service en développement organisationnel chez Bombardier Transport.
2. Richard Matte, président de Matte Groupe Conseil-IIC Partenaires, une firme de recrutement.

Une attitude positive est également essentielle pour compenser un manque d'expérience. Selon les spécialistes de l'emploi, le désir d'apprendre, l'ouverture d'esprit, le dynamisme, le sens de l'initiative, l'engagement au travail, la débrouillardise, la persévérance et le sens des responsabilités sont prisés.

## RECHERCHE ACTIVE

«Par ailleurs, ce n'est pas deux semaines avant d'obtenir son diplôme qu'il faut penser à rédiger son CV», prévient Julie De Santis. On peut commencer quelques mois avant. Indiquez clairement vos réalisations (emplois d'été, bénévolat, engagement auprès d'une association) dans la section travail et faites une section distincte pour énumérer vos compétences transférables, conseillent les spécialistes. Contactez des employeurs potentiels et des agences de placement pour sonder les ouvertures possibles et envoyez votre CV. Faites aussi appel à votre réseau de contacts pour connaître les débouchés envisageables. Dès que votre CV circule, soyez prêt à passer en mode entrevue, note Julie De Santis. «De plus en plus de recruteurs font une mini-entrevue au téléphone.»

En entrevue, plutôt que de présenter les tâches liées à un emploi, décrivez ce que vous y avez réalisé et nommez les compétences que cette expérience vous a permis de développer. Assurez-vous de pouvoir appuyer vos dires par des exemples concrets. Inutile d'indiquer qu'on est bilingue si on baragouine l'anglais.

Quant aux attentes salariales, vaut mieux ne pas être trop gourmand. L'idéal est de faire une petite recherche sur les salaires offerts dans son domaine. Car on ne peut demander plus cher même s'il y a pénurie de travailleurs, soutient Martine Lemonde. «Dans un contexte semblable, les employeurs ont déjà ajusté leurs échelles salariales à la hausse pour recruter de nouveaux travailleurs et ne pas se faire voler les leurs par la concurrence.» À titre d'employé débutant, on ne demande pas la lune, car même avec un diplôme, il faut faire ses classes! ◎ 09/07

## À FAIRE DURANT SES ÉTUDES

- Je m'informe des qualités requises dans mon domaine et je développe les compétences clés recherchées.
- Je multiplie les réalisations liées à ma formation (emplois, bénévolat, stages, activités parascolaires, etc.).
- Je développe mon réseau de contacts.
- Je fréquente les salons d'information sur les emplois et la formation.
- Je rédige mon CV et me prépare aux questions types d'entrevue.
- Je cible des employeurs potentiels, en consultant des répertoires d'entreprise.

## JE NE TROUVE PAS DE BOULOT. QUI PEUT M'AIDER?

- Les carrefours jeunesse-emploi **www.cjereseau.org**
- Les centres locaux d'emploi **www.emploiquebec.net/francais/index.htm**
- Les clubs de recherche d'emploi du Québec **www.cre.qc.ca**
- Les conseillers en emploi et les conseillers d'orientation
- Le service de placement de mon établissement scolaire
- Les associations, corporations et ordres professionnels
- Le comité sectoriel de main-d'œuvre de mon domaine **www.comites-sectoriels.qc.ca**
- Les associations de diplômés
- Les agences de placement et les conseillers en recrutement
- Les exposants dans les salons d'information sur les emplois et la formation

# RENTABILISER SES ÉTUDES

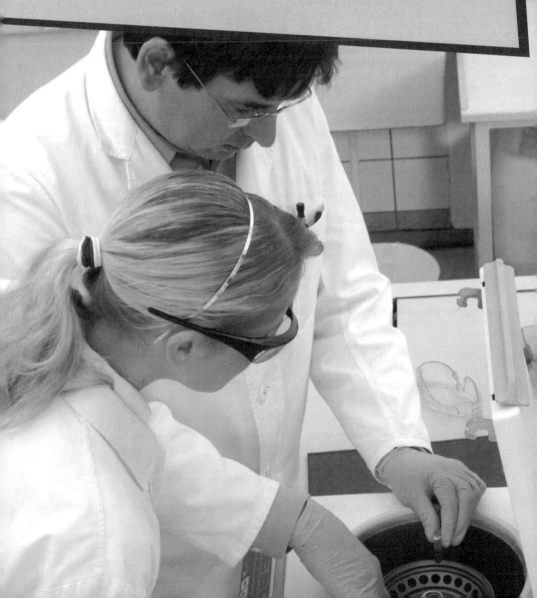

**GRÂCE AUX PROGRAMMES D'ALTERNANCE TRAVAIL-ÉTUDES, IL EST POSSIBLE D'ACQUÉRIR UNE EXPÉRIENCE PROFESSIONNELLE AVANT MÊME D'ENTRER SUR LE MARCHÉ DE L'EMPLOI. UN VRAI CADEAU! POURTANT, MÊME SI ELLE A PROUVÉ SON EFFICACITÉ, LA FORMULE DEMEURE PEU RÉPANDUE.**

Par Carole Boulé

## L'ATE, C'EST QUOI?

En formation professionnelle et technique, l'alternance travail-études (ATE) offre aux élèves l'occasion de réaliser au moins deux stages dans un milieu de travail lié à leur programme d'études. En formation professionnelle, les stages durent de deux à trois semaines et ne sont pas rémunérés. Au collégial, les stages s'étalent sur 12 à 16 semaines et s'ajoutent aux heures du programme, ce qui a pour effet de prolonger sa durée d'environ 6 mois. L'entreprise a l'obligation de payer le stagiaire du collégial au moins au salaire minimum. «Les stages complètent la formation grâce à la mise en pratique des compétences apprises en classe», note Christine Lévesque, conseillère en emploi au Cégep de Lévis-Lauzon, là où presque tous les programmes sont disponibles en ATE, par exemple *Techniques de bureautique*, *Conseil en assurances et en services financiers* et *Technologie de l'architecture*.

«Plus de la moitié des finissants des programmes coopératifs obtiennent une promesse d'embauche durant leur dernière session d'études.»

– Roger Harvey, président de l'ACDEC-Québec

En 2005-2006, l'approche ATE a été adoptée dans près de 200 programmes différents en formation professionnelle et technique. Sylvie Demers, responsable du dossier au ministère de l'Éducation, du Loisir et du Sport (MELS), précise que la formule est principalement offerte dans le secteur des techniques physiques, comme *Techniques de génie mécanique* et *Technologie de l'électronique*, et dans les programmes liés à l'administration, comme *Secrétariat, Comptabilité, Gestion de commerces* et *Techniques de l'informatique*.

## ET LES PROGRAMMES COOPÉRATIFS?

À l'université, les programmes d'ATE sont appelés programmes coopératifs. La formule prévoit un minimum de 3 stages rémunérés en entreprise d'une durée de 12 à 15 semaines. L'Association canadienne de l'enseignement coopératif, comité Québec (ACDEC-Québec), répertorie plus d'une cinquantaine de programmes d'enseignement coopératif dans les universités québécoises.

Forte de ses 40 années d'expérience en stages coopératifs, l'Université de Sherbrooke fait figure de pionnière dans le domaine au Québec. «On place chaque année environ 4 000 étudiants en stages coopératifs et on maintient des liens d'affaires avec 1 500 entreprises et organismes, indique Denis-Robert Elias, directeur du Service des stages et du placement de l'établissement. La formule coopérative est particulièrement populaire dans les facultés d'administration et de génie. Mais elle est aussi offerte dans différents programmes en sciences pures, en mathématique et en chimie, par exemple.»

L'École de technologie supérieure, pour sa part, place annuellement près de 2 100 étudiants en stage coopératif, notamment en génie mécanique, en génie électrique et en génie logiciel. L'École Polytechnique de Montréal et l'Université Concordia trouvent ▶

▶ chacune des stages coopératifs pour environ 700 étudiants par année dans leurs programmes de génie.

## LES AVANTAGES

Les programmes d'ATE et d'enseignement coopératif ont fait leurs preuves sur plusieurs plans. Une étude du MELS – dont les résultats seront dévoilés en 2008 – révèle que la réussite scolaire des élèves inscrits en ATE au collégial est nettement supérieure à celle des élèves qui suivent le même programme, sans stages de travail.

«Durant le stage, on identifie les personnes admissibles à l'embauche, grâce à un suivi sur leur rendement.»

– Pierre Gaudet, Pratt & Whitney Canada

En ATE, les élèves du collégial ont l'obligation de réussir leurs cours avant d'aller en stage, précise Sylvie Demers. «Mais au-delà de cette exigence, il semble que l'expérience en milieu de travail a un effet motivant pour la réussite scolaire», dit-elle. Christine Lévesque le confirme. «Les élèves comprennent le bien-fondé de leur formation lorsqu'ils reviennent de leur stage. Ils se montrent plus déterminés dans leurs études.»

Au Centre de formation professionnelle Rimouski-Neigette, où les programmes *Carrosserie*, *Vente-conseil* et *Dessin industriel* sont offerts en ATE, on observe que la formule favorise aussi l'intégration sur le marché du travail. Selon la conseillère pédagogique Ginette Fontaine, «la majorité des élèves inscrits en ATE trouvent un emploi à la fin de leurs études».

Les résultats sont aussi probants à l'université, constate Roger Harvey, président de l'ACDEC-Québec. «Plus de la moitié des finissants des programmes coopératifs obtiennent une promesse d'embauche durant leur dernière session d'études. Et la majorité des diplômés occupent un emploi peu de temps après la fin de leurs études.» À son avis, les mois d'expérience concrète en entreprise donnent une avance sur les diplômés des programmes dits réguliers.

Les entreprises qui reçoivent des stagiaires profitent aussi du programme. «Durant le stage, on identifie les personnes admissibles à l'embauche, grâce à un suivi sur leur rendement», confirme Pierre Gaudet, ingénieur de la qualité chez Pratt & Whitney Canada, qui accueille chaque trimestre 18 étudiants en génie. Roger Harvey ajoute que la formule coopérative permet aux entreprises de se constituer une banque de candidats qui ont de l'expérience.

## LES BONS OUTILS

Marie-Claude Blain a réussi non pas un, mais deux diplômes d'études professionnelles en alternance travail-études au Centre de formation Compétence Rive-Sud, à La Prairie. Elle a d'abord réussi, en neuf mois, les trois modules d'apprentissage du programme de secrétariat en plus de réaliser trois stages de deux semaines chacun en milieu de travail. «Dès mon deuxième stage, dans une école de danse de La Prairie, j'ai pu constater l'efficacité de la formule alternance travail-études, raconte-t-elle. Toutes les méthodes de travail apprises en classe en ce qui a trait, par exemple, à la mise en pages, à la correction et au classement de documents, je les ai utilisées.» Elle a tellement aimé son expérience qu'elle s'est dit qu'un second diplôme, en comptabilité, serait une corde de plus à son arc.

À la fin de ses études, en 2005, Marie-Claude a été convoquée en entrevue dans cinq compagnies et organismes d'envergure. «J'ai finalement décroché un emploi au service de génie de la Ville de Longueuil comme adjointe administrative et secrétaire. J'ai eu l'embarras du choix. J'avais les bons outils et l'expérience requise dans le domaine. Pour moi, l'ATE a été une formule gagnante.» ◉ **C. B.**

## LES DIFFICULTÉS

Il reste que pour participer à un programme d'ATE, les entreprises doivent s'investir, par exemple en libérant un employé pour la supervision des stagiaires. Et toutes n'en ont pas les moyens. Un sondage réalisé auprès des PME québécoises en 2006 par la Fédération canadienne de l'entreprise indépendante (FCEI), place l'ATE au huitième rang des méthodes les plus efficaces de recrutement. «Moins de 10 % des PME jugent que c'est la méthode la plus efficace», souligne André Lavoie, analyste principal des politiques à la FCEI. Il précise que les petites entreprises de moins de cinq employés n'ont souvent pas le personnel et les ressources financières suffisantes pour participer aux stages des programmes d'ATE. En contrepartie, les moyennes et les grandes entreprises peuvent s'investir plus à fond.

Trouver des jeunes prêts à s'impliquer dans un tel projet pose aussi certaines difficultés. Les élèves qui choisissent l'ATE en formation professionnelle et technique au Québec ne représentent que 10 % de la population scolaire. À l'Université de Sherbrooke, 37 % des étudiants sont inscrits dans un programme coopératif. «Cheminer dans un programme d'enseignement coopératif ou d'ATE exige de la souplesse, mentionne Roger Harvey.

L'étudiant doit parfois déménager pour se rapprocher de son milieu de stage. Il doit réussir ses études, se conformer aux exigences de l'entreprise et adopter les comportements appropriés dans son milieu de stage.»

La baisse démographique peut aussi être un frein au développement de l'ATE. «Globalement, sur le territoire québécois, il y a une baisse de la population scolaire, note Denis-Robert Elias. Maintenant que plusieurs entreprises sont vendues à cette formule, c'est possible qu'on se retrouve avec des surplus d'offres de stages!»

En somme, malgré les succès observés, il apparaît que l'alternance travail-études n'est pas facile à mettre en place parce qu'elle mobilise plusieurs acteurs. Mais les intervenants conviennent que la formule est en constante évolution et peut s'adapter aux nouvelles réalités des étudiants et du marché du travail. ◉ 10/07

## TROUVER SA VOIE

Diplômé en administration de HEC Montréal, Pascal Rodier est retourné aux études après quatre années sur le marché du travail. Depuis 2005, il fait partie de la première cohorte à expérimenter le programme coopératif en droit de l'Université de Sherbrooke. «Mon premier stage dans un grand cabinet d'avocats montréalais a été une révélation, confie-t-il. En étant directement dans le milieu, j'ai pu confirmer que je voulais véritablement faire carrière en droit.»

Pascal est motivé par la transposition de ses connaissances théoriques sur le terrain. Par exemple, lors de son deuxième stage au cabinet d'avocats Ogilvy Renault de Montréal, il s'est vu confier un mandat pour interpréter une clause dans un contrat de travail. «Je venais juste de terminer mon cours d'interprétation juridique. J'ai ouvert mes notes de cours et je me suis attelé à la tâche avec une collègue stagiaire. On a eu des commentaires extrêmement positifs sur la qualité de notre travail.»

Pascal entreprend sa dernière année d'études avec confiance. Il est convaincu que ses deux stages terminés et son troisième à venir vont faciliter sa recherche d'emploi. ◉ **C. B.**

## Suis-je un bon candidat

# À L'EMPLOI?

**À l'aide du questionnaire suivant, évaluez vos points forts et les aspects que vous auriez avantage à travailler pour mieux réussir sur le marché du travail.**

RÉPONDEZ PAR «OUI» OU PAR «NON» AUX AFFIRMATIONS SUIVANTES.

| | | OUI | NON |
|---|---|---|---|
| 1. | Je peux témoigner de ma persévérance dans mes projets en donnant au moins trois exemples concrets en entrevue d'embauche. | ☐ | ☐ |
| 2. | Je garde habituellement mon sang-froid, peu importe les situations. | ☐ | ☐ |
| 3. | J'ai déjà fait preuve d'initiative à plusieurs reprises, par exemple proposer un plan de travail et la marche à suivre à une équipe. | ☐ | ☐ |
| 4. | Je suis bilingue (maîtrise fonctionnelle, très bonne ou parfaite de l'anglais et du français). | ☐ | ☐ |
| 5. | On me considère généralement comme mûr et responsable. | ☐ | ☐ |
| 6. | J'ai de la facilité à me concentrer lors de la réalisation de mes tâches. | ☐ | ☐ |
| 7. | Je me fixe des objectifs et j'entreprends des actions pour les atteindre. | ☐ | ☐ |
| 8. | Lorsque je me retrouve dans un nouveau milieu de travail, je prends le temps de m'intégrer à l'équipe et d'observer les façons de faire avant de proposer d'apporter des changements. | ☐ | ☐ |
| 9. | Je suis capable de me projeter dans l'avenir et je me suis fixé des objectifs de carrière réalistes. | ☐ | ☐ |
| 10. | Je possède une bonne capacité à mémoriser l'information. | ☐ | ☐ |
| 11. | Je suis capable de faire preuve d'autonomie. | ☐ | ☐ |
| 12. | Je suis prêt à m'investir au travail et à m'intégrer à une équipe. | ☐ | ☐ |
| 13. | Mon curriculum vitæ est à jour, bien présenté et en lien avec les postes envisagés. | ☐ | ☐ |
| 14. | Je connais mes principales forces et les points à améliorer et je suis capable d'en parler en entrevue. | ☐ | ☐ |
| 15. | Je connais les techniques dynamiques et actuelles de recherche d'emploi, comme les rencontres d'information auprès de professionnels et le développement d'un réseau de contacts. | ☐ | ☐ |
| 16. | Malgré mon peu d'expérience sur le marché du travail, je suis en mesure de démontrer que je possède des compétences pertinentes acquises antérieurement (par exemple, dans des activités parascolaires, les sports, etc.). | ☐ | ☐ |
| 17. | Je sais ce que les employeurs de mon domaine recherchent chez les nouvelles recrues. | ☐ | ☐ |
| 18. | J'ai une idée du salaire que je pourrais obtenir, en fonction de ce que je peux offrir et des tendances du marché. | ☐ | ☐ |
| 19. | Je sais comment aborder la question du salaire en entrevue. | ☐ | ☐ |
| 20. | J'ai plusieurs exemples en tête pour appuyer tout ce que j'avance dans mon curriculum vitæ et en entrevue. | ☐ | ☐ |
| 21. | J'ai une vie personnelle plutôt stable : par exemple, j'ai persévéré et terminé mon programme de formation ou atteint un objectif sportif, j'ai cumulé plusieurs emplois d'été pour le même employeur. | ☐ | ☐ |

# INTERPRÉTATION DE VOS RÉSULTATS

 **Si vous avez répondu «OUI» à au moins 4 des énoncés suivants : 1, 2, 5, 8, 11 et 12**

Sur le plan de la personnalité, vous possédez de bons atouts pour un employeur. Bravo! Le savoir-être est une clé maîtresse dans plusieurs sphères de la vie, notamment sur le marché du travail. Alors, prenez soin de poursuivre votre développement personnel.

**Si vous avez répondu «NON» à au moins 3 des énoncés suivants : 1, 2, 5, 8, 11 et 12**

Peut-être auriez-vous besoin d'un coup de pouce en ce qui a trait au développement du savoir-être attendu en entreprise. Travaillez à augmenter votre autonomie, votre détermination à la tâche, votre aisance à côtoyer des collègues de travail, votre motivation professionnelle ou tout autre aspect relevant des traits de personnalité. Imaginez-vous à la place de l'employeur et réfléchissez au type d'employé que vous embaucheriez!

 **Si vous avez répondu «OUI» à au moins 4 des énoncés suivants : 3, 4, 6, 10, 16 et 21**

Sur le plan des compétences transférables, vous possédez de bons atouts. Super! Un emploi n'est pas que *technique* et *compétences spécifiques*, ne l'oubliez pas! Les compétences transférables sont utiles non seulement pour pallier l'inexpérience et décrocher un emploi, mais aussi pour demeurer et évoluer sur le marché du travail.

**Si vous avez répondu «NON» à au moins 3 des énoncés suivants : 3, 4, 6, 10, 16 et 21**

Peut-être auriez-vous besoin d'effectuer un bilan de vos acquis. Vous possédez sans aucun doute un registre de compétences qu'il vous est possible de transférer. Différents exercices d'introspection et possiblement la consultation d'un conseiller d'orientation peuvent vous aider à révéler ces compétences.

 **Si vous avez répondu «OUI» à au moins 6 des énoncés suivants : 7, 9, 13, 14, 15, 17, 18, 19 et 20**

Pour ce qui est de la préparation à la recherche d'emploi, vous semblez posséder de bons atouts. Excellent! Cet aspect s'avère parfois ennuyeux, voire inconnu, pour les chercheurs d'emploi. Vous gagnez pourtant à y investir une part d'énergie, notamment pour mieux cibler les employeurs potentiels et mieux vous présenter à l'écrit comme à l'oral. Continuez ainsi tout au long de votre carrière.

**Si vous avez répondu «NON» à au moins 5 des énoncés suivants : 7, 9, 13, 14, 15, 17, 18, 19 et 20**

Peut-être auriez-vous besoin de préparer plus soigneusement votre recherche d'emploi. Cette étape souvent escamotée servira à au moins trois choses. Elle vous permettra de mieux cibler les employeurs potentiels, de mieux vous présenter à l'écrit et à l'oral, et de vous approprier votre démarche. Une fois le tout bien intégré, votre approche sera encore plus gagnante!

**En résumé, votre employabilité, soit votre capacité à trouver un emploi, à vous y adapter et à le conserver, n'est pas uniquement liée à votre formation et à vos compétences professionnelles. En effet, la façon dont vous occupez votre temps libre, persévérez pour atteindre vos objectifs ou gérez votre argent, de même que votre tenue vestimentaire, votre santé et bien d'autres aspects sont des facteurs qui ont une incidence directe sur votre degré d'employabilité. Alors, bonne préparation!**

Une collaboration de **BrissonLegris** et des Éditions Jobboom
*Révélateurs de potentiels*

# BUREAUX EN GROS

LA GESTION DES TOURS DE BUREAUX ET DES CENTRES COMMERCIAUX REQUIERT LES TALENTS D'UNE FOULE DE PROFESSIONNELS. CONSEILLERS EN LOCATION, ADMINISTRATEURS D'IMMEUBLES ET GESTIONNAIRES DE PROJETS DE CONSTRUCTION SONT AU NOMBRE DES TRAVAILLEURS RECHERCHÉS. MAIS LES FIRMES DE GESTION IMMOBILIÈRE PEINENT À LES TROUVER.

Les carrières d'avenir 2008 • Les grands dossiers

Par Emmanuelle Gril

Quelque 1 700 entreprises sont actives dans la gestion de biens immobiliers au Québec[1], dont environ une dizaine qui comptent plus de 200 employés et qui dominent le secteur. Parmi celles-ci, on trouve SITQ et Ivanhoé Cambridge, des filiales immobilières de la Caisse de dépôt et placement du Québec, de même que Canderel. Ces grands joueurs achètent des édifices commerciaux, industriels et de bureaux ou en gèrent la construction. Ils en assurent ensuite la location, la gestion et l'entretien.

«Nous voulons des personnes qui possèdent une expertise en location commerciale, ce qui est très différent des agents immobiliers qui œuvrent dans le marché résidentiel.»

– Martine Drolet, SITQ

SITQ, par exemple, gère de prestigieux édifices au centre-ville de Montréal comme le 1000 De La Gauchetière, la Place-Ville-Marie et le Centre de commerce mondial. Elle compte 390 employés au Québec. Ivanhoé Cambridge emploie, de son côté, 420 personnes au Québec et se spécialise dans la gestion de centres commerciaux. L'entreprise en possède une soixantaine dont Place Laurier et Place Ste-Foy, à Québec, le Centre Eaton, à Montréal, et le Centropolis, à Laval. Pour sa part, Canderel œuvre dans le marché des bureaux et des espaces commerciaux et industriels. Ses 150 employés à Montréal, Ottawa et Toronto s'activent à gérer notamment le 2020 University et la Place du Canada, à Montréal. Canderel chapeaute aussi la construction du siège social de Bell à l'Île-des-Sœurs.

## POLYVALENCE RECHERCHÉE

Ces grandes sociétés en croissance recrutent régulièrement de la main-d'œuvre. «Nous recherchons ponctuellement des comptables, des spécialistes en finance, des adjointes administratives, énumère Carmela Rubiano, directrice des ressources humaines chez Ivanhoé Cambridge. Mais aussi des directeurs de centres commerciaux.» Ces derniers sont particulièrement difficiles à trouver, mais l'entreprise a développé des stratégies.

«Nous embauchons généralement des bacheliers en administration qui ont un ou deux ans d'expérience sur le marché du travail, dit Carmela Rubiano. Nous les faisons travailler à titre de coordonnateurs de différents services [recouvrement, budget, etc.] dans plusieurs de nos centres commerciaux et, au bout de quelques années, ils peuvent accéder à des postes de directeurs de centres.»

De son côté, Martine Drolet, directrice des ressources humaines chez SITQ, avoue que la demande est forte pour les conseillers en location – ceux qui trouvent des locataires pour les différentes propriétés –, mais que ces professionnels ne courent pas les rues! ▶

▶ «Nous voulons des personnes qui possèdent une expertise en location commerciale, ce qui est très différent des agents immobiliers qui œuvrent dans le marché résidentiel.» Les diplômés en administration et en marketing sortant du cégep ou de l'université sont appréciés, mais ce qui compte avant tout, dit-elle, c'est que les candidats excellent dans la vente, le service à la clientèle et la location commerciale.

Daniel Peritz, vice-président principal chez Canderel, confirme que le recrutement de conseillers en location est ardu. «Ils doivent aussi avoir des notions en construction et en aménagement d'immeubles commerciaux.» Par exemple, un conseiller ne doit pas promettre un branchement électrique spécial à un futur locataire avant de s'assurer que la manœuvre est possible.

Les **gestionnaires de projet de construction** sont d'autres travailleurs prisés. Ces derniers assurent à l'interne la coordination des travaux de construction, lesquels sont confiés à des entrepreneurs généraux. «Pour pourvoir ces postes, nous recherchons notamment des ingénieurs de projets et des architectes qui ont de l'expérience dans l'aménagement de bureaux», indique Martine Drolet.

Daniel Peritz ajoute que les **administrateurs immobiliers** qui possèdent de 5 à 10 ans d'expérience sont aussi recherchés. «Le métier requiert des connaissances en administration et en immobilier. Il faut même

54

# LES PILIERS DE L'INDUSTRIE

Par Emmanuelle Gril

**Qui sont les professionnels qui œuvrent en gestion immobilière? Voici le portrait de trois travailleurs qui y occupent des postes clés.**

## LE NÉGOCIATEUR

Éric Fortier est **conseiller en location** pour Ivanhoé Cambridge. Auparavant directeur du marketing pour le Complexe Les Ailes – édifice qui se trouve également dans le giron de la société immobilière –, il occupe ce poste depuis 2006.

Titulaire d'un baccalauréat en communication publique, Éric loue des locaux dans les centres commerciaux de la firme, notamment à la Place Vertu, à Montréal. Mais il ne loue pas n'importe quoi à n'importe qui, tout est une question de flair... «Je dois dénicher le meilleur détaillant pour le meilleur emplacement», explique-t-il. Par exemple, un détaillant de produits de luxe devra être situé dans un centre commercial qui accueille la clientèle visée. Pour ce faire, Éric discute avec le locataire potentiel pour bien cibler ses besoins. Il lui fait ensuite visiter des espaces qui semblent convenir à ses activités.

Une fois le locataire trouvé, le conseiller négocie les conditions du bail. S'il y a lieu, le conseiller en location effectue aussi le suivi des travaux d'aménagement des locaux exigés par le détaillant, en collaboration avec le directeur du centre commercial.

Éric apprécie les défis de son emploi. «La compétition qui règne dans le commerce de détail est vive. Je dois m'assurer de fournir au détaillant un espace de qualité qui s'avérera rentable par rapport au coût de la location.»

## LA FEMME-ORCHESTRE

Catherine Schraenen-Leduc travaille au SITQ depuis 2000. Titulaire d'un baccalauréat en administration des affaires, option marketing, et d'un certificat en affaires immobilières, elle est directrice immobilière du 1000 De La Gauchetière, à Montréal. L'immeuble de 900 000 pieds avoir des habiletés en relations publiques pour maintenir de bonnes relations avec les locataires.» Le plus souvent, ces spécialistes possèdent un baccalauréat en administration des affaires.

Chez SITQ, le perfectionnement à l'interne permet d'assurer la relève sur ce plan. «Plusieurs de nos comptables posent leur candidature pour devenir administrateurs d'immeubles, note Martine Drolet. Ils ont le profil idéal pour pourvoir ce type de poste, et la formation continue offerte par notre compagnie complète leur bagage.» ◉ 10/07

1. Statistique Canada. *Registre des entreprises*, juin 2007, données traitées par l'Institut de la statistique du Québec.

carrés qui compte 50 étages abrite les bureaux notamment de cabinets d'avocats de prestige et d'institutions financières.

Catherine est le pivot central autour duquel s'articule le bon fonctionnement de l'édifice. «Je m'assure d'avoir un immeuble en bonne santé financière, en bon état physique, accueillant et rempli d'occupants heureux», résume la directrice immobilière. Un occupant souhaite apporter des modifications à son local? Un conseiller en location se demande si une clause peut être incluse dans un bail? C'est vers elle qu'on se tourne pour obtenir des réponses. «L'important c'est de s'entourer d'experts dans différents domaines : location, comptabilité, finance, droit, ressources humaines, construction, etc. Je consulte ces spécialistes pour résoudre les différentes questions qui se posent chaque jour», indique-t-elle.

Ce qu'elle aime le plus de son emploi? «La diversité des tâches, je ne m'ennuie jamais! J'apprends d'ailleurs à planifier mon agenda pour les imprévus...»

## LE PORTEUR DE BALLON

Christian Ducharme est un ingénieur civil qui œuvre chez SITQ. C'est lui qui dirige le travail des gestionnaires de projets de construction de l'entreprise. Ces derniers s'assurent «que tout se déroule comme prévu dans le respect de l'échéancier et du budget», explique-t-il. Pour cela, il coordonne le travail des différents intervenants sur le chantier, comme les firmes d'ingénierie, les architectes et les entrepreneurs généraux.

Outre la construction complète d'un édifice, les projets à gérer peuvent aussi concerner la réalisation d'améliorations locatives (agrandissement d'espaces de bureaux) ou de travaux d'immobilisation (remplacement du système de chauffage d'un immeuble, réfection d'un stationnement, etc.).

«Le gestionnaire de projets de construction est au centre de l'action, précise Christian Ducharme. C'est en quelque sorte le porteur de ballon.» Car dans le domaine de la construction, il y a parfois des impondérables. «Si un ingénieur demande un changement au projet, c'est au gestionnaire de l'expliquer aux autres intervenants pour qu'ils s'ajustent.»

Les défis sont stimulants. «On apprend sans cesse car les travaux à effectuer sont toujours différents.» Par ailleurs, la profession requiert des talents de communicateur et de coordonnateur : tous les intervenants du projet doivent être sur la même longueur d'onde pour que tout se déroule rondement. ◉ 10/07

# MAGASINEZ VOTRE EMPLOI

EN PLEINE EXPANSION AU QUÉBEC, LE COMMERCE DE DÉTAIL RECRUTE. SI VOUS CROYEZ QU'ON NE RECHERCHE QUE DES VENDEURS, VOUS FAITES ERREUR. LE SECTEUR OFFRE DES POSSIBILITÉS DE CARRIÈRE DES PLUS VARIÉES.

Par Geneviève Dubé

« **E**ntre les mois de juillet 2006 et 2007, les ventes au détail ont augmenté de 6 % au Québec et nous prévoyons une croissance de l'emploi de 1,8 % en 2008», annonce Patricia Lapierre, directrice générale de Détail Québec, le comité sectoriel de main-d'œuvre du commerce de détail.

**«Les employeurs s'arrachent les diplômés du programme collégial en gestion de commerces. Ils ne sont pas assez nombreux pour répondre à la demande.»**

– Gaston Lafleur, Conseil québécois
  du commerce de détail

Le commerce de détail regroupe au Québec 34 000 établissements et 246 000 employés. Des travailleurs dont la rémunération hebdomadaire moyenne s'établissait à 470,52 $ en 2005, selon Détail Québec. Bien que l'activité soit répartie entre 20 secteurs différents, plus de la moitié de l'effectif est concentrée dans 5 types de commerces : les détaillants de vêtements, de produits de santé et de soins personnels, d'appareils électroniques et ménagers, de matériaux de rénovation de même que les grands magasins.

Gaston Lafleur, président-directeur général du Conseil québécois du commerce de détail, indique que les détaillants d'appareils électroniques, de meubles et de matériaux de rénovation attirent particulièrement

les consommateurs et sont donc très actifs en matière de recrutement.

## EMPLOIS DE CHOIX

L'expansion des magasins Brault & Martineau illustre bien le dynamisme des détaillants de meubles. En 2007, l'entreprise a ouvert six nouvelles Galeries du sommeil, créant une quarantaine d'emplois dans des postes variés. Les **employés d'entrepôt** et les **livreurs** sont notamment recherchés. «Ces emplois sont durs physiquement et exigent parfois, du côté de l'entrepôt, du travail de nuit, explique Yannick Boudreault, directeur des ressources humaines chez Brault & Martineau. En revanche, ces travailleurs peuvent rapidement accéder à des postes de superviseurs.» Les possibilités d'avancement sont d'ailleurs courantes chez ce détaillant, souligne-t-il. «Les directeurs de succursale sont choisis parmi nos vendeurs.»

**Les entreprises consultées confirment offrir à leurs employés des rabais sur la marchandise, de même que des avantages sociaux comme des assurances.**

Patricia Lapierre mentionne que les **gestionnaires aux achats et au recrutement** sont d'autres travailleurs recherchés dans l'industrie. «Il est aussi difficile de trouver des **professionnels de l'aménagement** pour établir la disposition des produits en boutique.» Les **gérants de commerce** sont ▶

## PRINCIPALES FORMATIONS DU COMMERCE DE DÉTAIL

### FORMATION PROFESSIONNELLE

- DEP en décoration d'intérieur et étalage
- DEP en vente-conseil

### FORMATION COLLÉGIALE

- DEC en gestion de commerces
- AEC en gestion de commerces
- DEC en commercialisation de la mode

### FORMATION UNIVERSITAIRE

- Baccalauréat en administration des affaires

Source : Détail Québec.

▶ également très convoités. «Les employeurs s'arrachent les diplômés du programme collégial en gestion de commerces, signale Gaston Lafleur. Ils ne sont pas assez nombreux pour répondre à la demande.» Ce dernier mentionne que les titulaires d'un baccalauréat en administration des affaires sont aussi prisés pour des postes de **gestionnaires des opérations** et de **gestionnaires des finances**.

## SÉDUIRE LES VENDEURS

Les **vendeurs**, qui comptent pour près de 50 % des employés du commerce de détail, sont bien sûr recherchés. La Cordée, une entreprise spécialisée dans la vente d'équipement pour le plein air, peine à les recruter. «Il est difficile de trouver des conseillers des ventes qui connaissent bien nos produits, avoue Robert Chartrand, directeur des ressources humaines à La Cordée. Plusieurs sont étudiants et, une fois qu'ils sont bien formés, ils nous quittent parce qu'ils ont leur diplôme.»

Les commerces offrent donc de nombreux avantages pour fidéliser leurs vendeurs. Les entreprises consultées confirment offrir

# LE LOOK DE L'EMPLOI

Mikal Bergeron est une spécialiste du look. Titulaire d'un diplôme d'études professionnelles en décoration d'intérieur et étalage, elle a commencé sa carrière en s'occupant de la présentation visuelle de produits en magasin. De 2001 à 2004, la jeune femme de 28 ans était chargée de créer des ambiances dans une succursale de Sears. «Dans le rayon des meubles, je réalisais l'aménagement de salles à manger et de chambres à coucher avec les meubles et les accessoires offerts en magasin, dit-elle. L'objectif était de rendre la décoration attrayante pour les clients.»

Friande de mode, Mikal s'est ensuite familiarisée avec le métier d'étalagiste. En 2004 et 2005, elle habillait les mannequins exposés en vitrine et en magasin dans une boutique GAP. Elle s'amusait alors à créer des looks accrocheurs afin que les clients aient le goût d'acheter ses idées de tenues. «Je choisissais des pièces parmi les nouveaux vêtements en magasin, je les agençais et j'ajoutais du style avec des accessoires comme des foulards ou des sacs à main.»

Aujourd'hui, Mikal est conseillère-experte en valorisation résidentielle. Elle dirige sa propre entreprise, Accès Home Staging, consacrée à la mise en valeur des propriétés à vendre. «Je peaufine la décoration intérieure des résidences afin de les rendre invitantes pour les acheteurs potentiels», indique celle qui a réussi à jumeler ses deux passions pour la présentation visuelle et la décoration d'intérieur. Elle se dit heureuse de mettre chaque jour en valeur ses talents artistiques et son sens du marketing. ◉ G. D.

à leurs employés des rabais sur la marchandise, de même que des avantages sociaux comme des assurances. À cela s'ajoutent des horaires flexibles, rendus possibles grâce aux longues heures d'ouverture des établissements. La Cordée paie aussi à l'occasion des activités de plein air à ses employés, comme une sortie de surf dans le Maine. Qui sait où un emploi dans le commerce peut vous mener? ◎ 10/07

# UN BOULOT HAUT EN COULEUR

Fraîchement diplômé en gestion de commerces du Collège de Maisonneuve, Xavier Januszewski œuvre pour la compagnie de peintures Bétonel depuis 2006. Il est directeur mobile par intérim, c'est-à-dire qu'il remplace les directeurs des quelque 60 succursales de la grande région de Montréal, notamment lors de leurs vacances. Lorsqu'il est en poste dans un magasin, Xavier procède à l'ouverture et à la fermeture des caisses, il effectue les dépôts bancaires et envoie les cartes des heures travaillées des employés au service de la paie. À titre de directeur remplaçant, il dresse aussi l'inventaire de la marchandise et commande les produits manquants en fonction des ventes.

Xavier s'active également dans le magasin, au service à la clientèle. «Je peux, par exemple, conseiller une cliente sur la couleur de peinture qui s'agence le mieux avec ses coussins ou répondre aux questions précises des peintres sur nos produits.» Le diplômé de 22 ans, fier de se voir confier autant de responsabilités, doit faire preuve d'une bonne capacité d'adaptation. «Comme je me déplace d'une succursale à une autre, je dois m'ajuster. Ainsi, lorsqu'un client me demande «la même chose que la semaine dernière», je lui demande de détailler sa commande. Je dois aussi me familiariser avec les stocks, qui diffèrent d'un magasin à un autre.»

En plus de son salaire, les primes de déplacement offertes par son employeur constituent un atout, de même que les rabais sur la peinture. «J'apprécie aussi mon horaire flexible. Je travaille environ 10 heures par jour, mais j'ai 3 jours de congé par semaine.» ◎ **G. D.**

# BÂTISSEURS

## EMMAGASINEZ DE L'EXPÉRIENCE... ET QUI SAIT JUSQU'OÙ VOUS PROGRESSEREZ ?

**Vous aimez vous dépasser et vous voulez mettre à profit vos compétences ? Venez nous aider à offrir des produits et services de première classe.**

## PROGRAMME DE RELÈVE

RONA a notamment mis en place une stratégie d'identification et de développement des talents qui permet de dresser un portrait global du potentiel de chaque employé dans les magasins. De plus, RONA favorise les employés déjà en place avec l'adoption d'une politique intermagasins qui consiste à afficher d'abord à l'interne les postes de gestionnaire.

### L'ASCENSION FULGURANTE DE SIMON !

**« À mon arrivée chez RONA comme gérant adjoint, jamais je n'aurais cru que j'accéderais si vite à un poste de directeur de magasin. »**

Après seulement quelques mois, Simon est promu de gérant adjoint à gérant à la quincaillerie. Il gère alors sa propre équipe de travail ! Simon saisit sa chance de nouveau lors de l'ouverture d'un magasin : il devient directeur adjoint. Puis, un peu plus tard, il est nommé directeur du magasin, poste qu'il occupe toujours aujourd'hui.

## ACADÉMIE RONA

Chaque année, RONA consacre des milliers d'heures à la formation. D'où la création de l'Académie RONA, qui offre aux employés une vaste gamme de cours, en classe à l'académie et par vidéo interactif. Entre autres, un programme de formation a été mis sur pied à l'intention de nos gestionnaires. Des cours permettent également à nos employés affectés au service des ventes de parfaire leurs connaissances techniques en construction et rénovation, afin de mieux connaître les produits qu'ils sont appelés à vendre.

## RONA S'IMPLIQUE...

**Grâce à divers partenariats et à sa Fondation, RONA est plus présente que jamais dans la communauté !**

Durant toute l'année, RONA et ses marchands s'investissent pour assurer le bien-être des collectivités qu'ils servent. RONA est notamment fière de communiquer sa passion pour le sport.

**De plus, notre entreprise a été nommée partenaire national pour les Jeux olympiques de 2010 de Vancouver.**

## LE RÉSEAU RONA
### UNE CROISSANCE SANS PRÉCÉDENT

Le plus important distributeur et détaillant canadien de produits de quincaillerie, de rénovation et de jardinage, a connu une croissance fulgurante au cours des dernières années. Depuis 2004 :

- *on a ouvert 25 nouveaux magasins et réalisé 6 acquisitions majeures, d'un océan à l'autre;*
- *le nombre de magasins franchisés, affiliés et d'entreprise, de dimensions et de formats variés est passé de 550 à 670;*
- *le nombre d'employés dans toutes les régions du Canada, sous diverses bannières, a augmenté de 21 000 à plus de 26 000;*
- *le chiffre de ventes au détail annuelles s'élève à 6 milliards de dollars.*

Avec sa vision claire, ses valeurs solides et toute la passion nécessaire pour devenir un joueur important de l'industrie nord-américaine, RONA prévoit continuer sur cette lancée pendant les prochaines années.

# DE GRANDS SERVICES

Globalement, l'année 2007 aura été un bon cru pour la grande majorité des régions du Québec. Même si le secteur manufacturier et la foresterie traversent une période de turbulences, la vigueur du secteur des services, jumelée à la forte activité de la construction et des mines, a permis à l'économie québécoise de demeurer en bonne santé.

## BONNES NOUVELLES

- Toutes les régions du Québec ont profité de la manne qu'apporte le grand secteur des services. Commerce de gros et de détail, hébergement, restauration, services professionnels scientifiques et techniques affichent une solide croissance.

- Pour réduire leur dépendance à la fonction publique, l'Outaouais et la Capitale-Nationale s'emploient à diversifier leur économie. On mise notamment sur les technologies appliquées, les technologies de l'information et les sciences de la vie.

- En Abitibi-Témiscamingue, sur la Côte-Nord et dans le Nord-du-Québec, les projets de mines se multiplient, stimulés par la vertigineuse ascension du prix des métaux.

- Ces régions bénéficient également de la forte activité dans le secteur de la construction, tout comme la Gaspésie et le Bas-Saint-Laurent avec les parcs d'éoliennes, les Laurentides avec les grands projets récréotouristiques et le Saguenay–Lac-Saint-Jean avec l'élargissement de la route 175, notamment. Les coups de marteau résonnent aussi à Laval et à Montréal, où l'on érige centres commerciaux, hôpitaux et infrastructures.

## DEUX OMBRES AU TABLEAU

- La hausse du dollar canadien et la baisse de la demande américaine viennent s'ajouter aux déboires de l'industrie forestière, déjà affaiblie par le conflit du bois d'œuvre avec les États-Unis et la diminution des droits de coupe. Toutes les régions-ressources en subissent les contrecoups, de même que Lanaudière, les Laurentides et l'Outaouais.

- Les mauvaises nouvelles continuent de pleuvoir sur le secteur manufacturier, notamment dans le textile, le vêtement, le meuble, le plastique et le caoutchouc. Plusieurs régions sont touchées, comme le Bas-Saint-Laurent, Chaudière-Appalaches, l'Estrie et Lanaudière. Heureusement, les sous-secteurs de haute technologie (aéronautique, pharmaceutique, etc.) se portent bien, stimulant l'économie de la Montérégie, du Centre-du-Québec et des Laurentides, entre autres.

**pages 64 >> 131**

POPULATION
144 835 habitants

En raison de la forte demande internationale de métaux, l'extraction minière bat son plein et ragaillardit l'économie de l'Abitibi-Témiscamingue. En contrepartie, la forêt, autre pilier de l'économie régionale, est mise à mal par une conjoncture défavorable.

par **Pierre St-Arnaud**

## ◎ DES SECTEURS QUI RECRUTENT

Commerce • Construction • Extraction minière • Hébergement et restauration • Services professionnels, scientifiques et techniques • Services publics • Soins de santé et assistance sociale

Source : Sabrina Morin, Emploi-Québec.

## PRINCIPALES VILLES

Amos • La Sarre • Rouyn-Noranda • Senneterre • Témiscamingue • Val-d'Or • Ville-Marie

## LES PERSPECTIVES

Après un recul de l'emploi en 2005, l'Abitibi a enregistré un gain de 2 400 postes en 2006 et le taux de chômage a chuté à 9 %, son plus bas niveau depuis 20 ans, souligne Sabrina Morin, analyste du marché du travail à Emploi-Québec. Une légère croissance de l'emploi s'est installée en 2007.

Car si les pays émergents, notamment la Chine et l'Inde, constituent des compétiteurs redoutables, ils ont aussi des besoins insatiables de matières premières. Une région-ressource comme l'Abitibi-Témiscamingue, qui bénéficie d'un sous-sol riche en métaux (or, argent, cuivre, zinc et nickel), est bien placée pour tirer avantage de cette situation.

**La construction connaît des années fastes dans la région.**

«Plus la Chine produit et plus on écoule nos matières premières, le cuivre et le zinc notamment. Et avec la faiblesse du dollar américain, les Chinois se protègent en se procurant des lingots d'or, un métal qu'ils achètent aussi pour fabriquer des bijoux, dont ils sont très friands», souligne Luc Blanchette, économiste pour l'Abitibi-Témiscamingue à Service Canada. Il ajoute que les prix de ces métaux ont augmenté d'environ 300 % en moyenne depuis la fin de 2003, rentabilisant du même coup les investissements requis pour les extraire. Les projets d'ouverture de mines sont d'ailleurs nombreux, laissant entrevoir une croissance annuelle de l'emploi de 3,7 % entre 2007 et 2009 dans l'extraction minière et de 11,9 % dans la première transformation des métaux[1].

Cette poussée est certes bienvenue devant l'état de l'autre pilier économique régional, la forêt. Celui-ci éprouve des difficultés importantes, conséquences de plusieurs éléments défavorables : réduction de

**Bien que les ressources naturelles soient le moteur de l'économie, les services représentent tout de même 72 % de l'emploi total.**

20 % des droits de coupe, contrecoup de la crise du bois d'œuvre, forte poussée du dollar canadien et ralentissement de la demande chez nos voisins du sud. Par ailleurs, une forte incertitude prévaut dans l'industrie des pâtes et papiers, les usines ayant du mal à demeurer compétitives avec un dollar en hausse. Les perspectives en matière d'emploi sont pessimistes sur l'horizon 2007-2009 : baisse annuelle de 3,9 % en forêt, de 4,8 % dans le bois de sciage et de 8,4 % dans les pâtes et papiers, selon Service Canada.

La construction, en contrepartie, connaît des années fastes dans la région et la croissance annuelle de l'emploi y est anticipée à 3,6 % de 2007 à 2009. D'une part, on construit de nouvelles mines et, d'autre part, les municipalités de Val-d'Or et de Rouyn-Noranda font face à une pénurie de logements. Mais surtout, la construction hydroélectrique et de mines dans le Nord-du-Québec attire massivement la main-d'œuvre abitibienne, soutient Luc Blanchette.

Enfin, bien que les ressources naturelles soient le moteur de l'économie, les services représentent tout de même 72 % de l'emploi total et, à ce chapitre, les sous-secteurs des services publics (Hydro-Québec), des services professionnels, scientifiques et techniques (pour les mines) et de la santé, connaîtront une croissance de l'emploi modéré mais constante durant la période 2007-2009. ▶

1. Service Canada. *Perspectives sectorielles 2007-2009, Région de l'Abitibi-Témiscamingue*, mars 2007.

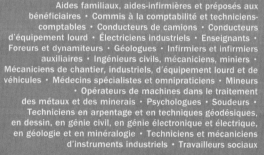

### RECHERCHÉS

Aides familiaux, aides-infirmières et préposés aux bénéficiaires • Commis à la comptabilité et techniciens-comptables • Conducteurs de camions • Conducteurs d'équipement lourd • Électriciens industriels • Enseignants • Foreurs et dynamiteurs • Géologues • Infirmiers et infirmiers auxiliaires • Ingénieurs civils, mécaniciens, miniers • Mécaniciens de chantier, industriels, d'équipement lourd et de véhicules • Médecins spécialistes et omnipraticiens • Mineurs • Opérateurs de machines dans le traitement des métaux et des minerais • Psychologues • Soudeurs • Techniciens en arpentage et en techniques géodésiques, en dessin, en génie civil, en génie électronique et électrique, en géologie et en minéralogie • Techniciens et mécaniciens d'instruments industriels • Travailleurs sociaux

Source : Emploi-Québec. *Perspectives professionnelles 2006-2010*, 2007.
Visitez http://emploiquebec.net pour connaître les mises à jour pour 2007-2011.

## LES TENDANCES DÉMOGRAPHIQUES

Les tendances observées dans le recensement de 2006 sont encourageantes et laissent supposer que la situation tend à s'améliorer sur certains plans. «Le solde migratoire interrégional est toujours négatif mais il diminue d'année en année. Alors qu'on perdait près de 2 000 personnes en 2001, ce nombre n'était plus que de 374 en 2006», note Sabrina Morin.

Le recensement de 2006 indique aussi un ralentissement marqué de la chute de population dans la tranche des 0 à 14 ans, et une première augmentation depuis des décennies de la tranche des 25 à 34 ans. Ces jeunes reviennent prendre les emplois disponibles dans la région et profitent des nouvelles largesses de l'État, selon Luc Blanchette : «Il semble que la politique de natalité fonctionne; le régime d'assurance parentale bonifié et les frais de garde réduits pour les enfants stimulent la croissance démographique. Ce n'est pas la catastrophe que l'on annonçait!»

## À SUIVRE

- Plusieurs projets et chantiers miniers : Osisko à Malartic (300 emplois); Goldex (250 emplois) et Lapa (185 emplois), d'Agnico-Eagle près de Val-d'Or; lac Herbin de la compagnie minière Alexis (75 emplois); redémarrage de la mine Langlois de Ressources Breakwater, à Lebel-sur-Quévillon (210 emplois).

- Le chantier Eastmain-1-A d'Hydro-Québec, dans le Nord-du-Québec, a amorcé ses activités. L'emploi devrait atteindre une pointe de 4 000 en 2009. Le bassin de main-d'œuvre étant nettement insuffisant dans la région, une bonne partie des travailleurs sera recrutée en Abitibi-Témiscamingue.

- En juillet et août 2007, trois scieries appartenant à Tembec (Béarn, Taschereau, Senneterre) ont fermé temporairement leurs portes, laissant 450 travailleurs sans emploi.

- En juin 2007, la scierie Domtar, de Val-d'Or, a rouvert partiellement et rappelé une centaine de travailleurs.

- La compagnie Massénor, de Val-d'Or, a obtenu des contrats totalisant 48 millions de dollars pour la construction de plusieurs bâtiments. Ces projets pourraient créer quelque 250 nouveaux emplois.

## SUR LE TERRAIN

Agnico-Eagle, qui exploite déjà la mine polymétallique (or, argent, cuivre, zinc) LaRonde à Cadillac, a entrepris les travaux de construction de LaRonde 2 qui atteindra trois kilomètres de profondeur et créera 650 emplois. Avec la hausse du prix des métaux, l'entreprise a décidé d'ouvrir deux nouvelles mines d'or : Lapa près de LaRonde

## TAUX DE CHÔMAGE

| EN NOVEMBRE 2007[†] | 7,6 % Québec : 6,6 % | | |
|---|---|---|---|
| **MOYENNES ANNUELLES**[††] | **2006** | **2005** | **2004** |
| POPULATION DE 15 ANS ET PLUS | 9,2 %<br>Québec : 8,0 % | 9,3 %<br>Québec : 8,3 % | 10,7 %<br>Québec : 8,5 % |
| POPULATION DE 15 À 29 ANS | 11,4 %<br>Québec : 10,9 % | 13,8 %<br>Québec : 11,5 % | 15,9 %<br>Québec : 12,0 % |

† Source : Statistique Canada, données non désaisonnalisées.
†† Source : Statistique Canada. *Enquête sur la population active*, compilations de l'Institut de la statistique du Québec, 2004, 2005 et 2006.

## PERSPECTIVES 2007-2011 D'EMPLOI-QUÉBEC

| | RÉGION<br>ABITIBI-TÉMISCAMINGUE | ENSEMBLE<br>DU QUÉBEC |
|---|---|---|
| CRÉATION D'EMPLOIS | 3 100 | 245 800 |
| DÉPARTS À LA RETRAITE* | 8 500 | 440 000 |
| TAUX DE CROISSANCE ANNUEL DE L'EMPLOI | 0,9 % | 1,3 % |
| • SECTEUR TERTIAIRE | 0,8 % | 1,6 % |
| • SECTEUR SECONDAIRE | 0,0 % | 0,3 % |
| • SECTEUR PRIMAIRE | 2,4 % | 0,0 % |

**Secteur primaire** : agriculture, foresterie, pêche et piégeage, mines.
**Secteur secondaire** : services publics, construction, fabrication.
**Secteur tertiaire** : services commerciaux (commerce, transport, finance, services professionnels, hébergement et restauration, etc.), services non commerciaux (enseignement, santé, administrations publiques).

* Les estimations de départs à la retraite sont pour la période 2006 à 2010.
Source : compilation spéciale d'Emploi-Québec.

Vue aérienne du lac Rouyn
Photo : François Ruph, © Le Québec en images, CCDMD

Avec la formation professionnelle et technique, j'ai tout pour réussir en Abitibi-Témiscamingue.

Je visite **toutpourreussir.com**.

67

>> 10/07

et Goldex à Val-d'Or. Les deux mines créeront environ 250 emplois de construction et, une fois en activité, emploieront respectivement 185 et 250 personnes.

Claude Léveillée, directeur régional des ressources humaines chez Agnico-Eagle, explique que l'éventail d'expertise recherchée est très vaste : «On doit couvrir tous les aspects des activités d'une mine : des cadres et des employés d'opération – mineurs et hommes de métier –, des ingénieurs, des géologues. Nous recherchons également des métallurgistes puisqu'on procède aussi à la première transformation en lingots, dans une usine construite sur place.» ◎

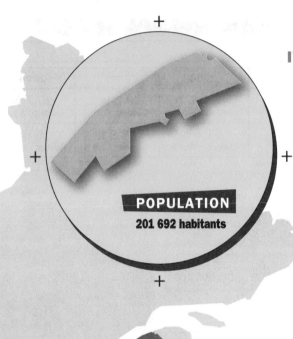

**POPULATION**
**201 692 habitants**

Ragaillardie par l'industrie éolienne, l'économie du Bas-Saint-Laurent progresse maintenant au rythme des marteaux. En effet, plusieurs grands projets de construction sont en cours de réalisation ou sur le point d'être mis en chantier, ce qui devrait avoir des retombées économiques favorables.

par Jean-Benoit Legault

## DES SECTEURS QUI RECRUTENT

Agroalimentaire • Commerce de détail • Construction • Énergie éolienne • Enseignement (principalement dans le domaine des sciences) • Fonction publique • Mines • Services de restauration • Services de santé et services sociaux • Services professionnels, scientifiques et techniques • Transports

Source : Gérald Dubé, Service Canada.

## PRINCIPALES VILLES
Matane • Rimouski • Rivière-du-Loup

Le secteur de la construction dans le Bas-Saint-Laurent se porte extrêmement bien, et sera même l'un des principaux moteurs de l'économie et de l'emploi à court terme dans la région.

«Il y a les projets des routes 20 et 185, des parcs éoliens, du port méthanier, lance avec enthousiasme Louis-Mari Rouleau, économiste à Emploi-Québec. Ce véritable boum dans la construction aura des retombées partout, dans le transport, l'hébergement, la restauration, etc.»

**L'industrie forestière de la région continue à décliner, frappée de plein fouet par la force du dollar canadien.**

Gérald Dubé, économiste à Service Canada, abonde dans ce sens. «Les projets de parcs éoliens et du port méthanier seulement généreront plus d'un millier d'emplois durant la phase de construction. Ensuite, plus d'une centaine de postes permanents seront créés pour faire fonctionner ces structures.»

De plus, les usines des entreprises Natrel à Amqui, ABK Gaspésie à Matane et Viandes Kamouraska à Saint-Pascal seront agrandies, de même que le Centre hospitalier régional de Rimouski. Initié par Bombardier transport de La Pocatière, le développement du soudage au laser, une technologie de pointe, se fera en collaboration avec le Centre spécialisé de technologie physique et permettra au Bas-Saint-Laurent de demeurer un chef de file dans le domaine de la métallurgie.

Pendant ce temps, l'industrie forestière de la région continue à décliner, frappée de plein fouet par la force du dollar canadien qui fait diminuer les exportations et par les retombées du conflit du bois d'œuvre avec les États-Unis. «Il faut s'attendre à ce que l'impact négatif dure encore au moins deux ou trois ans», prévient Louis-Mari Rouleau.

Gérald Dubé cite en exemple les difficultés éprouvées par le Groupe GDS, qui tente toujours de s'entendre avec ses créanciers; la compagnie AbitibiBowater, qui a fermé son usine de Price pour une période indéterminée, mettant 125 personnes à pied; et des producteurs aussi importants que Groupe Cedrico, Groupe Lebel et Richard Pelletier & Fils qui fonctionnent avec du personnel réduit.

«Les travailleurs sylvicoles sont aussi durement touchés : plus de 200 d'entre eux n'ont pas été rappelés ce printemps, poursuit-il. Le principal problème des travailleurs forestiers et de la transformation du bois qui ont été mis à pied, est que beaucoup d'entre eux ne possèdent pas la qualification exigée pour occuper les emplois demandés dans la région [voir section *Recherchés*].»

L'industrie du textile-vêtement a également été affectée par la concurrence des pays émergents. Ainsi, Vêtements BD de Matane a fermé ses portes, mettant 60 personnes au chômage. Cependant, cette industrie occupe une place moins importante que la foresterie dans la région; l'impact de ses difficultés est donc moins prononcé.

Tous ces éléments conjugués font que la situation de l'emploi dans la région pendant la première moitié de 2007 demeure équivalente à celle du premier semestre de 2006. «Les données sont pratiquement inchangées, nous avons quelques emplois de plus mais le taux de chômage est presque au même niveau, soit aux alentours de 9,4 %», explique Louis-Mari Rouleau.

Cependant, il remarque que la vigueur économique de la région est inégale, variant selon les zones géographiques. Ainsi, des zones comme la Matapédia et le Témiscouata se portent moins bien que les autres, leur économie étant très axée sur des secteurs en difficulté actuellement, comme la foresterie. ▸

## RECHERCHÉS

Aides de soutien des métiers et manœuvres en construction • Animateurs et responsables de programmes de sports et de loisirs • Conducteurs de scies à chaîne et d'engins de débardage • Ingénieurs électriciens • Inhalothérapeutes • Manœuvres agricoles • Manœuvres en aménagement paysager et en entretien des terrains • Manœuvres et surveillants dans la transformation des aliments, des boissons et du tabac • Manutentionnaires • Médecins (spécialistes, omnipraticiens) • Monteurs de lignes électriques et de câbles • Opérateurs en informatique • Opérateurs réseau • Ouvriers agricoles • Peintres et décorateurs • Perfusionnistes cardiovasculaires • Plombiers • Professionnels des relations publiques et des communications • Soudeurs • Techniciens et technologues (biologie, cardiopulmonaire, laboratoire médical, radiation médicale) • Techniciens Web

Source : Emploi-Québec. *Perspectives professionnelles 2006-2010*, 2007. Visitez http://emploiquebec.net pour connaître les mises à jour pour 2007-2011.

## LES TENDANCES DÉMOGRAPHIQUES

Contrairement à la population des autres régions-ressources, celle du Bas-Saint-Laurent est demeurée stable entre les deux derniers recensements. Toutefois, celui de 2006 révèle que l'âge médian de la population régionale est de 44,7 ans, soit nettement plus élevé que les 41 ans de la moyenne québécoise. Par ailleurs, la proportion des 50 ans et plus est de 40,6 % dans le Bas-Saint-Laurent, comparativement à 34,7 % pour l'ensemble du Québec. Quant à eux, les jeunes de 25 ans et moins représentent 27 % de la population régionale, contre 29,1 % pour le reste de la province.

«Dans ce contexte, on peut prévoir des difficultés de recrutement dans les secteurs qui embauchent des jeunes, comme le commerce de détail ou la restauration, explique Gérald Dubé. La population du groupe d'âge principal [25-54 ans] va diminuer, ce qui entraînera une contraction du bassin de main-d'œuvre et, par conséquent, une baisse du taux de chômage régional.»

Déjà, ajoute-t-il, certaines entreprises peinent à trouver de la main-d'œuvre pour répondre à leur croissance, et doivent recruter en Amérique du Sud. Par exemple, la mine d'ardoise Glendyne à Saint-Marc-du-Lac-Long a embauché des travailleurs colombiens.

## À SUIVRE

- L'entreprise de taille de diamants Diamants du Saint-Laurent veut porter sa production annuelle de 10 000 à 30 000 carats bruts. L'entreprise matanaise prévoit installer une nouvelle unité de taille et passer de 36 à près de 50 tailleurs.

- Axion technologie, entreprise spécialisée dans la fabrication de systèmes de communication pour les voitures de métro et de train, a décroché un contrat de plusieurs millions de dollars dans le cadre de la rénovation du métro de Londres. L'usine de La Pocatière participera à la fabrication des équipements destinés à 1 400 voitures de métro au cours des quatre prochaines années, ce qui devrait permettre de consolider ses quelque 80 emplois.

- SkyPower, de Rivière-du-Loup, a obtenu la permission d'aller de l'avant avec son projet de construction d'éoliennes. Les travaux, qui devraient s'échelonner sur près de deux ans, nécessiteront des investissements de 350 millions de dollars et fourniront de l'emploi à 225 personnes dans la première phase de construction et 300 dans la seconde. Par la suite, une vingtaine de personnes seront affectées à l'exploitation du parc de façon permanente.

## SUR LE TERRAIN

Construction Technipro BSL, à Rimouski, est l'un des principaux entrepreneurs de construction de la région du Bas-Saint-Laurent.

La compagnie a notamment réalisé des projets d'envergure pour la Caisse populaire de Rimouski, le Centre hospitalier régional de Rimouski et Telus.

Son directeur, Marc Pigeon, confirme que la construction est en pleine effervescence.

## TAUX DE CHÔMAGE

| EN NOVEMBRE 2007[†] | 7,4 % Québec : 6,6 % | | |
|---|---|---|---|
| **MOYENNES ANNUELLES**[††] | **2006** | **2005** | **2004** |
| POPULATION DE 15 ANS ET PLUS | 9,0 % Québec : 8,0 % | 8,5 % Québec : 8,3 % | 9,4 % Québec : 8,5 % |
| POPULATION DE 15 À 29 ANS | 9,8 % Québec : 10,9 % | 10,6 % Québec : 11,5 % | 12,2 % Québec : 12,0 % |

† Source : Statistique Canada, données non désaisonnalisées.
†† Source : Statistique Canada. *Enquête sur la population active*, compilations de l'Institut de la statistique du Québec, 2004, 2005 et 2006.

## PERSPECTIVES 2007-2011 D'EMPLOI-QUÉBEC

| | RÉGION BAS-SAINT-LAURENT | ENSEMBLE DU QUÉBEC |
|---|---|---|
| CRÉATION D'EMPLOIS | 4 400 | 245 800 |
| DÉPARTS À LA RETRAITE* | 13 100 | 440 000 |
| TAUX DE CROISSANCE ANNUEL DE L'EMPLOI | 0,9 % | 1,3 % |
| • SECTEUR TERTIAIRE | 1,1 % | 1,6 % |
| • SECTEUR SECONDAIRE | 0,7 % | 0,3 % |
| • SECTEUR PRIMAIRE | -0,2 % | 0,0 % |

MRC des Basques, Bas-Saint-Laurent
Photo : Offerte par le Cégep de Matane
© Le Québec en images, CCDMD

**Secteur primaire** : agriculture, foresterie, pêche et piégeage, mines.
**Secteur secondaire** : services publics, construction, fabrication.
**Secteur tertiaire** : services commerciaux (commerce, transport, finance, services professionnels, hébergement et restauration, etc.), services non commerciaux (enseignement, santé, administrations publiques).

* Les estimations de départs à la retraite sont pour la période 2006 à 2010.

Source : compilation spéciale d'Emploi-Québec.

Avec la formation professionnelle et technique, j'ai tout pour réussir dans le Bas-Saint-Laurent.

Je visite **toutpourreussir.com**.

>> 10/07

71

«Depuis janvier 2007, nous avons plus que doublé le nombre de nos employés, qui est passé de 18 à 40.»

En tant qu'entrepreneur général, M. Pigeon embauche essentiellement des charpentiers. Il fait affaire avec des sous-traitants pour les travaux de plomberie et d'électricité, notamment.

«Nous manquons de tous les corps de métiers, explique-t-il. Si les sous-traitants avaient davantage d'employés, ils pourraient accepter encore plus de contrats.

D'ici à quelques années, le manque de main-d'œuvre va probablement s'aggraver, ce qui va compliquer d'autant plus le recrutement», conclut-il. ◉

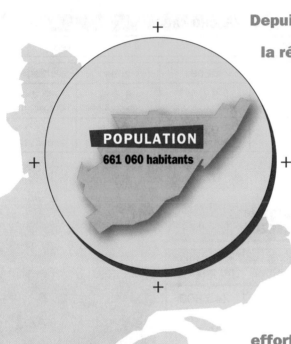

**POPULATION**
**661 060 habitants**

Depuis plusieurs années, la région de la Capitale-Nationale fait tout pour diversifier son économie, traditionnellement axée sur la fonction publique. Les retombées concrètes de ces efforts commencent à se faire sentir et ont mis la table pour d'importants développements à venir.

par **Guylaine Boucher**

## DES SECTEURS QUI RECRUTENT

Aliments et boissons • Assurances • Commerce de gros et de détail • Fabrication (produits informatiques et électroniques, produits métalliques, machines, produits plastiques) • Hébergement et restauration • Information, culture et loisirs • Services aux entreprises • Services professionnels, scientifiques et techniques • Soins de santé et assistance sociale

Sources : Daniel Marois, Service Canada; Martine Roy, Emploi-Québec.

## PRINCIPALES VILLES

Baie-Saint-Paul • Boischatel • Château-Richer • Donnacona • Lac-Beauport • La Malbaie • L'Ancienne-Lorette • Pont-Rouge • Québec • Saint-Augustin-de-Desmaures • Saint-Raymond • Stoneham-et-Tewkesbury

Dans la région de la Capitale-Nationale, rappelle Daniel Marois, économiste pour Service Canada, «un emploi sur trois est lié au secteur public ou parapublic». L'équation devrait cependant être tout autre d'ici à quelques années. C'est que, à l'invitation du gouvernement du Québec et suivant son projet ACCORD (Action concertée de coopération régionale de développement), 140 leaders économiques de la région ont ciblé six secteurs d'activité à fort potentiel et encore plus de projets concrets de développement.

**Grâce à la création de la Neurocité, la région espère générer plus de 2 000 nouveaux emplois spécialisés en recherche.**

À titre d'exemple, explique Martine Roy, économiste à Emploi-Québec pour la région de la Capitale-Nationale, «les intervenants ont choisi de miser sur les secteurs des technologies appliquées, soit l'optique photonique, le jeu vidéo, le géospatial, la défense ainsi que la sécurité et la protection civiles. À l'heure actuelle, ces secteurs représentent près de 12 000 emplois sur le territoire. L'objectif est de créer 3 000 emplois de plus entre 2007 et 2012, notamment en favorisant l'implantation de plusieurs nouvelles entreprises.»

Le créneau des sciences de la vie a aussi été jugé prometteur. En fait, précise Daniel Marois, «grâce à la création de la Neurocité [un important complexe universitaire et industriel], la région espère générer plus de 2 000 nouveaux emplois spécialisés en recherche dans le domaine neurologique [par exemple en ce qui concerne le fonctionnement du cerveau] entre aujourd'hui et 2017». Actuellement, ce champ d'activité peut déjà compter sur la présence de 40 entreprises et emploie 2 400 personnes au total.

**En faisant de la ville de Québec un port d'attache pour les bateaux de croisière nordiques, on compte ajouter 3 400 emplois aux 30 000 déjà présents dans le secteur du tourisme.**

Les entreprises de l'assurance devraient aussi mettre la main à la pâte. Entre 2007 et 2012, ce secteur qui occupe déjà 10 000 employés devrait créer quelque 3 000 nouveaux postes. Les 12 compagnies dont le siège social est dans la région ont choisi d'unir leurs ressources et de créer un centre de développement en assurances et services financiers qui travaillera à la mise en place de liens plus étroits avec les milieux de l'enseignement.

Le tourisme devrait également contribuer à la vigueur de l'économie régionale au cours des prochaines années. En faisant de la ville de Québec un port d'attache pour les bateaux de croisière nordiques, on compte ajouter 3 400 emplois aux 30 000 déjà présents dans le secteur du tourisme.

Par ailleurs, les plus récentes perspectives d'Emploi-Québec estiment que 17 000 nouveaux emplois seront créés dans la région au cours de la période 2007-2011, ce qui constitue une croissance annuelle moyenne de 1 %. De quoi se montrer optimiste face à l'avenir. De plus, souligne Daniel Marois, «contrairement à ce que l'on a pu voir dans d'autres régions, il n'y a aucune fermeture majeure d'entreprise ni de mises à pied massives annoncées officiellement dans le secteur manufacturier». Pour le moment, la région semble aussi à l'abri des impacts négatifs de la concurrence étrangère et de la force du dollar canadien. La faible proportion d'entreprises manufacturières sur le territoire (moins de 10 %) explique en partie cette situation, selon Martine Roy. ▶

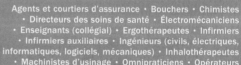

## RECHERCHÉS

Agents et courtiers d'assurance • Bouchers • Chimistes • Directeurs des soins de santé • Électromécaniciens • Enseignants (collégial) • Ergothérapeutes • Infirmiers • Infirmiers auxiliaires • Ingénieurs (civils, électriques, informatiques, logiciels, mécaniques) • Inhalothérapeutes • Machinistes d'usinage • Omnipraticiens • Opérateurs de machines de transformation (matières plastiques) • Pharmaciens • Physiciens • Physiothérapeutes • Préposés aux bénéficiaires • Programmeurs et développeurs de médias interactifs • Psychologues • Secrétaires médicaux • Soudeurs • Techniciens de laboratoire médical • Technologues en radiation médicale • Travailleurs sociaux • Vendeurs (commerce de détail)

Source : Emploi-Québec. *Perspectives professionnelles 2006-2010*, 2007. Visitez http://emploiquebec.net pour connaître les mises à jour pour 2007-2011.

## LES TENDANCES DÉMOGRAPHIQUES

Les données du recensement de 2006 révèlent que 37,7 % de la population de la Capitale-Nationale était âgée de 50 ans et plus, contre 34,7 % pour l'ensemble de la province. «Conséquence directe de cette situation, selon Martine Roy, la proportion de personnes en âge de travailler [15-64 ans] connaîtra une diminution au cours des prochaines années et ce phénomène ira en s'accentuant.»

La situation est préoccupante dans certaines parties du territoire dont la MRC de Charlevoix, la MRC de Charlevoix-Est et la MRC de Portneuf où plus de 40 % de la population était âgée de 50 ans et plus.

Selon l'économiste d'Emploi-Québec, le vieillissement amorcé occasionne déjà certains problèmes de recrutement, particulièrement dans les secteurs du commerce de détail et de la restauration, où les entreprises peinent à embaucher de jeunes travailleurs. Du point de vue de Daniel Marois, le phénomène pourrait bien s'étendre à d'autres secteurs de l'activité économique dans les prochaines années. Pour contrer le phénomène, Québec souhaite cependant être encore plus attractive pour les travailleurs, notamment des immigrants.

## À SUIVRE

- Le développement du Massif de Petite-Rivière-Saint-François en un centre récréotouristique quatre saisons demandera un investissement de 230 millions de dollars. Il devrait permettre de créer 600 emplois entre 2007 et 2011.

- La rénovation et la construction de sept magasins RONA sur le territoire, pour un coût total de 100 millions de dollars, généreront 600 emplois entre 2007 et 2011.

- À court terme, une école nationale en divertissement interactif sera ouverte à Québec. On vise ainsi à accroître le bassin de main-d'œuvre qualifiée disponible par cette offre de formation entièrement dédiée à l'industrie du jeu.

- Soixante millions de dollars seront investis dans la création d'un centre d'investigation et de traitement de l'obésité. Ce centre devrait attirer des chercheurs d'envergure internationale. Il est toutefois impossible de préciser le nombre exact d'emplois qui seront créés.

- La fusion d'Abitibi-Consolidated et de Bowater, deux grandes papetières présentes dans la région, suscite de l'inquiétude chez les travailleurs du secteur.

## SUR LE TERRAIN

La compagnie Ubisoft est spécialisée dans la conception et la fabrication de jeux vidéo. Elle emploie 180 personnes à Québec seulement et compte franchir la barre des 200 employés dans la Vieille Capitale au cours des trois prochaines années. Selon Caroline Cloutier, directrice des communications, «les travailleurs recherchés sont les programmeurs informatiques,

## TAUX DE CHÔMAGE

| EN NOVEMBRE 2007† | 4,4 % Québec : 6,6 % | | |
|---|---|---|---|
| **MOYENNES ANNUELLES††** | **2006** | **2005** | **2004** |
| POPULATION DE 15 ANS ET PLUS | 5,5 %<br>Québec : 8,0 % | 5,8 %<br>Québec : 8,3 % | 5,8 %<br>Québec : 8,5 % |
| POPULATION DE 15 À 29 ANS | 8,1 %<br>Québec : 10,9 % | 7,0 %<br>Québec : 11,5 % | 7,2 %<br>Québec : 12,0 % |

† Source : Statistique Canada, données non désaisonnalisées.
†† Source : Statistique Canada. *Enquête sur la population active*, compilations de l'Institut de la statistique du Québec, 2004, 2005 et 2006.

## PERSPECTIVES 2007-2011 D'EMPLOI-QUÉBEC

| | RÉGION CAPITALE-NATIONALE | ENSEMBLE DU QUÉBEC |
|---|---|---|
| CRÉATION D'EMPLOIS | 17 100 | 245 800 |
| DÉPARTS À LA RETRAITE* | 44 000 | 440 000 |
| TAUX DE CROISSANCE ANNUEL DE L'EMPLOI | 1,0 % | 1,3 % |
| • SECTEUR TERTIAIRE | 1,1 % | 1,6 % |
| • SECTEUR SECONDAIRE | 0,5 % | 0,3 % |
| • SECTEUR PRIMAIRE | -1,9 % | 0,0 % |

Le Vieux-Québec
Photo : Patrick Deslandes

**Secteur primaire** : agriculture, foresterie, pêche et piégeage, mines.
**Secteur secondaire** : services publics, construction, fabrication.
**Secteur tertiaire** : services commerciaux (commerce, transport, finance, services professionnels, hébergement et restauration, etc.), services non commerciaux (enseignement, santé, administrations publiques).

* Les estimations de départs à la retraite sont pour la période 2006 à 2010.

Source : compilation spéciale d'Emploi-Québec.

Avec la formation professionnelle et technique, j'ai tout pour réussir dans la Capitale-Nationale.

Je visite **toutpourreussir.com**.

>> 10/07

les concepteurs de jeux, les concepteurs audio, les concepteurs de niveau de jeu, les animateurs 2D et 3D, les modeleurs et les graphistes».

Le bassin de candidats qualifiés est toutefois insuffisant, malgré la présence de formations spécialisées offertes sur le territoire dans la région. L'entreprise recrute donc à l'extérieur de la région, voire à l'étranger, notamment aux États-Unis et en France. La compagnie investit d'ailleurs énormément dans ses campagnes de recrutement. À titre d'exemple, en septembre 2007, elle lançait un site Internet spécialement dédié au recrutement à partir duquel on peut effectuer certains tests pour mesurer son degré de créativité. ◎

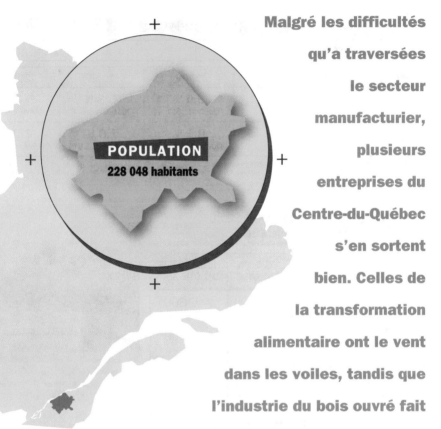

POPULATION
228 048 habitants

Malgré les difficultés qu'a traversées le secteur manufacturier, plusieurs entreprises du Centre-du-Québec s'en sortent bien. Celles de la transformation alimentaire ont le vent dans les voiles, tandis que l'industrie du bois ouvré fait preuve d'une belle créativité pour demeurer compétitive.

par **Geneviève Dubé**

## DES SECTEURS QUI RECRUTENT

Commerce de gros et de détail • Fabrication d'aliments et boissons • Fabrication de machineries • Fabrication de matériel de transport • Fabrication de produits métalliques • Hébergement et restauration • Services professionnels, scientifiques et techniques • Soins de santé et services sociaux • Transport et entreposage

Sources : Éric Lampron, Emploi-Québec; Jean Ruel, Service Canada.

## PRINCIPALES VILLES

Bécancour • Drummondville • Nicolet • Plessisville • Princeville • Victoriaville

Le Centre-du-Québec est la région la plus manufacturière du Québec. Ce secteur représente en effet 29 % des emplois, comparativement à 16 % pour l'ensemble de la province. «Malgré la période difficile que traversent les entreprises manufacturières centricoises, la région se démarque par le développement rapide de ses industries et la création d'emplois», souligne Jean Ruel, économiste pour Service Canada. Par exemple, 257 emplois manufacturiers et 30 nouvelles entreprises ont été créés dans la MRC de Drummond en 2006 selon la Société de développement économique de Drummondville.

**La Corporation de développement agroalimentaire-forêt du Centre-du-Québec tentera de développer cinq productions spécifiques au cours des prochaines années.**

Ainsi, les entreprises du secteur de la transformation alimentaire souhaitent multiplier leurs activités de première, deuxième et troisième transformation. Le secteur emploie près de 5 000 personnes dans la région du Centre-du-Québec et Service Canada estime qu'environ 200 travailleurs s'ajouteront chaque année entre 2007 et 2009. Le Centre d'innovation en transformation alimentaire de Nicolet, qui permet à des entreprises agroalimentaires d'effectuer de la recherche et du développement de produits, devrait ouvrir ses portes en 2009.

En plus de cette initiative, la Corporation de développement agroalimentaire-forêt du Centre-du-Québec tentera de développer cinq productions spécifiques au cours des prochaines années : la production biologique, les canneberges et les petits fruits, les viandes de spécialité, l'industrie fromagère, les produits laitiers de spécialité et l'acériculture. Canneberges Atoka, à Manseau, a d'ailleurs investi neuf millions de dollars en 2007 pour agrandir ses installations et axer sa production sur la canneberge séchée, créant ainsi une vingtaine d'emplois.

**CDM Papiers Décors de Drummondville, fabricant de revêtements décoratifs destinés à l'industrie du meuble et du bois ouvré, mise désormais sur des produits et procédés respectueux de l'environnement.**

En outre, des créneaux retenus dans le cadre de l'Action concertée de coopération régionale de développement du Centre-du-Québec croissent. Par exemple, les technologies et systèmes logistiques de récupération, de valorisation des matières résiduelles et municipales et de recyclage prennent de l'ampleur. «De 2007 à 2010, la région vise la création de cinq entreprises supplémentaires dans ce domaine et la réalisation d'une dizaine de projets», explique Jean Ruel. Au cours de cette période, quelque 200 emplois devraient s'ajouter chaque an-née aux 2 900 postes existants de ce secteur dans la région.

Pour leur part, les entreprises liées au créneau du meuble et du bois ouvré se font inventives pour tenir tête à la concurrence chinoise. Si l'ensemble du secteur devrait connaître une décroissance de l'emploi de 1,4 % entre 2007 et 2009, certaines entreprises arrivent à retenir leurs emplois en développant des produits à valeur ajoutée. Par exemple, CDM Papiers Décors de Drummondville, fabricant de revêtements décoratifs destinés à l'industrie du meuble et du bois ouvré, mise désormais sur des produits et procédés respectueux de l'environnement. Cette initiative permettra la création de 10 emplois. «De plus, les entreprises spécialisées dans la fabrication de cercueils et de moulures se portent bien», ajoute Éric Lampron, analyste du marché du travail pour Emploi-Québec. ▶

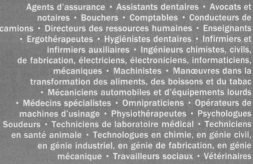

## RECHERCHÉS

Agents d'assurance • Assistants dentaires • Avocats et notaires • Bouchers • Comptables • Conducteurs de camions • Directeurs des ressources humaines • Enseignants • Ergothérapeutes • Hygiénistes dentaires • Infirmiers et infirmiers auxiliaires • Ingénieurs chimistes, civils, de fabrication, électriciens, électroniciens, informaticiens, mécaniques • Machinistes • Manœuvres dans la transformation des aliments, des boissons et du tabac • Mécaniciens automobiles et d'équipements lourds • Médecins spécialistes • Omnipraticiens • Opérateurs de machines d'usinage • Physiothérapeutes • Psychologues • Soudeurs • Techniciens de laboratoire médical • Techniciens en santé animale • Technologues en chimie, en génie civil, en génie industriel, en génie de fabrication, en génie mécanique • Travailleurs sociaux • Vétérinaires

Source : Emploi-Québec. *Perspectives professionnelles 2006-2010*, 2007. Visitez http://emploiquebec.net pour connaître les mises à jour pour 2007-2011.

## LES TENDANCES DÉMOGRAPHIQUES

Entre 2006 et 2010, 15 000 emplois devront être pourvus dans le Centre-du-Québec en raison des départs à la retraite.

Selon une enquête menée pour Emploi-Québec auprès des entreprises de cinq employés et plus, «38 % des entreprises ont éprouvé des difficultés de recrutement entre les mois de septembre 2006 et 2007, principalement en raison du manque de candidats qualifiés. Les proportions les plus élevées ont été observées dans le secteur de la fabrication ainsi qu'en éducation, santé et assistance sociale», affirme Éric Lampron.

Par ailleurs, selon Emploi-Québec, c'est le secteur de la vente et des services qui connaîtra le plus grand besoin de main-d'œuvre.

## À SUIVRE

- L'entreprise Timminco de Bécancour a entamé des travaux de construction d'une nouvelle usine de silicium en juillet 2007. Cet investissement de 25 millions de dollars permettra l'embauche d'une cinquantaine de travailleurs.

- Sécurifort, spécialisé dans la fabrication de voûtes, de portes de voûte et de coffres-forts destinés aux établissements bancaires et commerciaux, a agrandi ses installations de Tingwick en 2007. Les travaux de quatre millions de dollars ont permis de doubler la superficie de l'usine, et 20 emplois ont été créés.

- Un centre de recherche et de développement sera intégré à l'usine des Machineries Verville à Drummondville, spécialisée dans la fabrication de convoyeurs, de machines d'emballage, etc. Une vingtaine d'emplois seront créés grâce à cet investissement de 150 000 $.

- La société Conporec a acheté l'ancienne usine d'eau lourde La Prade pour y installer le Centre de valorisation La Prade. On y traitera 40 000 tonnes de matières résiduelles chaque année, l'objectif étant de se rendre jusqu'à 100 000 tonnes. Douze emplois ont été créés à l'automne 2007 et l'entreprise pourrait en ajouter treize autres d'ici à 2009.

## SUR LE TERRAIN

L'entreprise CVTech-IBC de Drummondville conçoit et fabrique des transmissions à variation continue destinées aux véhicules tout-terrain et utilitaires, motoneiges, scooters et véhicules électriques. La demande croissante de ses produits et services d'ingénierie entraînera l'embauche de un ou deux ingénieurs mécaniques par année d'ici à 2012.

Quelques techniciens en génie mécanique seront aussi recrutés pour compléter les équipes de

## TAUX DE CHÔMAGE

| EN NOVEMBRE 2007† | 5,0 % Québec : 6,6 % | | |
|---|---|---|---|
| **MOYENNES ANNUELLES††** | **2006** | **2005** | **2004** |
| POPULATION DE 15 ANS ET PLUS | 7,4 %<br>Québec : 8,0 % | 8,1 %<br>Québec : 8,3 % | 8,3 %<br>Québec : 8,5 % |
| POPULATION DE 15 À 29 ANS | 10,2 %<br>Québec : 10,9 % | 12,1 %<br>Québec : 11,5 % | 11,0 %<br>Québec : 12,0 % |

† Source : Statistique Canada, données non désaisonnalisées.
†† Source : Statistique Canada. *Enquête sur la population active*, compilations de l'Institut de la statistique du Québec, 2004, 2005 et 2006.

## PERSPECTIVES 2007-2011 D'EMPLOI-QUÉBEC

| | RÉGION CENTRE-DU-QUÉBEC | ENSEMBLE DU QUÉBEC |
|---|---|---|
| CRÉATION D'EMPLOIS | 8 500 | 245 800 |
| DÉPARTS À LA RETRAITE* | 15 000 | 440 000 |
| TAUX DE CROISSANCE ANNUEL DE L'EMPLOI | 1,4 % | 1,3 % |
| • SECTEUR TERTIAIRE | 2,0 % | 1,6 % |
| • SECTEUR SECONDAIRE | 0,7 % | 0,3 % |
| • SECTEUR PRIMAIRE | -0,5 % | 0,0 % |

La rivière Nicolet
Photo : Guy Gauthier,
© Le Québec en images, CCDMD

Avec la formation professionnelle et technique, j'ai tout pour réussir dans le Centre-du-Québec.

Je visite **toutpourreussir.com**.

**Secteur primaire** : agriculture, foresterie, pêche et piégeage, mines.
**Secteur secondaire** : services publics, construction, fabrication.
**Secteur tertiaire** : services commerciaux (commerce, transport, finance, services professionnels, hébergement et restauration, etc.), services non commerciaux (enseignement, santé, administrations publiques).

\* Les estimations de départs à la retraite sont pour la période 2006 à 2010.

Source : compilation spéciale d'Emploi-Québec.

conception. «Même si la région ne fournit pas suffisamment d'ingénieurs et de techniciens, Drummondville jouit d'une situation géographique favorable, à mi-chemin entre Montréal et Québec, de même qu'entre Trois-Rivières et Sherbrooke. Nous parvenons ainsi à répondre à nos besoins de main-d'œuvre spécialisée», explique Alex Bussière, conseiller marketing chez CVTech-IBC.

L'entreprise embauche régulièrement des candidats issus du Centre de formation professionnelle Paul-Rousseau, diplômés en opération d'équipements de production, techniques d'usinage, machines-outils à commande numérique, matriçage et outillage. Elle déplore toutefois la rareté de machinistes et d'opérateurs CNC (commande numérique par calculateur) diplômés de l'attestation de spécialisation professionnelle *Machines-outils à commande numérique*. ◎

**POPULATION**

**397 827 habitants**

Le diagnostic sur l'économie de Chaudière-Appalaches, affaiblie par la concurrence étrangère et la hausse du dollar canadien, demeure prudent. Car si la région a pu tirer son épingle du jeu jusqu'à présent, sans investissement ni innovation, les créneaux traditionnels d'emploi dont le meuble et le textile pourraient bien être menacés.

par **Guylaine Boucher**

## DES SECTEURS QUI RECRUTENT

Aliments et boissons • Assurances • Commerce de gros et de détail • Fabrication de matériel de transport • Fabrication de produits en plastique et matériaux composites • Fabrication de produits métalliques • Fabrication d'équipements • Services professionnels, scientifiques et techniques • Soins de santé et assistance sociale

Source : Denis Gagnon, Service Canada.

## PRINCIPALES VILLES

Lévis • Montmagny • Sainte-Marie • Saint-Georges • Thetford Mines

## LES PERSPECTIVES

En Chaudière-Appalaches, les exploitations agricoles côtoient les entreprises manufacturières et de services. L'économie régionale est, selon Jean Gamache, économiste pour Emploi-Québec, «l'une des plus diversifiées de la province». C'est, à son avis, ce qui a permis à la région de bien s'en sortir jusqu'à présent.

Toutefois, l'économie a connu d'importants revers qui ont ébranlé ses bases. Depuis le début des années 2000, le secteur manufacturier, fortement présent sur le territoire, n'a pas été épargné par la concurrence étrangère. Fermetures et délocalisations ont été nombreuses, notamment dans l'industrie du meuble et du textile.

**Le domaine des ressources naturelles, longtemps considéré comme un moteur pour la région, connaît certaines difficultés.**

«La disparition de deux usines du groupe Shermag [un important manufacturier de meubles] à Lévis et Disraeli a entraîné la perte de 300 emplois au début de 2007», explique Denis Gagnon, économiste pour Service Canada. Un peu plus de 150 emplois ont également été touchés par la fermeture de l'imprimerie L'Éclaireur de Beauceville en janvier 2007.

Plus inquiétant encore, selon Jean Gamache, «d'autres fermetures pourraient survenir si une récession économique se déclarait aux États-Unis, puisque c'est dans ce pays que sont exportés la très grande majorité des biens fabriqués dans la région. Et avec un dollar canadien fort, les Américains auront bientôt moins d'intérêt à acheter ici.»

Le domaine de l'exploitation et de la transformation des ressources naturelles, longtemps

**L'avenir repose sur le développement et la mise en valeur de certains créneaux d'excellence, dont la transformation des matières plastiques et des matériaux composites, les produits de revêtement et d'apparence en bois et les textiles techniques.**

considéré comme un moteur pour la région, connaît aussi certaines difficultés. «L'une des deux dernières mines d'amiante en exploitation à Thetford Mines a cessé de fonctionner en novembre 2007, entraînant la perte de 150 emplois», précise Jean Gamache.

Dans ce contexte, la réouverture du chantier maritime Davie Québec a fait l'effet d'une bouffée d'air. Entre 2007 et 2011, environ 1 200 personnes pourraient y travailler.

Dans un autre créneau, la construction d'un centre des congrès à Lévis auquel sera par la suite ajouté un complexe hôtelier de 100 chambres pourrait générer des centaines d'emplois. Il en va de même du très controversé projet de port méthanier Rabaska dont la réalisation, évaluée à 840 millions de dollars, devrait créer

5 000 emplois directs et indirects durant la phase de construction.

Pour les intervenants économiques qui participent au projet ACCORD (Action concertée de coopération régionale de développement), il en faudra cependant davantage pour permettre à la région de véritablement assurer ses arrières. Selon eux, l'avenir repose sur le développement et la mise en valeur de certains créneaux d'excellence, dont la transformation des matières plastiques et des matériaux composites, les produits de revêtement et d'apparence en bois (planchers de bois franc, recouvrements de maisons, etc.) et les textiles techniques. «On souhaite améliorer la productivité des entreprises de ces secteurs, miser sur la recherche et le développement et investir en matière de formation et d'équipements», soutient Denis Gagnon. ▶

**81**

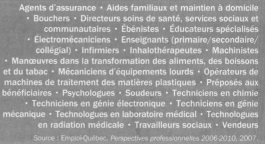

## RECHERCHÉS

Agents d'assurance • Aides familiaux et maintien à domicile • Bouchers • Directeurs soins de santé, services sociaux et communautaires • Ébénistes • Éducateurs spécialisés • Électromécaniciens • Enseignants (primaire/secondaire/collégial) • Infirmiers • Inhalothérapeutes • Machinistes • Manœuvres dans la transformation des aliments, des boissons et du tabac • Mécaniciens d'équipements lourds • Opérateurs de machines de traitement des matières plastiques • Préposés aux bénéficiaires • Psychologues • Soudeurs • Techniciens en chimie • Techniciens en génie électronique • Techniciens en génie mécanique • Technologues en laboratoire médical • Technologues en radiation médicale • Travailleurs sociaux • Vendeurs

Source : Emploi-Québec. *Perspectives professionnelles 2006-2010*, 2007.
Visitez http://emploiquebec.net pour connaître les mises à jour pour 2007-2011.

## LES TENDANCES DÉMOGRAPHIQUES

À l'instar de nombreuses régions du Québec, Chaudière-Appalaches est aux prises avec un vieillissement accéléré de sa population. En fait, illustre Denis Gagnon, en 2006, 36 % de la population était âgée de 50 ans et plus, comparativement à 34 % dans l'ensemble du Québec. Dans certaines zones plus rurales, dont les MRC de Montmagny, L'Islet et Bellechasse, cette proportion atteint même 40 %. L'exode des jeunes, notamment pour poursuivre des études, explique en grande partie la situation.

Ce déséquilibre affecte aussi le marché du travail. Entre 2007 et 2012, la région verra son bassin de personnes en âge de travailler diminuer considérablement avec la perte de 5 000 travailleurs actifs, selon Denis Gagnon.

Pour contrer le mouvement et convaincre les travailleurs plus âgés de demeurer en fonction, la mise en place de mesures favorisant la multiplication de postes à temps partiel est envisagée par les entreprises.

## À SUIVRE

- Un projet d'extraction du nickel à partir des résidus d'amiante mené par la firme Nichromet Extraction et évalué à 100 millions de dollars devrait permettre de créer 200 emplois dans la région de Thetford Mines.
- La construction d'un oléoduc par la compagnie Ultramar entre Lévis et Montréal devrait générer 2 000 emplois lors de la construction.
- La construction de trois parcs d'éoliennes est annoncée, dont deux au Parc régional du Massif du Sud et un à Thetford Mines. Les investissements, évalués à près de 800 millions de dollars, devraient créer plusieurs centaines d'emplois au moment de la construction et une vingtaine de postes permanents.
- La firme Vaperma a procédé à l'ouverture d'un nouveau centre-pilote de recherches et de technologies spécialisées visant à favoriser la déshydratation de l'éthanol et du gaz naturel afin de les rendre plus écologiques. Une quarantaine d'emplois sont liés au projet.

## SUR LE TERRAIN

Davie Québec est spécialisée dans la conception et la fabrication de bateaux *off-shore* (navires de transport de marchandises, pétroliers, etc.). Entre 2007 et 2011, l'entreprise estime qu'environ 400 travailleurs supplémentaires devront être embauchés pour mener à bien la construction des cinq navires en commande. Ce qui portera l'effectif total à 1 200 employés en période de pointe.

## TAUX DE CHÔMAGE

| EN NOVEMBRE 2007† | 4,9 % Québec : 6,6 % | | |
|---|---|---|---|
| **MOYENNES ANNUELLES††** | **2006** | **2005** | **2004** |
| POPULATION DE 15 ANS ET PLUS | 5,8 % Québec : 8,0 % | 6,4 % Québec : 8,3 % | 6,5 % Québec : 8,5 % |
| POPULATION DE 15 À 29 ANS | 8,6 % Québec : 10,9 % | 8,2 % Québec : 11,5 % | 8,1 % Québec : 12,0 % |

† Source : Statistique Canada, données non désaisonnalisées.
†† Source : Statistique Canada. *Enquête sur la population active*, compilations de l'Institut de la statistique du Québec, 2004, 2005 et 2006.

## PERSPECTIVES 2007-2011 D'EMPLOI-QUÉBEC

| | RÉGION CHAUDIÈRE-APPALACHES | ENSEMBLE DU QUÉBEC |
|---|---|---|
| CRÉATION D'EMPLOIS | 8 200 | 245 800 |
| DÉPARTS À LA RETRAITE* | 25 600 | 440 000 |
| TAUX DE CROISSANCE ANNUEL DE L'EMPLOI | 0,8 % | 1,3 % |
| · SECTEUR TERTIAIRE | 1,1 % | 1,6 % |
| · SECTEUR SECONDAIRE | 0,3 % | 0,3 % |
| · SECTEUR PRIMAIRE | -0,8 % | 0,0 % |

Le village de Saint-Roch-des-Aulnaies
Photo : Paul Grant,
© Le Québec en images, CCDMD

**Secteur primaire** : agriculture, foresterie, pêche et piégeage, mines.
**Secteur secondaire** : services publics, construction, fabrication.
**Secteur tertiaire** : services commerciaux (commerce, transport, finance, services professionnels, hébergement et restauration, etc.), services non commerciaux (enseignement, santé, administrations publiques).

\* Les estimations de départs à la retraite sont pour la période 2006 à 2010.

Source : compilation spéciale d'Emploi-Québec.

 Avec la formation professionnelle et technique, j'ai tout pour réussir dans Chaudière-Appalaches.

Je visite **toutpourreussir.com**.

Des soudeurs, monteurs d'acier, électriciens et opérateurs de grues sont notamment recherchés.

Selon Michelle Bouchard, directrice des ressources humaines de l'entreprise, «le bassin de main-d'œuvre locale devrait permettre de pourvoir plusieurs postes, mais il faudra aussi recruter à l'extérieur». Les régions de la Capitale-Nationale, du Bas-Saint-Laurent et du Saguenay sont visées en raison de leur proximité. Pour attirer les candidats, l'entreprise offre une rémunération et des avantages sociaux concurrentiels. Elle mise également, selon Michelle Bouchard, sur le caractère diversifié du travail proposé puisque «les navires étant en construction, chaque jour amène des étapes et des activités différentes à accomplir», soutient-elle. ◎

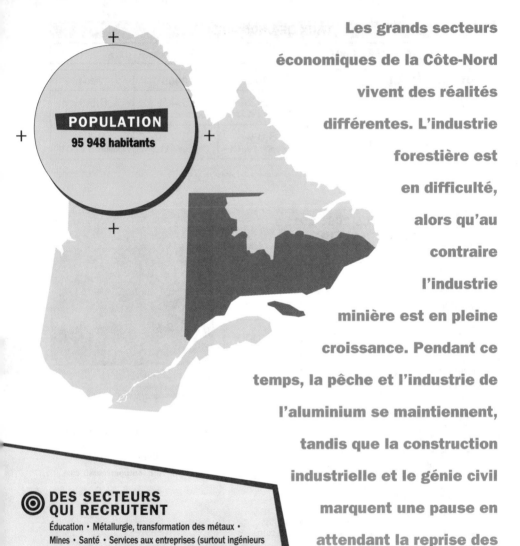

POPULATION
95 948 habitants

Les grands secteurs économiques de la Côte-Nord vivent des réalités différentes. L'industrie forestière est en difficulté, alors qu'au contraire l'industrie minière est en pleine croissance. Pendant ce temps, la pêche et l'industrie de l'aluminium se maintiennent, tandis que la construction industrielle et le génie civil marquent une pause en attendant la reprise des projets d'envergure.

par Pierre St-Arnaud

**DES SECTEURS QUI RECRUTENT**

Éducation • Métallurgie, transformation des métaux • Mines • Santé • Services aux entreprises (surtout ingénieurs et comptables) • Services publics (Hydro-Québec)
Source : André LePage, Emploi-Québec.

**PRINCIPALES VILLES**
Baie-Comeau • Port-Cartier • Sept-Îles

L'appétit insatiable des pays émergents pour les métaux et les minerais a donné un coup d'accélérateur à la production minière. Il permet aussi d'envisager des investissements majeurs qui autoriseraient l'exploitation de nouveaux gisements. «Le prix du minerai de fer a en effet augmenté de presque 200 % entre 2005 et 2007», soutient l'économiste Claude Arsenault de Service Canada.

**La main-d'œuvre est vieillissante dans le secteur minier et déjà, les compagnies existantes peinent à remplacer les départs.**

Une première mine de fer, celle de Consolidated Thompson Iron Mines près de Fermont, est très avancée et la production doit débuter en 2008. Cet investissement de 250 millions de dollars générerait quelque 250 emplois. Un second projet, plus modeste, de la minière Anglesey, permettrait de créer 100 emplois près de Schefferville à partir de 2010. Le troisième, dans la même zone géographique, est un projet gigantesque de deux milliards de dollars de New Millennium Capital, comprenant une mine, une usine de bouletage et un pipeline pour transporter le fer jusqu'à la côte, et qui pourrait générer 750 emplois.

Or, la main-d'œuvre est vieillissante dans le secteur minier et déjà, les compagnies minières existantes (IOC, QIT-Fer et Titane, Québec Cartier et Wabush) peinent à remplacer les départs, signale André LePage, économiste à Emploi-Québec. «Entre 2006 et 2011, on prévoit une croissance de 1 300 emplois [incluant le Nord-du-Québec] et des besoins de remplacement d'environ 1 000 personnes. C'est un beau défi à relever et il faudra faire appel à des bassins peu exploités : les femmes, les autochtones et les immigrants.»

À l'opposé, l'industrie forestière a été sévèrement malmenée en 2007. Pas moins de 1 500 emplois ont été perdus avec la fermeture de trois scieries de Kruger (Ragueneau, Longue-Rive, Forestville), celles d'Almassa à Baie-Trinité et d'AbitibiBowater à Pointe-aux-Outardes. Quelques bonnes nouvelles, cependant : Boisaco de Sacré-Cœur et Berscifor de Labrieville ont réussi à obtenir temporairement une partie des approvisionnements de Kruger, assurant le maintien de quelque 330 emplois. De plus, la seule papetière encore en activité sur la Côte-Nord, celle d'AbitibiBowater à Baie-Comeau, est l'une des plus modernes de la compagnie et ses 800 emplois ne sont pas menacés.

De son côté, l'industrie de la pêche a connu une légère embellie en 2007. «Les prix ont été meilleurs cette année», souligne André LePage. Quant à la construction, il n'y a aucun grand chantier en cours depuis la fin des travaux à l'aluminerie Alouette de Sept-Îles et au barrage Toulnoustouc. Cependant, le début des travaux du méga-chantier des quatre barrages de La Romaine, en Minganie, approche et créera l'équivalent de 1 000 emplois par année, pendant environ 14 ans (2009-2023). On y prévoit des pointes de main-d'œuvre où l'effectif dépassera les 3 000 travailleurs.

En attendant, les travailleurs de la construction pourront se rabattre sur la réfection des cuves Soderberg d'Alcoa à Baie-Comeau, qui a commencé. L'aluminium est un métal très demandé et les alumineries de la Côte-Nord produisent à plein régime. Il n'est d'ailleurs pas impossible qu'Alcoa décide de procéder plus tôt au remplacement des cuves Soderberg par des cuves de nouvelle technologie. Mais pour cela, il faudra qu'aboutissent les discussions avec le gouvernement du Québec concernant l'octroi d'une alimentation électrique à prix avantageux. ▶

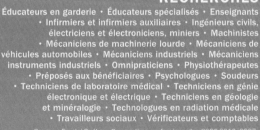

**RECHERCHÉS** 🔍

Éducateurs en garderie • Éducateurs spécialisés • Enseignants • Infirmiers et infirmiers auxiliaires • Ingénieurs civils, électriciens et électroniciens, miniers • Machinistes • Mécaniciens de machinerie lourde • Mécaniciens de véhicules automobiles • Mécaniciens industriels • Mécaniciens instruments industriels • Omnipraticiens • Physiothérapeutes • Préposés aux bénéficiaires • Psychologues • Soudeurs • Techniciens de laboratoire médical • Techniciens en génie électronique et électrique • Techniciens en géologie et minéralogie • Technologues en radiation médicale • Travailleurs sociaux • Vérificateurs et comptables

Source : Emploi-Québec, *Perspectives professionnelles 2006-2010*, 2007. Visitez http://emploiquebec.net pour connaître les mises à jour pour 2007-2011.

## LES TENDANCES DÉMOGRAPHIQUES

La Côte-Nord affiche son plus haut taux de fécondité depuis 15 ans (1,8 enfant par femme). Bien qu'elle vive un exode de ses jeunes depuis de nombreuses années, ce dernier diminue et la région a connu en 2006 une croissance des 25-34 ans. La Côte-Nord, dont 1 800 habitants partaient s'établir dans les autres régions en 2001, n'en a perdu que 900 en 2006. André LePage évite cependant de se réjouir trop vite : «Les signes sont là, mais il est encore trop tôt pour parler d'un renversement de tendance.»

Il est d'ores et déjà clair que la Côte-Nord ne pourra fournir toute la main-d'œuvre qui lui sera nécessaire au cours des prochaines années, notamment dans les mines. Les entreprises rivalisent donc d'ingéniosité pour recruter et retenir leurs travailleurs. «Par exemple, Québec Cartier a mis en place un programme pour inciter les enfants des employés à travailler pour l'entreprise. Elle les invite à se former dans des domaines reliés à ses activités en leur accordant certains avantages financiers en rapport avec leurs droits de scolarité et s'engage à leur procurer du travail pendant les périodes de relâche scolaire», illustre Claude Arsenault.

## À SUIVRE

- Pour relancer la scierie des Outardes fermée en mai et sauver ses 600 emplois, AbitibiBowater a présenté à la fin de septembre 2007 une demande d'aide de 3,3 millions de dollars au gouvernement du Québec sous forme de droits de coupe et de mesures fiscales.

- Des travaux de 18 millions de dollars ont été amorcés en 2007 aux quais de Baie-Comeau et des Escoumins. À Baie-Comeau, il s'agit de travaux de réfection au quai commercial, alors qu'aux Escoumins, le quai sera entièrement reconstruit afin d'être prêt pour la relance du service de traversier avec Trois-Pistoles à l'été 2008.

- IOC a annoncé des investissements de 60 millions de dollars pour augmenter d'un million de tonnes sa production annuelle de concentré de fer. La compagnie étudie la possibilité de l'augmenter de 2,5 millions de tonnes supplémentaires.

## SUR LE TERRAIN

Métal 7, une entreprise d'usinage de Sept-Îles, fabrique des équipements utilisés par l'industrie minière (tamis, rouleaux, etc.). Entre 2006 et 2007, le nombre d'employés est passé de 75 à 91. La main-d'œuvre est composée de diplômés en mécanique, en soudure, en usinage, en maintenance industrielle, en génie civil et en génie mécanique.

## TAUX DE CHÔMAGE*

| **EN NOVEMBRE 2007**[†] | 7,8 % Québec : 6,6 % | | |
|---|---|---|---|
| **MOYENNES ANNUELLES**[††] | **2006** | **2005** | **2004** |
| POPULATION DE 15 ANS ET PLUS | 8,2 % Québec : 8,0 % | 8,1 % Québec : 8,3 % | 11,7 % Québec : 8,5 % |
| POPULATION DE 15 À 29 ANS | n/d Québec : 10,9 % | 12,2 % Québec : 11,5 % | 16,3 % Québec : 12,0 % |

\* Ces données incluent le Nord-du-Québec.
[†] Source : Statistique Canada, données non désaisonnalisées.
[††] Source : Statistique Canada. *Enquête sur la population active*, compilations de l'Institut de la statistique du Québec, 2004, 2005 et 2006.

## PERSPECTIVES 2007-2011 D'EMPLOI-QUÉBEC

| CÔTE-NORD ET NORD-DU-QUÉBEC | **RÉGIONS** | **ENSEMBLE DU QUÉBEC** |
|---|---|---|
| CRÉATION D'EMPLOIS | 3 300 | 245 800 |
| DÉPARTS À LA RETRAITE* | 6 000 | 440 000 |
| TAUX DE CROISSANCE ANNUEL DE L'EMPLOI | 1,2 % | 1,3 % |
| • SECTEUR TERTIAIRE | 1,3 % | 1,6 % |
| • SECTEUR SECONDAIRE | 0,0 % | 0,3 % |
| • SECTEUR PRIMAIRE | 3,1 % | 0,0 % |

Le village de Rivière-au-Tonnerre
Photo : Rodrigue Gendron,
© Le Québec en images, CCDMD

87

**Secteur primaire :** agriculture, foresterie, pêche et piégeage, mines.
**Secteur secondaire :** services publics, construction, fabrication.
**Secteur tertiaire :** services commerciaux (commerce, transport, finance, services professionnels, hébergement et restauration, etc.), services non commerciaux (enseignement, santé, administrations publiques).

\* Les estimations de départs à la retraite sont pour la période 2006 à 2010.

Source : compilation spéciale d'Emploi-Québec.

Avec la formation professionnelle et technique, j'ai tout pour réussir sur la Côte-Nord.

Je visite **toutpourreussir.com**.

>> 10/07

Selon le responsable des ressources humaines, Laurent Cormier, le recrutement n'est guère facile, d'une part parce que certaines formations ne sont pas offertes dans la région, mais surtout parce qu'on s'arrache les rares candidats : «Il a fallu que j'aille recruter en Gaspésie, au Saguenay, même à Québec et à Montréal!»

Il ajoute qu'une PME comme Métal 7 a du mal à concurrencer des géants comme Hydro-Québec et IOC, qui payent jusqu'à deux ou trois fois plus.

Il a donc fallu trouver des idées... «Nous proposons de trouver un emploi pour le conjoint si lui aussi est prêt à déménager, de dénicher une école ou des places en garderie pour les enfants, etc.» ◎

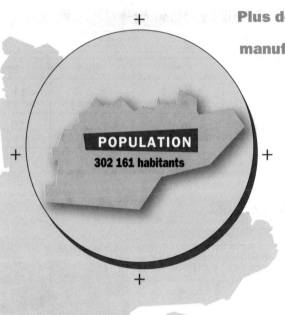

POPULATION

302 161 habitants

Plus de 11 000 emplois manufacturiers ont été perdus en Estrie depuis 2003. Face à cette hémorragie, la région tente d'axer son économie sur l'innovation et le savoir. Elle compte sur ses universités et ses centres de recherche pour développer de nouveaux créneaux dans des secteurs plus spécialisés.

par **Julie Rémy**

## DES SECTEURS QUI RECRUTENT

Commerce de détail • Construction • Fabrication de machines • Génie routier • Produits métalliques • Services professionnels

Source : Gilles Lecours, Emploi-Québec.

## PRINCIPALES VILLES

Asbestos • Coaticook • East Angus • Lac-Mégantic • Magog • Sherbrooke • Windsor

Selon les résultats de l'*Enquête sur la population active* publiés par Statistique Canada, l'Estrie a connu un gain net de 1 600 emplois entre le premier semestre 2006 et le premier semestre 2007. La croissance du secteur des services, qui a généré 4 200 nouveaux emplois, a littéralement compensé la suppression de 4 200 postes dans le secteur manufacturier, mis à mal par la forte concurrence des pays émergents, la hausse du dollar canadien et le ralentissement de l'économie américaine. Les chantiers de construction ont à eux seuls permis la création de 2 800 emplois.

**Le secteur du caoutchouc, du plastique et des matériaux composites tente de se spécialiser pour résister à la concurrence chinoise.**

Avec un taux de croissance avoisinant 2 % pour la période 2007-2009, le secteur de la santé offrira les meilleures perspectives d'emploi, estime Danielle Pineault, économiste pour Service Canada. Environ 1 600 postes seront à pourvoir, notamment pour remplacer les départs à la retraite et répondre aux besoins grandissants d'une population vieillissante.

Le Centre hospitalier universitaire de Sherbrooke, deuxième employeur de la région avec plus de 5 000 employés, va embaucher.

Selon Mme Pineault, l'avenir du secteur manufacturier – qui n'emploie plus que 22 % des travailleurs régionaux, contre 30 % en 2003 – réside dans l'adaptation de la main-d'œuvre aux nouvelles technologies, l'augmentation de la productivité et le fait de trouver de nouveaux créneaux spécialisés.

Ainsi, le secteur du caoutchouc, du plastique et des matériaux composites, qui représentait près 4 000 emplois en 2006, tente de se spécialiser pour résister à la concurrence chinoise. Par exemple, Gurit Canada, qui fabrique des matériaux composites comme de la mousse structurante, profite de la demande croissante d'énergie éolienne. À la fin de 2007, cette compagnie a embauché une centaine d'opérateurs de production pour son usine de Magog, qui compte désormais 350 employés. Mais d'autres perdent des plumes : GDX Automotive a annoncé la fermeture de ses usines à Magog en février 2008, où plus de 400 travailleurs seront mis au chômage.

Le Centre intégré de formation industrielle de Magog, inauguré en 2006, forme un bassin de main-d'œuvre très apprécié d'employeurs comme Jyco. La compagnie, qui fabrique des joints d'étanchéité en thermoplastique, a établi un partenariat avec le Centre pour accueillir des élèves en alternance travail-études. D'une part, ses employés obtiennent de la formation continue, et d'autre part, Jyco recrute les diplômés du DEP *Conduite et réglage de machines industrielles* du Centre, déjà formés à l'utilisation de ses machines.

Ce type de formation peut aider à lutter contre le décrochage scolaire, estime Gilles Lecours, économiste à Emploi-Québec. En effet, pas moins de 34 % des jeunes ont abandonné l'école avant d'avoir obtenu leur diplôme d'études secondaires en 2003-2004, soit 10 % de plus que dans l'ensemble du Québec.

M. Lecours souligne également la tenue, en mai 2007, du Sommet de Sherbrooke. Près de 300 acteurs de l'économie régionale ont décidé de faire de la région «un pôle majeur d'innovation» d'ici à 2012 pour contrer la concurrence de pays émergents comme la Chine, l'Inde, le Pakistan ou le Brésil.

Le Parc Innovation de l'Université de Sherbrooke va dans ce sens. Dédié à la recherche fondamentale pour des applications industrielles, il accueille divers bâtiments de recherche et abritera dès 2008 le Centre de technologies avancées (CTA). Bombardier Produits Récréatifs, qui a cofinancé le projet, pourra utiliser les nouvelles technologies développées au CTA pour fabriquer ses véhicules récréatifs.

▶

Les carrières d'avenir 2008 • **Les 17 régions du Québec**

**89**

**RECHERCHÉS** 🔍

Aides familiaux • Aides-infirmiers • Bouchers • Dentistes • Designers graphiques et illustrateurs • Diététistes et nutritionnistes • Ergothérapeutes • Infirmiers • Ingénieurs informaticiens • Inhalothérapeutes • Machinistes et vérificateurs d'usinage et d'outillage • Médecins spécialistes • Omnipraticiens • Optométristes • Pharmaciens • Psychologues • Représentants des ventes non techniques (commerce de gros) • Secrétaires médicaux • Soudeurs • Superviseurs (commerces de détail) • Techniciens de laboratoire médical • Techniciens juridiques • Technologues médicaux • Traducteurs, terminologues et interprètes • Vendeurs et commis-vendeurs en commerce de détail • Vérificateurs et comptables

Source : Emploi-Québec. *Perspectives professionnelles 2006-2010.* 2007. Visitez http://emploiquebec.net pour connaître les mises à jour pour 2007-2011.

## LES TENDANCES DÉMOGRAPHIQUES

Le solde migratoire de l'Estrie reste positif, notamment grâce à l'arrivée d'immigrants. Gilles Lecours estime que la population active augmentera légèrement jusqu'en 2015. «Depuis quelques années, les 55 ans et plus repoussent le moment de leur retraite ou reviennent sur le marché du travail.» Ce phénomène, ainsi que l'arrivée de jeunes travailleurs en emploi, maintient un bon taux d'activité. «Mais le manque de main-d'œuvre se fera sentir au fur et à mesure que les *baby-boomers* prendront leur retraite.»

Danielle Pineault souligne que le secteur de la santé connaît déjà des difficultés de recrutement. «Les femmes étant majoritaires dans ce domaine, les congés parentaux ajoutés aux départs à la retraite provoquent des pénuries, notamment d'infirmières.» Le programme de partenariat PRIMOS, conclu entre les établissements d'enseignement et de santé de l'Estrie, pourrait améliorer le recrutement. Ce projet-pilote, qui garantit aux étudiants en santé un emploi dans un des établissements de l'Estrie, devrait aider à assurer la relève.

## À SUIVRE

- À la fin de 2007, des travaux de construction ont commencé au Parc biomédical de Sherbrooke pour accueillir en 2008 ou 2009 les Laboratoires Charles River. Cette multinationale américaine spécialisée dans les essais cliniques de nouveaux médicaments sur les animaux prévoit embaucher de 150 à 250 employés d'ici à 2009, pour un total de un millier d'employés d'ici à sept ans.

- Le Parc Innovation accueillera en 2010 le Centre d'excellence en génie de l'information, spécialisé en télésanté et en technologies d'assistance et de soutien en santé. Ce centre devrait recruter environ 36 chercheurs. Les travaux de construction débuteront à la fin de 2008.

- Nova Envirocom, qui fabrique des ustensiles biodégradables, se dotera d'une nouvelle usine dans le parc industriel de Sherbrooke et prévoit une dizaine d'embauches pour répondre à la demande dans le secteur de la restauration.

- Enerkem Technologies créera une vingtaine d'emplois grâce à un projet-pilote qui testera des procédés de reconversion de matières organiques en énergie propre comme l'éthanol.

## SUR LE TERRAIN

Bombardier Produits Récréatifs (BRP) est le premier fabricant au monde de motoneiges et de motomarines. Basée à Valcourt, l'entreprise emploie 6 500 personnes dans le monde, dont 2 800 en Estrie. «On est de la région et on va y rester», affirme Pierre Pichette, vice-président aux Affaires publiques et aux Communications.

BRP a lancé en septembre 2007 à Valcourt la production d'une

## TAUX DE CHÔMAGE

| EN NOVEMBRE 2007† | 5,9 % Québec : 6,6 % | | |
|---|---|---|---|
| **MOYENNES ANNUELLES††** | **2006** | **2005** | **2004** |
| POPULATION DE 15 ANS ET PLUS | 8,2 %<br>Québec : 8,0 % | 6,6 %<br>Québec : 8,3 % | 7,7 %<br>Québec : 8,5 % |
| POPULATION DE 15 À 29 ANS | 11,8 %<br>Québec : 10,9 % | 10,1 %<br>Québec : 11,5 % | 11,5 %<br>Québec : 12,0 % |

† Source : Statistique Canada, données non désaisonnalisées.
†† Source : Statistique Canada. *Enquête sur la population active*, compilations de l'Institut de la statistique du Québec, 2004, 2005 et 2006.

## PERSPECTIVES 2007-2011 D'EMPLOI-QUÉBEC

| | RÉGION ESTRIE | ENSEMBLE DU QUÉBEC |
|---|---|---|
| CRÉATION D'EMPLOIS | 7 000 | 245 800 |
| DÉPARTS À LA RETRAITE* | 19 000 | 440 000 |
| TAUX DE CROISSANCE ANNUEL DE L'EMPLOI | 0,9 % | 1,3 % |
| • SECTEUR TERTIAIRE | 1,5 % | 1,6 % |
| • SECTEUR SECONDAIRE | -0,4 % | 0,3 % |
| • SECTEUR PRIMAIRE | 0,0 % | 0,0 % |

Le centre-ville de Sherbrooke
Photo : Patrick Deslandes

**Secteur primaire** : agriculture, foresterie, pêche et piégeage, mines.
**Secteur secondaire** : services publics, construction, fabrication.
**Secteur tertiaire** : services commerciaux (commerce, transport, finance, services professionnels, hébergement et restauration, etc.), services non commerciaux (enseignement, santé, administrations publiques).

\* Les estimations de départs à la retraite sont pour la période 2006 à 2010.

Source : compilation spéciale d'Emploi-Québec.

Avec la formation professionnelle et technique, j'ai tout pour réussir en Estrie.

Je visite **toutpourreussir.com**.

>> 10/07

nouvelle moto à trois roues. M. Pichette indique que cela compense la perte de 300 emplois prévue en 2008 lorsque la production des quads (motos à quatre roues), jusque-là fabriqués à Valcourt, sera transférée au Mexique.

L'entreprise estrienne entretient des liens privilégiés avec l'Université de Sherbrooke, où elle recrute souvent des ingénieurs et des administrateurs, notamment. Ce partenariat a mené à la création du Centre de technologies avancées, qui emploiera une cinquantaine de personnes (chercheurs, ingénieurs et techniciens) dès son ouverture en 2008. BRP pourra ainsi développer de nouvelles technologies et demeurer compétitive sur le marché mondial, soutient M. Pichette. ◎

**POPULATION**

**95 872 habitants**

La région de la Gaspésie–Îles-de-la-Madeleine travaille à diversifier son économie, laquelle était axée traditionnellement sur l'exploitation de ses ressources naturelles. À en juger par les récents développements dans le secteur éolien et celui des services, les efforts investis commencent à porter fruit.

par **Guylaine Boucher**

## DES SECTEURS QUI RECRUTENT

Affaires, finances et administration • Construction •
Enseignement • Santé • Sciences naturelles et appliquées •
Sciences sociales • Transport et machinerie •
Ventes et services

Source : François Bédard, Emploi-Québec.

## PRINCIPALES VILLES

Chandler • Gaspé • Îles-de-la-Madeleine
• New Richmond • Sainte-Anne-des-Monts

Selon François Bédard, économiste à Emploi-Québec, le nombre d'emplois disponibles est croissant dans la région depuis quelques années. Plusieurs facteurs expliquent selon lui cette situation, dont, en premier lieu, les efforts de diversification de l'économie.

**La région s'est taillé une place enviable dans le secteur des centres d'appels. Depuis 2001, plus de 400 emplois ont été créés dans ce domaine.**

«Le développement de l'industrie éolienne sur le territoire est l'une des avenues intéressantes à considérer pour diversifier l'économie. Ainsi, les secteurs traditionnels [pêche, forêt, tourisme], plutôt sensibles à la mondialisation des marchés et aux variations du dollar canadien, ne seront pas les seuls à pouvoir assurer la viabilité économique de la Gaspésie–Îles-de-la-Madeleine», remarque M. Bédard.

De 2006 à 2012, huit projets de parcs éoliens auront pris racine sur le territoire gaspésien. Ensemble, explique Sylvain Labbé, économiste pour Service Canada, «ils fourniront de l'emploi à 150 personnes en phase de construction et à quelque 80 travailleurs une fois les travaux achevés, notamment pour assurer la maintenance des équipements installés».

En marge de la construction des parcs, la région voit arriver de nouvelles entreprises de fabrication de pièces d'éoliennes. Plusieurs centaines d'emplois ont ainsi été créés. Et ce n'est pas terminé, puisque dans son dernier appel d'offres, Hydro-Québec exigeait qu'un minimum de 30 % du coût de fabrication des éoliennes à venir soit engagé dans la région de la Gaspésie–Îles-de-la-Madeleine et la MRC de Matane[1].

La région s'est aussi taillé une place enviable dans le secteur des centres d'appels. Depuis 2001, plus de 400 emplois ont été créés dans ce domaine. Plusieurs sont en lien avec des services gouvernementaux dont la Commission de la santé et de la sécurité du travail, la Société de l'assurance automobile et le ministère de l'Emploi et de la Solidarité sociale. Desjardins compte aussi sur un centre de gestion des prêts étudiants à Gaspé. Selon Sylvain Labbé, près de 250 autres emplois devraient s'ajouter dans les centres d'appels au cours de la prochaine année.

Le développement récréotouristique constitue une autre avenue de diversification. À ce titre, les intervenants économiques réunis autour du projet ACCORD (Action concertée de coopération régionale de développement) espèrent développer les croisières en eaux froides en faisant de Gaspé ou de Chandler une halte prisée des croisiéristes. Les activités offertes autour du Parc de la Gaspésie, des Chic-Chocs et des Îles-de-la-Madeleine devraient elles aussi être revues et améliorées, notamment pour permettre l'accueil des visiteurs sur une plus longue période dans l'année.

Optimiste, François Bédard d'Emploi-Québec estime que «les projets de développement actuels et à venir permettront aux chercheurs de trouver un emploi à leur mesure». Tous secteurs confondus, près de 7 200 emplois seront disponibles dans la région entre 2006 et 2010, selon M. Bédard.

En accord avec cette analyse, Sylvain Labbé considère que le prochain grand défi de la Gaspésie–Îles-de-la-Madeleine sera de former sa main-d'œuvre et de susciter le retour des Gaspésiens et des Madelinots scolarisés. Car si le bassin de travailleurs ne fait pas nécessairement défaut, le niveau de qualification, lui, pose souvent problème. «Seulement 36 % de la population du territoire possède un diplôme d'études postsecondaires, contre environ 50 % dans le reste du Québec», remarque M. Labbé.

1. Hydro-Québec. Communiqué de presse du 19 septembre 2007, http://www.hydroquebec.com/fr/index.html, section «À signaler!».

## RECHERCHÉS

Ambulanciers • Avocats • Bouchers • Dentistes • Directeurs soins de santé, services sociaux et communautaires • Éducateurs de la petite enfance • Éducateurs spécialisés • Électroniciens d'entretien (biens de consommation) • Enseignants (primaire/secondaire/collégial) • Infirmiers diplômés et infirmiers auxiliaires • Omnipraticiens • Pharmaciens • Physiothérapeutes • Préposés aux bénéficiaires • Psychologues • Secrétaires médicaux • Techniciens et mécaniciens d'instruments industriels • Technologues en laboratoire médical • Technologues en radiation médicale • Technologues et techniciens en biologie • Travailleurs sociaux

Source : Emploi-Québec. *Perspectives professionnelles 2006-2010*, 2007. Visitez http://emploiquebec.net pour connaître les mises à jour pour 2007-2011.

## LES TENDANCES DÉMOGRAPHIQUES

En Gaspésie–Îles-de-la-Madeleine, selon le recensement de 2006, la proportion de gens âgés de 50 ans et plus dépasse les 42 %. À l'opposé, souligne François Bédard, «les moins de 25 ans représentent à peine le quart de la population locale». La proportion de personnes en âge de travailler connaît une lente décroissance, laissant plusieurs postes à pourvoir sur le territoire.

Déjà, en 2006, une étude effectuée par Emploi-Québec notait que 36 % des entreprises de cinq employés et plus de la Gaspésie–Îles-de-la-Madeleine éprouvaient des difficultés de recrutement. Par ailleurs, toujours selon cette étude, 43 % des employeurs ont mentionné qu'ils embaucheraient en 2007. Entre 2006 et 2010, Emploi-Québec prévoit que 91 % des emplois disponibles dans la région seront attribuables aux départs à la retraite. De plus, ajoute Sylvain Labbé, le territoire est aux prises avec un important phénomène d'exode de ses jeunes. Pour tenter de remédier à la situation, la Fondation communautaire Gaspésie-Les Îles a mis sur pied des programmes de stages pour les futurs diplômés et offre un soutien financier aux jeunes travailleurs qui veulent s'établir dans la région.

## À SUIVRE

- Déjà affaiblie par la concurrence asiatique, l'industrie de la transformation des produits de la mer a subi, en 2007, le contrecoup de la hausse du dollar canadien.
- Plusieurs entreprises de transformation des produits du bois ont fermé temporairement leurs portes en 2006, ce qui s'est traduit par une importante période d'inactivité pour les travailleurs de cette industrie en 2007.
- En février 2007, le Centre Corus, dédié à l'étude de différents enjeux entourant l'exploitation d'énergie éolienne en milieu nordique, voyait le jour à Murdochville. Le Centre dispose d'un budget de plus de cinq millions de dollars et devrait, quand il sera fonctionnel, créer huit emplois de haut niveau.
- Dans le cadre du 475e anniversaire de l'arrivée de Jacques Cartier, la Corporation Gaspé, Berceau du Canada souhaite entreprendre un important exercice de restauration du patrimoine maritime, de façon à recréer le Gaspé d'avant l'introduction des infrastructures routières. Le projet est évalué à 20 millions de dollars et pourrait générer plusieurs dizaines d'emplois.

## SUR LE TERRAIN

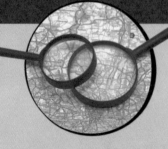

LM Glasfiber, à Gaspé, est spécialisée dans la fabrication de pales d'éoliennes. L'entreprise recherche des titulaires du diplôme d'études professionnelles en mise en œuvre de matériaux composites pour pourvoir plusieurs postes de manœuvres.

Le bassin de main-d'œuvre régional qualifié n'étant pas suffisamment important pour

## TAUX DE CHÔMAGE

| EN NOVEMBRE 2007[†] | 15,3 % Québec : 6,6 % | | |
|---|---|---|---|
| **MOYENNES ANNUELLES**[††] | **2006** | **2005** | **2004** |
| POPULATION DE 15 ANS ET PLUS | 18,3 % Québec : 8,0 % | 17,9 % Québec : 8,3 % | 19,4 % Québec : 8,5 % |
| POPULATION DE 15 À 29 ANS | 21,2 % Québec : 10,9 % | 18,5 % Québec : 11,5 % | 21,0 % Québec : 12,0 % |

† Source : Statistique Canada, données non désaisonnalisées.
†† Source : Statistique Canada. *Enquête sur la population active*, compilations de l'Institut de la statistique du Québec, 2004, 2005 et 2006.

## PERSPECTIVES 2007-2011 D'EMPLOI-QUÉBEC

| | RÉGION GASPÉSIE–ÎLES-DE-LA-MADELEINE | ENSEMBLE DU QUÉBEC |
|---|---|---|
| CRÉATION D'EMPLOIS | 900 | 245 800 |
| DÉPARTS À LA RETRAITE* | 6 500 | 440 000 |
| TAUX DE CROISSANCE ANNUEL DE L'EMPLOI | 0,5 % | 1,3 % |
| • SECTEUR TERTIAIRE | 0,5 % | 1,6 % |
| • SECTEUR SECONDAIRE | 1,3 % | 0,3 % |
| • SECTEUR PRIMAIRE | -0,7 % | 0,0 % |

**Secteur primaire** : agriculture, foresterie, pêche et piégeage, mines.
**Secteur secondaire** : services publics, construction, fabrication.
**Secteur tertiaire** : services commerciaux (commerce, transport, finance, services professionnels, hébergement et restauration, etc.), services non commerciaux (enseignement, santé, administrations publiques).
* Les estimations de départs à la retraite sont pour la période 2006 à 2010.
Source : compilation spéciale d'Emploi-Québec.

Vue d'une partie du parc éolien Le Nordais
Photo : Martin Caron,
© Le Québec en images, CCDMD

95

Avec la formation professionnelle et technique, j'ai tout pour réussir en Gaspésie et aux Îles-de-la-Madeleine.

Je visite **toutpourreussir.com**.

>> 10/07

répondre aux besoins, la majorité des employés embauchés ont un diplôme d'études secondaires et sont formés directement à l'usine.

La formation des nouvelles recrues est effectuée par d'autres employés et peut durer jusqu'à dix semaines.

Elle permet notamment d'apprendre à manipuler les matériaux composites et de se familiariser avec le procédé de fabrication propre à l'entreprise. La compagnie n'hésite pas non plus à embaucher des travailleurs issus d'autres régions.

Pour attirer les candidats, LM Glasfiber mise sur la qualité de vie en Gaspésie et propose une rémunération concurrentielle. Elle s'efforce aussi d'être présente dans les foires d'emplois locales et les médias régionaux où elle publie des offres d'emploi. ◎

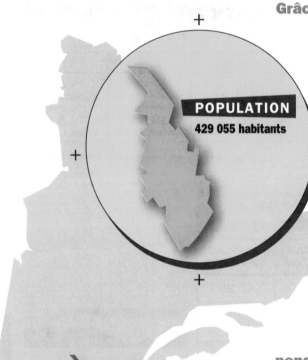

**POPULATION**
429 055 habitants

Grâce à l'important bassin de consommateurs situé à Montréal et sur la Rive-Nord, la croissance de l'emploi dans la région de Lanaudière a été supérieure à celle de la moyenne québécoise pendant plusieurs années. Très vigoureux, le secteur des services soutient l'économie régionale.

par **Charles Allain**

## DES SECTEURS QUI RECRUTENT

Aliments et boissons • Commerce • Finance, assurances, immobilier et location • Hébergement et restauration • Information, culture et loisirs • Produits informatiques, électroniques et électriques • Produits métalliques • Services aux entreprises • Services professionnels, scientifiques et techniques • Soins de santé et services sociaux • Transport et entreposage

Source : Roger Pedneault, Emploi-Québec.

## PRINCIPALES VILLES

Berthierville • Joliette • L'Assomption • Lavaltrie • Mascouche • Rawdon • Repentigny • Saint-Charles-Borromée • Saint-Donat • Sainte-Julienne • Saint-Félix-de-Valois • Saint-Lin-Laurentides • Terrebonne

«La principale force de l'économie lanaudoise est sans contredit sa diversité, déclare Roger Pedneault, économiste à Emploi-Québec. Sa répartition dans plusieurs champs d'activité permet à la région d'absorber plus facilement les soubresauts économiques qui peuvent frapper un ou plusieurs secteurs.»

**La nouvelle route reliant Saint-Donat à Lac-Supérieur favorisera le lien entre les municipalités du nord de Lanaudière et la station touristique Mont-Tremblant.**

Par conséquent, les taux d'activité et d'emploi de Lanaudière sont parmi les plus élevés au Québec : ils oscillent respectivement autour de 66 % et de 62 % depuis le début des années 2000 et l'on s'attend à ce que cette performance se poursuive jusqu'en 2011.

Dans le secteur agricole, l'agrotourisme, la culture en serre et l'horticulture viennent créer des emplois qui compensent les pertes dues à une rationalisation accrue. Quant aux activités forestières, elles sont en complète restructuration à cause de la hausse du huard et de la diminution des droits de coupe. De plus, le ralentissement de la construction aux États-Unis pourrait retarder la reprise espérée après le règlement du conflit du bois d'œuvre.

Dans le secteur manufacturier, tout n'est pas rose non plus. La hausse du huard affecte en effet les exportations vers les États-Unis. «Par ailleurs, les investissements en productivité consentis par les entreprises pour tenir tête à la concurrence étrangère ont souvent, même si ce n'est pas toujours le cas, une incidence négative sur l'emploi. Certains équipements plus sophistiqués font disparaître les postes peu spécialisés», explique Benoit Leduc, économiste à Service Canada.

Malgré tout, quelques entreprises tirent leur épingle du jeu. Ainsi, le Groupe ADF, un chef de file dans la fabrication de charpentes métalliques destinées à la construction non résidentielle, a investi trois millions de dollars pour moderniser ses installations et ses équipements de Terrebonne et créer environ 60 emplois. Les Meubles Poitras, qui fabriquent des meubles en bois de frêne, ont consacré deux millions de dollars à la modernisation de leurs équipements. L'entreprise Chaussures Villeneuve, de L'Assomption, a acquis pour un million de dollars un système de conception et de fabrication assistées par ordinateur, investissement qui a permis de générer sept nouveaux emplois.

Par ailleurs, le secteur des services continue à afficher un beau dynamisme. Dans les services à la consommation, où travaille plus du quart des personnes en emploi de Lanaudière, on prévoit une croissance annuelle moyenne de 1,8 % au cours de la période 2007-2009. Le sous-secteur du commerce de détail sera vigoureux, en raison de la construction de centres régionaux et de magasins à grande surface, près des autoroutes 25, 40 et 640. De plus, la nouvelle route reliant Saint-Donat à Lac-Supérieur favorisera le lien entre les municipalités du nord de Lanaudière et la station touristique Mont-Tremblant. Cette dernière est située dans les Laurentides, mais ses retombées se font sentir jusque dans la région.

Enfin, dans le secteur des services professionnels, notamment dans les services financiers, plusieurs projets ont été réalisés en 2007. Par exemple, la Banque Scotia s'est installée à Mascouche (12 emplois créés) et la Caisse populaire Desjardins a ouvert un centre de services à Terrebonne (11 emplois). ▸

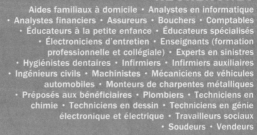

## RECHERCHÉS

Aides familiaux à domicile • Analystes en informatique • Analystes financiers • Assureurs • Bouchers • Comptables • Éducateurs à la petite enfance • Éducateurs spécialisés • Électroniciens d'entretien • Enseignants (formation professionnelle et collégiale) • Experts en sinistres • Hygiénistes dentaires • Infirmiers • Infirmiers auxiliaires • Ingénieurs civils • Machinistes • Mécaniciens de véhicules automobiles • Monteurs de charpentes métalliques • Préposés aux bénéficiaires • Plombiers • Techniciens en chimie • Techniciens en dessin • Techniciens en génie électronique et électrique • Travailleurs sociaux • Soudeurs • Vendeurs

Source : Emploi-Québec. *Perspectives professionnelles 2006-2010*, 2007.
Visitez http://emploiquebec.net pour connaître les mises à jour pour 2007-2011.

## LES TENDANCES DÉMOGRAPHIQUES

Lanaudière fait partie des régions qui affichent une forte croissance démographique; de 2001 à 2006, elle a été de 10,4 %, comparativement à 4,3 % pour l'ensemble du Québec. La population lanaudoise est également plus jeune que la moyenne québécoise, la tranche des 0-14 ans y étant proportionnellement plus élevée. L'âge moyen y est de 38,9 ans, et de 39,6 ans pour l'ensemble du Québec.

Comme dans la plupart des autres régions, le pourcentage des personnes âgées de 50 ans et plus augmente et un Lanaudois sur trois fait maintenant partie de cette catégorie. Ce vieillissement crée certaines inquiétudes en ce qui concerne le recrutement de la relève.

L'Institut de la statistique du Québec estime que la population augmentera de plus de 3 % de 2006 à 2011, notamment grâce à des soldes migratoires positifs aux dépens de Montréal et de Laval. Cette progression fait que d'ici à 2009, l'emploi se maintiendra à des niveaux très élevés dans la région à cause de la croissance de la demande, entre autres dans le domaine des services.

## À SUIVRE

- Récupération Nord-Ben, une entreprise de récupération de Joliette, a signé une entente avec la Ville de Montréal en 2007 pour traiter davantage de matières recyclables. Une quarantaine d'emplois supplémentaires ont ainsi été créés.

- La réalisation du Domaine du Parc, un vaste projet résidentiel de 1 500 habitations situées près d'un milieu faunique aménagé et protégé aux abords du Saint-Laurent, sera entreprise à Terrebonne. Cela constitue un investissement de 300 millions de dollars qui s'échelonnera sur six ans.

- Les Entreprises Michel Corbeil, l'un des plus importants assembleurs d'autobus scolaires pour le Canada et les États-Unis, ont dû fermer leur usine de Saint-Lin-Laurentides en septembre 2007 : 205 travailleurs ont perdu leur emploi.

- L'entreprise de pâtisseries congelées Dessert & Passion, qui déménage son usine dans les anciens locaux de l'Imprimerie Nationale à Joliette, prévoit embaucher une douzaine de nouveaux employés d'ici à la fin de 2008.

## SUR LE TERRAIN

Établie à L'Assomption depuis 1987, la compagnie Stageline occupe une niche tout à fait particulière : l'entreprise de 150 employés est le plus important fabricant mondial de scènes mobiles hydrauliques avec technologie scénique intégrée permettant de répondre aux besoins de sonorisation et d'éclairage de spectacles de toute envergure. Elles sont utilisées dans les grandes tournées extérieures rock et les grands festivals. De Céline Dion à Kenny Rogers,

## TAUX DE CHÔMAGE

| EN NOVEMBRE 2007† | 8,3 % Québec : 6,6 % | | |
|---|---|---|---|
| **MOYENNES ANNUELLES††** | **2006** | **2005** | **2004** |
| POPULATION DE 15 ANS ET PLUS | 5,7 %<br>Québec : 8,0 % | 6,2 %<br>Québec : 8,3 % | 7,6 %<br>Québec : 8,5 % |
| POPULATION DE 15 À 29 ANS | 9,8 %<br>Québec : 10,9 % | 9,4 %<br>Québec : 11,5 % | 12,6 %<br>Québec : 12,0 % |

† Source : Statistique Canada, données non désaisonnalisées.
†† Source : Statistique Canada. *Enquête sur la population active*, compilations de l'Institut de la statistique du Québec, 2004, 2005 et 2006.

## PERSPECTIVES 2007-2011 D'EMPLOI-QUÉBEC

| | RÉGION LANAUDIÈRE | ENSEMBLE DU QUÉBEC |
|---|---|---|
| CRÉATION D'EMPLOIS | 19 400 | 245 800 |
| DÉPARTS À LA RETRAITE* | 27 000 | 440 000 |
| TAUX DE CROISSANCE ANNUEL DE L'EMPLOI | 1,8 % | 1,3 % |
| ·SECTEUR TERTIAIRE | 2,2 % | 1,6 % |
| ·SECTEUR SECONDAIRE | 0,7 % | 0,3 % |
| ·SECTEUR PRIMAIRE | 0,5 % | 0,0 % |

Intersection près de Saint-Paul
Photo : Denis Chabot,
© Le Québec en images, CCDMD

Avec la formation professionnelle et technique, j'ai tout pour réussir dans Lanaudière.

Je visite **toutpourreussir.com**.

**Secteur primaire :** agriculture, foresterie, pêche et piégeage, mines.
**Secteur secondaire :** services publics, construction, fabrication.
**Secteur tertiaire :** services commerciaux (commerce, transport, finance, services professionnels, hébergement et restauration, etc.), services non commerciaux (enseignement, santé, administrations publiques).

* Les estimations de départs à la retraite sont pour la période 2006 à 2010.

Source : compilation spéciale d'Emploi-Québec.

beaucoup d'artistes ont chanté sur les scènes Stageline.

En 2007, la compagnie a investi cinq millions de dollars dans la construction d'une deuxième usine à L'Assomption, afin de doubler sa capacité de production, de réduire les délais de livraison et de développer des projets de plus grande envergure. Son personnel comprend de nombreux corps de métiers (soudeurs, découpeurs, mécaniciens, électriciens), sans compter la division de recherche et développement où œuvrent ingénieurs, concepteurs et dessinateurs.

«Nous connaissons très peu de roulement de personnel, déclare Christophe Culis, responsable des communications chez Stageline. Notre notoriété et de bonnes conditions de travail font que nous recevons régulièrement des CV de candidats intéressants; grâce à cela, nous n'avons pas de problèmes de recrutement.» ◎

**POPULATION**
**518 621 habitants**

Tourisme, villégiature, construction, commerce, aéronautique : l'économie des Laurentides demeure l'une des plus diversifiées et dynamiques du Québec. Sur le plan de la croissance démographique, elle devance toute la province.

par **Jean-Sébastien Marsan**

## DES SECTEURS QUI RECRUTENT

Aéronautique • Commerce • Santé et services sociaux • Secteurs liés au tourisme et à la villégiature (hébergement, restauration, culture et loisirs) • Services professionnels, scientifiques et techniques

Sources : Benoit Leduc de Service Canada et Robert Gareau d'Emploi-Québec.

## PRINCIPALES VILLES

Blainville • Boisbriand • Lachute • Mirabel • Mont-Laurier
• Mont-Tremblant • Sainte-Adèle • Sainte-Agathe • Sainte-Thérèse
• Saint-Eustache • Saint-Jérôme • Saint-Sauveur

Près de 4 000 emplois par an devraient voir le jour dans les Laurentides durant la période 2007-2009, prévoit Benoit Leduc, économiste à Service Canada pour les régions de Laval, des Laurentides et de Lanaudière. «Un rythme légèrement plus faible que lors des trois dernières années, mais tout de même l'un des plus forts au Québec», spécifie-t-il.

**La croissance de l'emploi manufacturier dans la région devrait atteindre 1,5 % par an en moyenne d'ici à 2009, comparativement à 0,6 % pour le Québec.**

Les services à la consommation (commerce de gros et de détail, restauration, etc.) représentent près du tiers des emplois de la région, indique Robert Gareau, économiste régional à Emploi-Québec. Ce secteur d'activité connaît une expansion grâce à la croissance démographique et économique de la région. «Le maintien de ce contexte favorable permet d'anticiper une croissance annuelle moyenne de l'emploi de 1,9 % d'ici à 2009 dans ce domaine», précise Benoit Leduc. Un taux bien supérieur au 1,1 % prévu pour l'ensemble du Québec.

Comme la majorité des prévisionnistes, Emploi-Québec et Service Canada estiment que la construction résidentielle, après des années de croissance, ralentira ses activités. La construction industrielle et commerciale, en revanche, maintiendra le cap. «La désuétude des infrastructures routières et les besoins d'expansion des services publics, comme le traitement de l'eau en raison de la croissance démographique et industrielle, favoriseront

aussi la croissance de l'emploi dans le secteur des services professionnels, scientifiques et techniques», observe Benoit Leduc.

L'économiste ajoute que la croissance de l'emploi manufacturier dans la région devrait atteindre 1,5 % par an en moyenne d'ici à 2009, comparativement à 0,6 % pour le Québec. Ce qui s'explique par le dynamisme des sous-secteurs de l'aéronautique, du matériel de transport, de la fabrication de machinerie, de produits informatiques et électroniques ainsi que de produits métalliques.

Le secteur récréotouristique attire d'énormes investissements. Les phases 3 et 4 du développement du centre touristique Mont-Tremblant, incluant les travaux d'infrastructures défrayés par les gouvernements, totalisent un milliard de dollars. Le nouveau propriétaire du centre, Fortress Investments, a cependant procédé à des restructurations et mises à pied, mais les projets de développement dans les Laurentides ne sont pas compromis.

Par ailleurs, un promoteur prévoit convertir l'ancien site

de l'aéroport international de Montréal-Mirabel en un méga-complexe de divertissements baptisé Rêveport, ce qui représenterait un investissement de 280 millions de dollars. Les travaux, annoncés mais reportés à plusieurs reprises, tardent cependant à démarrer. À la fin de septembre 2007, le promoteur négociait toujours les détails avec Aéroports de Montréal, car Rêveport sera construit sur une portion du terrain de l'aéroport de Mirabel. Un autre gros projet, celui du complexe commercial et récréotouristique Lac Mirabel, prévoit des investissements de 450 millions. Selon le promoteur, le projet devrait créer de 6 000 à 8 000 emplois.

Enfin, du côté de la foresterie, les nouvelles ne sont pas bonnes. «Ce n'est pas un domaine particulièrement vigoureux par les temps qui courent…», note Robert Gareau. Les effets conjugués de la réduction de la coupe forestière, du ralentissement économique américain et de la vigueur du dollar canadien, provoquent des centaines de pertes d'emplois.

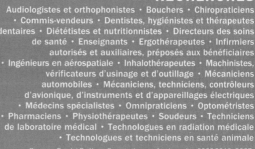

## RECHERCHÉS

Audiologistes et orthophonistes • Bouchers • Chiropraticiens • Commis-vendeurs • Dentistes, hygiénistes et thérapeutes dentaires • Diététistes et nutritionnistes • Directeurs des soins de santé • Enseignants • Ergothérapeutes • Infirmiers autorisés et auxiliaires, préposés aux bénéficiaires • Ingénieurs en aérospatiale • Inhalothérapeutes • Machinistes, vérificateurs d'usinage et d'outillage • Mécaniciens automobiles • Mécaniciens, techniciens, contrôleurs d'avionique, d'instruments et d'appareillages électriques • Médecins spécialistes • Omnipraticiens • Optométristes • Pharmaciens • Physiothérapeutes • Soudeurs • Techniciens de laboratoire médical • Technologues en radiation médicale • Technologues et techniciens en santé animale

Source : Emploi-Québec. *Perspectives professionnelles 2006-2010*, 2007. Visitez http://emploiquebec.net pour connaître les mises à jour pour 2007-2011.

## LES TENDANCES DÉMOGRAPHIQUES

L'Institut de la statistique du Québec (ISQ) prévoit que la région bénéficiera de la plus forte croissance démographique au Québec de 2006 à 2011, avec une hausse de 5,4 % de la population comparativement à 2,2 % pour l'ensemble de la province. Cela aura une influence positive sur la demande dans les domaines de la construction, des services publics, de l'enseignement, de la santé et des services sociaux, énumèrent Benoit Leduc et Robert Gareau.

«Selon l'ISQ, l'âge moyen de la population des Laurentides est passé de 37,2 ans en 2001 à 38,5 ans en 2005, détaille Benoit Leduc. Durant la même période, l'âge moyen au Québec est passé de 38,4 ans à 39,6 ans. Cette mesure indique que la population des Laurentides vieillit, mais un peu plus rapidement que celle du Québec. Malgré tout, elle demeure globalement plus jeune que la moyenne grâce, entre autres, à la migration de jeunes familles sur le territoire.»

Les projections d'Emploi-Québec effectuées à partir des données de la Régie des rentes du Québec évaluent que le nombre de nouveaux bénéficiaires à la retraite augmentera de 31 000 au cours de la période 2006-2010.

## À SUIVRE

- Le complexe immobilier Faubourg Boisbriand, actuellement en chantier, comportera des résidences, commerces, places d'affaires, espaces à bureaux et bâtiments municipaux. La fin des travaux du secteur commercial est prévue pour 2009, au coût de 800 millions de dollars.

- Un investissement de 17 millions de dollars chez Sonaca NMF Canada (fabricant de panneaux d'ailes d'avions) devrait créer 75 emplois au cours des prochaines années.

- À Mirabel, on projette la construction d'une école secondaire de 850 élèves (au coût de 15,7 millions de dollars) alors qu'à Saint-Jérôme un campus de l'Université du Québec en Outaouais sera construit. Les travaux devraient débuter au printemps 2008, pour accueillir les premiers élèves à l'automne 2009.

- À Saint-Jérôme, des travaux relatifs à l'amélioration des infrastructures, notamment en ce qui concerne le traitement des eaux, seront réalisés en 2007-2009. Un investissement total de 125 millions de dollars est consacré à cette fin.

- Le ministère des Transports procède jusqu'en 2011 au réaménagement complet de l'échangeur des autoroutes 15 et 640, au coût de 95 millions de dollars.

## SUR LE TERRAIN

Plus de 500 employés s'activent au complexe récréotouristique Gray Rocks, à Mont-Tremblant. «On embauche environ 100 personnes par année. Il y a deux périodes de recrutement, pour décembre et pour l'été», explique Michèle Robinson, directrice des ressources humaines. Selon elle, les cuisiniers sont particulièrement difficiles à dénicher.

## TAUX DE CHÔMAGE

| EN NOVEMBRE 2007† | 5,2 % Québec : 6,6 % | | |
|---|---|---|---|
| **MOYENNES ANNUELLES††** | **2006** | **2005** | **2004** |
| POPULATION DE 15 ANS ET PLUS | 7,9 %<br>Québec : 8,0 % | 7,6 %<br>Québec : 8,3 % | 6,9 %<br>Québec : 8,5 % |
| POPULATION DE 15 À 29 ANS | 12,3 %<br>Québec : 10,9 % | 10,9 %<br>Québec : 11,5 % | 11,5 %<br>Québec : 12,0 % |

† Source : Statistique Canada, données non désaisonnalisées.
†† Source : Statistique Canada. *Enquête sur la population active*, compilations de l'Institut de la statistique du Québec, 2004, 2005 et 2006.

### PERSPECTIVES 2007-2011 D'EMPLOI-QUÉBEC

| | RÉGION LAURENTIDES | ENSEMBLE DU QUÉBEC |
|---|---|---|
| CRÉATION D'EMPLOIS | 23 600 | 245 800 |
| DÉPARTS À LA RETRAITE* | 31 000 | 440 000 |
| TAUX DE CROISSANCE ANNUEL DE L'EMPLOI | 1,8 % | 1,3 % |
| • SECTEUR TERTIAIRE | 2,1 % | 1,6 % |
| • SECTEUR SECONDAIRE | 0,9 % | 0,3 % |
| • SECTEUR PRIMAIRE | -0,6 % | 0,0 % |

Le mont Tremblant

**103**

Avec la formation professionnelle et technique, j'ai tout pour réussir dans les Laurentides.

Je visite **toutpourreussir.com**.

**Secteur primaire :** agriculture, foresterie, pêche et piégeage, mines.
**Secteur secondaire :** services publics, construction, fabrication.
**Secteur tertiaire :** services commerciaux (commerce, transport, finance, services professionnels, hébergement et restauration, etc.), services non commerciaux (enseignement, santé, administrations publiques).

* Les estimations de départs à la retraite sont pour la période 2006 à 2010.
Source : compilation spéciale d'Emploi-Québec.

>> 10/07

La région ne fournit pas suffisamment de candidats pour pourvoir les emplois saisonniers du secteur récréotouristique. Les jeunes, sollicités par d'autres industries aux postes plus stables et mieux rémunérés (manufacturier, administration publique), font la fine bouche. Gray Rocks doit souvent former ses recrues à l'interne, en plus de fidéliser ses travailleurs plus âgés et d'attirer des candidats de l'étranger – de France, pour les cuisiniers. Michèle Robinson mise sur les attraits de la région : «Pour les amateurs de plein air et de sport, c'est un environnement idéal. Les emplois ne sont pas réguliers, certes, mais cela peut convenir à quelqu'un qui veut prendre ses vacances à un autre moment qu'en été.» ◉

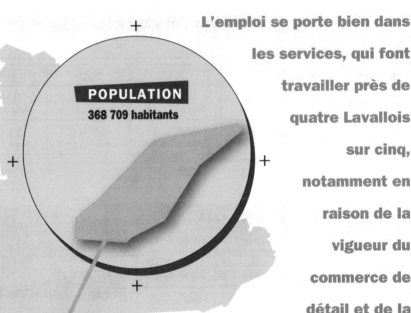

POPULATION
368 709 habitants

L'emploi se porte bien dans les services, qui font travailler près de quatre Lavallois sur cinq, notamment en raison de la vigueur du commerce de détail et de la proximité de Montréal. La progression reste légère dans le secteur de la fabrication, et de son côté, la construction demeure stable.

par **Charles Allain**

## DES SECTEURS QUI RECRUTENT

Biotechnologie et pharmaceutique • Commerce de gros et de détail • Fabrication (aliments, machines, produits du plastique, matériel de transport) • Information, culture et loisirs • Restauration et hébergement • Services professionnels, scientifiques et techniques • Soins de santé et assistance sociale

Source : Jacques Chapdelaine, Emploi-Québec.

**PRINCIPALE VILLE**
Laval

«Depuis une dizaine d'années, l'emploi à Laval a progressé en moyenne de 2 % par an, preuve d'un contexte économique nettement favorable», explique Jacques Chapdelaine, économiste à Emploi-Québec. Le positionnement géographique de Laval dans la région métropolitaine de recensement de Montréal est un atout important pour l'emploi. En effet, 60 % des Lavallois travaillent hors du territoire alors que 45 % des postes à Laval sont occupés par des travailleurs des autres parties de la grande région métropolitaine. Les navetteurs sont donc extrêmement nombreux.

**Laval est moins affectée par la hausse du dollar canadien et la concurrence des pays émergents en raison de sa grande diversité industrielle.**

«Dans un contexte favorable à l'emploi comme celui que l'on constate à Laval, il n'est pas surprenant que les entreprises commencent à éprouver de sérieuses difficultés de recrutement, en particulier pour les postes des niveaux de compétence technique et intermédiaire», ajoute Jacques Chapdelaine. Selon une enquête réalisée en 2006 par la firme de sondage SOM auprès des employeurs de la région, 40 % des entreprises sondées signalent des difficultés à recruter de la main-d'œuvre pour plusieurs postes.

Selon Service Canada, on prévoit une croissance annuelle moyenne de l'emploi de 1,7 % dans le domaine des services à Laval pour la période 2007-2009, comparativement à un taux de 1,3 % pour l'ensemble de l'économie québécoise. Le commerce de gros et de détail est le plus important employeur du secteur des services, car on y trouve un emploi sur quatre. Les autres secteurs, par ordre d'importance, comprennent les soins de santé, les services professionnels, scientifiques et techniques, l'éducation et les services de restauration.

**Compte tenu de la croissance démographique de la région lavalloise, le secteur de la construction se maintient.**

Laval est moins affectée par la hausse du dollar canadien et la concurrence des pays émergents en raison de sa grande diversité industrielle. Selon Service Canada, de 2007 à 2009, la croissance de l'emploi en fabrication sera d'environ 0,8 %, un taux tout de même supérieur à celui de l'ensemble du Québec manufacturier (0,6 %). En pharmaceutique, les travaux de modernisation et d'agrandissement de 80 millions de dollars destinés à transformer les installations lavalloises de GlaxoSmithKline en siège social nord-américain de sa division des vaccins, sont en cours.

Du côté de la fabrication de biens non durables, les Diffusions Joanel ont entrepris en 2007 la construction d'une nouvelle usine de fabrication de sacs à main dans le quartier Sainte-Rose, un projet de deux millions de dollars.

Compte tenu de la croissance démographique de la région lavalloise, le secteur de la construction se maintient, bien que le secteur résidentiel accuse un ralentissement qui se poursuivra de 2007 à 2009. Mais le développement immobilier le long de la ligne du métro à Laval, la demande de résidences pour personnes âgées et de travaux comme le parachèvement de l'autoroute 25, réussiront à alimenter le pipeline des constructeurs. Par exemple, la construction du complexe de copropriétés Le Martingal d'une valeur de 35 millions de dollars est amorcée, et Brunelle entrepreneur a annoncé la mise en chantier d'une résidence de 180 appartements pour personnes en perte d'autonomie, un investissement de 20 millions de dollars. ▸

105

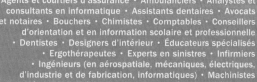

**RECHERCHÉS**

Agents et courtiers d'assurance • Ambulanciers • Analystes et consultants en informatique • Assistants dentaires • Avocats et notaires • Bouchers • Chimistes • Comptables • Conseillers d'orientation et en information scolaire et professionnelle • Dentistes • Designers d'intérieur • Éducateurs spécialisés • Ergothérapeutes • Experts en sinistres • Infirmiers • Ingénieurs (en aérospatiale, mécaniques, électriques, d'industrie et de fabrication, informatiques) • Machinistes • Mécaniciens d'équipement lourd • Médecins spécialistes • Omnipraticiens • Outilleurs-ajusteurs • Pharmaciens • Physiothérapeutes • Psychologues • Technologues en radiation médicale

Source : Emploi-Québec. *Perspectives professionnelles 2006-2010*, 2007.
Visitez http://emploiquebec.net pour connaître les mises à jour pour 2007-2011.

## LES TENDANCES DÉMOGRAPHIQUES

Les Lavallois représentent 4,9 % de la population provinciale. Laval est la deuxième région en importance quant à la densité de sa population. Là comme ailleurs, le vieillissement s'accroît : l'âge médian est passé de 38,2 ans en 2001 à 40 ans en 2006. En 2006, les *baby-boomers* nés entre 1946 et 1966 représentaient 27,5 % de la population lavalloise. Selon les scénarios de l'Institut de la statistique du Québec, une personne sur cinq à Laval aura 65 ans et plus en 2021.

«Nous avons atteint un sommet dans le taux de population active en ce moment, déclare Jacques Chapdelaine, mais les prévisions démographiques nous indiquent que d'ici à 2017, les personnes en âge de quitter la vie active dépasseront le nombre de jeunes en âge d'entrer sur le marché du travail.» Cela constitue un défi pour les employeurs en ce qui concerne la gestion et le renouvellement de leur main-d'œuvre. En effet, le bassin de travailleurs va se contracter et les employés potentiels se feront plus rares.

## À SUIVRE

- Dans la région, plusieurs usines ont fermé leurs portes, notamment : Biscuits Rondeau (Saputo), RGA Métal – Royce, Manufacturiers Techcraft et Emballages Orion Canada. Ces fermetures ont touché 461 travailleurs.

- La société immobilière ING Real Estate Canada investit 70 millions de dollars pour développer le Mégapôle en bordure de l'autoroute 13 dans l'ouest de l'île. Le site a deux vocations, industrielle au nord et commerciale au sud.

- Dynacom, une entreprise spécialisée dans le développement de logiciels comptables, a annoncé un investissement de trois millions de dollars pour desservir ses marchés extérieurs comme la Chine, la Russie et le monde arabe. Création d'emplois prévue : 50 postes hautement spécialisés.

- LAB Recherche Pré-Clinique International investira 40 millions de dollars sur cinq ans dans l'agrandissement de ses installations lavalloises. L'entreprise effectue de la recherche pour les entreprises pharmaceutiques et les sociétés de biotechnologie.

## SUR LE TERRAIN

Fondée à Laval en 1973, la firme Okiok est spécialisée dans les domaines de la sécurité de l'information et de l'authentification. Depuis le début des années 1980, l'entreprise s'est développée dans le secteur de la sécurité informatique, notamment en offrant des solutions en transfert de données sécurisées. Elle met en place

## TAUX DE CHÔMAGE

| EN NOVEMBRE 2007[†] | 4,8 %  Québec : 6,6 % | | |
|---|---|---|---|
| **MOYENNES ANNUELLES**[††] | **2006** | **2005** | **2004** |
| POPULATION DE 15 ANS ET PLUS | 6,6 %<br>Québec : 8,0 % | 7,9 %<br>Québec : 8,3 % | 8,2 %<br>Québec : 8,5 % |
| POPULATION DE 15 À 29 ANS | 9,8 %<br>Québec : 10,9 % | 11,9 %<br>Québec : 11,5 % | 11,8 %<br>Québec : 12,0 % |

† Source : Statistique Canada, données non désaisonnalisées.
†† Source : Statistique Canada. *Enquête sur la population active*, compilations de l'Institut de la statistique du Québec, 2004, 2005 et 2006.

## PERSPECTIVES 2007-2011 D'EMPLOI-QUÉBEC

| | **RÉGION LAVAL** | **ENSEMBLE DU QUÉBEC** |
|---|---|---|
| CRÉATION D'EMPLOIS | 15 600 | 245 800 |
| DÉPARTS À LA RETRAITE* | 20 000 | 440 000 |
| TAUX DE CROISSANCE ANNUEL DE L'EMPLOI | 1,6 % | 1,3 % |
| •SECTEUR TERTIAIRE | 1,9 % | 1,6 % |
| •SECTEUR SECONDAIRE | 0,6 % | 0,3 % |
| •SECTEUR PRIMAIRE | 0,0 % | 0,0 % |

**Secteur primaire** : agriculture, foresterie, pêche et piégeage, mines.
**Secteur secondaire** : services publics, construction, fabrication.
**Secteur tertiaire** : services commerciaux (commerce, transport, finance, services professionnels, hébergement et restauration, etc.), services non commerciaux (enseignement, santé, administrations publiques).
* Les estimations de départs à la retraite sont pour la période 2006 à 2010.
Source : compilation spéciale d'Emploi-Québec.

Vue aérienne de trois quartiers de Laval :
Pont-Viau, Duvernay et Saint-Vincent-de-Paul
Photo : Ville de Laval,
© Le Québec en images, CCDMD

Avec la formation professionnelle et technique, j'ai tout pour réussir à Laval.
Je visite **toutpourreussir.com**.

107

>> 10/07

des environnements conformes aux exigences gouvernementales en matière de protection des informations et de gouvernance. Okiok, qui est passée d'une dizaine d'employés au début des années 1990 à près d'une cinquantaine aujourd'hui, s'est installée au Centropolis en juin 2007.

«Nos revenus annuels ont progressé très rapidement depuis 2003, explique Claude Vigeant, président de la compagnie. Nous avons dû accroître notre personnel, notamment du côté des développeurs Java, des spécialistes des technologies Web et des conseillers en sécurité informatique. Ces derniers ne sont d'ailleurs pas faciles à dénicher.» ◎

**POPULATION**
**260 461 habitants**

Le marché de l'emploi en Mauricie connaît des hauts et des bas, mais continue à progresser. De grands projets tombent à l'eau, mais d'autres se réalisent finalement, tandis que certains secteurs apportent une contribution nouvelle à l'économie de la région.

par Jean-Benoit Legault

## DES SECTEURS QUI RECRUTENT

Commerce de gros et de détail • Fabrication de machines • Fabrication de matériel de transport • Fabrication de produits métalliques • Hébergement et restauration • Produits informatiques et électroniques • Santé et services sociaux • Services professionnels, scientifiques et techniques • Transport

Source : Jean Ruel, Service Canada.

## PRINCIPALES VILLES

La Tuque • Shawinigan • Trois-Rivières

Malgré des difficultés, l'industrie des pâtes et papiers demeure encore un moteur économique important pour la région. D'autres, notamment la fabrication de produits métalliques et le tourisme, semblent animés d'un dynamisme nouveau qui pourrait être porteur d'avenir, expliquent les économistes de Service Canada et d'Emploi-Québec.

**On bâtit un hippodrome à Trois-Rivières ainsi qu'un salon de jeux de Loto-Québec – le Ludoplex – au coût de 47 millions de dollars.**

Les projets de construction sont nombreux dans la région. Hydro-Québec terminera en 2008 des travaux de 700 millions de dollars aux barrages de Chute-Allard et de Rapide-des-Cœurs. Par ailleurs, on bâtit un hippodrome à Trois-Rivières ainsi qu'un salon de jeux de Loto-Québec – le Ludoplex – au coût de 47 millions de dollars. Un amphithéâtre comportant une patinoire de dimension olympique sera également bâti à Shawinigan, pour un montant de 20 millions de dollars.

«Il y a suffisamment de main-d'œuvre en construction dans la région pour répondre à la demande, soutient Jules Bergeron, économiste à Emploi-Québec. Mais les travailleurs de la Mauricie ont toujours été très mobiles et ont déjà quitté dans le passé, par exemple pour aller travailler aux grands chantiers hydroélectriques de la Baie-James. Ils pourraient se déplacer encore pour les travaux d'Hydro-Québec à la rivière Rupert dans le Nord-du-Québec, ce qui aurait le potentiel d'entraîner des difficultés de recrutement.» Cette mobilité est également liée au fait que le secteur de la construction a traversé une longue période de vaches maigres en Mauricie.

Pour sa part, le secteur touristique se porte plutôt bien, avec un projet de 200 millions de dollars du groupe américain Hines, visant à développer un domaine récréotouristique au lac Mékinac. La construction devrait s'étendre sur plus de 10 ans et 1 000 emplois pourraient être créés à la fin des travaux. Ce projet connaît toutefois des difficultés de financement actuellement. Mentionnons aussi des projets de développement à l'Auberge Le Baluchon de Saint-Paulin (spa, chalet, centre équestre, etc.) où l'on prévoit dépenser 20 millions de dollars d'ici à cinq ans et embaucher 150 travailleurs.

**Le secteur des services à la production est appelé à connaître une bonne croissance. La santé et les services sociaux créeront aussi de l'emploi.**

Du côté de la fabrication des produits métalliques, l'entreprise Marmen de Trois-Rivières, qui fabrique notamment des pylônes d'éoliennes, tire bien son épingle du jeu. «Cent emplois supplémentaires seront créés d'ici à un an, en plus des 800 actuels», explique Jules Bergeron.

«Le secteur des services à la production [commerce de gros, transports et services professionnels, scientifiques et techniques] est appelé à connaître une bonne croissance. La santé et les services sociaux créeront aussi de l'emploi», ajoute Jean Ruel, économiste à Service Canada.

Mais il y a aussi des mauvaises nouvelles. Ainsi, des entreprises papetières comme Kruger ont commencé une rationalisation de leurs activités et pensent introduire de nouveaux procédés et produits qui pourraient entraîner des pertes d'emplois. L'usine Belgo d'AbitibiBowater a fermé ses portes, licenciant 500 travailleurs.

En outre, la compagnie Norsk-Hydro a fermé son usine de Bécancour, mettant ses 400 employés au chômage. Les deux tiers des travailleurs provenaient de Trois-Rivières.

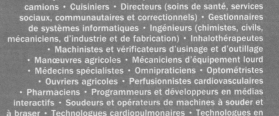

## RECHERCHÉS

Analystes financiers et en placements • Conducteurs de camions • Cuisiniers • Directeurs (soins de santé, services sociaux, communautaires et correctionnels) • Gestionnaires de systèmes informatiques • Ingénieurs (chimistes, civils, mécaniciens, d'industrie et de fabrication) • Inhalothérapeutes • Machinistes et vérificateurs d'usinage et d'outillage • Manœuvres agricoles • Mécaniciens d'équipement lourd • Médecins spécialistes • Omnipraticiens • Optométristes • Ouvriers agricoles • Perfusionnistes cardiovasculaires • Pharmaciens • Programmeurs et développeurs en médias interactifs • Soudeurs et opérateurs de machines à souder et à braser • Technologues cardiopulmonaires • Technologues en radiation médicale • Technologues et techniciens en chimie • Technologues et techniciens en génie civil • Vétérinaires

Source : Emploi-Québec. *Perspectives professionnelles 2006-2010*, 2007. Visitez http://emploiquebec.net pour connaître les mises à jour pour 2007-2011.

## LES TENDANCES DÉMOGRAPHIQUES

L'Institut de la statistique du Québec prévoit qu'en 2026, la Mauricie ne comptera plus que 243 000 habitants, comparativement à près de 260 000 en 2006. À lui seul, le groupe d'âge des 15-30 ans perdra près de 15 500 personnes, passant pour la même période de 47 000 à un peu plus de 31 000. À l'inverse, le groupe d'âge des 50-80 ans fera un bond de près de 25 000 personnes, progressant de 83 000 à plus de 107 000 individus.

«L'âge moyen de notre population est en croissance et nous avons le plus grand nombre de personnes de 65 ans et plus au Québec», estime Jules Bergeron, économiste à Emploi-Québec. En outre, plus de jeunes de 30 ans quittent la région qu'il n'en arrive, et dans le groupe des 55 ans et plus, le nombre de personnes attirées par la région est supérieur à celui des gens qui partent. «À moyen terme, le vieillissement de la population entraînera un vieillissement de la main-d'œuvre, poursuit M. Bergeron. De ce fait, au cours des prochaines années, 80 % des emplois offerts découleront des départs à la retraite.»

## À SUIVRE

- Sobeys Québec va investir plus de 30 millions de dollars dans la construction d'un nouveau centre de distribution à Trois-Rivières. Une centaine d'emplois devraient être créés.
- Le plan de redressement proposé par la direction de l'usine d'AbitibiBowater de Grand-Mère, comprenant certaines réorganisations internes qui permettront de réduire les coûts de main-d'œuvre, a été accepté à 80 % par les quelque 400 employés syndiqués. La compagnie pourra ainsi préserver les emplois.
- Les Serres du Saint-Laurent ont commencé la construction d'une des plus grosses serres au Québec afin de pouvoir exporter vers les États-Unis. L'investissement prévu est de 17 millions de dollars et devrait permettre l'embauche d'une centaine de travailleurs. Les serres seraient alimentées en énergie par les biogaz provenant de la putréfaction des déchets de la Régie de gestion des matières résiduelles de la Mauricie.

## SUR LE TERRAIN

L'entreprise MF2, située à Trois-Rivières, se spécialise dans la conception et l'usinage de produits métalliques.

Cette PME de 35 personnes emploie des ingénieurs, des techniciens en usinage, des journaliers et du personnel administratif. Ce sont les techniciens en usinage qui sont, de loin, les plus difficiles à dénicher,

## TAUX DE CHÔMAGE

| EN NOVEMBRE 2007† | 7,5 % Québec : 6,6 % | | |
|---|---|---|---|

| MOYENNES ANNUELLES†† | 2006 | 2005 | 2004 |
|---|---|---|---|
| POPULATION DE 15 ANS ET PLUS | 8,9 %<br>Québec : 8,0 % | 9,8 %<br>Québec : 8,3 % | 10,9 %<br>Québec : 8,5 % |
| POPULATION DE 15 À 29 ANS | 11,9 %<br>Québec : 10,9 % | 15,6 %<br>Québec : 11,5 % | 15,3 %<br>Québec : 12,0 % |

† Source : Statistique Canada, données non désaisonnalisées.
†† Source : Statistique Canada. *Enquête sur la population active*, compilations de l'Institut de la statistique du Québec, 2004, 2005 et 2006.

## PERSPECTIVES 2007-2011 D'EMPLOI-QUÉBEC

| | RÉGION MAURICIE | ENSEMBLE DU QUÉBEC |
|---|---|---|
| CRÉATION D'EMPLOIS | 3 400 | 245 800 |
| DÉPARTS À LA RETRAITE* | 19 000 | 440 000 |
| TAUX DE CROISSANCE ANNUEL DE L'EMPLOI | 0,6 % | 1,3 % |
| · SECTEUR TERTIAIRE | 1,1 % | 1,6 % |
| · SECTEUR SECONDAIRE | -0,6 % | 0,3 % |
| · SECTEUR PRIMAIRE | -1,9 % | 0,0 % |

Le centre-ville de Trois-Rivières
Photo : Patrick Deslandes

**Secteur primaire** : agriculture, foresterie, pêche et piégeage, mines.
**Secteur secondaire** : services publics, construction, fabrication.
**Secteur tertiaire** : services commerciaux (commerce, transport, finance, services professionnels, hébergement et restauration, etc.), services non commerciaux (enseignement, santé, administrations publiques).
* Les estimations de départs à la retraite sont pour la période 2006 à 2010.
Source : compilation spéciale d'Emploi-Québec.

Avec la formation professionnelle et technique, j'ai tout pour réussir en Mauricie.

Je visite **toutpourreussir.com**.

>> 10/07

explique la vice-présidente Hélène Saint-Arnaud.

«Il faut que j'aille recruter directement dans les écoles, explique-t-elle. J'engage à temps partiel des élèves qui viennent tout juste de commencer leurs cours et je leur offre un horaire de travail adapté. Une fois qu'ils sont diplômés, je les embauche à temps plein.»

MF2 a récemment investi 1,75 million de dollars pour augmenter sa productivité. Cette somme a notamment permis l'acquisition de trois machines, ce qui signifie que l'entreprise aura bientôt besoin d'une quinzaine de nouveaux employés. ◎

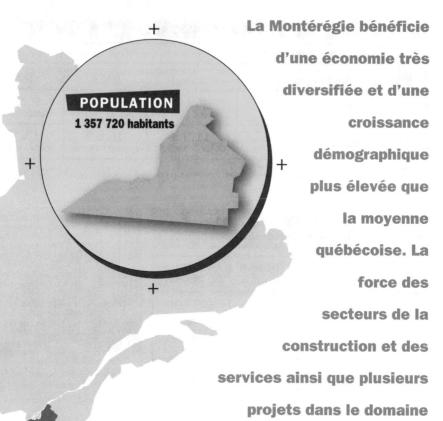

**POPULATION**
1 357 720 habitants

La Montérégie bénéficie d'une économie très diversifiée et d'une croissance démographique plus élevée que la moyenne québécoise. La force des secteurs de la construction et des services ainsi que plusieurs projets dans le domaine manufacturier permettent à la région de tirer son épingle du jeu.

par **Charles Allain**

## ◎ DES SECTEURS QUI RECRUTENT

Commerce • Finance, assurances, immobilier et location • Information, culture et loisirs • Matériel de transport • Produits informatiques et électroniques • Services aux entreprises • Services professionnels, scientifiques et techniques • Soins de santé et assistance sociale • Transport et entreposage

Source : Régis Martel, Emploi-Québec.

## PRINCIPALES VILLES

Châteauguay • Granby • Longueuil • Saint-Hyacinthe • Saint-Jean-sur-Richelieu • Salaberry-de-Valleyfield • Sorel-Tracy

## LES PERSPECTIVES

«L'activité économique a continué d'être très vigoureuse en 2007, estime Régis Martel, économiste à Emploi-Québec. De juillet 2006 à juillet 2007, le taux d'emploi est passé de 63,8 % à 65,1 %, alors que le taux de chômage a décru de 6,9 % à 5,2 %.»

**La vigueur de l'industrie aérospatiale permet d'estimer une croissance annuelle de 3 % du secteur du matériel de transport de 2007 à 2009.**

Dans le secteur de la fabrication manufacturière, l'agroalimentaire occupe la première place avec 22 100 emplois dans la région. Malgré les difficultés éprouvées par le secteur de la viande – Olymel a fermé un abattoir et mis à pied près de 600 personnes en 2007 –, les Viandes Soucy ont annoncé des investissements de 30 millions de dollars et la création d'environ 350 emplois d'ici à 2012. De son côté, après plusieurs mois d'incertitude quant à l'avenir de son abattoir de Saint-Damase, la coopérative Exceldor a négocié en juillet 2007 une entente avec ses travailleurs qui lui permet d'y poursuivre ses activités.

«De 2007 à 2009, la croissance de l'emploi annuelle en agroalimentaire devrait être de 1 %», mentionne Hélène Mercille, économiste à Service Canada. «La fermeture de certaines installations est souvent compensée par la poursuite de nouveaux projets par d'autres entreprises, soutient Régis Martel. De plus, dans le cas de certains emplois spécialisés comme ceux de boucher ou de cuisinier, les travailleurs peuvent trouver

rapidement un poste chez un autre employeur.»

La fabrication de matériel de transport, de produits informatiques et électroniques ainsi que de produits métalliques, offre les meilleures perspectives dans le domaine manufacturier durant la période 2007-2009. Dans le secteur du transport, par exemple, Pratt & Whitney poursuit son expansion grâce à un carnet de commandes bien rempli : «Cela permettra de créer au moins 500 nouveaux emplois sur une période de cinq ans», précise Régis Martel. La vigueur de l'industrie aérospatiale, très présente en Montérégie, permet d'estimer une croissance annuelle de 3 % du secteur du matériel de transport entre 2007 et 2009.

de Salaberry-de-Valleyfield, ce qui générerait 100 nouveaux emplois. De son côté, Sandoz Canada a réalisé en mai 2007 l'agrandissement de ses installations à Boucherville, un investissement qui créera une centaine d'emplois chez ce fabricant de médicaments génériques de la Rive-Sud.

Enfin, dans le secteur des services, le centre commercial Quartier Dix30 à Brossard poursuit sa croissance et maintient son objectif de compter 120 magasins en 2008 qui emploieront de 2 500 à 3 000 personnes. Par ailleurs, la convergence de nombreuses autoroutes (15, 20, 30) en fait un lieu de choix pour l'émergence de grands projets comme le centre de distribution de Canadian Tire,

**Le centre commercial Quartier Dix30 à Brossard poursuit sa croissance et maintient son objectif de compter 120 magasins en 2008 qui emploieront de 2 500 à 3 000 personnes.**

La construction de l'usine Ethanol GreenField à Varennes s'est terminée en 2007, et il est question d'ériger une deuxième usine dans la région

actuellement en construction à Coteau-du-Lac, qui commencera ses activités en 2009 et créera 600 emplois. ▶

*Les carrières d'avenir 2008 • Les 17 régions du Québec*

**113**

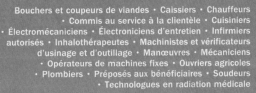

RECHERCHÉS

Bouchers et coupeurs de viandes • Caissiers • Chauffeurs • Commis au service à la clientèle • Cuisiniers • Électromécaniciens • Électroniciens d'entretien • Infirmiers autorisés • Inhalothérapeutes • Machinistes et vérificateurs d'usinage et d'outillage • Manœuvres • Mécaniciens • Opérateurs de machines fixes • Ouvriers agricoles • Plombiers • Préposés aux bénéficiaires • Soudeurs • Technologues en radiation médicale

Source : Emploi-Québec. *Perspectives professionnelles 2006-2010*, 2007. Visitez http://emploiquebec.net pour connaître les mises à jour pour 2007-2011.

## LES TENDANCES DÉMOGRAPHIQUES

L'âge moyen de la population montérégienne en 2006 était de 39,3 ans, ce qui correspond presque à la moyenne québécoise de 39,6 ans. Le tiers des habitants a 50 ans et plus. Selon l'Institut de la statistique du Québec, la proportion des personnes en âge de travailler (15 à 64 ans) commencera à diminuer en 2012.

La Montérégie fait toutefois partie des régions qui connaissent une croissance démographique entre 2001 et 2011. À la fin de cette période, la population y aura crû de 6,3 %, comparativement à 5 % dans l'ensemble du Québec.

On prévoit toutefois qu'il sera graduellement de plus en plus difficile de pourvoir aux postes dans des secteurs où le nombre de diplômés est insuffisant, par exemple les machinistes et les soudeurs. Le vieillissement de la population régionale a des répercussions sur tous les domaines de l'économie. Ainsi, le nombre de mises en chantier de résidences pour personnes âgées explose à Longueuil, Saint-Lambert et Greenfield Park, de même que la demande de services de santé partout en Montérégie.

## À SUIVRE

- Camoplast, une entreprise de fabrication de coques et de composantes de motomarines de Roxton Falls, agrandira et modernisera ses installations de 2008 à 2012. Le personnel passera de 200 à 500 employés.
- Le Club de hockey Canadien de Montréal installe en 2008 son centre d'entraînement au Quartier Dix30 à Brossard au coût de 30 millions de dollars.
- Aéroport Saint-Hubert prévoit investir 270 millions de dollars dans le réaménagement et la construction d'infrastructures sur les terrains aéroportuaires.
- AAER de Bromont investit 16 millions de dollars pour l'implantation de ses activités de fabrication d'éoliennes dans l'ancienne usine Hyundai. Cent emplois ont été créés en 2007, et 200 autres sont prévus en 2008.
- Goodyear a annoncé en janvier 2007 la suppression de 800 emplois sur 1 000 à son usine de Salaberry-de-Valleyfield.
- Réno-Dépôt installera en 2008 au Carrefour Candiac un centre de rénovation qui nécessitera un investissement de 30 millions de dollars et emploiera 170 personnes.

## SUR LE TERRAIN

La compagnie pharmaceutique Sandoz Canada fabrique sur la Rive-Sud de nombreux médicaments génériques. Son usine de Boucherville est reconnue comme un centre d'excellence mondial en ce qui concerne le développement des produits injectables.

La construction en 2007 d'une nouvelle usine, tout près de la première à Boucherville, et

## TAUX DE CHÔMAGE

| EN NOVEMBRE 2007[†] | 6,1 % Québec : 6,6 % | | |
|---|---|---|---|
| **MOYENNES ANNUELLES[††]** | **2006** | **2005** | **2004** |
| POPULATION DE 15 ANS ET PLUS | 7,3 % Québec : 8,0 % | 6,9 % Québec : 8,3 % | 7,2 % Québec : 8,5 % |
| POPULATION DE 15 À 29 ANS | 10,6 % Québec : 10,9 % | 11,9 % Québec : 11,5 % | 11,3 % Québec : 12,0 % |

† Source : Statistique Canada, données non désaisonnalisées.
†† Source : Statistique Canada. *Enquête sur la population active*, compilations de l'Institut de la statistique du Québec, 2004, 2005 et 2006.

## PERSPECTIVES 2007-2011 D'EMPLOI-QUÉBEC

| | RÉGION MONTÉRÉGIE | ENSEMBLE DU QUÉBEC |
|---|---|---|
| CRÉATION D'EMPLOIS | 43 400 | 245 800 |
| DÉPARTS À LA RETRAITE* | 83 000 | 440 000 |
| TAUX DE CROISSANCE ANNUEL DE L'EMPLOI | 1,2 % | 1,3 % |
| · SECTEUR TERTIAIRE | 1,7 % | 1,6 % |
| · SECTEUR SECONDAIRE | 0,0 % | 0,3 % |
| · SECTEUR PRIMAIRE | -0,2 % | 0,0 % |

La rivière Richelieu
Photo : PPM Photos — Martin Tremblay,
© Le Québec en images, CCDMD

**115**

Avec la formation professionnelle et technique, j'ai tout pour réussir en Montérégie.

Je visite **toutpourreussir.com**.

**Secteur primaire** : agriculture, foresterie, pêche et piégeage, mines.
**Secteur secondaire** : services publics, construction, fabrication.
**Secteur tertiaire** : services commerciaux (commerce, transport, finance, services professionnels, hébergement et restauration, etc.), services non commerciaux (enseignement, santé, administrations publiques).

* Les estimations de départs à la retraite sont pour la période 2006 à 2010.

Source : compilation spéciale d'Emploi-Québec.

>> 10/07

l'expansion de ses laboratoires, lui ont permis d'augmenter sa capacité de production de 66 %. De 2008 à 2010, environ une centaine d'employés s'ajouteront aux 600 que compte actuellement Sandoz sur la Rive-Sud. Les principaux postes à pourvoir sont ceux de superviseurs de production, de microbiologistes et d'analystes en chimie.

«En général, nous n'avons pas de mal à recruter notre personnel, car nous sommes un employeur de choix sur la Rive-Sud, précise Monika Sniec, chef des communications à Sandoz Canada. En revanche, certains postes exigeant plusieurs années d'expérience sont plus difficiles à pourvoir à cause de la rareté du personnel spécialisé et du faible taux de roulement dans le domaine pharmaceutique.» ◎

**POPULATION**
**1 873 971 habitants**

Le marché du travail connaît une embellie significative à Montréal. Pourtant, l'industrie manufacturière a perdu des plumes à cause de la forte poussée du dollar et de la concurrence étrangère. Mais en contrepartie, les services et quelques secteurs manufacturiers de haute technologie ont insufflé leur dynamisme à l'économie régionale.

par **Pierre St-Arnaud**

## DES SECTEURS QUI RECRUTENT

Commerce de détail • Construction • Fabrication (machines, outillage, aliments, matériel de transport et électronique) • Santé et assistance sociale • Services aux entreprises • Services professionnels, scientifiques et techniques

Source : François Laverdure, Emploi-Québec.

## PRINCIPALES VILLES

Baie-d'Urfé • Beaconsfield • Côte-Saint-Luc • Dollard-des-Ormeaux • Dorval • Hampstead • Île Dorval • Kirkland • Montréal • Montréal-Est • Montréal-Ouest • Mont-Royal • Pointe-Claire • Sainte-Anne-de-Bellevue • Senneville • Westmount

Le taux de chômage a baissé de façon marquée à Montréal en 2006 et durant les six premiers mois de 2007, note François Laverdure, économiste à Emploi-Québec : «Au début de l'année 2007, il est passé sous la barre des 10 %. Nous étions toujours demeurés au-dessus depuis 20 ans, sauf à une ou deux occasions au début des années 2000.»

Le moteur de cette croissance est le secteur des services, précise Christian Bernard, économiste à Montréal International. «Les services professionnels, scientifiques et techniques sont au cœur du dynamisme de l'économie montréalaise, de même que les services administratifs, les services de soutien, l'industrie de l'information et l'industrie culturelle. Cela inclut les services juridiques, fiscaux, de génie-conseil, de consultation, de design, de recherche et développement, les télécommunications et le logiciel, notamment.»

**On note une forte poussée dans le sous-secteur du jeu électronique.**

En ce qui concerne l'industrie du logiciel, la croissance est soutenue mais il ne s'agit plus d'une bulle, comme ce fut le cas au début du millénaire, note François Laverdure. «On constate une reprise dans les technologies de l'information. Le rythme est moins effréné qu'en 2000, mais désormais les bases sont plus solides.»

On note aussi une forte poussée dans le sous-secteur du jeu électronique. «Cette industrie a littéralement explosé dans la région de Montréal. Le *gaming* représente actuellement environ 5 000 emplois. À ce rythme,

nous nous dirigeons sûrement vers les 7 000 ou 8 000 emplois à court terme, et je ne serais pas étonné que l'on approche des 10 000 après 2010», explique Christian Bernard.

**Certains sous-secteurs manufacturiers à très haute valeur ajoutée sont en excellente santé, notamment la fabrication de produits pharmaceutiques, la fabrication de produits aérospatiaux et le matériel de communication.**

L'emploi en fabrication connaît un repli, accentué par les difficultés qu'a traversées le secteur manufacturier traditionnel, comme le vêtement et le papier. En contrepartie, certains sous-secteurs manufacturiers à très haute valeur ajoutée sont en excellente santé, notamment la fabrication de produits pharmaceutiques, la fabrication de produits aérospatiaux et le matériel de communication.

Bombardier Aéronautique, entre autres, a retrouvé en 2007 sa cadence de production d'avant le 11 septembre 2001. Cependant, l'entreprise a opéré une sévère rationalisation de ses procédés, et réalise désormais sa production avec 12 500 employés plutôt que les 15 200

d'avant les attentats. Les perspectives d'avenir de la série C, un projet dont le potentiel est de 5 000 emplois chez Bombardier et ses fournisseurs dans la région métropolitaine de recensement, se sont toutefois améliorées, alors que divers clients manifestaient leur intérêt pour l'appareil.

Quant à la construction, des chantiers d'envergure sont en cours dans le secteur universitaire (universités McGill, Concordia, de Montréal et École de technologie supérieure), de même que d'importants travaux d'infrastructures (réfection de routes, d'aqueducs et d'égouts). Des chantiers majeurs sont également attendus : les deux super hôpitaux universitaires (CHUM et CUSM), le Quartier des spectacles, la réfection de la rue Notre-Dame, de la Cité du Havre et de l'échangeur Turcot.

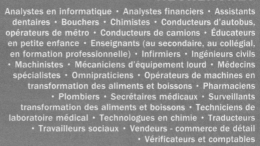

## RECHERCHÉS

Analystes en informatique • Analystes financiers • Assistants dentaires • Bouchers • Chimistes • Conducteurs d'autobus, opérateurs de métro • Conducteurs de camions • Éducateurs en petite enfance • Enseignants (au secondaire, au collégial, en formation professionnelle) • Infirmiers • Ingénieurs civils • Machinistes • Mécaniciens d'équipement lourd • Médecins spécialistes • Omnipraticiens • Opérateurs de machines en transformation des aliments et boissons • Pharmaciens • Plombiers • Secrétaires médicaux • Surveillants transformation des aliments et boissons • Techniciens de laboratoire médical • Technologues en chimie • Traducteurs • Travailleurs sociaux • Vendeurs - commerce de détail • Vérificateurs et comptables

Source : Emploi-Québec. *Perspectives professionnelles 2006-2010*, 2007. Visitez http://emploiquebec.net pour connaître les mises à jour pour 2007-2011.

## LES TENDANCES DÉMOGRAPHIQUES

Pour les quatre prochaines années, les prévisions de main-d'œuvre d'Emploi-Québec font état de 90 000 postes à pourvoir dans la région de Montréal en raison des besoins de remplacement. «Plusieurs employeurs et économistes craignent des pénuries de main-d'œuvre. D'autres croient qu'il est possible que certains travailleurs reporteront à plus tard leur retraite, ou qu'ils continueront à travailler à temps partiel. Les phénomènes de retraites retardées et partielles commencent à apparaître, bien qu'il soit encore trop tôt pour déterminer l'ampleur que cela prendra», soutient François Laverdure.

Christian Bernard note cependant que Montréal attire les jeunes – ils viennent y étudier – et qu'un bon bassin de main-d'œuvre est disponible : «Un taux de chômage de 7,1 %, comme c'était le cas en septembre 2007, cache près de 150 000 chômeurs. Cependant, dans ce groupe, les personnes hautement qualifiées ne sont pas nombreuses. Si nous voulons prendre la voie de l'économie du savoir, l'ingrédient numéro un pour y parvenir est de bien former, attirer et retenir les talents : réduire le décrochage, augmenter le taux d'obtention d'un diplôme et offrir une formation aux chômeurs.»

## À SUIVRE

- Ubisoft investira 450 millions de dollars d'ici à 2013 et créera 1 000 emplois additionnels, portant son effectif à 3 000 en 2013.

- Eidos Interactive, autre éditeur de jeux électroniques, a annoncé un investissement de 50 millions de dollars qui permettra de créer 350 emplois sur trois ans.

- Le fabricant de vêtements Gildan a fermé son usine de Montréal, mettant à pied 465 employés. Le fabricant de maillots de bain Baltex a cessé ses activités, licenciant 300 personnes.

- L'usine GE Hydro de Lachine, qui employait 3 500 employés dans les années 1970 et a fabriqué la moitié des turbines de la Baie-James, a annoncé sa fermeture en juin 2008. Ses 450 derniers employés se retrouveront sans emploi.

- Bombardier Aéronautique a annulé, en août 2007, une partie des mises à pied annoncées en octobre 2006 et procédera plutôt au rappel d'un certain nombre d'employés. La cadence de production des CRJ est augmentée de 50 à 57 appareils par année et l'avionneur révèle que son carnet de commandes a crû de 38 % durant les deux premiers trimestres de 2007, pour atteindre le montant record de 18,2 milliards de dollars.

## SUR LE TERRAIN

Triton Electronik est un fabricant de cartes électroniques. Même si la Chine constitue un concurrent féroce dans ce domaine, la compagnie a trouvé une façon de tirer son épingle du jeu. «Nous avons choisi de fabriquer des cartes électroniques très complexes en petits lots. Cela nous permet de nous démarquer et de tenir tête à la

## TAUX DE CHÔMAGE

| EN NOVEMBRE 2007[†] | 8,2 % Québec : 6,6 % | | |
| --- | --- | --- | --- |
| **MOYENNES ANNUELLES**[††] | **2006** | **2005** | **2004** |
| POPULATION DE 15 ANS ET PLUS | 10,1 %<br>Québec : 8,0 % | 10,8 %<br>Québec : 8,3 % | 10,3 %<br>Québec : 8,5 % |
| POPULATION DE 15 À 29 ANS | 12,3 %<br>Québec : 10,9 % | 13,2 %<br>Québec : 11,5 % | 13,5 %<br>Québec : 12,0 % |

† Source : Statistique Canada, données non désaisonnalisées.
†† Source : Statistique Canada. *Enquête sur la population active*, compilations de l'Institut de la statistique du Québec, 2004, 2005 et 2006.

## PERSPECTIVES 2007-2011 D'EMPLOI-QUÉBEC

| | RÉGION MONTRÉAL | ENSEMBLE DU QUÉBEC |
| --- | --- | --- |
| CRÉATION D'EMPLOIS | 71 900 | 245 800 |
| DÉPARTS À LA RETRAITE* | 90 000 | 440 000 |
| TAUX DE CROISSANCE ANNUEL DE L'EMPLOI | 1,5 % | 1,3 % |
| · SECTEUR TERTIAIRE | 1,7 % | 1,6 % |
| · SECTEUR SECONDAIRE | 0,3 % | 0,3 % |
| · SECTEUR PRIMAIRE | -0,7 % | 0,0 % |

**Secteur primaire** : agriculture, foresterie, pêche et piégeage, mines.
**Secteur secondaire** : services publics, construction, fabrication.
**Secteur tertiaire** : services commerciaux (commerce, transport, finance, services professionnels, hébergement et restauration, etc.), services non commerciaux (enseignement, santé, administrations publiques).

* Les estimations de départs à la retraite sont pour la période 2006 à 2010.

Source : compilation spéciale d'Emploi-Québec.

Le centre-ville de Montréal
Photo : Denis Chabot,
© Le Québec en images, CCDMD

Avec la formation professionnelle et technique, j'ai tout pour réussir à Montréal.

Je visite **toutpourreussir.com**.

119

>> 10/07

---

competition asiatique», indique la directrice des ressources humaines, Audrey Tremblay.

Autrefois situé à Saint-Eustache, Triton Electronik s'est installé à Pointe-Claire après un incendie en novembre 2005. Mais la plupart des employés n'ont pas suivi et il a fallu remplacer 85 % de la main-d'œuvre en moins de deux ans. Toutefois, le recrutement a été facilité par la fermeture de plusieurs entreprises montréalaises en électronique. Actuellement, les besoins concernent essentiellement des diplômés en électronique du collégial et du professionnel pour travailler dans la chaîne d'assemblage, de même que des comptables et des acheteurs. ◉

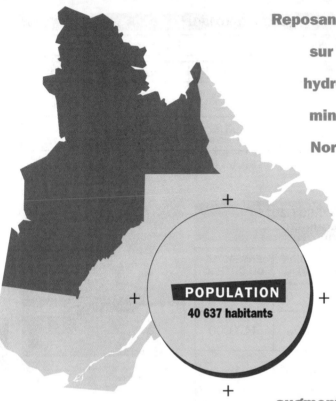

**POPULATION**
40 637 habitants

Reposant essentiellement sur la forêt, l'énergie hydroélectrique et les mines, l'économie du Nord-du-Québec mise actuellement sur la reprise des activités minières. Les dépenses d'exploration ont fortement augmenté et conduiront à l'ouverture de plusieurs nouvelles mines au cours des prochaines années.

par **Charles Allain**

## ⊚ DES SECTEURS QUI RECRUTENT

Construction • Mines • Services (hébergement, restauration et commerce de détail) • Services publics (Hydro-Québec) • Transport routier

Source : Marie-Thérèse Salhab, Information sur le marché du travail, Emploi-Québec.

## PRINCIPALES VILLES
Chibougamau • Chisasibi • Kuujjuaq • Lebel-sur-Quévillon • Matagami

L'industrie minière est connue pour son caractère cyclique. Après les vaches maigres de la décennie 1990, elle connaît à nouveau une période faste. Depuis le début des années 2000, les investissements miniers ont repris. «Près de la moitié de ces investissements au Québec se font dans le Nord-du-Québec, ce qui représente environ un milliard de dollars par année», explique Régis Simard, directeur général de la Table jamésienne de concertation minière.

**Le début des travaux de construction des centrales hydroélectriques de l'Eastmain-1-A et de la Sarcelle a permis de renouer avec l'enthousiasme des grands travaux hydroélectriques de la Baie-James.**

«L'industrie minière du Nord-du-Québec aura à recruter de nombreux travailleurs au cours des prochaines années, soutient Régis Simard. Ces emplois qui touchent tous les niveaux, des conducteurs de machinerie lourde jusqu'aux gestionnaires, en passant par les techniciens. Ils sont assortis d'excellentes conditions de travail et de salaires très alléchants.»

L'entreprise Breakwater Ressources a rouvert sa mine de zinc et de cuivre Gonzague-Langlois à Lebel-sur-Quévillon en 2007. Fermée depuis 2001 à cause du faible prix du cuivre et du zinc sur le marché mondial, la mine devrait être exploitée pour plusieurs années. Une campagne d'exploration menée près du site pourrait également allonger sa durée de vie.

De plus, la mine de zinc Persévérance de Xstrata doit entrer en activité en 2008. Elle devrait générer des retombées économiques de près de 50 millions de dollars annuellement dans la région de Matagami et employer environ 225 personnes.

**Du côté de la forêt, les efforts de diversification se poursuivent. Un projet d'usine de deuxième transformation de feuillus devrait être lancé en 2008 à Lebel-sur-Quévillon.**

La construction de la route de 260 kilomètres vers les monts Otish, où Stornoway et SOQUEM espèrent exploiter un gisement de diamants, est entrée dans la phase de la planification de son tracé. Les travaux devraient commencer en 2009. «La forêt, l'écotourisme et le tourisme d'aventure, notamment la chasse et la pêche, bénéficieront aussi de cette route», indique Gérald Lemoyne, maire de Lebel-sur-Quévillon et président de la Conférence régionale des élus de la Baie-James.

Dans le domaine de l'énergie, le début des travaux de construction des centrales hydroélectriques de l'Eastmain-1-A et de la Sarcelle, ainsi que des ouvrages nécessaires à la dérivation d'une partie des eaux de la rivière Rupert, a permis de renouer avec l'enthousiasme des grands travaux hydroélectriques de la Baie-James. On prévoit qu'au cours des six prochaines années, l'équivalent de 27 000 personnes travailleront à ce vaste chantier dont les retombées économiques sont évaluées à 212 millions de dollars pour le Nord-du-Québec.

Du côté de la forêt, les efforts de diversification se poursuivent. Un projet d'usine de deuxième transformation de feuillus devrait être lancé en 2008 à Lebel-sur-Quévillon. «La transition vers des produits de niche n'est pas facile, notamment pour des raisons techniques, lorsque les procédés ne sont pas au point ou que leur coût est trop élevé, précise Gérald Lemoyne. L'industrie cherche aussi à développer de nouveaux produits à partir des résidus forestiers, comme l'éthanol.»

▶

**121**

## RECHERCHÉS

Éducateurs en garderie • Éducateurs spécialisés • Enseignants • Infirmiers et infirmiers auxiliaires • Ingénieurs civils, électriciens et électroniciens, miniers • Machinistes • Mécaniciens d'instruments industriels • Mécaniciens de machinerie lourde • Mécaniciens de véhicules automobiles • Mécaniciens industriels • Omnipraticiens • Physiothérapeutes • Préposés aux bénéficiaires • Psychologues • Soudeurs • Techniciens de laboratoire médical • Techniciens en génie électronique et électrique • Techniciens en géologie et minéralogie • Technologues en radiation médicale • Travailleurs sociaux • Vérificateurs et comptables

Source : Emploi-Québec. *Perspectives professionnelles 2006-2010*, 2007. Visitez http://emploiquebec.net pour connaître les mises à jour pour 2007-2011.

## LES TENDANCES DÉMOGRAPHIQUES

Selon l'*Étude sur le vieillissement de la main-d'œuvre spécialisée dans le Nord-du-Québec* réalisée en 2006 par Service Canada, 44 % de la population active a 45 ans et plus. C'est dans le secteur minier que se trouve le plus grand pourcentage de personnes âgées de 55 ans et plus, suivi par les secteurs de la santé, du travail social, de la construction et de l'éducation. On peut donc en déduire que de nombreux travailleurs quitteront le marché du travail au cours des prochaines années. Cela cause de l'inquiétude notamment en construction et dans les mines, les moteurs économiques de la région.

D'après les prévisions d'Emploi-Québec, environ 6 000 personnes prendront leur retraite sur la Côte-Nord et dans le Nord-du-Québec d'ici à 2010. Toutefois, le chômage élevé dans les secteurs du transport, des métiers et de la machinerie fera en sorte que la concurrence entre les travailleurs sera forte pour obtenir les emplois disponibles dans ces secteurs.

## À SUIVRE

- En août 2007, Ressources Campbell a fermé définitivement les portes de la mine d'or Joe Mann, située à 64 kilomètres au sud de Chibougamau, en raison de l'épuisement du gisement. Bien que la plupart des employés aient été relocalisés dans d'autres exploitations, cette fermeture s'est soldée par la perte d'environ 60 emplois.

- Le projet de mine de diamants Renard de Stornoway-SOQUEM, située à plus de 300 kilomètres au nord-est de Chibougamau, est à l'étape de l'étude de faisabilité. Si celle-ci est concluante, la mine pourrait ouvrir dans quelques années et employer environ 250 personnes.

- La réalisation du projet de la mine d'or Éléonore, à 300 kilomètres au nord de Matagami, continue à progresser. La construction du tronçon manquant de 60 kilomètres de route qui doit y conduire est sur le point d'obtenir le feu vert. Cette mine, qui devrait créer environ 300 emplois, constitue la découverte minière la plus importante depuis plusieurs décennies en Amérique du Nord.

## SUR LE TERRAIN

Les Mines Opinaca, une compagnie de Goldcorp, réalisent actuellement l'étude de faisabilité du gisement aurifère Roberto, situé au nord du réservoir Opinaca d'Hydro-Québec. C'est ce qu'on appelle le projet Éléonore. De 40 personnes en 2007, le personnel devrait passer à environ 325 travailleurs lorsque la mine sera en exploitation, probablement vers la fin de 2010.

| TAUX DE CHÔMAGE* | | | |
|---|---|---|---|
| **EN NOVEMBRE 2007†** | 7,8 % Québec : 6,6 % | | |
| **MOYENNES ANNUELLES††** | **2006** | **2005** | **2004** |
| POPULATION DE 15 ANS ET PLUS | 8,2 %<br>Québec : 8,0 % | 8,1 %<br>Québec : 8,3 % | 11,7 %<br>Québec : 8,5 % |
| POPULATION DE 15 À 29 ANS | n/d<br>Québec : 10,9 % | 12,2 %<br>Québec : 11,5 % | 16,3 %<br>Québec : 12,0 % |

\* Ces données incluent la Côte-Nord.
† Source : Statistique Canada, données non désaisonnalisées.
†† Source : Statistique Canada. *Enquête sur la population active*, compilations de l'Institut de la statistique du Québec, 2004, 2005 et 2006.

## PERSPECTIVES 2007-2011 D'EMPLOI-QUÉBEC

| CÔTE-NORD ET NORD-DU-QUÉBEC | RÉGIONS | ENSEMBLE DU QUÉBEC |
|---|---|---|
| CRÉATION D'EMPLOIS | 3 300 | 245 800 |
| DÉPARTS À LA RETRAITE* | 6 000 | 440 000 |
| TAUX DE CROISSANCE ANNUEL DE L'EMPLOI | 1,2 % | 1,3 % |
| ·SECTEUR TERTIAIRE | 1,3 % | 1,6 % |
| ·SECTEUR SECONDAIRE | 0,0 % | 0,3 % |
| ·SECTEUR PRIMAIRE | 3,1 % | 0,0 % |

Matagami (à 183 km au nord d'Amos)
Photo : Daniel Bédard,
© Le Québec en images, CCDMD

**Secteur primaire** : agriculture, foresterie, pêche et piégeage, mines.
**Secteur secondaire** : services publics, construction, fabrication.
**Secteur tertiaire** : services commerciaux (commerce, transport, finance, services professionnels, hébergement et restauration, etc.), services non commerciaux (enseignement, santé, administrations publiques).

\* Les estimations de départs à la retraite sont pour la période 2006 à 2010.
Source : compilation spéciale d'Emploi-Québec.

Avec la formation professionnelle et technique, j'ai tout pour réussir dans le Nord-du-Québec.

Je visite **toutpourreussir.com**.

>> 10/07

«Nous aurons alors besoin de pourvoir tous les types d'emplois que requiert l'exploitation d'une mine, explique Marcelino Jobin, directeur administration. Géologues, ingénieurs miniers, gestionnaires, acheteurs, mécaniciens, mineurs, etc., le recrutement de tant de travailleurs est tout un défi, car nous sommes déjà en situation de pénurie de main-d'œuvre minière au Canada», poursuit-il.

Comme beaucoup de gisements du Nord-du-Québec, il est situé loin des agglomérations. «Nous devrons probablement établir des vols à partir de plusieurs villes, comme Chibougamau et Val-d'Or, pour emmener les employés au campement», précise M. Jobin. ◎

POPULATION
**347 214 habitants**

Du point de vue économique, l'Outaouais est divisé en deux. Alors que sa région rurale vit des moments difficiles en raison de la crise de l'industrie forestière, sa portion urbaine connaît une belle croissance grâce à la vigueur du secteur des services.

par **Pierre St-Arnaud**

## ◎ DES SECTEURS QUI RECRUTENT

Administration publique • Commerce de détail • Éducation • Santé et services sociaux • Services professionnels, scientifiques et techniques

Source : Ghislain Régis Yoka, Emploi-Québec.

## PRINCIPALES VILLES

Campbell's Bay • Gatineau • La Pêche • Maniwaki • Thurso • Val-des-Monts

Les services publics et para-publics regroupent 72 000 travailleurs dans la région, soit 40 % des emplois. Plus de 32 000 se trouvent dans la fonction publique fédérale qui, même si elle n'est pas en expansion par les temps qui courent, demeure extrêmement stable, note l'économiste de Service Canada Luc Blanchette : «Il y a un léger ralentissement parce que les départs à la retraite ne sont pas systématiquement remplacés, mais l'embauche demeure toujours importante, simplement à cause du volume d'emplois que cela représente.»

Les services à la consommation, quant à eux, sont en forte expansion : en effet, pour suivre l'explosion démographique, les centres commerciaux poussent comme des champignons à Gatineau. «Les grands projets se multiplient dans le secteur commercial : des centaines d'emplois seront créés d'ici à la fin de 2008, non seulement dans les commerces mais aussi durant leur construction», dit Ghislain Régis Yoka, économiste à Emploi-Québec.

**La région compte beaucoup sur le Centre de recherche en technologies langagières, mis sur pied à l'Université du Québec en Outaouais.**

Un autre créneau porteur dans la région est celui des technologies de l'information. «L'Outaouais compte beaucoup sur le Centre de recherche en technologies langagières, mis sur pied à l'Université du Québec en Outaouais, en 2003. Déjà, des partenariats sont développés avec des entreprises œuvrant dans les technologies de l'information à Ottawa et Gatineau. Le génie logiciel connaît aussi de belles heures avec des entreprises comme Cactus Commerce, qui a annoncé des embauches importantes en 2007 [voir rubrique *Sur le terrain*, à la page 126], Provance Technologies ou CML Emergency, qui sont en expansion», poursuit-il. Le secteur de la fabrication de produits électroniques et informatiques, bien qu'encore en émergence, est d'ailleurs celui qui devrait afficher la plus forte croissance annuelle moyenne de l'emploi sur l'horizon 2007-2009, avec 6,9 %[1].

**L'ensemble du secteur manufacturier – incluant le bois et le papier – ne représente qu'un peu moins de 6 % de l'emploi total de la région.**

Mais dès que l'on quitte le milieu urbain, la situation est plus difficile. «Dans l'industrie forestière [bois, forêt et papier], entre 2004 et la moitié de 2007, un peu plus de 1 000 emplois ont été perdus dans la région, conséquence de la réduction des droits de coupe, de la hausse du dollar canadien, de la concurrence internationale et de la baisse de la demande mondiale de papier. Heureusement, l'ensemble du secteur manufacturier – incluant le bois et le papier – ne représente qu'un peu moins de 6 % de l'emploi total de la région, ce qui a permis de limiter les dégâts», remarque Ghislain Régis Yoka. N'empêche que l'industrie n'est pas au bout de ses peines, précise Luc Blanchette : «On s'attend à des fermetures d'usines de pâtes et papiers. Domtar vient d'annoncer celle de son usine de Gatineau.»

En ce qui concerne l'agriculture, elle demeure stable, avec environ 1 300 emplois. On constate d'ailleurs une consolidation de la production laitière, note Luc Blanchette : «Le nombre de fermes diminue, mais en contrepartie elles grossissent. On perd des propriétaires, mais on gagne des ouvriers.»

1. Service Canada. *Perspectives sectorielles, région de l'Outaouais*, mars 2007.

## RECHERCHÉS

Agents d'administration • Aides-infirmiers • Analystes en informatique • Assistants dentaires • Audiologistes et orthophonistes • Avocats • Briqueteurs-maçons • Caissiers • Charpentiers-menuisiers • Commis comptables • Conducteurs de camions • Couvreurs • Cuisiniers • Diététistes • Ébénistes • Éducateurs spécialisés • Enseignants • Ergothérapeutes • Hygiénistes dentaires • Infirmiers • Ingénieurs informaticiens et en logiciel • Inhalothérapeutes • Mécaniciens • Médecins spécialistes • Omnipraticiens • Pharmaciens • Physiothérapeutes • Plâtriers • Plombiers • Psychologues • Représentants des ventes • Secrétaires • Soudeurs • Techniciens de laboratoire médical • Techniciens en diététique • Technologues en génie électronique et électrique, en génie mécanique • Technologues en radiation médicale • Traducteurs • Travailleurs sociaux

Source : Emploi-Québec. *Perspectives professionnelles 2006-2010*, 2007. Visitez http://emploiquebec.net pour connaître les mises à jour pour 2007-2011.

## LES TENDANCES DÉMOGRAPHIQUES

L'Outaouais connaît la troisième plus forte croissance démographique parmi les régions du Québec, après Lanaudière et les Laurentides. Cette hausse résulte de la migration interrégionale, interprovinciale et internationale. Ainsi, les données du recensement de 2006 montrent que la population outaouaise a crû de 24 444 personnes de 2001 à 2006, grâce notamment à un solde migratoire positif de 3 318 personnes en 2005-2006.

Parmi les nouveaux arrivants, 1 107 venaient d'Ontario, ce qui constitue un phénomène économique, explique Luc Blanchette : «Le prix des maisons et des terrains est beaucoup moins élevé à Gatineau qu'à Ottawa. Les jeunes familles viennent donc souvent s'installer du côté du Québec, car elles n'ont pas les moyens d'acheter du côté ontarien. Qui plus est, elles profitent aussi des garderies à sept dollars par jour.»

## À SUIVRE

- Ouvert en mars 2006, le centre d'appels StarTek à Hawkesbury, qui se spécialise dans le service à la clientèle en télécommunications, ferme ses portes en août 2007. Environ 200 personnes perdent leur emploi, l'entreprise n'ayant jamais été en mesure de trouver suffisamment de main-d'œuvre pour pourvoir tous les postes disponibles.

- La scierie Davidson de Fort Coulonge, fermée en mai 2005, a rouvert ses portes sous le nom de Pin Davidson à l'automne 2007. Le redémarrage des activités nécessitera l'embauche de 60 à 70 travailleurs à la scierie et le nombre d'emplois devrait atteindre 150, incluant les travailleurs en forêt.

- La construction d'un mégacentre commercial s'est amorcée à Gatineau à l'été 2007. Deux grandes surfaces et plusieurs commerces périphériques, regroupant au total environ 300 employés, sont prévus. Un autre petit centre commercial, abritant notamment une épicerie Metro Plus de 200 employés, a ouvert ses portes en septembre 2007 et un supermarché IGA de 150 employés fera de même au printemps 2008.

## SUR LE TERRAIN

Cactus Commerce de Gatineau est une entreprise de haute technologie spécialisée dans le soutien au commerce en ligne. Elle compte notamment parmi ses clients Costco, Jean Coutu, Tommy Hilfiger.

Cactus compte 200 employés mais prévoit en embaucher 125 de plus d'ici à la fin

## TAUX DE CHÔMAGE

| EN NOVEMBRE 2007† | 5,1 % Québec : 6,6 % | | |
|---|---|---|---|
| **MOYENNES ANNUELLES††** | **2006** | **2005** | **2004** |
| POPULATION DE 15 ANS ET PLUS | 6,0 %<br>Québec : 8,0 % | 6,9 %<br>Québec : 8,3 % | 7,6 %<br>Québec : 8,5 % |
| POPULATION DE 15 À 29 ANS | 8,3 %<br>Québec : 10,9 % | 10,2 %<br>Québec : 11,5 % | 11,9 %<br>Québec : 12,0 % |

† Source : Statistique Canada, données non désaisonnalisées.
†† Source : Statistique Canada. *Enquête sur la population active*, compilations de l'Institut de la statistique du Québec, 2004, 2005 et 2006.

## PERSPECTIVES 2007-2011 D'EMPLOI-QUÉBEC

| | RÉGION OUTAOUAIS | ENSEMBLE DU QUÉBEC |
|---|---|---|
| CRÉATION D'EMPLOIS | 14 200 | 245 800 |
| DÉPARTS À LA RETRAITE* | 17 000 | 440 000 |
| TAUX DE CROISSANCE ANNUEL DE L'EMPLOI | 1,5 % | 1,3 % |
| • SECTEUR TERTIAIRE | 1,7 % | 1,6 % |
| • SECTEUR SECONDAIRE | 0,1 % | 0,3 % |
| • SECTEUR PRIMAIRE | -0,7 % | 0,0 % |

**Secteur primaire :** agriculture, foresterie, pêche et piégeage, mines.
**Secteur secondaire :** services publics, construction, fabrication.
**Secteur tertiaire :** services commerciaux (commerce, transport, finance, services professionnels, hébergement et restauration, etc.), services non commerciaux (enseignement, santé, administrations publiques).

* Les estimations de départs à la retraite sont pour la période 2006 à 2010.

Source : compilation spéciale d'Emploi-Québec.

Le Musée canadien des civilisations, à Gatineau, vu de la rivière des Outaouais.
Photo : Ville de Hull,
© Le Québec en images, CCDMD

Avec la formation professionnelle et technique, j'ai tout pour réussir en Outaouais.

Je visite **toutpourreussir.com**.

**127**

>> 10/07

de 2008. On recherche principalement des diplômés universitaires ou collégiaux en génie électrique ou en électronique, mais possédant surtout de l'expérience en développement de plates-formes sur Internet. Selon la directrice des ressources humaines de l'entreprise, Judy Doggett, c'est un défi de taille. «Notre forte croissance nécessite le recrutement de 8 à 10 personnes par mois. De 60 à 70 % des personnes embauchées nous ont été recommandées par d'autres employés et nous annonçons beaucoup dans les sites d'offres d'emploi. Un certain nombre de nos employés enseignent aussi dans les universités et les collèges, ce qui nous aide à mettre la main sur des candidats.» ◎

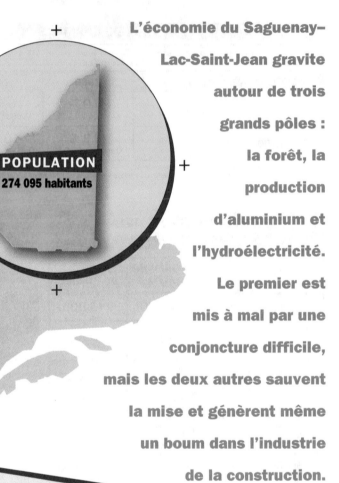

**POPULATION**
**274 095 habitants**

L'économie du Saguenay–Lac-Saint-Jean gravite autour de trois grands pôles : la forêt, la production d'aluminium et l'hydroélectricité. Le premier est mis à mal par une conjoncture difficile, mais les deux autres sauvent la mise et génèrent même un boum dans l'industrie de la construction.

par **Pierre St-Arnaud**

## ◎ DES SECTEURS QUI RECRUTENT

Commerce • Construction • Produits métalliques • Santé • Services professionnels, scientifiques et techniques

Source : Clément Desbiens, Emploi-Québec.

## PRINCIPALES VILLES

**Alma • Dolbeau-Mistassini • Saguenay**

La construction affiche une forte activité qui s'appuie sur la réalisation de plusieurs projets, notamment l'important chantier du barrage de Péribonka (plus de 1 000 ouvriers), ainsi que le chantier d'élargissement de la route 175 reliant la région à la ville de Québec, qui doit se terminer en 2009.

Le barrage sera terminé en 2008, mais la fin des travaux n'inquiète nullement l'économiste Clément Desbiens, d'Emploi-Québec : «Le chantier d'Eastmain-1-A, à la Baie-James, va prendre la relève. Ensuite, ce sera au tour de celui de La Romaine, sur la Côte-Nord. Dans le secteur de la construction, l'activité va être maintenue au cours des prochaines années», indique-t-il, précisant que les travailleurs de la région vont migrer vers ces sites.

**Alcan construit une usine de brasque, qui va créer une cinquantaine d'emplois lors de sa mise en production en 2008.**

Deux chantiers industriels majeurs viennent aussi d'ouvrir à Saguenay. «Alcan construit une usine de brasque [matériau de recouvrement de l'intérieur des cuves d'aluminium qui doit être remplacé régulièrement], qui va créer une cinquantaine d'emplois lors de sa mise en production en 2008. Alcan a aussi commencé à démolir l'usine Vaudreuil pour en construire une nouvelle. Ce chantier de 1,8 milliard de dollars, qui vise à remplacer les anciennes cuves Soderberg, emploiera de 1 200 à 1 500 personnes et s'étendra sur 10 ans. L'exploitation de l'usine créera par la suite 750 postes hautement spécialisés.»

Le projet s'inscrit parfaitement dans le développement de la «Vallée de l'aluminium», où

**La région se dirige vers l'une de ses meilleures années depuis 1987 au chapitre de l'emploi. Les grands travaux actuels ont une incidence sur le commerce de détail, l'hébergement, la restauration et les services aux entreprises.**

sont déjà concentrés quatre centres de recherche sur ce métal très convoité. «Il a fallu du temps pour recruter les chercheurs, mais tout est en place pour dynamiser davantage l'activité dans ce domaine», estime Clément Desbiens.

Ces bonnes nouvelles viennent contrebalancer les coups durs subis par le secteur forestier, éprouvé par le ralentissement des exportations vers les États-Unis et la flambée du dollar canadien. «Les entreprises annoncent des fermetures temporaires. Dans ce contexte, il est difficile d'avoir un portrait précis des mises à pied permanentes, mais on parle de pertes de 1 000 à 2 000 emplois dans la région [sur un total d'environ 8 000], ce qui semble réaliste», indique prudemment Clément Desbiens.

Par ailleurs, dans le sous-secteur du papier, les quelque 2 000 emplois répartis dans cinq papetières ne sont pas encore menacés, mais certaines d'entre elles, notamment la Kénogami d'AbitibiBowater à Jonquière (440 emplois), ne survivront pas à long terme si elles ne sont pas modernisées.

Ces difficultés ne parviennent pas, toutefois, à assombrir le portrait global, souligne Claude Arsenault, économiste à Service Canada, qui signale que la région se dirige vers l'une de ses meilleures années depuis 1987 au chapitre de l'emploi : «On dit que quand la construction va, tout va, et c'est vrai! Les grands travaux actuels ont une incidence sur le commerce de détail, l'hébergement, la restauration et les services aux entreprises.» ▶

## RECHERCHÉS

Aides-infirmiers • Commis à la comptabilité • Commis, services à la clientèle, à l'information, d'épicerie • Conducteurs de camions, d'équipement lourd • Éducateurs de la petite enfance • Infirmiers • Infirmiers auxiliaires • Ingénieurs chimistes • Ingénieurs civils • Ingénieurs métallurgistes • Machinistes • Mécaniciens automobiles • Mécaniciens de chantier, industriels et d'équipement lourd • Médecins spécialistes • Omnipraticiens • Optométristes • Pharmaciens • Soudeurs • Surveillants dans la transformation des métaux • Techniciens de laboratoire médical • Technologues en radiation médicale • Technologues et techniciens en génie civil • Travailleurs sociaux

Source : Emploi-Québec, *Perspectives professionnelles 2006-2010*, 2007. Visitez http://emploiquebec.net pour connaître les mises à jour pour 2007-2011.

## LES TENDANCES DÉMOGRAPHIQUES

La région vit un exode de sa population depuis plusieurs années, particulièrement de ses jeunes. Le recensement de 2006 démontre toutefois que le solde migratoire négatif tend à diminuer, passant d'une perte de 2 000 à 3 000 habitants par année depuis 2001, à 1 375 personnes en 2005-2006. De plus, 2006 marque la première augmentation des 25-34 ans depuis 1996.

N'empêche que le problème demeure réel, note Claude Arsenault : «Avec l'exode des jeunes et le vieillissement de la population, on se dirige vers un problème en matière d'emploi. Il va falloir trouver des façons d'inciter les jeunes à revenir.»

On voit aussi poindre des difficultés plus marquées dans certains secteurs. «Il y a une crise de main-d'œuvre à prévoir dans le secteur forestier, lance Claude Arsenault. On le constate déjà : les jeunes délaissent les formations dans ce domaine parce qu'ils n'entendent parler que de mises à pied...» Or, le vieillissement des travailleurs est accentué dans cette industrie et l'absence de relève s'annonce déjà problématique.

## À SUIVRE

- AbitibiBowater a fermé une machine à papier à l'usine de Dolbeau-Mistassini en mai 2007. Cent trente emplois ont été abolis.
- AbitibiBowater a demandé en septembre 2007 aux employés syndiqués de ses scieries d'accepter des diminutions de salaire de 10 à 20 % afin de réduire les coûts de production.
- Roberval accueillera la nouvelle prison régionale, ce qui représente un investissement de 92 millions de dollars. Celle-ci pourra héberger 180 détenus, soit une trentaine de plus que les prisons actuelles de Chicoutimi et Roberval réunies, qui seront fermées. L'effectif des services correctionnels passera de 110 à 160 pour la région.
- Ottawa annonce l'implantation d'un nouveau bataillon à la base de Bagotville, ce qui ajoutera 550 militaires d'ici à 2015, dont 250 dès 2008. Cela devrait permettre d'injecter 80 millions de dollars par an dans l'économie régionale.

## SUR LE TERRAIN

Canmec pâtes et papiers, qui compte près de 90 employés, fabrique dans ses deux usines de La Baie des équipements pour les papetières.

Comment l'entreprise fait-elle pour tirer son épingle du jeu dans la tourmente qui secoue l'industrie? Luc Gauvin, directeur des ressources humaines, explique : «Puisque beaucoup d'usines de pâtes et papiers ferment, on doit se tourner vers une clientèle

## TAUX DE CHÔMAGE

| EN NOVEMBRE 2007[†] | 7,4 % Québec : 6,6 % | | |
|---|---|---|---|
| **MOYENNES ANNUELLES**[††] | **2006** | **2005** | **2004** |
| POPULATION DE 15 ANS ET PLUS | 10,6 %<br>Québec : 8,0 % | 10,7 %<br>Québec : 8,3 % | 12,0 %<br>Québec : 8,5 % |
| POPULATION DE 15 À 29 ANS | 15,0 %<br>Québec : 10,9 % | 14,9 %<br>Québec : 11,5 % | 17,7 %<br>Québec : 12,0 % |

† Source : Statistique Canada, données non désaisonnalisées.
†† Source : Statistique Canada. *Enquête sur la population active*, compilations de l'Institut de la statistique du Québec, 2004, 2005 et 2006.

### PERSPECTIVES 2007-2011 D'EMPLOI-QUÉBEC

| | RÉGION SAGUENAY–LAC-ST-JEAN | ENSEMBLE DU QUÉBEC |
|---|---|---|
| CRÉATION D'EMPLOIS | 1 800 | 245 800 |
| DÉPARTS À LA RETRAITE* | 17 000 | 440 000 |
| TAUX DE CROISSANCE ANNUEL DE L'EMPLOI | 0,3 % | 1,3 % |
| • SECTEUR TERTIAIRE | 0,3 % | 1,6 % |
| • SECTEUR SECONDAIRE | 0,5 % | 0,3 % |
| • SECTEUR PRIMAIRE | -1,3 % | 0,0 % |

La zone portuaire de Chicoutimi
Photo : Gilles Potvin,
© Le Québec en images, CCDMD

Avec la formation professionnelle et technique, j'ai tout pour réussir au Saguenay–Lac-Saint-Jean.

Je visite **toutpourreussir.com**.

**Secteur primaire :** agriculture, foresterie, pêche et piégeage, mines.
**Secteur secondaire :** services publics, construction, fabrication.
**Secteur tertiaire :** services commerciaux (commerce, transport, finance, services professionnels, hébergement et restauration, etc.), services non commerciaux (enseignement, santé, administrations publiques).

\* Les estimations de départs à la retraite sont pour la période 2006 à 2010.
Source : compilation spéciale d'Emploi-Québec.

>> 10/07

internationale, notamment aux États-Unis. De plus, nous offrons un service de fabrication et d'usinage sur mesure. On refait seulement une section des machines à papier, comme une bobineuse, une enrouleuse, ce qui est moins coûteux.»

Le personnel de production est surtout composé de machinistes, de soudeurs et de soudeurs-assembleurs, qui ne sont pas toujours faciles à dénicher. Quant au recrutement d'ingénieurs, il est si complexe que

l'entreprise a transféré toutes ses activités d'ingénierie à Québec, où le bassin de candidats bilingues et spécialisés en pâtes et papiers est plus important. ◎

Pour en savoir davantage sur les possibilités d'emploi dans les 17 régions du Québec, voici un répertoire regroupant les carrefours jeunesse-emploi (CJE), les centres locaux d'emploi (CLE), les centres locaux de développement (CLD), les directions régionales Emploi-Québec, les conférences régionales des élus (CRE) et les centres Service Canada.

## ABITIBI-TÉMISCAMINGUE          région 08

### CARREFOURS JEUNESSE-EMPLOI

**CJE Abitibi-Est**
1059, 7e Rue
Val-d'Or (Québec)  J9P 3R4
☎ 819 825-5627

**Point de service A**
440, rue Royale
C. P. 4108
Malartic (Québec)  J0Y 1Z0
☎ 819 757-4141

**Point de service B**
481, 7e Avenue Ouest
C. P. 1297
Senneterre (Québec)  J0Y 2M0
☎ 819 737-2258

**CJE Abitibi-Ouest**
299, rue Principale
La Sarre (Québec)  J9Z 1Z1
☎ 819 333-1110 ou
1 866 370-1110 (sans frais)

**CJE Amos**
461, 1e Rue Ouest
Amos (Québec)  J9T 2M3
☎ 819 732-8739

**CJE Rouyn-Noranda**
80, rue Mgr-Tessier Est, bureau 102
Rouyn-Noranda (Québec)  J9X 3B9
☎ 819 762-0715

**CJE Témiscamingue**
4, rue Saint-Michel
Ville-Marie (Québec)  J9V 2B5
☎ 819 622-2538

### CENTRES LOCAUX D'EMPLOI

**CLE d'Amos**
262, 1re Avenue Est
Amos (Québec)  J9T 1H3
☎ 819 444-5287 ou
1 800 567-6507 (sans frais)

**CLE de La Sarre**
655, 2e Rue Est
La Sarre (Québec)  J9Z 2Y9
☎ 819 339-7901 (accepte les frais virés)

**CLE de Rouyn-Noranda**
189, rue Murdoch, 1er étage
Rouyn-Noranda (Québec)  J9X 1E3
☎ 819 763-3583 ou
1 800 263-9583 (sans frais)

**CLE de Senneterre**
481, 7e Avenue Ouest
C. P. 818
Senneterre (Québec)  J0Y 2M0
☎ 819 737-2258 ou
1 800 363-2258 (sans frais)

**CLE de Val-d'Or**
186, avenue Perreault
Val-d'Or (Québec)  J9P 2H5
☎ 819 354-4842 ou
1 877 229-0538 (sans frais)

**CLE de Ville-Marie**
1B, rue Notre-Dame Nord
Ville-Marie (Québec)  J9V 1W5
☎ 819 629-6213 ou
1 800 463-3931 (sans frais)

### CENTRES LOCAUX DE DÉVELOPPEMENT

**CLD Abitibi**
491, rue de l'Harricana
Amos (Québec)  J9T 2P7
☎ 819 732-6918

**CLD d'Abitibi-Ouest**
260, 1re Rue Est
La Sarre (Québec)  J9Z 2B8
☎ 819 333-2214

**CLD de la MRC Rouyn-Noranda inc.**
161, avenue Murdoch
Rouyn-Noranda (Québec)  J9X 1E3
☎ 819 762-0142

**CLD du Témiscamingue**
7B, rue des Oblats Nord, C. P. 1028
Ville-Marie (Québec)  J0Z 3W0
☎ 819 629-3355

**CLD de la Vallée de l'Or**
44, place Hammond
Val-d'Or (Québec)  J9P 3A9
☎ 819 874-4717

**Point de service de Senneterre**
549, 10e Avenue, C. P. 1357
Senneterre (Québec)  J0Y 2M0
☎ 819 737-4737

**Direction régionale Emploi-Québec**
180, boul. Rideau, rez-de-chaussée, bureau 01
Rouyn-Noranda (Québec)  J9X 1N9
☎ 819 763-3226

### CONFÉRENCE RÉGIONALE DES ÉLUS

**CRE – Abitibi-Témiscamingue**
170, avenue Principale, bureau 102
Rouyn-Noranda (Québec)  J9X 4P7
☎ 819 762-0774

### SERVICE CANADA

**Centre Service Canada Abitibi-Témiscamingue**
151, avenue du Lac, bureau 300
Rouyn-Noranda (Québec)  J9X 6C3
☎ 819 764-6711 ou
1 800 567-6465 (sans frais)

## BAS-SAINT-LAURENT  région 01

### CARREFOURS JEUNESSE-EMPLOI

**CJE Kamouraska**
580A, rue Côté, C. P. 578
Saint-Pascal (Québec)  G0L 3Y0
☎ 418 492-9127

**Point de service A**
Cégep de La Pocatière
140, 4e Avenue
La Pocatière (Québec)  G0R 1Z0
☎ 418 856-1525

**CJE Matane**
548, avenue du Phare Est, bureau 202
Matane (Québec)  G4W 1A7
☎ 418 566-6749

**CJE Mitis**
1483, boulevard Jacques-Cartier
Mont-Joli (Québec)  G5H 2V5
☎ 418 775-6440

**CJE Rimouski-Neigette**
145, rue Lepage
Rimouski (Québec)  G5L 8W2
☎ 418 722-8102 ou
1 877 646-8102 (sans frais)

**CJE de Rivière-du-Loup/Les Basques**
299, rue Lafontaine, bureau 207
Rivière-du-Loup (Québec)  G5R 3A9
☎ 418 867-4992

**Point de service A**
318, rue Jean-Rioux
Trois-Pistoles (Québec)  G0L 4K0
☎ 418 851-1877

**CJE Témiscouata**
30, rue Bérubé, bureau 101
Cabano (Québec)  G0L 1E0
☎ 418 854-5530

**CJE Vallée-de-la-Matapédia**
37, boulevard Saint-Benoît Est, bureau 22
Amqui (Québec)  G5J 2B8
☎ 418 629-2572

### CENTRES LOCAUX D'EMPLOI

**CLE d'Amqui**
49, boulevard Saint-Benoît Est
Amqui (Québec)  G5J 2B8
☎ 418 629-2225
(accepte les frais virés)

**CLE de Cabano**
4, rue de la Gare
Cabano (Québec)  G0L 1E0
☎ 418 854-2544 ou
1 800 463-4709 (sans frais)

**CLE de La Pocatière**
161, Route 230 Ouest, bureau 600
La Pocatière (Québec)  G0R 1Z0
☎ 418 856-2752 ou
1 800 567-3036 (sans frais)

**CLE de Matane**
750, avenue du Phare Ouest, bureau 205
Matane (Québec)  G4W 3W8
☎ 418 562-0893

**CLE de Mont-Joli**
42, rue Doucet, 1er étage
Mont-Joli (Québec)  G5H 1R4
☎ 418 775-7246

**CLE de Rimouski-Neigette**
337, rue Moreault, 1er étage
Rimouski (Québec)  G5L 1P4
☎ 418 727-3661 ou
1 800 463-0728 (sans frais)

**CLE de Rivière-du-Loup**
385A, rue Lafontaine
Rivière-du-Loup (Québec)  G5R 3B5
☎ 418 862-7236 ou
1 800 567-1709 (sans frais)

**CLE de Trois-Pistoles**
634, rue Richard
Trois-Pistoles (Québec)  G0L 4K0
☎ 418 851-1432
(accepte les frais virés)

Pour trouver le **Club de recherche d'emploi** le plus près de chez vous, visitez le site www.cre.qc.ca.

Les carrières d'avenir 2008 • **Répertoire des ressources liées à l'emploi**

**134**

▶ **CENTRES LOCAUX DE DÉVELOPPEMENT**

**CLD des Basques**
400-1, rue Jean-Rioux
Trois-Pistoles (Québec) G0L 4K0
☎ 418 851-1481

**CLD du Kamouraska**
900, 6ᵉ Avenue, bureau 1
La Pocatière (Québec) G0R 1Z0
☎ 418 856-3340

**CLD de la MRC de Matane**
235, avenue Saint-Jérôme, bureau 200
Matane (Québec) G4W 3A7
☎ 418 562-1250

**CLD de la Matapédia inc.**
123, rue Desbiens, bureau 402
Amqui (Québec) G5J 3P9
☎ 418 629-4212

**CLD de la Mitis**
300, avenue du Sanatorium
Mont-Joli (Québec) G5H 1V7
☎ 418 775-7089

**CLD de Rimouski-Neigette**
431, rue des Artisans, bureau 200
Rimouski (Québec) G5M 1A4
☎ 418 722-8766

**CLD de la région de Rivière-du-Loup**
646, rue Lafontaine, bureau 201
Rivière-du-Loup (Québec) G5R 3C8
☎ 418 862-1823

**CLD de la MRC de Témiscouata**
3A, rue de L'Hôtel-de-Ville
Notre-Dame-du-Lac (Québec) G0L 1X0
☎ 418 899-9253

**Direction régionale Emploi-Québec**
350, boulevard Arthur-Buies Ouest
Rimouski (Québec) G5L 5C7
☎ 418 723-5677

**CONFÉRENCE RÉGIONALE DES ÉLUS**

**CRE - Bas-Saint-Laurent**
186, rue Lavoie
Rimouski (Québec) G5L 5Z1
☎ 418 724-6440

**SERVICE CANADA**

**Centre Service Canada Bas-Saint-Laurent**
140, avenue Belzile
Rimouski (Québec) G5L 8Y1
☎ 418 722-3200

## CAPITALE-NATIONALE     région **03**

**CARREFOURS JEUNESSE-EMPLOI**

**CJE Capitale-Nationale**
265A, rue de la Couronne
Québec (Québec) G1K 6E1
☎ 418 524-2345

**Point de service A**
2995, boulevard Masson
Québec (Québec) G1P 1J7
☎ 418 524-2345

**CJE Charlesbourg-Chauveau**
8500, boul. Henri-Bourassa, bureau 61
Charlesbourg (Québec) G1G 5X1
☎ 418 623-3300

**CJE Charlevoix/Côte-de-Beaupré**
85, rue Saint-Jean-Baptiste
Baie-Saint-Paul (Québec) G3Z 1M5
☎ 888 882-7784

**Point de service A**
460, rue Saint-Étienne, bureau 200
La Malbaie (Québec) G5A 1H4
☎ 418 665-7745

**Point de service B**
Satellite de Beaupré
11025, boulevard Sainte-Anne, bureau F
Beaupré (Québec) G0A 1E0
☎ 418 827-8211

**CJE Chauveau**
10995, rue Wilfrid-Caron, bureau 200
Québec (Québec) G2B 2Z8
☎ 418 847-0308

**CJE Montmorency**
947, avenue Royale
Beauport (Québec) G1E 1Z9
☎ 418 821-0063

**CJE Portneuf**
350, rue de l'Église, C. P. 3009
Saint-Basile (Québec) G0A 3G0
☎ 418 329-1357

**Point de service A**
312, rue de l'Église
Donnacona (Québec) G3M 1Z9
☎ 418 285-5877

**Point de service B**
350, rue Saint-Cyrille
Saint-Raymond (Québec) G3L 1T3
☎ 418 337-6460

**Point de service C**
2, rue Laurier
Sainte-Catherine-de-la-Jacques-Cartier
(Québec) G0A 3M0
☎ 418 875-2455

**Point de service D**
1150, rue Principale
Saint-Marc-des-Carrières
(Québec) G0A 4B0
☎ 418 268-3502

**CJE Sainte-Foy**
2750, chemin Sainte-Foy, bureau 295
Sainte-Foy (Québec) G1V 1V6
☎ 418 651-6415

## CENTRES LOCAUX D'EMPLOI

**CLE de Baie-Saint-Paul**
915, boulevard Monseigneur-De-Laval
Baie-Saint-Paul (Québec) G3Z 1A2
☎ 418 435-5590

**CLE de Beauport**
773, avenue Royale, 1er étage
Beauport (Québec) G1E 1Z1
☎ 418 646-3350

**CLE de Charlesbourg**
8000, boulevard Henri-Bourassa, 2e étage
Charlesbourg (Québec) G1G 4C7
☎ 418 644-1266

**CLE de La Côte-de-Beaupré**
9104, boulevard Sainte-Anne
Saint-Anne-de-Beaupré (Québec) G0A 3C0
☎ 418 827-6730

**CLE de Portneuf**
100, Route 138, bureau 220
Donnacona (Québec) G3M 1B6
☎ 418 285-2622 ou
1 800 463-3886 (sans frais)

**CLE de La Malbaie**
21, rue Patrick-Morgan
C. P. 338, La Malbaie (Québec) G5A 1T8
☎ 418 665-4491 ou
1 800 567-8004 (sans frais)

**Centre de traitement des contraintes sévères à l'emploi de Québec**
135, rue des Chênes Ouest
Québec (Québec) G1L 1K6
☎ 418 646-0050

**CLE Des Quartiers-Historiques**
400, boul. Jean-Lesage, hall Ouest, bureau 40
Québec (Québec) G1K 8W1
☎ 418 643-3300

**CLE de Sainte-Foy**
1020, route de l'Église, 4e étage
Sainte-Foy (Québec) G1V 5A7
☎ 418 646-8066

## CENTRES LOCAUX DE DÉVELOPPEMENT

**Association des CLD du Québec (ACLDQ)**
155, boulevard Charest Est, bureau 160
Québec (Québec) G1K 3G6
☎ 418 524-0893

**CLD de la MRC de Charlevoix**
6, rue Saint-Jean-Baptiste, bureau 102
Baie-Saint-Paul (Québec) G3Z 1L7
☎ 418 435-3673

**CLD de Charlevoix-Est**
6, rue Desbiens, bureau 100
Clermont (Québec) G4A 1B9
☎ 418 439-4614

**CLD de La Côte-de-Beaupré**
30, rue Sainte-Marguerite
Beaupré (Québec) G0A 1E0
☎ 418 827-5256

**CLD de l'île d'Orléans**
3912, chemin Royal, bureau 405
Sainte-Famille (Î. O.) (Québec) G0A 3P0
☎ 418 829-0297

**CLD de La Jacques-Cartier**
60, rue Saint-Patrick
Shannon (Québec) G0A 4N0
☎ 418 844-2358

**CLD de Portneuf**
185, Route 138
Cap-Santé (Québec) G0A 1L0
☎ 418 285-4616

**CLD Québec**
155, boulevard Charest Est, bureau 190
Québec (Québec) G1K 3G6
☎ 418 525-7771

**Direction régionale Emploi-Québec**
1010, rue Borne
Québec (Québec) G1N 1L9
☎ 418 687-3540 ou
1 800 463-6837 (sans frais)

▶ **CONFÉRENCE RÉGIONALE DES ÉLUS**

**CRE – Capitale-Nationale**
76, rue Saint-Paul, bureau 100
Québec (Québec) G1K 3V9
☎ 418 529-8475

**SERVICE CANADA**

**Centre Service Canada Québec**
C. P. 10800
Sainte-Foy (Québec) G1V 5B4
☎ 418 681-2599

**Centre Service Canada Sainte-Foy**
Édifice Le Saint-Mathieu
3175, chemin des Quatre-Bourgeois
Bureau 200
Sainte-Foy (Québec) G1W 5A9
☎ 418 681-2599

## CENTRE-DU-QUÉBEC   région 17

**CARREFOURS JEUNESSE-EMPLOI**

**CJE Arthabaska**
108, rue Olivier, 1er étage
Victoriaville (Québec) G6P 6V6
☎ 819 758-1661

**CJE Drummond**
749, boul. Mercure
Drummondville (Québec) J2B 3K6
☎ 819 475-4646

**CJE Comté de Nicolet-Yamaska et MRC Bécancour**
87, Place du 21-Mars, C. P. 81
Nicolet (Québec) J3T 1A1
☎ 819 293-2592

**Point de service A**
1710, av. des Hirondelles
Bécancour (Gentilly) (Québec) G9H 4L7
☎ 819 298-4752

**CENTRES LOCAUX D'EMPLOI**

**CLE de Bécancour**
3689, boulevard Bécancour, bureau 3
C. P. 8560
Bécancour (Québec) G9H 4S4
☎ 819 298-3000 ou
1 800 463-5273 (sans frais)

**CLE de Drummondville**
270, rue Lindsay, RC
Drummondville (Québec) J2B 1G3
☎ 819 475-8431

**CLE de l'Érable**
1971, rue Bilodeau, bureau 350
Plessisville (Québec) G6L 3J1
☎ 819 621-0373 ou
1 877 714-5586 (sans frais)

**CLE de Nicolet**
2000, boulevard Louis-Fréchette
2e étage
Nicolet (Québec) J3T 2A3
☎ 819 293-4501 ou
1 800 663-6201 (sans frais)

**CLE de Victoriaville**
62, rue Saint-Jean-Baptiste, RC
Victoriaville (Québec) G6P 4E3
☎ 819 758-8241 ou
1 800 463-0950 (sans frais)

**CENTRES LOCAUX DE DÉVELOPPEMENT**

**CLD de la MRC de Bécancour inc.**
3689, boulevard Bécancour, bureau 1
Bécancour (Québec) G9H 3W7
☎ 819 298-2070

**La société de développement économique de Drummondville (CLD Drummond) inc.**
1400, rue Michaud
Drummondville (Québec) J2C 7V3
☎ 819 477-5511

**CLD de l'Érable**
1783, avenue Saint-Édouard, bureau 200
Plessisville (Québec) G6L 3S7
☎ 819 362-2333

**CLD de la municipalité régionale de comté de Nicolet-Yamaska**
257-1, rue Monseigneur-Courchesne
Nicolet (Québec) J3T 2C1
☎ 819 293-2997

**Corporation de développement économique des Bois-Francs (CLD)**
747, boulevard Industriel Est
Victoriaville (Québec) G6T 1S7
☎ 819 758-3172

**Direction régionale Emploi-Québec**
1680, boulevard Saint-Joseph
RC, bureau 07
Drummondville (Québec) J2C 2G3
☎ 819 475-8701

## CONFÉRENCE RÉGIONALE DES ÉLUS

**CRE – Centre-du-Québec**
1352, rue Michaud
Drummondville (Québec)  J2C 2Z5
☎ 819 478-1717

## SERVICE CANADA

**Centre Service Canada Centre-du-Québec**
1525, boulevard Saint-Joseph
Drummondville (Québec)  J2C 2E9
☎ 819 477-4150

## CHAUDIÈRE-APPALACHES   région 12

### CARREFOURS JEUNESSE-EMPLOI

**CJE Beauce-Nord**
168, rue Notre-Dame Sud
Sainte-Marie (Québec)  G6E 4A6
☎ 418 386-2532

**Point de service A**
1115, avenue du Palais, C. P. 32
Saint-Joseph-de-Beauce (Québec)  G0S 2V0
☎ 418 397-8045

**CJE Beauce-Sud**
11920, 1ʳᵉ Avenue
Saint-Georges (Québec)  G5Y 2E1
☎ 418 228-9610

**CJE Bellechasse**
229, rue Principale
Saint-Gervais (Québec)  G0R 3C0
☎ 418 887-7117
ou 1 800 932-4562 (sans frais)

**CJE Chutes-de-la-Chaudière**
225, rue Montfort
Saint-Romuald (Québec)  G6W 3L8
☎ 418 834-4334

**CJE Desjardins**
6150, rue Saint-Georges, bureau 250
Lévis (Québec)  G6V 4J8
☎ 418 833-6008

**CJE Frontenac**
537, boulevard Ouellet
Thetford Mines (Québec)  G6G 4X4
☎ 418 335-0802

**Point de service A**
888-2, rue Saint-Antoine
Disraéli (Québec)  G0N 1E0
☎ 418 449-4996

**CJE Les Etchemins**
201, rue Claude-Bilodeau, bureau 2
Lac-Etchemin (Québec)  G0R 1S0
☎ 418 625-2533

**CJE L'Islet**
964, rue des Trembles
Tourville (Québec)  G0R 4M0
☎ 418 359-3730

**Point de service A**
250, boulevard Nilus-Leclerc
L'Islet (Québec)  G0R 2C0
☎ 418 247-7335

**CJE Lotbinière**
1159, rue Principale
Bureau 101
Saint-Agapit (Québec)  G0S 1Z0
☎ 418 888-8855

**Point de service A**
486, rue Principale
Saint-Patrice (Québec)  G0S 1B0
☎ 418 888-8855

**Point de service B**
10, rue Commerciale
Lotbinière (Québec)  G0S 1S0
☎ 418 888-8855

**CJE Montmagny**
65, avenue de la Gare
Montmagny (Québec)  G5V 2T1
☎ 418 248-3522

### CENTRES LOCAUX D'EMPLOI

**CLE des Chutes-de-la-Chaudière**
1100, boulevard de la Rive-Sud
Bureau 210
Saint-Romuald (Québec)  G6W 5M6
☎ 418 839-0717 ou
1 800 626-8055 (sans frais)

**CLE de Lac-Etchemin**
1554, Route 277
Bureau 1
Lac-Etchemin (Québec)  G0R 1S0
☎ 418 625-6801 ou
1 866 825-2640 (sans frais)

**CLE de Lévis**
Emploi-Québec et Sécurité du revenu
1200, boulevard Alphonse-Desjardins
Bureau 200, C. P. 4000
Lévis (Québec)  G6V 9N2
☎ 418 835-1500 ou
1 800 561-4380 (sans frais)

137

Pour trouver le **Club de recherche d'emploi** le plus près de chez vous, visitez le site www.cre.qc.ca.

▶ **CLE de L'Islet**
319, boul. Nilus-Leclerc, bureau 5
C. P. 247, L'Islet (Québec) G0R 2C0
☎ 418 247-3954 ou
1 800 663-2226 (sans frais)

**CLE de Montmagny**
116, rue Saint-Jean-Baptiste Ouest
Montmagny (Québec) G5V 3B9
☎ 418 248-0163 ou
1 800 663-2106 (sans frais)

**CLE de Sainte-Croix**
6331, rue Principale
Sainte-Croix (Québec) G0S 2H0
☎ 418 926-3580 ou
1 800 663-2127 (sans frais)

**CLE de Sainte-Marie**
1037, boulevard Vachon Nord
Sainte-Marie (Québec) G6E 1M4
☎ 418 386-8784 ou
1 877 322-6585 (sans frais)

**CLE de Saint-Georges**
11500, 1ᵉ Avenue
Saint-Georges (Québec) G5Y 2C3
☎ 418 228-9711 ou
1 800 463-3024 (sans frais)

**CLE de Saint-Joseph-de-Beauce**
1115, avenue du Palais
Saint-Joseph-de-Beauce (Québec) G0S 2V0
☎ 418 397-4391 ou
1 800 663-0223 (sans frais)

**CLE de Saint-Lazare**
100, rue Monseigneur-Bilodeau, RC
Saint-Lazare (Québec) G0R 3J0
☎ 418 883-3307 ou
1 800 663-0351 (sans frais)

**CLE de Thetford Mines**
693, rue Saint-Alphonse Nord
Thetford Mines (Québec) G6G 3X3
☎ 418 334-2500 ou
1 800 567-5592 (sans frais)

## CENTRES LOCAUX DE DÉVELOPPEMENT

**CLD de Beauce-Sartigan**
2727, 6ᵉ Avenue
Bureau 201
Saint-Georges (Québec) G5Y 3Y1
☎ 418 228-7810

**CLD de la municipalité régionale de comté de Bellechasse inc.**
100, rue Monseigneur-Bilodeau
Saint-Lazare (Québec) G0R 3J0
☎ 418 883-2249

**CLD des Etchemins**
201, rue Claude-Bilodeau
Bureau 1
Lac-Etchemin (Québec) G0R 1S0
☎ 418 625-3904

**CLD de Lévis**
13, rue Saint-Louis
Bureau 302
Lévis (Québec) G6V 4E2
☎ 418 837-4781

**CLD de la MRC de L'Islet**
34, rue Fortin, C. P. 219
Saint-Jean-Port-Joli (Québec) G0R 3G0
☎ 418 598-6388

**CLD de la MRC de Lotbinière**
6375, rue Garneau
Bureau 102
Sainte-Croix (Québec) G0S 2H0
☎ 418 926-2205

**CLD de la MRC de Montmagny**
159, rue Saint-Louis
Montmagny (Québec) G5V 1N5
☎ 418 248-5984

**CLD de la Nouvelle-Beauce**
700, rue Notre-Dame Nord
Bureau F
Sainte-Marie (Québec) G6E 2K9
☎ 418 386-1608

**CLD de la MRC Robert-Cliche**
785, avenue Guy-Poulin
Bureau 201
Saint-Joseph-de-Beauce (Québec) G0S 2V0
☎ 418 397-4354

**Société de développement économique de la région de Thetford (CLD)**
222, boulevard Frontenac Ouest
Bureau 280
Thetford Mines (Québec) G6G 6N7
☎ 418 338-2188

**Direction régionale Emploi-Québec**
5130, boulevard de la Rive-Sud
Bureau 300
Lévis (Québec) G6V 9L3
☎ 418 838-2605 ou
1 800 463-5907 (sans frais)

## CONFÉRENCE RÉGIONALE DES ÉLUS

**CRE – Chaudière-Appalaches**
25, boulevard Taché Ouest
Bureau 102
Montmagny (Québec) G5V 2Z9
☎ 418 248-8488

## SERVICE CANADA

**Centre Service Canada Rive-Sud-de-Québec**
940, chemin du Sault
Saint-Romuald (Québec) G6W 5M6
☎ 418 834-7697

**Centre Service Canada Thetford Mines**
222, boulevard Frontenac Ouest, bureau 200
Thetford Mines (Québec) G6G 6N7
☎ 418 335-2972

## CÔTE-NORD                      région 09

### CARREFOURS JEUNESSE-EMPLOI

**CJE Duplessis**
263, rue Papineau
Sept-Îles (Québec) G4R 4J2
☎ 418 961-2533 ou
1 888 965-2533 (sans frais)

**Point de service A**
1280, rue de la Digue, bureau 204
Havre-Saint-Pierre (Québec) G0G 1P0
☎ 418 538-2533 ou
1 877 538-2533 (sans frais)

**Point de service B**
Place Daviault
C. P. 1809
Fermont (Québec) G0G 1J0
☎ 418 287-5233 ou
1 877 287-5233 (sans frais)

**Point de service C**
1161, boulevard Docteur-Camille-Marcoux
C. P. 210
Lourdes-de-Blanc-Sablon (Québec) G0G 1W0
☎ 418 461-2053 ou
1 877 461-2053 (sans frais)

**Point de service D**
2, rue Élie-Rochefort
Port-Cartier (Québec) G5B 2N2
☎ 418 766-4099

**CJE de la Haute-Côte-Nord**
26, de la Rivière, bureau 103
Les Escoumins (Québec) G0T 1K0
☎ 418 233-3838

**Point de service A**
1, 2ᵉ avenue, C. P. 70
Forestville (Québec) G0T 1E0
☎ 418 587-4762

**CJE de Manicouagan**
859, rue Bossé, local 205
Baie-Comeau (Québec) G5C 3P8
☎ 418 589-8589

## CENTRES LOCAUX D'EMPLOI

**CLE de Baie-Comeau**
625, boulevard Laflèche, bureau 1.810
Baie-Comeau (Québec) G5C 1C5
☎ 418 589-3719 ou
1 800 463-8542 (sans frais)

**CLE des Escoumins**
459, Route 138
Les Escoumins (Québec) G0T 1K0
☎ 418 233-2501

**CLE de Forestville**
134, Route 138 Est
Forestville (Québec) G0T 1E0
☎ 418 587-6611 ou
1 800 463-0738 (sans frais)

**CLE de Havre-Saint-Pierre**
1280, rue de la Digue, bureau 200
Havre-Saint-Pierre (Québec) G0G 1P0
☎ 418 538-2288 ou
1 800 463-0735 (sans frais)

**CLE de Port-Cartier**
2, rue Élie-Rochefort
Port-Cartier (Québec) G5B 2N2
☎ 418 766-6932

**CLE de Sept-Îles**
456, avenue Arnaud, RC, bureau 11
Sept-Îles (Québec) G4R 3B1
☎ 418 962-6545 ou
1 800 663-1934 (sans frais)

## CENTRES LOCAUX DE DÉVELOPPEMENT

**CLD de la Basse-Côte-Nord**
C. P. 10
Chevery (Québec) G0G 1G0
☎ 418 461-2652

**CLD de Caniapiscau**
Centre commercial
Place Daviault, bureau 42
C. P. 68
Fermont (Québec) G0G 1J0
☎ 418 287-3506

**CLD de la Haute-Côte-Nord**
26, rue de la Rivière, bureau 102
Les Escoumins (Québec) G0T 1K0
☎ 418 233-3230

**CLD de Manicouagan**
67, Place LaSalle, local 401
Baie-Comeau (Québec) G4Z 1K1
☎ 418 296-2593

Pour trouver le **Club de recherche d'emploi** le plus près de chez vous, visitez le site www.cre.qc.ca.

▶ **CLD de la Minganie**
1280, rue de la Digue, bureau 206
Havre-Saint-Pierre (Québec) G0G 1P0
☎ 418 538-3803

**CLD de la MRC de Sept-Rivières inc.**
544, avenue De Quen
Sept-Îles (Québec) G4R 2R4
☎ 418 962-7677

**Direction régionale Emploi-Québec**
550, boulevard Blanche
Baie-Comeau (Québec) G5C 2B3
☎ 418 295-4020 ou
1 800 463-6443 (sans frais)

**CONFÉRENCE RÉGIONALE DES ÉLUS**
**CRE — Côte-Nord**
625, boulevard Laflèche, bureau 204
Baie-Comeau (Québec) G5C 1C5
☎ 418 589-5781

**SERVICE CANADA**
**Centre Service Canada Côte-Nord (Sept-Îles)**
701, boulevard Laure, 3e étage
Sept-Îles (Québec) G4R 1X8
☎ 418 962-5501

## ESTRIE région 05

**CARREFOURS JEUNESSE-EMPLOI**
**CJE de la MRC de Coaticook**
14, rue Adams, bureau 303
Coaticook (Québec) J1A 1K3
☎ 819 849-0440

**CJE du Granit**
3639, rue Laval
Lac-Mégantic (Québec) G6B 1A5
☎ 819 583-1101

**Point de service A**
212, rue LaSalle
Saint-Ludger (Québec) G0M 1W0
☎ 1 877 583-2081 (sans frais)

**Point de service B**
230, rue du Collège
Lambton (Québec) G0M 1H0
☎ 1 877 583-2081 (sans frais)

**Point de service C**
35, côte de l'Église
Notre-Dame-des-Bois (Québec) G0B 2E0
☎ 1 877 583-2081 (sans frais)

**CJE Haut-Saint-François**
75, rue Angus Nord
East Angus (Québec) J0B 1R0
☎ 819 832-1513 ou
1 877 772-1513 (sans frais)

**CJE Memphrémagog**
29, rue Des Pins
Magog (Québec) J1X 2H6
☎ 819 843-3007

**CJE Comté de Richmond**
309, rue Chassé, bureau 205
Asbestos (Québec) J1T 2B4
☎ 819 879-7667

**Point de service A**
204-D, rue Saint-Louis
Warwick (Québec) J0A 1M0
☎ 819 358-9838

**Point de service B**
102, rue Principale Nord
Richmond (Québec) J0B 2H0
☎ 819 826-1999

**Point de service C**
Centre jeunesse le Trait d'Union
520, rue Saint-Bruno
Notre-Dame du Bon Conseil (Québec) J0C 1A0
☎ 1 888 524-4446

**Point de service D**
474, rue Principale
Ham-Nord (Québec) G0P 1A0
☎ 1 888 524-4446

**CJE Sherbrooke**
49, rue Wellington Nord
Sherbrooke (Québec) J1H 5A9
☎ 819 565-2722

**CENTRES LOCAUX D'EMPLOI**
**CLE d'Asbestos**
597, boulevard Simoneau
Asbestos (Québec) J1T 4G7
☎ 819 879-7141 ou
1 800 205-7141 (sans frais)

**CLE de Coaticook**
29, rue Main Est, bureau 201
Coaticook (Québec) J1A 1N1
☎ 819 849-7080 ou
1 877 324-4056 (sans frais)

**CLE d'East Angus**
120, rue Angus Nord
East Angus (Québec) J0B 1R0
☎ 819 832-2403 ou
1 800 363-1539 (sans frais)

**CLE de Lac-Mégantic**
5527, rue Frontenac, bureau 111
Lac-Mégantic (Québec) G6B 1H6
☎ 819 583-1500 ou
1 800 567-0632 (sans frais)

**CLE de Magog**
1700, rue Sherbrooke
Bureau 235A
Magog (Québec)  J1X 5B4
☎ 819 843-6588 ou
1 800 363-4531 (sans frais)

**CLE de Sherbrooke-Est**
1235, rue King Est
Sherbrooke (Québec)  J1G 1E6
☎ 819 820-3680 ou
1 800 567-8423 (sans frais)

**CLE de Sherbrooke-Ouest**
2130, rue King Ouest, RC
Sherbrooke (Québec)  J1J 4P2
☎ 819 820-3411 ou
1 800 268-3411 (sans frais)

**CLE de Windsor**
3, rue Saint-Georges
Windsor (Québec)  J1S 1J2
☎ 819 845-2717 ou
1 800 563-9127 (sans frais)

**CENTRES LOCAUX DE DÉVELOPPEMENT**

**CLD de la MRC des Sources**
309, rue Chassé
Asbestos (Québec)  J1T 2B4
☎ 819 879-6643

**CLD de la MRC de Coaticook**
14, rue Adams, bureau 301
Coaticook (Québec)  J1A 1K3
☎ 819 849-7014

**CLD de la municipalité régionale
de comté du Granit**
4675, rue Roberge, C. P. 155
Lac-Mégantic (Québec)  G6B 2S6
☎ 819 583-4411

**CLD du Haut-Saint-François**
61, rue Laurier
East Angus (Québec)  J0B 1R0
☎ 819 832-4914

**CLD de la MRC de Memphrémagog**
281, rue des Pins
Magog (Québec)  J1X 2J1
☎ 819 843-8273

**CLD économique de la MRC
du Val-Saint-François**
300, rue du Parc Industriel
Windsor (Québec)  J1S 2T2
☎ 819 845-7871

**La société de développement économique
de Sherbrooke (CLD)**
1308, boulevard de Portland, C. P. 1355
Sherbrooke (Québec)  J1H 5L9
☎ 819 821-5577

**Direction régionale Emploi-Québec**
891, rue Bowen Sud
Sherbrooke (Québec)  J1G 2G3
☎ 819 569-9761 ou
1 866 283-1114 (sans frais)

**CONFÉRENCE RÉGIONALE DES ÉLUS**

**CRE – Estrie**
230, rue King Ouest, bureau 300
Sherbrooke (Québec)  J1H 1P9
☎ 819 563-1911

**SERVICE CANADA**

**Centre Service Canada Sherbrooke**
124, rue Wellington Nord
Sherbrooke (Québec)  J1H 5X8
☎ 819 564-5864

**GASPÉSIE–ÎLES-DE-LA-MADELEINE** région **11**

**CARREFOURS JEUNESSE-EMPLOI**

**CJE Avignon-Bonaventure**
146B, avenue Grand-Pré
Bonaventure (Québec)  G0C 1E0
☎ 418 534-3993

**Point de service A**
126, boulevard Gérard-D.-Lévesque
Paspébiac (Québec)  G0C 2K0
☎ 418 752-2040

**Point de service B**
679, boulevard Perron
Carleton-sur-Mer (Québec)  G0C 1J0
☎ 418 364-6660

**CJE Côte de Gaspé**
63-1, rue Jacques-Cartier
Gaspé (Québec)  G4X 1M1
☎ 418 368-2121

**CJE Haute-Gaspésie**
35, boulevard Sainte-Anne Ouest
Sainte-Anne-des-Monts (Québec)  G4V 1P9
☎ 418 763-2308

**CJE Îles-de-la-Madeleine**
625, chemin Principal
Cap-aux-Meules (Québec)  G4T 1G3
☎ 418 986-2536

▶

Pour trouver le **Club de recherche d'emploi** le plus près de chez vous, visitez le site www.cre.qc.ca.

▶ **CJE Relance de Rocher-Percé**
129, boulevard René-Lévesque Ouest
C. P. 2160
Chandler (Québec) G0C 1K0
☎ 418 689-6402

## CENTRES LOCAUX D'EMPLOI

**CLE d'Avignon**
314, boulevard Perron, local A
Carleton-sur-Mer (Québec) G0C 1J0
☎ 418 364-3324 ou
1 877 229-0541 (sans frais)

**CLE de Bonaventure**
151, avenue Grand-Pré, C. P. 400
Bonaventure (Québec) G0C 1E0
☎ 418 534-2823

**CLE de la Côte-de-Gaspé**
96, montée de Sandy Beach
Bureau 2.11
Gaspé (Québec) G4X 2V5
☎ 418 360-8241 ou
1 800 663-3647 (sans frais)

**CLE de la Haute-Gaspésie**
39, boulevard Sainte-Anne Ouest
Sainte-Anne-des-Monts (Québec) G4V 1R2
☎ 418 763-3391 ou
1 800 663-3595 (sans frais)

**CLE des Îles-de-la-Madeleine**
120, chemin de Gros-Cap
Cap-aux-Meules (Québec) G4T 1K8
☎ 418 986-4411

**CLE du Rocher-Percé**
101, rue Commerciale Ouest
C. P. 190
Chandler (Québec) G0C 1K0
☎ 418 689-2201 ou
1 877 229-0540 (sans frais)

## CENTRES LOCAUX DE DÉVELOPPEMENT

**CLD de la MRC d'Avignon**
102, rue Nadeau, C. P. 5030
Saint-Omer (Québec) G0C 2Z0
☎ 418 364-2000

**CLD de la MRC de Bonaventure**
51, rue Notre-Dame
C. P. 338
New Carlisle (Québec) G0C 1Z0
☎ 418 752-3333

**CLD de la Côte-de-Gaspé**
19, rue Adams, bureau 208A
Gaspé (Québec) G4X 1E5
☎ 418 368-7000

**CLD de la Haute-Gaspésie**
464, boul. Sainte-Anne Ouest, bureau 100
Sainte-Anne-des-Monts (Québec) G4V 1T5
☎ 418 763-2530

**CLD des Îles-de-la-Madeleine**
735, chemin Principal, bureau 204
Cap-aux-Meules (Québec) G4T 1G8
☎ 418 986-2225

**CLD du territoire de la MRC du Rocher-Percé**
129, boul. René-Lévesque Ouest, C. P. 728
Chandler (Québec) G0C 1K0
☎ 418 689-6678

**Direction régionale Emploi-Québec**
11, rue de la Cathédrale
Gaspé (Québec) G4X 2W1
☎ 418 360-8661

## CONFÉRENCE RÉGIONALE DES ÉLUS

**CRE – Gaspésie–Îles-de-la-Madeleine**
153-2, rue de La Reine
Gaspé (Québec) G4X 1T5
☎ 418 368-6171

## SERVICE CANADA

**Centre Service Canada Chandler**
75, boulevard René-Lévesque
Chandler (Québec) G0C 1K0
☎ 418 368-3331

**Centre Service Canada Gaspésie-Les Îles**
Édifice Frédérica-Giroux
98, rue de la Reine, 2ᵉ étage
Gaspé (Québec) G4X 2V4
☎ 418 368-3331

**Centre Service Canada Îles-de-la-Madeleine**
380, rue Principale, bureau 200
Cap-aux-Meules (Québec) G4T 1S2
☎ 877 844-3331 ou 418 368-3331

**Centre Service Canada New Richmond**
120, boulevard Perron Ouest
New Richmond (Québec) G0C 2B0
☎ 418 368-3331

**Centre Service Canada Sainte-Anne-des-Monts**
119, 3ᵉ Avenue Ouest
Sainte-Anne-des-Monts (Québec) G4V 1K4
☎ 418 368-3331

## LANAUDIÈRE région **14**

### CARREFOURS JEUNESSE-EMPLOI

**CJE Autray-Joliette**
580, rue Richard
Joliette (Québec) J6E 2T4
☎ 450 755-2226

**Point de service A**
752A, rue Notre-Dame
Berthierville (Québec)  J0K 1A0
☎ 450 836-1112

**Point de service B**
871, rue Notre-Dame
Lavaltrie (Québec)  J5T 1R1
☎ 450 586-0110

**Point de service C**
130, rue Dequoy
Saint-Gabriel-de-Brandon (Québec)  J0K 2N0
☎ 450 835-2172

**CJE L'Assomption**
10, rue Notre-Dame, 3ᵉ étage
Repentigny (Québec)  J6A 2N9
☎ 450 581-3785

**CJE Matawinie**
105, rue Principale
Saint-Jean-de-Matha (Québec)  J0K 2S0
☎ 450 886-9220 ou
1 888 886-9220 (sans frais)

**Point de service A**
4046, rue Queen
Rawdon (Québec)  J0K 1S0
☎ 877 834-1144

**CJE des Moulins**
640, rue Langlois, bureau 3
Terrebonne (Québec)  J6W 4P3
☎ 450 492-0088

**CJE Montcalm**
1538, rue Albert
Sainte-Julienne (Québec)  J0K 2T0
☎ 450 831-3930 ou
1 888 831-3930 (sans frais)

## CENTRES LOCAUX D'EMPLOI

**CLE de Berthierville**
90, place du Marché
Berthierville (Québec)  J0K 1A0
☎ 450 836-6261 ou
1 800 461-6261 (sans frais)

**CLE de Joliette**
409, rue Notre-Dame
Joliette (Québec)  J6E 3H5
☎ 450 752-6999 ou
1 800 463-5434 (sans frais)

**CLE de Rawdon**
3486, rue Queen
Rawdon (Québec)  J0K 1S0
☎ 450 834-4453 ou
1 877 502-4128 (sans frais)

**CLE de Repentigny**
Place Repentigny
155, rue Notre-Dame, bureau 25
Repentigny (Québec)  J6A 5L3
☎ 450 585-6640 ou
1 877 286-6840 (sans frais)

**CLE de Sainte-Julienne**
2495, rue Cartier
Sainte-Julienne (Québec)  J0K 2T0
☎ 450 831-4222 ou
1 800 363-8645 (sans frais)

**CLE de Saint-Jean-de-Matha**
231, rue Principale
C. P. 240
Saint-Jean-de-Matha (Québec)  J0K 2S0
☎ 450 886-1826 ou
1 888 872-0048 (sans frais)

**CLE de Terrebonne**
1590, chemin Gascon
Terrebonne (Québec)  J6X 3A2
☎ 450 471-3666 ou
1 877 286-4404 (sans frais)

## CENTRES LOCAUX DE DÉVELOPPEMENT

**CLD de la municipalité régionale de comté d'Autray**
550, rue Montcalm, bureau 300
Berthierville (Québec)  J0K 1A0
☎ 450 836-7028

**CLD Joliette**
654, rue Lanaudière
Joliette (Québec)  J6E 3M7
☎ 450 752-5566

**CLD de la MRC de L'Assomption**
435, rue Notre-Dame
Repentigny (Québec)  J6A 2T3
☎ 450 654-6488

**CLD de la Matawinie**
3184, 1ʳᵉ Avenue
Rawdon (Québec)  J0K 1S0
☎ 450 834-5222 ou
1 877 834-5222 (sans frais)

**CLD de la MRC de Montcalm**
1540, rue Albert, bureau 200
Sainte-Julienne (Québec)  J0K 2T0
☎ 450 831-3777

**CLD économique des Moulins**
2500, boulevard des Entreprises
Terrebonne (Québec)  J6X 4J8
☎ 450 477-6464

Pour trouver le **Club de recherche d'emploi** le plus près de chez vous, visitez le site www.cre.qc.ca.

▶ **Direction régionale Emploi-Québec**
40, rue Gauthier Sud, bureau 2000, 2ᵉ étage
Joliette (Québec)  J6E 4J4
☎ 450 752-6888 ou
1 877 465-1933 (sans frais)

### CONFÉRENCE RÉGIONALE DES ÉLUS

**CRE – Lanaudière**
3, rue Papineau, bureau 107
Joliette (Québec)  J6E 2K3
☎ 450 759-4344 ou
1 800 363-8606 (sans frais)

### SERVICE CANADA

**Centre Service Canada Repentigny**
155, rue Notre-Dame, bureau 54
Repentigny (Québec)  J6A 7G5
☎ 450 585-2044

## LAURENTIDES                    région 15

### CARREFOURS JEUNESSE-EMPLOI

**CJE Antoine-Labelle**
506, rue Carillon
Mont-Laurier (Québec)  J9L 1P9
☎ 819 623-3013

**Point de service de Rivière-Rouge**
1355, rue Principale Sud
Ville de Rivière-Rouge (Québec)  J0T 1T0
☎ 1 866 623-3013 (sans frais)

**CJE d'Argenteuil**
499B, rue Principale
Lachute (Québec)  J8H 1Y5
☎ 450 566-5766

**CJE Deux-Montagnes**
350, boulevard Arthur-Sauvé, bureau 1030
Saint-Eustache (Québec)  J7R 4L1
☎ 450 974-1635

**CJE Laurentides**
763, rue de Saint-Jovite
Mont-Tremblant (Québec)  J8E 3J8
☎ 819 425-1200

**Point de service A**
97, rue Principale Est
Sainte-Agathe-des-Monts (Québec)  J8C 1J9
☎ 819 321-1774

**CJE Pays-d'en-Haut**
Galerie des Monts, 75, de la Gare, bloc D-1
Saint-Sauveur (Québec)  J0R 1R6
☎ 450 227-0074

**CJE Rivière-du-Nord**
420, rue du Marché
Saint-Jérôme (Québec)  J7Z 2B2
☎ 450 431-5253

**CJE Thérèse De Blainville**
100, boulevard Ducharme, bureau 230
Sainte-Thérèse (Québec)  J7E 4R6
☎ 450 437-1635

**Point de service A**
École du Harfang
140, rue des Saisons
Sainte-Anne-des-Plaines (Québec)  J0N 1H0
☎ 450 437-1635

**Point de service B**
École secondaire Rive-Nord
400, rue Joseph-Paquette, local 1026
Bois-des-Fillion (Québec)  J6Z 4P7
☎ 450 437-1635

### CENTRES LOCAUX D'EMPLOI

**CLE de Lachute**
505, avenue Béthany, bureau 303
Lachute (Québec)  J8H 4A6
☎ 450 562-8533 ou
1 800 263-2732 (sans frais)

**CLE de Mirabel-Saint-Janvier**
13479, boulevard Curé-Labelle, bureau 205
Mirabel (Québec)  J7J 1H1
☎ 450 979-2313

**CLE de Mont-Laurier**
585, rue Hébert
Mont-Laurier (Québec)  J9L 2X4
☎ 819 623-4610 ou
1 800 567-4562 (sans frais)

**CLE de Sainte-Adèle**
400, boulevard de Sainte-Adèle
Sainte-Adèle (Québec)  J8B 2N2
☎ 450 229-6560 ou
1 800 363-7011 (sans frais)

**CLE de Sainte-Agathe**
26, boulevard Morin
Sainte-Agathe-des-Monts (Québec)  J8C 2V6
☎ 819 326-5861 ou
1 800 567-8334 (sans frais)

**CLE de Sainte-Thérèse**
100, boulevard Ducharme, bureau 120
Sainte-Thérèse (Québec)  J7E 4R6
☎ 450 435-3667

**CLE de Saint-Eustache**
367, boulevard Arthur-Sauvé, bureau 247
Saint-Eustache (Québec)  J7P 2B1
☎ 450 472-2311

**CLE de Saint-Jérôme**
85, rue De Martigny Ouest, 1ᵉʳ étage
Saint-Jérôme (Québec)  J7Y 3R8
☎ 450 569-3075 ou
1 800 561-0692 (sans frais)

**Centre de service de Rivière-Rouge**
602, rue L'Annonciation Nord
L'Annonciation (Québec) J0T 1T0
☎ 819 275-5333

## CENTRES LOCAUX DE DÉVELOPPEMENT

**CLD de la MRC d'Antoine-Labelle**
425, rue du Pont, bureau 200
Mont-Laurier (Québec) J9L 2R6
☎ 819 623-1545

**CLD du territoire de la MRC d'Argenteuil**
430, rue Grâce, bureau 205
Lachute (Québec) J8H 1M6
☎ 450 562-8829

**CLD de la MRC de Deux-Montagnes**
400, boulevard Deux-Montagnes, bureau 100
Deux-Montagnes (Québec) J7R 7C2
☎ 450 472-1502

**CLD de la MRC des Laurentides**
1255, chemin des Lacs
Saint-Faustin–Lac-Carré (Québec) J0T 1J2
☎ 819 681-3373

**CLD de Mirabel**
14026, boulevard du Curé-Labelle
Mirabel (Québec) J7J 1A1
☎ 450 435-2800

**CLD des Pays-d'en-Haut**
1014, rue Valiquette
Sainte-Adèle (Québec) J8B 2M3
☎ 450 229-6637

**CLD Rivière-du-Nord (SODESJ)**
161, rue de la Gare, bureau 300
Saint-Jérôme (Québec) J7Z 2B9
☎ 450 431-0707

**Société de développement économique Thérèse De Blainville (CLD)**
33, rue Blainville Ouest, bureau 200
Sainte-Thérèse (Québec) J7E 1X1
☎ 450 430-6666

**Direction régionale Emploi-Québec**
55, rue Castonguay, 2ᵉ étage
Saint-Jérôme (Québec) J7Y 2H9
☎ 450 569-7575 ou
1 800 561-2687 (sans frais)

## CONFÉRENCE RÉGIONALE DES ÉLUS

**CRE – Laurentides**
161, rue de la Gare, bureau 205
Saint-Jérôme (Québec) J7Z 2B9
☎ 450 436-3111

## SERVICE CANADA

**Centre Service Canada Sainte-Thérèse**
100, boulevard Ducharme
Sainte-Thérèse (Québec) J7E 1X2
☎ 450 430-2800

**Centre Service Canada Saint-Jérôme**
500, boulevard des Laurentides
Bureau 1520
Saint-Antoine (Québec) J7Z 4M2
☎ 450 436-4230

## LAVAL — région 13

## CARREFOUR JEUNESSE-EMPLOI

**CJE Laval**
3, Place Laval, bureau 10
Laval (Québec) H7N 1A2
☎ 450 967-2535

## CENTRES LOCAUX D'EMPLOI

**CLE de Chomedey–Sainte-Dorothée**
1438, boulevard Daniel-Johnson
Laval (Québec) H7V 4B5
☎ 450 680-6400

**CLE de Laval-des-Rapides**
3, Place Laval, bureau 430
Laval (Québec) H7N 1A2
☎ 450 972-3050

## CENTRE LOCAL DE DÉVELOPPEMENT

**CLD de Laval**
1555, boulevard Chomedey, bureau 220
Laval (Québec) H7V 3Z1
☎ 450 978-5959

**Direction régionale Emploi-Québec**
1085, boulevard des Laurentides
Laval (Québec) H7G 2W2
☎ 450 972-3133

## CONFÉRENCE RÉGIONALE DES ÉLUS

**CRE – Laval**
1555, boulevard Chomedey, bureau 220
Laval (Québec) H7V 3Z1
☎ 450 686-4343

## SERVICE CANADA

**Centre Service Canada Laval**
1575, boul. Chomedey
Laval (Québec) H7V 2X2
☎ 450 682-8950

Pour trouver le **Club de recherche d'emploi** le plus près de chez vous, visitez le site www.cre.qc.ca.

## ▶ MAURICIE — région 04

### CARREFOURS JEUNESSE-EMPLOI

**CJE Francheville**
580, rue Barkoff, bureau 300
Trois-Rivières (Québec) G8T 9T7
☎ 819 376-0179

**Point de service A**
44, chemin Rivière-à-Veillet, bureau 160
Sainte-Geneviève-de-Batiscan (Québec) G0X 2R0
☎ 418 362-3109

**CJE Haut-Saint-Maurice**
290, rue Saint-Joseph, C. P. 194
La Tuque (Québec) G9X 3P2
☎ 819 523-9274

**CJE Maskinongé**
121, rue Petite-Rivière, local 16
Louiseville (Québec) J5V 2H3
☎ 819 228-0676

**CJE Mékinac**
581, rue Saint-Paul, bureau 101
Saint-Tite (Québec) G0X 3H0
☎ 418 365-7070

**CJE Shawinigan**
525, 3e rue, C. P. 132
Shawinigan (Québec) G9N 6T8
☎ 819 537-3358

### CENTRES LOCAUX D'EMPLOI

**CLE de Cap-de-la-Madeleine**
165, boul. Sainte-Madeleine, bureau 4
Trois-Rivières (Québec) G8T 3L7
☎ 819 371-6031 ou
1 800 263-0214 (sans frais)

**CLE de Grand-Mère**
401, 5e Avenue, RC, bureau 01
Grand-Mère (Québec) G9T 2M3
☎ 819 538-0762 ou
1 800 263-9829 (sans frais)

**CLE de La Tuque**
655, rue Desbiens
La Tuque (Québec) G9X 4G9
☎ 819 523-9541 ou
1 800 567-4449 (sans frais)

**CLE de Louiseville**
511, avenue Marcel
Louiseville (Québec) J5V 1N1
☎ 819 228-9465 ou
1 800 567-7635 (sans frais)

**CLE de Sainte-Geneviève-de-Batiscan**
213, rue de l'Église
Sainte-Geneviève-de-Batiscan
(Québec) G0X 2R0
☎ 418 362-2850 ou
1 877 833-3224 (sans frais)

**CLE de Sainte-Thècle**
301, rue Saint-Jacques, bureau 101
Sainte-Thècle (Québec) G0X 3G0
☎ 418 289-2405 ou
1 877 314-8152 (sans frais)

**CLE de Shawinigan**
212, 6e Rue, bureau 1.17
Shawinigan (Québec) G9N 8M5
☎ 819 536-2601 ou
1 800 663-3059 (sans frais)

**CLE de Trois-Rivières**
225, rue des Forges, RC, bureau 101
Trois-Rivières (Québec) G9A 6N4
☎ 819 371-6880 ou
1 800 668-6538 (sans frais)

### CENTRES LOCAUX DE DÉVELOPPEMENT

**CLD – MRC des Chenaux**
630, rue Principale
Saint-Luc-de-Vincennes (Québec) G0X 3K0
☎ 819 295-5115

**CLD du Haut-Saint-Maurice**
373, rue Saint-Joseph
La Tuque (Québec) G9X 1L5
☎ 819 523-6111

**CLD de la MRC de Maskinongé**
653, boulevard Saint-Laurent Est
Louiseville (Québec) J5V 1J1
☎ 819 228-2744

**CLD Mékinac**
560, rue Notre-Dame
Saint-Tite (Québec) G0X 3H0
☎ 418 365-6365

**CLD de Shawinigan**
522, 5e Rue, bureau 111
C. P. 395
Shawinigan (Québec) G9N 6V1
☎ 819 537-7249

**Société de développement économique
de Trois-Rivières (CLD)**
370, rue des Forges
Trois-Rivières (Québec) G9A 2H1
☎ 819 374-4061

**Direction régionale Emploi-Québec**
225, rue des Forges, 5ᵉ étage
Trois-Rivières (Québec)  G9A 5Z5
☎ 819 371-6422 ou
1 800 567-7959 (sans frais)

**CRE – Mauricie**
3450, boulevard Gene-H.-Kruger
Bureau 200
Trois-Rivières (Québec)  G9A 4M3
☎ 819 691-4969

**Centre Service Canada Mauricie**
444, 5ᵉ Rue
Shawinigan (Québec)  G9N 1E6
☎ 819 536-5633

## MONTÉRÉGIE  région 16

CARREFOURS JEUNESSE-EMPLOI

**CJE Bas-Richelieu**
189, rue du Prince
Bureau 314
Sorel-Tracy (Québec)  J3P 4K6
☎ 450 743-1441

**CJE Beauharnois-Salaberry**
87, rue Sainte-Cécile
Valleyfield (Québec)  J6T 1L9
☎ 450 373-6767

**CJE Beauharnois**
23, rue Saint-André
Beauharnois (Québec)  J6N 2Y8
☎ 450 225-9090

**CJE Cantons de l'Est**
108, rue Saint-Jacques
Granby (Québec)  J2G 8V9
☎ 450 776-7700

**Point de service A**
221, rue Sud
Cowansville (Québec)  J2K 2X5
☎ 450 266-0993

**CJE Châteauguay**
75, boulevard Saint-Jean-Baptiste
Bureau 10
Châteauguay (Québec)  J6J 3H6
☎ 450 699-8001

**CJE Huntingdon**
64, rue Châteauguay, bureau 301
Huntingdon (Québec)  J0S 1H0
☎ 450 264-5858

**Point de service A**
18, rue Sainte-Thérèse
Saint-Rémi (Québec)  J0L 2L0
☎ 450 454-5814

**CJE Iberville et Saint-Jean**
268, rue Champlain
Saint-Jean-sur-Richelieu (Québec)  J3B 6V9
☎ 450 347-4717

**Point de service A**
151, rue Principale Est
Farnham (Québec)  J2N 1L2
☎ 450 293-0923

**Point de service B**
1428, rue du Pont
Marieville (Québec)  J3M 1G2
☎ 450 460-8887

**CJE Comté de Johnson**
975, rue Boulay, bureau 202
Acton Vale (Québec)  J0H 1A0
☎ 450 546-0311

**Point de service A**
207, rue Saint-Georges
Windsor (Québec)  J1S 1K3
☎ 819 845-5900

**CJE La Pinière**
5885, avenue Auteuil, 3ᵉ étage
Brossard (Québec)  J4Z 1M9
☎ 450 926-2200

**CJE Laporte**
1800, rue Saint-Pierre
Lemoyne (Québec)  J4P 3K2
☎ 450 671-8491

**CJE La Prairie**
399, rue Conrad-Pelletier, bureau 220
La Prairie (Québec)  J5R 4V1
☎ 514 380-9992

**CJE Longueuil**
125, boulevard Sainte-Foy, 3ᵉ étage
Longueuil (Québec)  J4J 1W7
☎ 450 646-1030

**CJE Marguerite-d'Youville**
95D, boulevard de Mortagne
Boucherville (Québec)  J4B 6G4
☎ 450 449-9541

Pour trouver le **Club de recherche d'emploi** le plus près de chez vous, visitez le site www.cre.qc.ca.

▶ **CJE Maskoutain**
805, rue des Cascades Ouest
Saint-Hyacinthe (Québec)  J2S 3G3
☎ 450 771-9253

**CJE Saint-Hubert**
5245, boulevard Cousineau, bureau 292
Saint-Hubert (Québec)  J3Y 6J8
☎ 450 678-7644

**CJE Vallée-du-Richelieu (Aide et intégration
jeunesse au travail de La Vallée-du-Richelieu)**
370, boulevard Sir-Wilfrid-Laurier, bureau 105
Mont-Saint-Hilaire (Québec)  J3H 5V3
☎ 450 446-7636

**Point de service A**
30, rue Robert, bureau 101
Saint-Basile-le-Grand (Québec)  J3N 1L7
☎ 450 653-2358

**Point de service B**
1179, rue Bourgogne, 2e étage
Chambly (Québec)  J3L 1X3
☎ 450 447-3573

**CJE Vaudreuil-Soulanges**
400, boulevard Harwood
Vaudreuil-Dorion (Québec)  J7V 7H4
☎ 450 455-3185 ou
1 866 925-3185 (sans frais)

### CENTRES LOCAUX D'EMPLOI

**CLE d'Acton Vale**
1130, rue Daigneault
Acton Vale (Québec)  J0H 1A0
☎ 450 546-0798 ou
1 800 438-4765 (sans frais)

**CLE de Boucherville**
135-H, boulevard de Mortagne
Boucherville (Québec)  J4B 6G4
☎ 450 655-5646

**CLE de Brome-Missisquoi**
406, rue du Sud
Cowansville (Québec)  J2K 2X7
☎ 450 263-1515 ou
1 800 463-0230 (sans frais)

**CLE de Brossard**
1, Place-du-Commerce, bureau 200
Brossard (Québec)  J4W 2Z7
☎ 450 672-1335

**CLE de Châteauguay**
180, boulevard D'Anjou, bureau 250
Châteauguay (Québec)  J6K 5G6
☎ 450 691-6020 ou
1 800 465-0286 (sans frais)

**CLE de Contrecœur**
225, rue Dansereau
Contrecœur (Québec)  J0L 1C0
☎ 450 587-5555

**CLE de La Haute-Yamaska**
77, rue Principale, RC 02
Granby (Québec)  J2G 9B3
☎ 450 776-7134

**CLE du Haut-Richelieu**
315, rue MacDonald, bureau 128
Saint-Jean-sur-Richelieu (Québec)  J3B 8J3
☎ 450 348-9294 ou
1 800 567-3627 (sans frais)

**CLE du Haut-Saint-Laurent**
2D, rue Henderson
Huntingdon (Québec)  J0S 1H0
☎ 450 264-5323 ou
1 800 567-0220 (sans frais)

**CLE de Longueuil-Est**
900, boulevard Curé-Poirier Est
Longueuil (Québec)  J4J 5L9
☎ 450 647-1324

**CLE de Longueuil-Ouest**
790, boulevard Quinn
Longueuil (Québec)  J4H 2N5
☎ 450 677-5517

**CLE de Marieville**
497, rue Sainte-Marie
Marieville (Québec)  J3M 1M4
☎ 450 460-4430 ou
1 888 872-0680 (sans frais)

**CLE de Saint-Constant**
126, rue Saint-Pierre
Saint-Constant (Québec)  J5A 2P1
☎ 450 635-6221

**CLE de Saint-Hubert**
5245, boulevard Cousineau, bureau 300
Saint-Hubert (Québec)  J3Y 6J8
☎ 450 676-7952

**CLE de Saint-Hyacinthe**
3100, boulevard Laframboise, bureau 107
Saint-Hyacinthe (Québec)  J2S 4Z4
☎ 450 778-6589 ou
1 800 465-0719 (sans frais)

**CLE de Saint-Rémi**
221, rue Sainte-Thérèse
Saint-Rémi (Québec)  J0L 2L0
☎ 450 454-4054 ou
1 800 792-9616 (sans frais)

**CLE de Sorel**
375, boulevard Fiset
Sorel-Tracy (Québec) J3P 7Z4
☎ 450 742-5941

**CLE de La Vallée-du-Richelieu**
515, boulevard Sir-Wilfrid-Laurier
Bureau 201
Belœil (Québec) J3G 6R7
☎ 450 467-9400 ou
1 877 856-1966 (sans frais)

**CLE de Valleyfield**
63A, rue Champlain
Salaberry-de-Valleyfield (Québec) J6T 6C4
☎ 450 370-3027 ou
1 800 567-1029 (sans frais)

**CLE de Vaudreuil-Soulanges**
430, boulevard Harwood, bureau 4
Vaudreuil-Dorion (Québec) J7V 7H4
☎ 450 455-5666 ou
1 800 463-2325 (sans frais)

## CENTRES LOCAUX DE DÉVELOPPEMENT

**CLD de la région d'Acton**
1545, rue Peerless, bureau 201
Acton Vale (Québec) J0H 1A0
☎ 450 546-3203

**CLD du Bas-Richelieu**
50, rue du Roi, bureau 1
Sorel-Tracy (Québec) J3P 4M7
☎ 450 742-5933

**CLD Beauharnois-Salaberry**
100, rue Sainte-Cécile, bureau 100
Salaberry-de-Valleyfield (Québec) J6T 1M1
☎ 450 373-2214

**CLD de Brome-Missisquoi**
749, rue Principale
Cowansville (Québec) J2K 1J8
☎ 450 266-4928

**CLD Haute-Yamaska**
142, rue Dufferin, bureau 200
Granby (Québec) J2G 4X1
☎ 450 777-1141

**CLD du Haut-Saint-Laurent**
8, rue King
Huntingdon (Québec) J0S 1H0
☎ 450 264-5252

**CLD de Lajemmerais**
609, rue Marie-Victorin
Verchères (Québec) J0L 2R0
☎ 450 583-3303

**CLD Les Jardins-de-Napierville**
361, rue Saint-Jacques, C. P. 309
Napierville (Québec) J0J 1L0
☎ 450 245-7289

**CLD de la MRC Les Maskoutains**
800, avenue Sainte-Anne, bureau 300
Saint-Hyacinthe (Québec) J2S 5G7
☎ 450 773-4232

**CLD de Longueuil**
370, chemin de Chambly, bureau 100
Longueuil (Québec) J4H 3Z6
☎ 450 646-3933

**CLD – Cœur de la Montérégie**
500, rue Desjardins, bureau 300
Marieville (Québec) J3M 1E1
☎ 450 469-5731

**CLD de Roussillon**
260, rue Saint-Pierre, bureau 100
Saint-Constant (Québec) J5A 2A5
☎ 450 632-1440

**CLD La Vallée-du-Richelieu**
255, boulevard Laurier, bureau 220
McMasterville (Québec) J3G 0B7
☎ 450 464-4188 ou
1 877 464-4188 (sans frais)

**CLD de Vaudreuil-Soulanges**
346, rue Aimé-Vincent
Vaudreuil-Dorion (Québec) J7V 5V5
☎ 450 424-2262

**Conseil économique du Haut-Richelieu (CLD)**
315, rue MacDonald, bureau 301
Saint-Jean-sur-Richelieu (Québec) J3B 8J3
☎ 450 359-9999

**Direction régionale Emploi-Québec**
600, boulevard Casavant Est
Saint-Hyacinthe (Québec) J2S 7T2
☎ 450 773-7463 ou 1 866 740-2135

## CONFÉRENCES RÉGIONALES DES ÉLUS

**CRE – Longueuil**
100, place Charles-Le Moyne, bureau 281
Longueuil (Québec) J4K 2T4
☎ 450 651-9041

**CRE – Montérégie Est**
255, boul. Laurier, 2ᵉ étage, bureau 200
McMasterville (Québec) J3G 0B7
☎ 450 446-6491

**CRE – Montérégie Ouest**
88, rue Saint-Laurent
Salaberry-de-Valleyfield (Québec) J6S 6J9
☎ 450 370-1881

Pour trouver le **Club de recherche d'emploi** le plus près de chez vous, visitez le site www.cre.qc.ca.

▶ **SERVICE CANADA**

**Centre Service Canada Brossard**
2501, boulevard Lapinière
Brossard (Québec) J4Z 3P1
☎ 450 445-0411

**Centre Service Canada Longueuil**
365, rue Saint-Jean, bureau 114
Longueuil (Québec) J4H 2X8
☎ 450 677-9471

**Centre Service Canada Richelieu-Yamaska**
1225, rue Gauvin, 2ᵉ étage
Saint-Hyacinthe (Québec) J2S 8T8
☎ 450 773-7481

**Centre Service Canada Vaudreuil-Dorion**
2555, avenue Dutrisac
Vaudreuil-Dorion (Québec) J7V 7E6
☎ 450 424-5717

## MONTRÉAL — région 06

### CARREFOURS JEUNESSE-EMPLOI

**CJE Ahuntsic-Bordeaux-Cartierville**
368, boulevard Henri-Bourassa Est
Montréal (Québec) H3L 1C3
☎ 514 383-1136

**CJE Anjou/Saint-Justin**
7100, rue Joseph-Renaud
Anjou (Québec) H1K 3V5
☎ 514 353-5400

**CJE Bourassa – Sauvé**
4981, rue Charleroi, bureau 202
Montréal-Nord (Québec) H1G 2Z2
☎ 514 327-5555

**CJE Centre-Sud/Plateau-Mont-Royal/MileEnd**
1035, rue Rachel Est, 3ᵉ étage
Montréal (Québec) H2J 2J5
☎ 514 528-6838

**CJE Côte-des-Neiges**
6555, chemin de la Côte-des-Neiges
Bureau 240
Montréal (Québec) H3S 2A6
☎ 514 342-5678

**CJE Hochelaga-Maisonneuve**
3440, rue Ontario Est, 3ᵉ étage
Montréal (Québec) H1W 1P9
☎ 514 523-2400

**CJE LaSalle**
1191, 90ᵉ avenue, bureau 200
LaSalle (Québec) H8R 3A6
☎ 514 368-1832

**CJE Marquette**
633, rue George V
Lachine (Québec) H8S 2R9
☎ 514 634-0450

**CJE Mercier**
7962, rue Hochelaga, 2ᵉ étage
Montréal (Québec) H1L 2K8
☎ 514 354-5552

**CJE Montréal Centre-Ville**
1184, rue Sainte-Catherine Ouest, bureau 300
Montréal (Québec) H3B 1K1
☎ 514 875-9770

**CJE Notre-Dame-de-Grâce**
6370, rue Sherbrooke Ouest
Montréal (Québec) H4B 1M9
☎ 514 482-6665

**CJE Ouest-de-l'Île**
1075, avenue Carson
Dorval (Québec) H9S 1M2
☎ 514 633-9663

**Point de service A**
4360B, boulevard Des Sources
Dollard-des-Ormeaux (Québec) H8Y 3B7
☎ 514 421-1414

**CJE Pointe-aux-Trembles et Montréal-Est**
1400, boulevard Saint-Jean-Baptiste
Bureau 27
Pointe-aux-Trembles (Québec) H1B 4A5
☎ 514 640-4700

**CJE Rivière-des-Prairies**
8595, boul. Maurice-Duplessis, bureau 209
Montréal (Québec) H1E 4H7
☎ 514 648-8008

**CJE Rosemont/Petite-Patrie**
1453, rue Beaubien Est, bureau 301
Montréal (Québec) H2G 3C6
☎ 514 279-8725

**CJE Saint-Laurent**
1482, rue de l'Église, bureau 200
Saint-Laurent (Québec) H4L 2H6
☎ 514 855-1616

**CJE Sud-Ouest de Montréal**
3173D, rue Saint-Jacques Ouest
Montréal (Québec) H4C 1G7
☎ 514 934-2242

**CJE Verdun**
4005, rue Wellington
Verdun (Québec) H4G 1V6
☎ 514 767-9971

**CJE Viger/Jeanne-Mance**
5960, rue Jean-Talon, bureau 308
Montréal (Québec) H1S 1M2
☎ 514 256-5051

**Réseau CJE**
1751, rue Richardson, bureau 6.107
Montréal (Québec) H3K 1G6
☎ 514 393-9155

## CENTRES LOCAUX D'EMPLOI

**CLE d'Ahuntsic**
10520, boulevard de l'Acadie
Montréal (Québec) H4N 1L9
☎ 514 872-4949

**CLE d'Anjou-Montréal-Est**
7077, rue Beaubien Est, bureau 300
Anjou (Québec) H1M 2Y2
☎ 514 864-6633

**CLE de la Côte-des-Neiges**
6655, chemin de la Côte-des-Neiges, 3ᵉ étage
Montréal (Québec) H3S 2B4
☎ 514 872-6530

**CLE de Crémazie**
1415, rue Jarry Est, bureau 400
Montréal (Québec) H2E 3B4
☎ 514 872-5050

**CLE de Fleury**
535, rue Fleury Est
Montréal (Québec) H3L 1G6
☎ 514 872-4949

**CLE de Hochelaga-Maisonneuve**
3890, rue Sainte-Catherine Est, 2ᵉ étage
Montréal (Québec) H1W 2G4
☎ 514 872-3100

**CLE de Lachine**
Galeries Lachine
2740, rue Remembrance, bureau 70A
Lachine (Québec) H8S 1X8
☎ 514 634-2425

**CLE de LaSalle**
2212, rue Dollard, 2ᵉ étage
LaSalle (Québec) H8N 1S6
☎ 514 365-4543

**CLE de Lorimier**
3415, rue Hogan
Montréal (Québec) H2K 2T7
☎ 514 872-6480

**CLE de Mercier**
6690, rue Sherbrooke Est, bureau 200
Montréal (Québec) H1N 3W3
☎ 514 872-3100

**CLE de Montréal-Nord**
5872, boulevard Léger
Bureau 200
Montréal-Nord (Québec) H1G 6N5
☎ 514 321-5665

**CLE de Notre-Dame-de-Grâce**
3285, boulevard Cavendish
2ᵉ étage
Montréal (Québec) H4B 2L9
☎ 514 872-5180

**CLE de l'Ouest-de-l'Île**
1000, boulevard Saint-Jean
Bureau 400
Pointe-Claire (Québec) H9R 5Y8
☎ 514 694-9494

**CLE de Parc-Extension**
7077, avenue du Parc
Bureau 101
Montréal (Québec) H3N 1X7
☎ 514 872-5050

**CLE du Plateau-Mont-Royal**
5105, avenue de Gaspé, 3ᵉ étage
Montréal (Québec) H2T 2A1
☎ 514 872-4922

**CLE de Pointe-aux-Trembles**
13301, rue Sherbrooke Est
Bureau 100
Montréal (Québec) H1A 1C2
☎ 514 872-7524

**CLE de Pointe-Saint-Charles**
2175, rue Saint-Patrick, 3ᵉ étage
Montréal (Québec) H3K 1B4
☎ 514 872-6426

**CLE de Rivière-des-Prairies**
7355, rue René-Descartes
Montréal (Québec) H1E 1K6
☎ 514 321-5665

**CLE de Rosemont-Petite-Patrie**
Bureau Beaubien (Marie-Victorin)
4994, rue Beaubien Est, 1ᵉʳ étage
Montréal (Québec) H1T 1V4
☎ 514 872-6550

**CLE de Rosemont-Petite-Patrie**
Bureau Avenue du Parc (Villeray)
6700, avenue du Parc, bureau 100
Montréal (Québec) H2V 4H9
☎ 514 872-6550

**CLE de Rosemont-Petite-Patrie**
Bureau Iberville
5656, rue Iberville, RC
Montréal (Québec) H2G 2B3
☎ 514 872-6550

Pour trouver le **Club de recherche d'emploi** le plus près de chez vous, visitez le site www.cre.qc.ca.

▶ **CLE de Saint-Alexandre**
1004, rue Saint-Antoine Ouest
Bureau 110
Montréal (Québec)  H3C 3R7
☎ 514 872-4310

**CLE de Sainte-Marie-Centre-Sud**
1260, rue Sainte-Catherine Est, 3e étage
Montréal (Québec)  H2L 2H2
☎ 514 872-4922

**CLE de Saint-Laurent**
6900, boulevard Décarie, bureau 3700
Côte-Saint-Luc (Québec)  H3X 2T8
☎ 514 345-0131

**CLE de Saint-Léonard**
6020, rue Jean-Talon Est, bureau 500
Saint-Léonard (Québec)  H1S 3B1
☎ 514 864-6161

**CLE de Saint-Michel**
3750, boulevard Crémazie Est, 2e étage
Montréal (Québec)  H2A 1B6
☎ 514 872-5050

**CLE de Verdun**
1055, rue Galt, 2e étage
Verdun (Québec)  H4G 2R1
☎ 514 864-6646

**CLE de Ville-Émard**
6620, boulevard Monk
Montréal (Québec)  H4E 3J1
☎ 514 872-6426

**CENTRES LOCAUX DE DÉVELOPPEMENT**

**CLD Anjou**
7171, rue Bombardier
Anjou (Québec)  H1J 2E9
☎ 514 493-5113

**CLD de Lachine**
1024, rue Notre-Dame
Lachine (Québec)  H8S 2C2
☎ 514 469-9808

**CLD de LaSalle**
55, avenue Dupras
LaSalle (Québec)  H8R 4A8
☎ 514 367-6380

**CLD Les 3 Monts**
10, avenue Roosevelt
Mont-Royal (Québec)  H3R 1Z4
☎ 514 737-1253

**CLD de l'Ouest-de-l'Île/West Island**
207, Place-Frontenac
Pointe-Claire (Québec)  H9R 4Z7
☎ 514 694-0260

**CLD Montréal-Nord**
11211, rue Hébert
Montréal-Nord (Québec)  H1M 3X5
☎ 514 353-7171

**CLD Verdun**
4400, boulevard LaSalle
Verdun (Québec)  H4G 2A8
☎ 514 362-1555

**CDEC Ahuntsic-Cartierville**
9150, boulevard l'Acadie, bureau 207
Montréal (Québec)  H4N 2T2
☎ 514 858-1018

**CDEC Centre-Nord**
7000, avenue du Parc, bureau 201
Montréal (Québec)  H3N 1X1
☎ 514 948-6117

**CDEC Centre-Sud/Plateau-Mont-Royal**
3565, rue Berri, bureau 200
Montréal (Québec)  H2L 4G3
☎ 514 845-2332

**CDEC de l'Est (CDEST)**
2030, boulevard Pie-IX, bureau 201
Montréal (Québec)  H1V 2C8
☎ 514 256-6825

**CDEC NDG/CDN**
4950, chemin Queen-Mary, bureau 101
Montréal (Québec)  H3W 1X3
☎ 514 342-4842

**CDEC Rosemont/Petite-Patrie**
6224, rue Saint-Hubert
Montréal (Québec)  H2S 2M2
☎ 514 723-0030

**Regroupement pour la relance économique
et sociale du Sud-Ouest (RESO)**
1751, rue Richardson, bureau 6509
Montréal (Québec)  H3K 1G6
☎ 514 931-5737

**Société de développement économique
Ville-Marie**
615, boul. René-Lévesque Ouest, bureau 720
Montréal (Québec)  H3B 1P5
☎ 514 879-0555

**SODEC de RDP/PAT**
12900, boulevard Industriel, 2e étage
Montréal (Québec)  H1A 3V2
☎ 514 494-2606

**Direction régionale Emploi-Québec**
276, rue Saint-Jacques
Montréal (Québec)  H2Y 1N3
☎ 514 725-5221

## CONFÉRENCE RÉGIONALE DES ÉLUS

**CRE – Montréal**
1550, rue Metcalfe, bureau 810
Montréal (Québec)  H3A 1X6
☎ 514 842-2400

## SERVICE CANADA

**Centre Service Canada Centre-ville –
Sud-Ouest-de-Montréal**
1001, boulevard de Maisonneuve Est, 2e étage
Montréal (Québec)  H2L 5A1
☎ 514 522-4444

**Centre Service Canada Est-de-Montréal**
7141, rue Jean-Talon Est
Anjou (Québec)  H1M 3A4
☎ 514 355-3330

**Centre Service Canada Nord-de-Montréal**
1415, rue Jarry Est, bureau 300
Montréal (Québec)  H2E 3B2
☎ 514 723-7273

**Centre Service Canada
Ouest-de-l'Île-de-Montréal**
6900, boulevard Décarie, bureau 3015
Côte-Saint-Luc, Montréal (Québec)  H3X 2T8
☎ 514 731-0060

## NORD-DU-QUÉBEC                    région 10

## CARREFOURS JEUNESSE-EMPLOI

**CJE Jamésie**
110, boul. Matagami, C. P. 669
Matagami (Québec)  J0Y 2A0
☎ 819 739-4455
Téléc. : 819 739-4805
cjejamesie.matagami@lino.com

**CJE Jamésie Chapais**
135, boulevard Springer
Chapais (Québec)  G0W 1H0
☎ 418 745-3895
Téléc. : 418 745-3875
cje.chapais@lino.com

**CJE Jamésie Chibougamau**
577, 3e Rue
Chibougamau (Québec)  G8P 1N8
☎ 418 748-1131
Téléc. : 418 748-1177
carrefour.jamesie@lino.com

**CJE Jamésie
Lebel-sur-Quévillon**
20, place Quévillon
Lebel-sur-Quévillon (Québec)  J0Y 1X0
☎ 819 755-2594
Téléc. : 819 755-3593
cjejamesie.lsq@lino.com

**CJE Jamésie Radisson**
101, Place Gérard-Poirier
Radisson (Québec)  J0Y 2X0
☎ 819 638-7777
Téléc. : 819 638-7788
cje.jamesie@radisson.org

## CENTRES LOCAUX D'EMPLOI

**CLE de la Baie-James**
333, 3e Rue
Chibougamau (Québec)  G8P 1N4
☎ 418 748-7643 ou
1 866 722-7354 (sans frais)

**Centre de service Lebel-sur-Quévillon**
107, rue Principale Sud, C. P. 1779
Lebel-sur-Quévillon (Québec)  J0Y 1X0
☎ 819 755-3801

**Centre de service Matagami**
100, place du Commerce, C. P. 320
Matagami (Québec)  J0Y 2A0
☎ 819 739-6000

**Centre de service Villebois,
Val-Paradis et Beaucanton**
2709, boulevard du Curé-McDuff, bureau H
Beaucanton (Québec)  J0Z 1H0
☎ 819 941-3801
Téléc. : 819 941-6000

**CLE d'Inukjuak**
C. P. 281
Inukjuak (Québec)  J0M 1M0
☎ 819 254-8760

**Umiujaq**
☎ 819 331-7346

**Kuujjuarapik (Inuits)**
☎ 819 929-3552

**Puvirnituq**
☎ 819 988-2733

**Akulivik**
☎ 819 496-2437

**Ivujivik**
☎ 819 922-3328

**Eastmain**
☎ 819 977-0376

Pour trouver le **Club de recherche d'emploi** le plus près de chez vous, visitez le site www.cre.qc.ca.

▶ **Kuujjuarapik (Cris)**
☎ 819 929-3552

**Wemindji**
☎ 819 978-0243

**Waskaganish**
☎ 819 895-8902

**Nemaska**
☎ 819 673-2126

**CLE de Kuujjuaq**
C. P. 300
Kuujjuaq (Québec) J0M 1C0
☎ 819 964-2909 ou
1 800 964-2961 (sans frais)

**Aupaluk**
☎ 819 491-7353

**Kangiqsualujjuaq**
☎ 819 337-5204

**Kangiqsujuaq**
☎ 819 338-3327

**Kangirsuk**
☎ 819 935-4406

**Quaqtaq**
☎ 819 492-9183

**Salluit**
☎ 819 255-8954

**Tasiujaq**
☎ 819 633-5249

**CLE de Chisasibi**
C. P. 899
Chisasibi (Québec) J0M 1E0
☎ 819 855-2894 ou
1 800 567-4385 (sans frais)

## CENTRES LOCAUX DE DÉVELOPPEMENT

**CLD de la Baie-James**
110, boulevard Matagami, C. P. 850
Matagami (Québec) J0Y 2A0
☎ 819 739-4111 ou
1 800 516-4111 (sans frais)

**CLD de la MRC de Caniapiscau**
C. P. 68
Centre commercial Place Daviault, bureau 42
Fermont (Québec) G0G 1J0
☎ 418 287-3506

**CLD Katutjiniq**
C. P. 239 – Édifice 432
Kuujjuaq (Québec) J0M 1C0
☎ 819 964-2035

**Point de service Inukjuak**
☎ 819 254-8621

**Point de service Salluit**
☎ 819 255-8120

**Administration régionale crie**
277, rue Duke
Montréal (Québec) H3C 2M2
☎ 514 861-5837

**Direction régionale Emploi-Québec**
129, rue des Forces-Armées
Chibougamau (Québec) G8P 3A1
☎ 418 748-8622 ou
1 866 840-9344 (sans frais)

## CONFÉRENCES RÉGIONALES DES ÉLUS

**CRE – Administration régionale crie**
2, Lakeshore Road
Nemiscau, Baie-James (Québec) J0Y 3B0
☎ 819 673-2600

**CRE – Kativik**
C. P. 239
Kuujjuaq (Québec) J0M 1C0
☎ 819 964-2035

**CRE – Nord-du-Québec/Baie-James**
110, boulevard Matagami, C. P. 850
Matagami (Québec) J0Y 2A0
☎ 1 800 516-4111 (sans frais)

## OUTAOUAIS · région 07

## CARREFOURS JEUNESSE-EMPLOI

**CJE Outaouais**
350, boulevard de la Gappe
Gatineau (Québec) J8T 7T9
☎ 819 561-7712

**Point de service A**
142, rue Principale
Gatineau (Québec) J9H 3M4
☎ 819 682-7712

**CJE Papineau**
112, rue Maclaren Est, 2e étage
Gatineau (Québec) J8L 1K1
☎ 819 986-5248

**Point de service A**
106, rue Principale
Saint-André-Avellin (Québec) J0V 1W0
☎ 819 983-4135

**CJE Pontiac**
80, rue Leslie, C. P. 219
Campbell's Bay (Québec) J0X 1K0
☎ 819 648-5065

**CJE Vallée-de-la-Gatineau**
217, rue Principale Sud
Maniwaki (Québec) J9E 2A3
☎ 819 441-1165

## CENTRES LOCAUX D'EMPLOI

**CLE d'Aylmer**
420, boulevard Wilfrid-Lavigne, bureau 6
Aylmer (Québec) J9H 6W7
☎ 819 682-0362 ou
1 800 567-9678 (sans frais)

**CLE de Buckingham**
154, rue Maclaren Est
Gatineau, secteur Buckingham
(Québec) J8L 1K4
☎ 819 986-8596 ou
1 800 567-9694 (sans frais)

**CLE de Campbell's Bay**
1290, Route 148
Campbell's Bay (Québec) J0X 1K0
☎ 819 648-2132 ou
1 800 567-9685 (sans frais)

**CLE de Gatineau**
456, boulevard de l'Hôpital, bureau 300
Gatineau (Québec) J8T 8P1
☎ 819 568-6500

**CLE de Hull**
Édifice Jos-Montferrand
170, rue de l'Hôtel-de-Ville, 9e étage
Hull (Québec) J8X 4C2
☎ 819 772-3502

**CLE de Maniwaki**
100, rue Principale Sud, bureau 240
Maniwaki (Québec) J9E 3L4
☎ 819 449-4284 ou
1 800 567-9209 (sans frais)

**CLE de Papineauville**
365, rue Papineau, C. P. 380
Papineauville (Québec) J0V 1R0
☎ 819 427-6878 ou
1 877 639-0739 (sans frais)

## CENTRES LOCAUX DE DÉVELOPPEMENT

**CLD des Collines-de-l'Outaouais**
5, rue Principale Ouest, C. P. 70
La Pêche (Québec) J0X 2W0
☎ 819 456-2121

**CLD Gatineau**
25, rue Laurier, bureau 700
Gatineau (Québec) J8X 4C8
☎ 819 595-8002

**CLD Papineau**
502, rue Notre-Dame
Montebello (Québec) J0V 1L0
☎ 819 423-5491

**CLD du Pontiac**
602, Route 301, C. P. 580
Campbell's Bay (Québec) J0X 1K0
☎ 819 648-5217

**CLD de la Vallée-de-la-Gatineau**
160, rue Laurier
Maniwaki (Québec) J9E 2K7
☎ 819 449-7649

**Direction régionale Emploi-Québec – Ministère de la Solidarité sociale/Région Outaouais**
245, boulevard de la Cité-des-Jeunes
Gatineau (Québec) J8Y 6L2
☎ 819 772-3035

## CONFÉRENCE RÉGIONALE DES ÉLUS

**CRE – Outaouais**
394, boulevard Maloney Ouest
Gatineau (Québec) J8P 2Z5
☎ 819 663-2480, poste 222

## SERVICE CANADA

**Centre Service Canada Outaouais**
920, boulevard Saint-Joseph
Gatineau (Québec) J8Z 1S9
☎ 819 953-2830

# SAGUENAY–LAC-SAINT-JEAN  région 02

## CARREFOURS JEUNESSE-EMPLOI

**CJE Lac-Saint-Jean-Est (La Bivoie)**
Complexe Jacques Gagnon
100, rue Saint-Joseph, local 203
Alma (Québec) G8B 7A6
☎ 418 668-0105

**CJE Roberval**
1075, boulevard Sacré-Cœur
Saint-Félicien (Québec) G8K 1R3
☎ 418 679-3686

**Point de service A**
1500, boulevard des Érables
Dolbeau (Québec) G8L 2W7
☎ 418 276-3626

**Point de service B**
915, boulevard Saint-Joseph, bureau 202
Roberval (Québec) G8H 2M1
☎ 418 275-6262

▶

Pour trouver le **Club de recherche d'emploi** le plus près de chez vous, visitez le site www.cre.qc.ca.

▶ **CJE de Saguenay**
825, boulevard de la Grande Baie Sud
La Baie (Québec) G7B 1C3
☎ 418 697-0634

**Point de service A**
380, rue Racine Est
Chicoutimi (Québec) G7B 1T3
☎ 418 545-9672

**Point de service B**
2367, rue Saint-Dominique
Jonquière (Québec) G7X 6A3
☎ 418 695-3317

## CENTRES LOCAUX D'EMPLOI

**CLE de Chicoutimi**
237, rue Riverin
Chicoutimi (Québec) G7H 7W7
☎ 418 698-3592 ou
1 800 267-3592 (sans frais)

**CLE de Jonquière**
Place Saint-Michel
3885, boulevard Harvey, 3e étage
Jonquière (Québec) G7X 9B1
☎ 418 695-7898 ou
1 800 567-9262 (sans frais)

**CLE de La Baie**
782, rue Victoria
La Baie (Québec) G7B 3M7
☎ 418 544-3378

**CLE de Lac-Saint-Jean-Est**
725, rue Harvey Ouest, 2e étage
Alma (Québec) G8B 1P5
☎ 418 668-5281 ou
1 800 668-5281 (sans frais)

**CLE de Maria-Chapdelaine**
1500, rue des Érables
Dolbeau-Mistassini (Québec) G8L 2W7
☎ 418 276-3560 ou
1 800 268-3560 (sans frais)

**CLE de Roberval**
755, boul. Saint-Joseph
Bureau 213 (1er étage)
Roberval (Québec) G8H 2L4
☎ 418 275-5442 ou
1 800 567-7493 (sans frais)

## CENTRES LOCAUX DE DÉVELOPPEMENT

**CLD Centre d'affaires de Jonquière**
2354, rue Saint-Dominique, C. P. 2000
Jonquière (Québec) G7X 7W7
☎ 418 695-1566

**CLD Centre d'affaires de La Baie**
993, rue Bagot, bureau 103
La Baie (Québec) G7B 2N6
☎ 418 698-3147

**CLD de Lac-Saint-Jean-Est**
625, rue Bergeron Ouest
Alma (Québec) G8B 1V3
☎ 418 662-6645

**CLD Domaine-du-Roy inc.**
1209, boulevard Sacré-Cœur, C. P. 7000
Saint-Félicien (Québec) G8K 2R5
☎ 418 275-2755

**CLD Maria-Chapdelaine**
173, boul. Saint-Michel, bureau 210
Dolbeau-Mistassini (Québec) G8L 4N9
☎ 418 276-0022

**CLD – Ville de Saguenay**
214, rue Racine Est
Chicoutimi (Québec) G7H 1R9
☎ 418 698-3147

**Direction régionale Emploi-Québec**
210, rue des Oblats Ouest
Chicoutimi (Québec) G7J 2B1
☎ 418 549-0595 ou
1 800 463-9641 (sans frais)

## CONFÉRENCE RÉGIONALE DES ÉLUS

**CRE – Saguenay–Lac-Saint-Jean**
2155, rue de la Peltrie
Jonquière (Québec) G8A 2A1
☎ 418 547-2102

## SERVICE CANADA

**Centre Service Canada Roberval**
755, boul. Saint-Joseph, bureau 202
Roberval (Québec) G8H 2L4
☎ 418 699-5700

**Centre Service Canada
Saguenay–Lac-Saint-Jean**
2489, rue Saint-Dominique
Jonquière (Québec) G7X 0A2
☎ 418 699-5700 ◎

Pour trouver le **Club de recherche d'emploi** le plus près de chez vous, visitez le site www.cre.qc.ca.

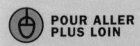

## POUR ALLER PLUS LOIN

### RETOURNER VIVRE EN RÉGION

Place aux jeunes du Québec

www.placeauxjeunes.qc.ca • www.accrodesregions.qc.ca

### MIEUX CONNAÎTRE L'ÉCONOMIE ET L'EMPLOI EN RÉGION

Développement économique, Innovation et Exportation

www.mdeie.gouv.qc.ca

Cliquez sur «Développement régional».

Emploi-Québec, Une présence en région

www.emploiquebec.net/francais/regions/index.htm

Service Canada

www.informationmarchetravail.ca

Cliquez sur «Le marché du travail local», puis sélectionnez une province et une région.

# LE BOGUE DE L'AN 2012

**L'attrait et la rétention de la main-d'œuvre sont devenus une priorité dans tous les domaines d'emploi au Québec. Même les secteurs en régression comme la foresterie commencent à anticiper des problèmes de recrutement, car dès 2012, la diminution de la population active de la province s'amorcera. Entre-temps, les industries en expansion ont de nombreux postes vacants à pourvoir.**

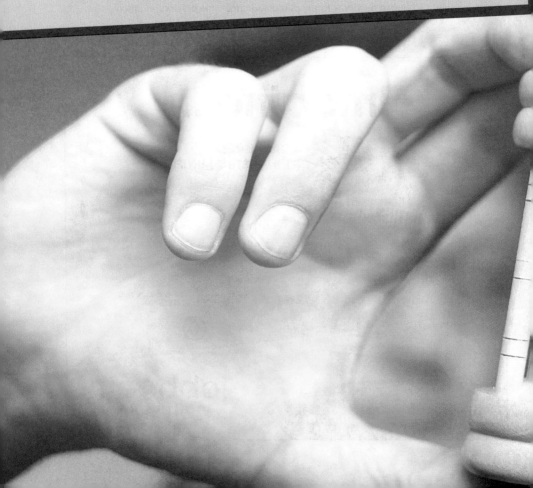

## NOUVELLES LANCÉES

- **Informatique et logiciels :** Ce secteur a créé environ 10 000 emplois depuis 2001, et il peine toujours à recruter. Les mauvais jours qu'il a traversés après l'éclatement de la bulle technologique ont fait fuir les candidats.

- **Environnement :** Propulsés par la cause environnementale, sept employeurs sur dix dans ce secteur prévoient une augmentation modérée à forte de leur effectif au cours des trois prochaines années.

- **Communication :** Près de la moitié des entreprises en publicité, marketing et relations publiques affichent des postes vacants. Internet, entre autres, crée de nouveaux besoins.

- **Mines :** Les prix élevés des métaux stimulent l'exploration minière et l'exploitation de gisements. À ce rythme, l'industrie minière aura besoin de 4 000 nouveaux travailleurs d'ici à 10 ans.

## DES MILLIERS DE DÉPARTS

- **Santé :** Déjà aux prises avec des pénuries de personnel, la santé verra cette situation s'aggraver vers 2012, alors que les départs à la retraite massifs coïncideront avec le début du déclin démographique.

- **Aérospatiale :** Trois pour cent de l'effectif quitte le secteur chaque année, laissant plus de 1 300 postes à pourvoir. Toutefois, trop peu de jeunes s'inscrivent dans les formations qui donnent accès au secteur.

- **Assurances :** Environ 1 300 diplômés arrivent bon an mal an sur le marché de l'assurance de dommages. Or, de 1 400 à 1 500 postes sont à pourvoir chaque année. Du côté de l'assurance de personnes, seulement le cinquième du personnel a moins de 40 ans.

- **Construction :** D'ici à 2011, 14 000 nouveaux travailleurs seront nécessaires chaque année pour compenser le roulement et assurer la croissance.

- **Automobile :** Quarante pour cent des travailleurs des services automobiles devraient partir à la retraite d'ici à cinq ans. Or, la moitié des élèves du DEP en mécanique automobile finissent par abandonner cette formation exigeante.

## À SURVEILLER

- **Foresterie :** On compte 2 000 pertes d'emplois dans la seule année 2006, en raison du conflit du bois d'œuvre et de la réduction des possibilités de coupe. Mais d'ici trois à quatre ans, les départs à la retraite devraient favoriser la relève.

- **Meuble :** La force du dollar canadien et la concurrence étrangère devraient faire diminuer le niveau d'emploi au cours des prochaines années. Malgré tout, l'industrie recherche les trop rares travailleurs spécialisés.

pages 160 >> 221

# AÉROSPATIALE

par Jean-Benoit **Legault**

Plusieurs leaders mondiaux du domaine de l'aérospatiale sont implantés au Québec. Parmi ceux-ci : Bombardier, entreprise spécialisée dans l'aviation d'affaires et l'aviation régionale; Bell Helicopter, dans le domaine des hélicoptères commerciaux; CAE, qui met au point des simulateurs de vol; et Pratt & Whitney Canada, qui commercialise des moteurs pour avions régionaux et d'affaires ainsi que pour des hélicoptères. Le secteur comprend aussi quelque 230 PME, qui fournissent de l'emploi à 9 000 personnes.

Le Québec, qui a réalisé des ventes de plus de 11,4 milliards de dollars en 2006, se classe au sixième rang mondial dans le domaine, derrière les États-Unis, le Royaume-Uni, la France, l'Allemagne et le Japon[1].

## EMPLOI

Près de 45 400 personnes travaillaient dans le domaine de l'aérospatiale au Québec en date du 1er janvier 2007. En augmentation constante, le nombre d'emplois a grimpé de 4 000 au cours des deux dernières années et devrait atteindre 46 450 au 1er janvier 2008, selon une étude[2] du Comité sectoriel de main-d'œuvre en aérospatiale (CAMAQ).

La croissance de l'emploi devrait profiter surtout au personnel scientifique (ingénieurs, programmeurs, etc.) et au personnel des métiers (machinistes, outilleurs, etc.). Ces prévisions ne tiennent pas compte de la possibilité que Bombardier aille de l'avant avec la production de sa nouvelle génération d'avions, la série C. D'ailleurs, 75 % des nouveaux emplois devraient être créés par des entreprises de 500 employés et moins.

Le CAMAQ estime que «la croissance du secteur aérospatial est appelée à se maintenir au cours des deux prochaines décennies», en raison de l'augmentation prévue du transport aérien de passagers et de marchandises.

## RELÈVE

«Nous sommes actuellement en situation de pénurie généralisée et le recrutement est difficile», explique Carmy Hayes, directeur de projets au CAMAQ. Le Comité, de même que les maisons d'enseignement et les employeurs, multiplient les initiatives pour renseigner les jeunes et les inciter à opter pour des formations professionnelles et techniques liées au domaine. Les besoins touchent autant la croissance que la relève; 3 % de l'effectif prend sa retraite ou quitte le secteur chaque année, laissant plus de 1 300 postes à pourvoir. 09/07

1. Ministère du Développement économique, de l'Innovation et de l'Exportation.  2. CAMAQ. Recensement des prévisions de main-d'œuvre, Industrie aérospatiale au Québec 2006-2008, janvier 2007.

## ⊚ RECHERCHÉS

Ébénistes en aérospatiale • Ingénieurs en production automatisée • Machinistes • Mécaniciens d'aéronefs • Monteurs de structures en aérospatiale • Opérateurs de machines-outils à commande numérique • Outilleurs • Programmeurs • Spécialistes électriciens et électroniciens • Spécialistes en génie aérospatial • Spécialistes en génie de la fabrication • Spécialistes informaticiens • Techniciens en génie électronique • Techniciens en génie industriel • Techniciens en génie mécanique • Vérificateurs

## 🚧 OÙ TRAVAILLER?

L'industrie de l'aérospatiale est présente dans 13 des 17 régions administratives du Québec, mais elle se concentre de façon importante dans la grande région de Montréal, qui comprend l'île de Montréal, la Rive-Sud et la Montérégie, Laval et les Basses-Laurentides.

### POUR ALLER PLUS LOIN

CAMAQ : **www.camaq.org** • École des métiers de l'aérospatiale de Montréal : **www.csdm.qc.ca/emam** • École de technologie supérieure : **www.etsmtl.ca** • École nationale d'aérotechnique : **www.college-em.qc.ca** • École Polytechnique : **www.polymtl.ca** • Institut de formation aérospatiale : **www.ifaero.ca** • Université Concordia : **www.concordia.ca** • Université Laval : **www.ulaval.ca** • Université McGill : **www.mcgill.ca** • Université de Sherbrooke : **www.usherbrooke.ca**

# AGRICULTURE

par Denise **Proulx**

Il y avait 43 405 producteurs agricoles en 2005 au Québec[1]. Plus du tiers des fermes sont considérées comme employeurs agricoles, car elles embauchent une main-d'œuvre autre que familiale. Ces dernières ont fourni de l'emploi à 56 000 personnes[2] en 2005. On compte 23 sous-secteurs de production animale et végétale, comme les fruits et légumes, le lait, l'élevage de volailles, de porcs, de bovins et de veaux, etc. En 2006, leurs revenus globaux ont atteint 6,21 milliards de dollars, ce qui fait de l'agriculture la plus importante activité du secteur primaire au Québec.

La production végétale traditionnelle est synonyme d'emplois saisonniers, de mars à novembre, tandis que les productions animale et serricole nécessitent du travail à l'année.

## EMPLOI

Chaque été, les 13 Centres d'emploi agricole du Québec éprouvent des difficultés à répondre à plus de 50 % des offres d'emploi en production laitière. On peine aussi à répondre aux offres en production porcine et horticole, selon AGRIcarrières, le Comité sectoriel de main-d'œuvre de la production agricole.

Les difficultés de recrutement s'expliquent notamment par le fait qu'on demande avant tout des ouvriers agricoles formés. L'automatisation des équipements, les normes environnementales et les exigences des consommateurs font en sorte que le travail d'ouvrier agricole nécessite des connaissances de plus en plus pointues, qui s'acquièrent en suivant un programme d'études profession-nelles. Parallèlement, la taille des fermes augmente, alors que celle des familles de producteurs diminue. Les producteurs doivent donc recruter lorsqu'ils ont besoin d'un gérant de ferme, par exemple. Dans ce contexte, les titulaires d'un diplôme d'études collégiales en gestion et exploitation d'entreprise agricole sont des candidats recherchés.

Par ailleurs, les difficultés liées à la crise de la vache folle semblent chose du passé puisque les producteurs de bovins retrouvent le chemin de la rentabilité depuis la levée de l'embargo américain sur les bœufs canadiens de moins de 30 mois.

## RELÈVE

Statistique Canada rapporte que la moyenne d'âge de la profession agricole est de 52 ans. Du côté des fermes familiales d'élevage, on compte ainsi trois personnes de plus de 55 ans pour un agriculteur de 35 ans et moins.

Selon le Comité sectoriel, l'important besoin de relève des producteurs agricoles occasionne des possibilités de carrière dans les productions laitière, porcine et horticole. 09/07

1. et 2. www.upa.qc.ca/fra/agriculture/portrait.asp.

Photo : Patrick Deslandes

Les carrières d'avenir 2008 • Tournée de 39 secteurs d'emploi

163

## ⊚ RECHERCHÉS

Agroéconomistes • Agronomes • Gérants de ferme • Manœuvres agricoles • Médecins vétérinaires • Ouvriers agricoles • Ouvriers en production laitière • Ouvriers en production porcine • Ouvriers horticoles et serricoles • Préposés aux récoltes • Technologues des productions animales • Technologues des productions horticoles et de l'environnement

## ▲ OÙ TRAVAILLER?

Si l'agriculture est présente partout au Québec, elle se concentre surtout dans la Vallée-du-Saint-Laurent, en Montérégie, dans les Basses-Laurentides et dans Lanaudière, où se trouvent les terres les plus fertiles de la province.

## POUR ALLER PLUS LOIN

AGRIcarrières : **www.agricarrieres.qc.ca** • Centres d'emploi agricole du Québec : **www.emploiagricole.com** • Fédération de la relève agricole du Québec : **www.fraq.qc.ca** • La Financière agricole du Québec : **www.financiereagricole.qc.ca** • Ministère de l'Agriculture, des Pêcheries et de l'Alimentation du Québec : **www.mapaq.gouv.qc.ca** • Union des producteurs agricoles : **www.upa.qc.ca**

par Carole **Boulé**

La Route verte, la revitalisation du centre-ville de Montréal, la construction de grands hôpitaux dans la métropole et bien d'autres projets d'aménagement publics et privés nécessitent l'expertise et l'intervention de professionnels qualifiés, comme les architectes, urbanistes, architectes paysagistes, designers d'intérieur, designers industriels, etc.

En 2007, les grands projets immobiliers au Québec ont créé une demande de spécialistes de l'aménagement. Ces professionnels peuvent travailler à leur compte, pour des firmes d'experts, des organismes publics et parapublics, notamment. Les entreprises privées qui ont d'importants parcs immobiliers font aussi appel à leur expertise.

## EMPLOI

La protection et la promotion des milieux naturels ouvrent des perspectives d'emploi. «Le développement durable interpelle tous les professionnels de l'aménagement. C'est un virage d'envergure et on est nombreux à le prendre. Il faut développer des techniques et de nouvelles pratiques pour que l'ensemble de l'aménagement soit cohérent avec ces principes», dit Marie-Claude Robert, directrice générale de l'Association des architectes paysagistes du Québec.

Selon Claude Beaulac, directeur général de l'Ordre des urbanistes du Québec, il y a de plus en plus de consultations publiques auprès de la population et des groupes d'intérêts pour l'élaboration de projets immobiliers. La complexité des dossiers demande l'expertise de l'urbaniste, qui agit comme médiateur et qui aide à faire la lumière sur les impacts positifs et négatifs d'un plan d'aménagement, notamment sur la qualité de vie des citoyens et sur l'environnement. La profession accueille, en moyenne, de 50 à 60 nouveaux urbanistes par année[1].

## RELÈVE

La croissance économique et les grands projets immobiliers favorisent les embauches de manière constante et progressive dans le secteur, entre autres en urbanisme et en architecture de paysage. Environ la moitié des professionnels en architecture de paysage sont âgés de 25 à 44 ans[2] alors que 58 % des urbanistes ont plus de 45 ans[3]. Du côté des architectes, l'âge moyen est de 51 ans[4]. Pour atténuer le problème de relève que connaît déjà la profession, l'Ordre des architectes du Québec instaurera, au printemps 2008, un nouvel examen d'admission dans le but de faciliter l'intégration des stagiaires à la profession[5]. 09/07

1. et 3. Claude Beaulac, directeur général, Ordre des urbanistes du Québec.  2. Marie-Claude Robert, directrice générale, Association des architectes paysagistes du Québec.  4. et 5. Ordre des architectes du Québec. *Rapport annuel 2006-2007*, mai 2007.

Photo : PPM Photos, Martin Tremblay

## RECHERCHÉS

Architectes • Architectes paysagistes • Designers d'intérieur • Designers industriels • Techniciens ou technologues en architecture • Techniciens ou technologues en design industriel • Urbanistes

## OÙ TRAVAILLER?

Les spécialistes de l'aménagement sont présents partout au Québec, mais surtout dans les grands centres urbains. Environ les trois quarts des architectes paysagistes travaillent à Montréal. Les autres sont employés par des entreprises situées à Québec, Gatineau, Sherbrooke et Ottawa.

## POUR ALLER PLUS LOIN

Association des architectes paysagistes du Québec : **www.aapq.org** • Faculté de l'aménagement, Université de Montréal : **www.ame.umontreal.ca** • Institut canadien des urbanistes : **www.cip-icu.ca/french/home.htm** • Ordre des architectes du Québec : **www.oaq.com** • Ordre des urbanistes du Québec : **www.ouq.qc.ca** • Programme de design de l'environnement, Université du Québec à Montréal : **www.unites.uqam.ca/design/environnement/index.html**

# ARPENTAGE ET GÉOMATIQUE

par Anick **Perreault-Labelle**

L'analyse du territoire est au cœur de la géomatique et de l'arpentage, deux secteurs complémentaires. Concrètement, la géomatique combine la géographie et les bases de données. Par exemple, elle permet à une entreprise de jumeler la carte d'une ville et une liste de ses clients pour voir d'un coup d'œil où ils habitent. Selon les dernières données disponibles, le secteur québécois de la géomatique comptait près de 5 000 personnes réparties dans 442 entreprises[1].

Il y a presque 1 000 arpenteurs-géomètres au Québec[2]. Leur rôle principal est d'établir les limites territoriales des propriétés et l'emplacement des bâtiments. Environ 60 % des arpenteurs-géomètres travaillent dans des PME. La plupart des autres sont employés par la fonction publique[3].

## EMPLOI

Le secteur de l'arpentage manque de travailleurs. «Il y a 10 ou 15 finissants au baccalauréat en sciences géomatiques chaque année depuis 2002 environ, alors que le marché du travail pourrait en accueillir une vingtaine», dit Luc St-Pierre, directeur général et secrétaire de l'Ordre des arpenteurs-géomètres du Québec (OAGQ). La demande est due à la vigueur de l'industrie du bâtiment et au programme de réforme du cadastre québécois encadré par le ministère des Ressources naturelles et de la Faune du Québec.

Les géomaticiens ne chôment pas non plus, car l'information qu'ils peuvent générer est très demandée. «Avant de développer un territoire, les promoteurs doivent savoir ce qui s'y trouve et qui y possède des droits», souligne Michel Paradis, directeur général de GéoQuébec. «Les municipalités doivent présenter un plan d'intervention de leurs infrastructures pour obtenir des subventions de Québec», ajoute Josée Dallaire, directrice générale du Centre de géomatique du Québec.

Les systèmes d'information géographique, les systèmes de positionnement global et la télédétection sont les spécialités qui devraient connaître la plus forte croissance dans les prochaines années[4].

## RELÈVE

Les arpenteurs-géomètres ont 48 ans en moyenne[5]. Les départs à la retraite devraient s'intensifier dans les 15 prochaines années. Il y a déjà un besoin de jeunes recrues, dit Luc St-Pierre. «Certains arpenteurs-géomètres retardent leur retraite seulement parce que leur entreprise ne trouve pas de remplaçants.» La géomatique est un secteur en croissance où il reste encore de la place pour de jeunes travailleurs, dit Josée Dallaire. 09/07

1. Ministère des Ressources naturelles et de la Faune du Québec. *Statistique Canada : Enquête sur le secteur de la géomatique 2004 - analyse des résultats*, 2006. 2., 3. et 5. Luc St-Pierre, directeur général et secrétaire, OAGQ. 4. Ressources naturelles Canada. *Statistiques et faits sur la géomatique et les géosciences*, 2007.

## ◎ RECHERCHÉS

Administrateurs de bases de données géospatiales • Arpenteurs-géomètres • Concepteurs-analystes de systèmes d'information géographique • Concepteurs de logiciels • Conseillers en géomatique • Géomaticiens municipaux • Ingénieurs en géomatique • Programmeurs-analystes • Techniciens en géomatique

## 🚧 OÙ TRAVAILLER?

Les firmes de consultation en géomatique ou en arpentage, ou spécialisées dans le développement de systèmes géomatiques, sont concentrées à Montréal et à Québec. Mais il y a des bureaux d'arpenteurs-géomètres à travers la province et dans toutes les grandes municipalités.

## POUR ALLER PLUS LOIN

Association canadienne des entreprises de géomatique : **www.giac.ca** • Association canadienne des sciences géomatiques : **www.cig-acsg.ca** • Centre de géomatique du Québec : **www.cgq.qc.ca** • Conseil canadien des arpenteurs-géomètres : **www.ccls-ccag.ca** • La GÉOmatique pour des interventions et des décisions éclairées : **www.geoide.ulaval.ca** • OAGQ : **www.oagq.qc.ca**

Photo : Université Laval

# ARTS ET CULTURE

par Jean-Sébastien **Marsan**

Le secteur des arts et de la culture comprend le cinéma, l'audiovisuel, le multimédia, les arts visuels, les métiers d'art, les industries du disque et du spectacle, les arts de la scène et du cirque, la littérature et la muséologie. Cent mille personnes y travaillent, selon les dernières données disponibles.

Dans ce domaine, l'offre de travail est supérieure à la demande des employeurs, et le public est sélectif. Les écrivains, danseurs, comédiens et autres doivent souvent s'autoproduire. «Soixante-dix pour cent de la main-d'œuvre dispose de plusieurs sources de revenus – droits d'auteur, cachets, etc. –, mais ce ne sont pas des revenus réguliers, prévisibles», explique Louise Boucher, directrice générale du Conseil québécois des ressources humaines en culture (CQRHC).

## EMPLOI

«Le milieu dépend beaucoup du financement public, et est par conséquent fragile lors de la révision de certains programmes gouvernementaux», dit Louise Boucher. En 2007, le fédéral a été conspué pour ne pas avoir mis sur pied un nouveau programme de subventions aux festivals culturels avant la saison estivale et pour avoir sabré dans les services culturels à l'étranger.

Le sous-secteur du spectacle voit un nouveau métier prendre son essor : celui de gréeur, en lien avec l'installation de structures de scène en hauteur. «Le travail nécessite des connaissances en calcul des charges, de la tension et de l'usure des matériaux, et demande de faire preuve d'une grande rigueur pour tout ce qui touche à la santé-sécurité», souligne Louise Boucher. La sophistication audiovisuelle des spectacles crée aussi une demande de techniciens en automation et en projection vidéo, ainsi que de programmeurs-opérateurs de projecteurs motorisés.

## RELÈVE

Les jeunes artistes se bousculent pour se faire un nom. Les dirigeants et gestionnaires d'entreprise, pour leur part, se raréfient. «Les départs à la retraite sont souvent le fait de fondateurs de compagnies artistiques, note Louise Boucher. On a beaucoup de difficulté à recruter des personnes qui vont accepter la charge de travail des gestionnaires, avec les multiples demandes de subventions et de commandites ainsi que les collectes de fonds que cela implique. En général, les gestionnaires doivent consentir un bon volume d'heures de travail bénévole. Les diplômés en gestion et en administration le savent, et préfèrent habituellement travailler dans d'autres secteurs.» 09/07

## ⊚ RECHERCHÉS

Artisans de décors, costumes et accessoires (particulièrement des coupeurs de costumes) • Artistes du cirque • Assistants à la mise en scène et à la régie • Chargés de projets aux expositions • Dirigeants et gestionnaires d'entreprises culturelles • Ébénistes artisans • Gréeurs de spectacles • Instructeurs en cirque • Monteurs de chapiteaux • Techniciens de scène en éclairage, sonorisation • Techniciens en automation et en projection vidéo

## ⚠ OÙ TRAVAILLER?

À Montréal et à Québec, la part des emplois liés aux secteurs de la culture et des communications représente le double, parfois le triple de n'importe quelle autre région de la province, indique le ministère de la Culture, qui précise que les deux tiers des artistes qui reçoivent des subventions résident dans la région montréalaise.

## POUR ALLER PLUS LOIN

Conseil des arts et des lettres du Québec : **www.calq.gouv.qc.ca** • Conseil des métiers d'art du Québec : **www.metiers-d-art.qc.ca** • CQRHC : **www.cqrhc.com** • Ministère de la Culture, des Communications et de la Condition féminine du Québec : **www.mcc.gouv.qc.ca** • Observatoire de la culture et des communications du Québec : **www.stat.gouv.qc.ca/observatoire** • Société de développement des entreprises culturelles : **www.sodec.gouv.qc.ca** • Union des artistes : **www.uniondesartistes.com**

# ASSURANCES

par Emmanuelle **Tassé**

Le secteur de l'assurance englobe deux grands sous-secteurs : l'assurance de dommages et l'assurance de personnes.

L'assurance de dommages protège les biens matériels des assurés en cas de vol, d'incendie ou d'accident. Cette industrie rassemble 1 300 employeurs et 23 000 salariés, dont plusieurs souscripteurs et quelque 13 000 agents ou courtiers en assurance de dommages et experts en règlement de sinistre, qui sont certifiés par l'Autorité des marchés financiers et membres de la Chambre de l'assurance de dommages[1].

L'assurance de personnes intervient pour garantir aux assurés une aide financière lorsque survient un problème de santé ou le décès d'un proche. En 2006, 8 685 cabinets employaient 17 729 conseillers en sécurité financière au Québec[2].

## EMPLOI

En assurance de dommages, les courtiers, les agents, les experts en sinistre et les souscripteurs sont recherchés[3]. Environ 25 cégeps offrent une variété d'attestations d'études collégiales en assurance de dommages; 5 d'entre eux donnent aussi le diplôme d'études collégiales (DEC). Depuis 2006, les inscriptions à ces formations ont augmenté de 34 %[4]. «Les finissants du DEC sont parfois encouragés à poursuivre leurs études à l'université pour se spécialiser en actuariat, en marketing ou en gestion de risques», explique Robert LaGarde, président de la Coalition pour la promotion des professions en assurance de dommages (CPPAD). Avec le bagage scolaire qu'ils possèdent, ces jeunes professionnels sont particulièrement prisés.

En assurance de personnes, les conseillers en sécurité financière sont également recherchés. «Les employeurs ont de la difficulté à recruter :

l'industrie est frappée par de nombreux départs à la retraite», explique François Leduc, coordonnateur du programme *Conseil en assurances et en services financiers* au Collège Montmorency. L'établissement a connu, en 2007, une augmentation des offres d'emploi ou de stages de 125 % par rapport à l'année précédente.

## RELÈVE

Selon Robert LaGarde, il est difficile de trouver une main-d'œuvre qualifiée, car la courbe démographique ne suit pas le boum actuel de l'industrie. Il estime que 1 300 diplômés arrivent bon an mal an sur le marché de l'assurance de dommages. Or, de 1 400 à 1 500 postes sont à pourvoir chaque année.

Du côté de l'assurance de personnes, l'âge moyen des conseillers en sécurité financière est de 46 ans chez les femmes et de 50 ans chez les hommes. Seulement 19 % des effectifs ont moins de 40 ans[5]. 09/07

1. Robert LaGarde et la CPPAD. 2. Autorité des marchés financiers. *Rapport annuel 2005-2006*, 2006. 3. et 4. Robert LaGarde, président de la CPPAD. 5. Gérard Bérubé. «Assurance : alerte grise», *Objectif conseiller*, avril 2005.

## ◎ RECHERCHÉS

Agents au service à la clientèle • Agents en assurance de dommages • Conseillers en sécurité financière • Courtiers en assurance de dommages • Experts en règlement de sinistre • Souscripteurs

## 🔺 OÙ TRAVAILLER?

L'industrie des assurances offre des possibilités professionnelles dans tout le Québec. En 2008, 127 postes seront à pourvoir dans l'Est-du-Québec, 129 dans la Capitale-Nationale, 31 dans le Centre-du-Québec et 436 à Montréal et Laval. Beaucoup de sièges sociaux de compagnies d'assurance se situent dans ces régions.

## POUR ALLER PLUS LOIN

Association canadienne des compagnies d'assurances de personnes : **www.clhia.ca** • Association des courtiers d'assurances du Canada : **www.ibac.ca** • Autorité des marchés financiers : **www.lautorite.qc.ca** • Chambre de la sécurité financière : **www.chambresf.com** • Chambre de l'assurance de dommages : **www.chad.ca** • Regroupement des cabinets de courtage d'assurance du Québec : **www.rccaq.com**

# Wawa!

## Un emploi chez Wawanesa, ça rapporte !

Agents, assurance de dommages · Experts en sinistres sur la route

L'impressionnante croissance de Wawanesa repose sur son équipe de professionnels chevronnés. Nous recherchons des candidats qui partagent notre quête de l'excellence en matière de service à la clientèle. Profitez d'une formation fort bien rémunérée qui vous préparera aux examens de l'Autorité des marchés financiers, tout en ayant une stabilité d'emploi et de nombreux avantages sociaux dans un environnement de travail motivant !

Si vous détenez un DEC, DEP, AEC ou un permis de l'AMF, faites-nous parvenir votre C.V. par télécopieur au **(514) 342-1742**, ou par courriel à **rhquebec@wawanesa.com**

**Wawanesa**

Assure votre tranquillité d'esprit depuis plus de 100 ans.

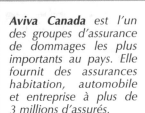

Pour grimper là où vous le voulez,
suivez le meilleur guide !

# MISEZ SUR AXA

## Pour une carrière haute en couleur, riche en sensation !

AXA au Canada fait partie du Groupe AXA, un leader mondial de la Protection Financière. AXA compte sur l'appui de 112 000 collaborateurs pour répondre aux besoins de plus de 50 millions de clients qui lui font confiance partout dans le monde. Si vous êtes de ceux qui se cramponnent à des valeurs sûres, n'ont pas froid aux yeux, rêvent d'élargir leurs horizons, carburent aux défis stimulants… Votre place est chez AXA !

**Visitez notre site carrière au www.axa.ca et postulez en ligne dès maintenant !**

**AXA**
PROTECTION
FINANCIÈRE

Vivre Confiant

# EXPLOREZ
## UN MILIEU DE TRAVAIL STIMULANT

### ANALYSTE, SERVICES À LA CLIENTÈLE

**Découvrez de nouvelles possibilités** Vous êtes à la recherche d'un poste enrichissant au sein d'une entreprise en croissance? Découvrez le Groupe TD Meloche Monnex[MC], un chef de file dans l'industrie de l'assurance auto et habitation. Nous offrons un environnement de travail à la fois stable et dynamique où le talent est apprécié. Nous avons à cœur le développement de notre personnel. Mieux qu'un simple emploi, c'est une carrière motivante qui vous attend.

**Votre rôle** En tant qu'analyste, services à la clientèle, vous devrez aider nos clients à choisir des solutions d'assurance convenant à leurs besoins. Chaque appel est unique! Nous mettons tout en œuvre pour favoriser votre réussite : des programmes de formation uniques dans notre industrie et un encadrement professionnel continu au moyen du *coaching*.

**Vos talents** Vous avez la passion du service à la clientèle. Vous aimez aussi les défis et êtes un joueur d'équipe. Nous exigeons le bilinguisme (français / anglais) et un diplôme d'études collégiales. Détenir un permis en assurance de dommages est un atout. Ce poste exige une aisance à travailler dans un environnement multitâche, nécessitant l'utilisation d'outils informatiques.

**Vos avantages** Nous offrons une gamme complète d'avantages sociaux et des salaires concurrentiels. Nous récompensons les efforts de notre personnel au moyen de différents programmes de reconnaissance. De plus, vous grandirez au sein d'un milieu de travail stimulant où règne une culture fondée sur le respect, le travail d'équipe et la reconnaissance au quotidien.

**Vous êtes intéressé?** Faites-nous parvenir votre curriculum vitæ via le site :

## Explorez.TDMelocheMonnex.com

*Vous avez notre engagement*

 **Groupe Meloche Monnex**

[MC] Groupe Meloche Monnex est une marque de commerce de Meloche Monnex inc.

# Certains suivent un plan de carrière.
# D'autres le créent !

## Nous sommes ambitieux. L'êtes-vous aussi ?

Si vous vous sentez prêt à sortir des sentiers battus et à repousser vos limites, nous vous aiderons à vous surpasser.

Souscripteur – Assurance des particuliers
Souscripteur – Assurance des entreprises
Expert en sinistres
Estimateur
Agent au service à la clientèle
Actuaire
Analyste en cautionnements
Conseiller juridique

Technicien juridique
Secrétaire juridique
Conseiller en services financiers
Conseiller au développement des affaires
Spécialiste en technologies de l'information
Gestionnaire

Nous faisons partie du Groupe ING, chef de file mondial dans le secteur des services financiers, qui emploie quelque 120 000 collaborateurs dans 50 pays, dont plus de 2000 au Québec.
Nous occupons le premier rang de l'assurance de dommages au Québec et au Canada.
Profitez de notre expertise et enrichissez la vôtre !
Postulez en remplissant votre profil de carrière sur **ingcanada.com**

**ASSURANCE**

ING

INGCANADA.COM

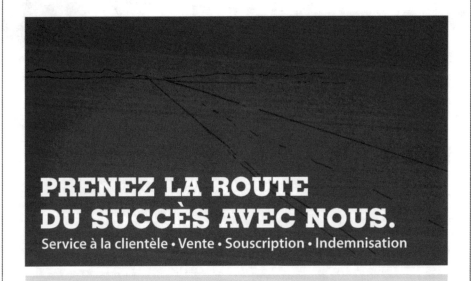

par Jean-Benoit **Legault** et Christine **Lanthier**

La production de pièces et de composantes d'automobiles regroupe 127 entreprises, qui emploient 11 150 travailleurs au Québec[1]. L'industrie des services automobiles emploie pour sa part près de 100 000 personnes, réparties dans 12 500 entreprises[2] : ateliers de réparation générale, stations-services, marchands d'automobiles, distributeurs et détaillants de pièces et d'accessoires automobiles.

## EMPLOI

Le Comité sectoriel de main-d'œuvre (CSMO) des services automobiles prévoit que la croissance de l'emploi dans ce domaine suivra l'augmentation du nombre de véhicules en circulation au Canada, qui devrait se poursuivre au moins jusqu'en 2010[3].

Comme les entreprises de services automobiles sont en concurrence avec d'autres secteurs pour attirer la main-d'œuvre, elles doivent intensifier leurs efforts de recrutement et de rétention. À cet effet, une tendance à l'augmentation de la rémunération a été observée ces dernières années. Toutefois, des mesures comme la planification de la main-d'œuvre, le *coaching* et la formation continue doivent être envisagées pour que l'industrie puisse maintenir un bon niveau de service.

Du côté des fabricants de pièces, la hausse du dollar canadien inquiète ceux qui exportent une grande part de leur production vers les États-Unis. «Ils doivent absorber les baisses de profit. Dans certains cas, il y a eu des mises à pied temporaires», indique Carolle Larose, directrice régionale de la division du Québec de l'Association des industries de l'automobile du Canada.

## RELÈVE

Les travailleurs des services automobiles affichent une moyenne d'âge de 45 ans et on prévoit que 40 % de la main-d'œuvre partira à la retraite d'ici à 5 ans.

Selon Danielle Le Chasseur, directrice générale du CSMO des services automobiles, une des grandes difficultés du recrutement est liée à la technologie. «Environ la moitié des jeunes qui s'inscrivent au diplôme d'études professionnelles en mécanique automobile abandonnent le programme en se rendant compte qu'il s'agit d'un métier de plus en plus technique, qui utilise entre autres des concepts électriques et électroniques.» 11/07

1. Ministère du Développement économique, de l'Innovation et de l'Exportation du Québec. *Répertoire des fournisseurs de l'industrie automobile de première monte au Québec*, 2007. 2. Danielle Le Chasseur, CSMO des services automobiles. 3. CSMO des services automobiles. *Bilan sectoriel de l'industrie des services automobiles*, 2005.

## RECHERCHÉS

Apprentis mécaniciens automobiles généralistes • Conseillers techniques • Débosseleurs • Mécaniciens automobiles généralistes • Mécaniciens de camions lourds • Nettoyeurs spécialisés • Peintres • Préposés à la pose et à l'entretien de pièces mécaniques d'automobiles

Source : Site Web d'Emploi-Québec, *Informations sur le marché du travail*.

## OÙ TRAVAILLER?

Les régions de Montréal (12,8 %) et de la Montérégie (21 %) sont les deux plus importants fournisseurs d'emplois dans l'industrie des services automobiles. La fabrication de pièces et de composantes se concentre dans les grandes régions de Montréal et de Québec ainsi qu'en Montérégie et en Estrie.

### POUR ALLER PLUS LOIN

Association des industries de l'automobile du Canada : **www.aiacanada.com**
CARS – en route vers l'avenir : **www.carsjeunesse.ca/carsjeunesse/reference/index.html**
CSMO des services automobiles : **www.csmo-auto.com**
Strategis – Industrie Canada : **http://strategis.ic.gc.ca/epic/internet/inauto-auto.nsf/fr/Home**

# BIOTECHNOLOGIE ET PHARMACEUTIQUE

par Jean-Benoit **Legault**

Le secteur des biotechnologies et de la pharmaceutique est constitué de plusieurs composantes. Des entreprises sont ainsi actives dans le développement de produits thérapeutiques, mettant au point de nouveaux médicaments ou des moyens de les administrer. Certaines utilisent des procédés biologiques, tels des organismes modifiés génétiquement, pour produire ces médicaments. D'autres développent des produits diagnostiques, qui permettent de détecter et d'identifier des maladies. Puis d'autres encore effectuent des recherches pharmaceutiques dans des domaines spécialisés (cancer, maladie d'Alzheimer, etc.)[1]. Selon les dernières données disponibles, cette industrie compte quelque 225 entreprises qui emploient aux alentours de 20 000 personnes.

## EMPLOI

Le personnel qui œuvre dans ce secteur est hautement spécialisé et jouit de salaires nettement plus élevés que la moyenne. Ainsi, le salaire hebdomadaire moyen était de 905,81 $ en 2003, comparativement à 656,50 $ dans les autres industries. Le secteur n'a pas subi de changements ayant pu avoir un impact significatif sur la courbe salariale, précise Francine Gendron, directrice générale de Pharmabio Développement, le Comité sectoriel de main-d'œuvre des industries des produits pharmaceutiques et biotechnologiques.

Le domaine compte sur des assises très solides au Québec, rapporte Mme Gendron. Et il profite actuellement d'un nouvel intérêt de la part des fournisseurs de capitaux de risque qui, après avoir investi massivement dans le secteur pendant les années 1980, s'en étaient retirés. «Dans le secteur des biotechnologies, le développement d'un produit peut prendre jusqu'à 20 ans et les investisseurs

1. Ministère du Développement économique, de l'Innovation et de l'Exportation.

n'étaient pas habitués à un tel cycle, dit Francine Gendron. Mais ils comprennent de plus en plus et recommencent à investir.»

Mme Gendron prévoit, par ailleurs, une croissance soutenue de l'emploi pour les techniciens de laboratoire (chimie, biotechnologie, santé animale) et les chimistes.

## RELÈVE

Le secteur est relativement jeune et ne sera donc pas touché par des départs massifs à la retraite. «Il s'agit d'un milieu jeune et dynamique, où il y a beaucoup de place pour les promotions internes et la formation continue, dit Francine Gendron. Le secteur investit ainsi 2,5 % de sa masse salariale en formation continue, comparativement à 1,46 % pour l'ensemble des autres secteurs au Québec. Le jeune qui est énergique et intéressé peut s'attendre à prendre du galon rapidement.» 09/07

 RECHERCHÉS

Agents de brevet • Analystes en contrôle de la qualité • Associés de recherche clinique • Biologistes • Biologistes moléculaires • Chimistes • Infirmiers • Médecins • Microbiologistes • Opérateurs de procédés de fabrication pharmaceutique • Opérateurs en bioprocédés • Pharmacologues • Spécialistes des affaires réglementaires • Techniciens de laboratoire

 OÙ TRAVAILLER?

Les entreprises pharmaceutiques innovatrices, les entreprises de fabrication de médicaments et de produits génériques et les entreprises de recherche contractuelle sont essentiellement concentrées dans les grandes régions de Montréal et de Québec.

**POUR ALLER PLUS LOIN**

BIOQuébec : **www.bioquebec.com** • BioTalent Canada : **www.bhrc.ca/indexFR.htm** • BIOTECanada : **www.biotech.ca** • Comité sectoriel de main-d'œuvre des industries des produits pharmaceutiques et biotechnologiques : **www.pharmabio.qc.ca** • Grappe des sciences de la vie du Montréal métropolitain : **www.montreal-invivo.com** • Rx&D (Les compagnies de recherche pharmaceutique du Canada) : **www.canadapharma.org**

# CAOUTCHOUC

par Carole **Boulé**

Au Québec, le secteur de la transformation du caoutchouc fournit principalement des pièces pour l'industrie de l'automobile et du transport (pneus, bandes d'étanchéité et pièces moulées). Les caoutchoucs à usage industriel (tuyaux, courroies, revêtements de sol, etc.) occupent également une part importante de la production.

Cette industrie regroupe, dans la province, 117 entreprises qui emploient plus de 10 000 travailleurs. Environ 68 % des entreprises du secteur sont des PME de moins de 50 travailleurs qui emploient 12 % de la main-d'œuvre[1]. Les entreprises de 50 à 500 employés procurent du travail à près de 47 % de la main-d'œuvre alors que celles de plus de 500 travailleurs emploient 41 % des personnes de l'industrie[2].

## EMPLOI

Selon Lucie McCutcheon, chargée de projets au Comité sectoriel de main-d'œuvre de l'industrie du caoutchouc (CSMO Caoutchouc), le secteur n'échappe pas aux défis majeurs auxquels sont confrontées les entreprises manufacturières, notamment avec l'émergence de nouveaux concurrents et la hausse du dollar canadien.

L'année 2007 a été marquée par l'arrêt des activités de fabrication de pneus à l'usine Goodyear de Valleyfield qui a entraîné plus de 800 mises à pied[3]. Toutefois, Mme McCutcheon ajoute que d'autres entreprises ont le vent dans les voiles, dont Camoplast qui conçoit des chenilles en caoutchouc destinées aux véhicules chenillés. Cette entreprise a annoncé, en 2007, un investissement de neuf millions de dollars dans la construction d'un centre de recherche international dans le parc industriel de Magog[4].

«L'innovation devient un incontournable qui permet aux entreprises de demeurer compétitives. Celles-ci doivent aussi miser sur une main-d'œuvre de plus en plus spécialisée», précise la chargée de projets.

## RELÈVE

L'âge moyen des travailleurs du secteur est d'environ 35 ans[5]. Les départs à la retraite ne causent donc pas de déséquilibre sur le marché du travail. Le personnel des entreprises est en majorité de sexe masculin. Cependant, l'industrie commence graduellement à intégrer des femmes opératrices de machines[6]. Depuis plusieurs années, le CSMO Caoutchouc offre un outil de placement en ligne à l'adresse www.caoutchouc.qc.ca/emploi. Les difficultés de recrutement touchent les catégories de personnel liées aux opérations et à la production, à la mécanique et à la maintenance ainsi qu'à la recherche et au développement[7]. 09/07

1. et 2. Document interne préparé par Lucie McCutcheon, chargée de projets au CSMO Caoutchouc, 2007.  3. CNW, communiqué de la compagnie Goodyear Tire & Rubber, 4 janvier 2007.  4. Communiqué, Investissement Québec, 20 mars 2007.  5., 6. et 7. Lucie McCutcheon, chargée de projets, CSMO Caoutchouc.

Photo : PPM Photos, Martin Tremblay

## RECHERCHÉS

Aides-opérateurs de machines • Chimistes • Électromécaniciens • Ingénieurs (chimistes, électriciens, industriels, mécaniciens) • Mécaniciens • Opérateurs de machines • Personnel à la vente, au marketing et au service à la clientèle • Personnel aux achats, aux finances et à l'administration • Préposés à la finition et à l'emballage • Superviseurs de production • Techniciens de laboratoire • Techniciens en assurance-qualité et de procédés

## OÙ TRAVAILLER?

L'industrie du caoutchouc est présente dans 15 des 17 régions du Québec. L'Estrie et la Montérégie regroupent 37 % des entreprises du secteur du caoutchouc et 58 % de la main-d'œuvre.

### POUR ALLER PLUS LOIN

Association canadienne de l'industrie du caoutchouc (en anglais) : **www.rubberassociation.ca**
CSMO Caoutchouc : **www.caoutchouc.qc.ca**

# CHIMIE, PÉTROCHIMIE ET RAFFINAGE

par Carole **Boulé**

Ce secteur emploie, au Québec, plus de 20 000 travailleurs répartis dans près de 480 entreprises de toutes tailles. La majorité de ces entreprises, soit plus de 460, évoluent dans les 35 sous-secteurs de la chimie (peintures, produits de nettoyage, adhésifs et scellants, etc.) alors que 17 se spécialisent dans le domaine de la pétrochimie et 3 en raffinage de pétrole[1]. Les PME comptent pour 80 % des entreprises de l'industrie, mais fournissent du travail à seulement 20 % de la main-d'œuvre. Les grandes entreprises embauchent donc la majorité des travailleurs. Selon les dernières données disponibles, ce secteur d'activité occupait le dixième rang parmi les secteurs manufacturiers de la province pour la valeur de ses livraisons, exportations et importations[2].

## EMPLOI

Selon l'Association canadienne des fabricants de produits chimiques, le secteur a connu, de 2005 à 2006, une baisse de 11 % dans sa production. L'Association prévoyait une autre baisse de 6 % pour 2007[3]. Francine Jeannotte, directrice générale de CoeffiScience, le Comité sectoriel de main-d'œuvre de la chimie, de la pétrochimie et du raffinage, souligne que cette baisse de production n'aura pas d'impact majeur sur le nombre de postes disponibles, car le manque de main-d'œuvre s'accentue d'une année à l'autre.

Les techniciens de procédés chimiques sont particulièrement recherchés. Mme Jeannotte souligne que le recrutement de ces techniciens est plus facile pour les grandes entreprises qui ont davantage de moyens financiers pour attirer ces travailleurs. Les petites et moyennes entreprises leur réservent cependant de belles ouvertures.

Martin Demers, directeur de l'Institut de chimie et de pétrochimie (ICP) du Collège de Maisonneuve, estime que l'ouverture des 12 nouveaux laboratoires de l'établissement, au début de 2008, permettra de former en moyenne 150 élèves en procédés chimiques par année, soit 25 de plus qu'en 2007.

## RELÈVE

«Dans les entreprises du secteur, la moyenne d'âge est d'environ 50 à 54 ans», précise Francine Jeannotte. Plusieurs de ces travailleurs prendront donc leur retraite au cours des prochaines années. Concrètement, ce sont près de 80 postes de techniciens en procédés chimiques qui seront à pourvoir dans le secteur du raffinage en 2008[4]. Les métiers de tuyauteur industriel, mécanicien de machines fixes, mécanicien industriel et technicien de procédés chimiques seront les plus touchés par les nombreux départs à la retraite. 09/07

1. et 2. Site Internet de CoeffiScience, 2007.   3. Données de l'Association canadienne des fabricants de produits chimiques rapportées par Francine Jeannotte, directrice générale de CoeffiScience, 2007.   4. Francine Jeannotte, directrice générale de CoeffiScience.

## RECHERCHÉS

Mécaniciens de machines fixes • Mécaniciens industriels • Opérateurs • Représentants techniques • Soudeurs • Techniciens de laboratoire • Techniciens de procédés chimiques • Techniciens en contrôle de qualité • Tuyauteurs industriels

## OÙ TRAVAILLER?

Au Québec, 80 % des entreprises œuvrant dans le domaine de la chimie, de la pétrochimie et du raffinage sont situées dans les régions de Montréal (surtout dans l'est de la ville), de Laval, de Chaudière-Appalaches, de la Montérégie et dans le Centre-du-Québec (au parc industriel de Bécancour).

## POUR ALLER PLUS LOIN

Chimie-Carrieres.com : **www.chimie-carrieres.com**
CoeffiScience : **www.chimie.qc.ca**
ICP : **www.cmaisonneuve.qc.ca/icp**
Institut de chimie du Canada : **www.cheminst.ca**

# COMMERCE DE DÉTAIL

par Emmanuelle **Tassé**

En croissance depuis 1999[1], le commerce de détail contribue fortement à la création d'emplois au Québec. Avec ses 34 000 établissements, il rassemble environ 246 000 salariés[2], dont 67 % travaillent à temps plein et 33 % à temps partiel[3].

Cinq secteurs d'importance regroupent près de 55 % des travailleurs, soit environ 135 000 personnes : les détaillants de vêtements, les détaillants de produits de santé et de soins personnels, les grands magasins, les détaillants de matériaux et de fournitures de construction ainsi que les détaillants d'appareils électroniques et ménagers[4].

## EMPLOI

«Nous vivons une période de stabilité économique. Les consommateurs semblent confiants. Les taux d'intérêt, encore bas, facilitent les dépenses. Tant que les ventes augmentent, la création d'emplois sera maintenue», soutient Patricia Lapierre, directrice générale de Détail Québec. Elle ajoute que si le magasinage peut se faire en ligne, l'achat a encore surtout lieu en magasin. Le commerce a besoin de gens bien formés pour accompagner le client jusqu'à la transaction.

«C'est un secteur facile d'accès pour les jeunes et les nouveaux immigrants. Les travailleurs peuvent rapidement faire avancer leur carrière. C'est d'autant plus manifeste lorsqu'ils sont formés et diplômés», observe-t-elle. Beaucoup d'employeurs assurent eux-mêmes la formation des employés qui montrent un intérêt pour le métier de la vente. Des formations adéquates peuvent cependant accélérer la progression des salariés dans la hiérarchie de l'entreprise, par exemple l'attestation ou le diplôme d'études collégiales *Gestion de commerce*.

## RELÈVE

Les employeurs se montrent prêts à offrir de bonnes conditions de travail pour attirer les jeunes qui seront, avec les années, de moins en moins nombreux sur le marché du travail. Ils sont également soucieux d'harmoniser les forces des *baby-boomers* et des jeunes adultes au sein d'une même équipe de travail. Comme la population vieillit, la main-d'œuvre plus âgée est la bienvenue, avec son expérience et son savoir-faire : elle a beaucoup à donner et à transmettre. Les emplois à temps partiel sont tout particulièrement intéressants pour ces personnes qui veulent rester actives sans toutefois s'investir totalement dans une nouvelle carrière[5]. 09/07

1. et 3. Détail Québec. *Rapport 2004-2007 sur la main-d'œuvre et le commerce de détail au Québec*, 2004. 2., 4. et 5. Patricia Lapierre, directrice générale, Détail Québec.

Photo : PPM Photos, Martin Tremblay

## RECHERCHÉS
Caissiers • Commis • Gérants et gérants adjoints • Livreurs • Manutentionnaires • Pharmaciens • Préposés au service à la clientèle dans les centres d'appels • Vendeurs

## OÙ TRAVAILLER?
Les emplois dans le commerce de détail sont surtout concentrés dans les grands centres urbains où la population à servir est plus nombreuse. Les régions en forte croissance économique, comme les Laurentides, l'Outaouais, Lanaudière, Laval, Montréal, l'Estrie, la Montérégie et le Centre-du-Québec, manifestent des besoins accrus.

## POUR ALLER PLUS LOIN
Conseil québécois du commerce de détail : **www.cqcd.org**
Détail Québec : **www.detailquebec.com**
Industrie Canada : **www.ic.gc.ca**
Travailleurs et travailleuses unis de l'alimentation et du commerce (TUAC Canada) : **www.tuac.ca**

# COMMERCE ÉLECTRONIQUE

par Valérie **Simard**

Les carrières d'avenir 2008 • Tournée de 39 secteurs d'emploi

Le commerce électronique est un secteur encore jeune. Après un ralentissement causé par le krach des technologies en 2001, la reprise observée depuis 2004 semble se poursuivre. De plus en plus, les consommateurs, tout comme les entreprises du pays, magasinent et achètent en ligne. En 2006, les affaires électroniques réalisées par les entreprises canadiennes ont d'ailleurs crû de 40 %, pour atteindre 49,9 milliards de dollars[1]. «Les ventes dans Internet représentent beaucoup en dollars, mais en pourcentages sur les ventes totales, elles demeurent relativement faibles», indique Frédéric Savard, économiste au Centre d'étude sur l'emploi et la technologie (CETECH). En effet, seulement 8 % des entreprises canadiennes ont effectué, en 2006, des ventes en ligne[2].

## EMPLOI

Des librairies, supermarchés, salles de spectacles et agences de voyages, entre autres, permettent maintenant aux consommateurs d'effectuer des achats en ligne. En 2006, au Québec, 31,6 % des PME avaient un catalogue électronique sur leur site Internet, 27,9 % offraient la possibilité d'y commander des produits et 12,8 % permettaient aux acheteurs de payer en ligne[3].

Cependant, en matière de sécurité transactionnelle, le consommateur québécois demeure toujours inquiet. Moins de la moitié des Québécois croient que les achats en ligne effectués par carte de crédit sont sécuritaires. Leur proportion n'a pas beaucoup varié, passant de 42,9 % en 2005 à 41,4 % en 2006[4]. Ainsi, les experts en sécurité informatique seront recherchés au cours des prochaines années. «Les spécialistes doivent se montrer à la fine pointe des dernières

techniques de hameçonnage utilisées par les fraudeurs pour usurper l'identité des internautes», note Sophie Poudrier, analyste-conseil au Centre francophone d'informatisation des organisations (CEFRIO).

## RELÈVE

Les travailleurs du commerce électronique sont généralement jeunes. «La majorité des concepteurs de sites Internet sont dans la mi-vingtaine ou au début de la trentaine», souligne Sophie Poudrier. Elle ajoute que l'âge moyen des analystes et des gestionnaires œuvrant dans le commerce électronique est un peu plus élevé, soit autour de 50 ans.

Frédéric Savard précise que l'augmentation de la demande de concepteurs, de développeurs et de webmestres sera plutôt causée par la création de nouveaux emplois, notamment dans les sous-secteurs du développement de sites Internet et de la sécurité informatique. 09/07

181

1. et 2. Statistique Canada. «Commerce électronique et technologie», *Le Quotidien*, avril 2007.   3. CEFRIO. *Sondage NetPME 2006*, janvier 2007.   4. CEFRIO. *Sondage NETendances 2006*, février 2007.

 ## RECHERCHÉS

Analystes • Concepteurs et développeurs de sites Internet • Experts de l'assurance qualité • Gestionnaires de projets • Rédacteurs bilingues français-anglais • Représentants publicitaires • Spécialistes de la sécurité informatique • Spécialistes du marketing et de la publicité • Webmestres

 ## OÙ TRAVAILLER?

La majorité des emplois est offerte dans les grands centres urbains, selon Frédéric Savard du CETECH. Cependant, la nature du travail et l'accessibilité des technologies de l'information permettent également aux personnes qui le désirent de travailler à distance et d'œuvrer dans ce domaine tout en résidant à la campagne, par exemple.

### POUR ALLER PLUS LOIN

Blogue de l'Association Marketing de Montréal : **www.bloguemarketinginteractif.com** • CETECH : **www.cetech.gouv.qc.ca** • CEFRIO : **www.cefrio.qc.ca** • Direction générale du commerce électronique d'Industrie Canada : **www.com-e.ic.gc.ca** • TECHNO*Compétences* : **www.technocompetences.qc.ca**

# COMMUNICATIONS

par Emmanuelle **Tassé**

Les carrières d'avenir 2008 • Tournée de 39 secteurs d'emploi

**182**

Le secteur des communications représente, au Québec, un marché de plus de 5 milliards de dollars, dont 2,7 milliards en investissements hors médias tels relations publiques, marketing relationnel, promotion, commandites, salons et foires, sites Internet, etc.[1]. Ce secteur emploie environ 60 000 personnes[2], œuvrant aussi bien à la radio, à la télévision, au cinéma, dans les médias écrits que dans les domaines de la publicité, du marketing et des relations publiques.

Ce sont surtout les entreprises spécialisées en publicité, marketing et relations publiques qui se développent. Selon les dernières données disponibles, elles emploient près de 15 000 personnes[3] dont des relationnistes, des chargés de commandites et des conseillers en placement de produits.

## EMPLOI

Presque la moitié des entreprises de publicité, marketing et relations publiques affichent des postes vacants, particulièrement dans les domaines de la création, des relations gouvernementales, de la planification médias et des nouvelles plates-formes de diffusion.

Les nouveaux médias ont donc créé de nouveaux besoins, comme le développement d'outils publicitaires spécifiques pour Internet. «La demande de main-d'œuvre est plus grande que l'offre tant la création d'emplois est forte», constate Sylvain Morissette, président-directeur général de l'Association des agences de publicité du Québec. Il se réjouit toutefois de pouvoir compter sur des candidats bien formés. Selon lui, les prochaines années s'annoncent encore meilleures pour l'embauche, entre autres grâce au nouveau baccalauréat en communication et marketing offert depuis l'automne 2007 à l'Université du Québec à Montréal.

En radiodiffusion comme en presse écrite, les postes à temps plein se font plus rares et l'emploi continue de se définir le plus souvent à la pige.

## RELÈVE

L'industrie des communications est encore jeune. Il y a cependant beaucoup de place pour des candidats bien formés, en particulier dans les secteurs du marketing relationnel, de la promotion et des technologies Web. De plus, les départs à la retraite des dirigeants représentent déjà un défi stimulant, explique René Carier, vice-président exécutif du Conseil de l'industrie des communications du Québec. Dans le monde publicitaire, on recherche en particulier des talents en administration, en comptabilité et en finances[4]. 09/07

1. Conseil de l'industrie des communications du Québec. *Portrait des secteurs publicité-marketing et relations publiques du Québec*, 2007. 2. et 3. Ministère de la Culture et des Communications du Québec. *Les médias et la publicité*, 2004. 4. Sylvain Morissette, président-directeur général, Association de publicité du Québec.

Photo : Jean Briand, Cégep de Jonquière

## ◎ RECHERCHÉS

Chargés de commandites • Chargés de comptes en publicité • Communicateurs financiers • Conseillers en placement de produits • Rédacteurs publicitaires • Spécialistes des nouveaux médias, incluant les médias interactifs • Spécialistes des relations de presse • Spécialistes en marketing relationnel • Traducteurs

## 🚧 OÙ TRAVAILLER?

Bien que l'on puisse travailler en région, les activités professionnelles se concentrent bien souvent dans les grands centres comme Montréal (73 % des emplois) et Québec (11 % des emplois).

## POUR ALLER PLUS LOIN

Association des agences de publicité du Québec : **www.aapq.qc.ca** • Conseil de l'industrie des communications du Québec : **www.cicq.ca** • Fédération nationale des communications : **www.fncom.org** • Fédération professionnelle des journalistes du Québec : **www.fpjq.org** • Ministère de la Culture, des Communications et de la Condition féminine du Québec : **www.mcc.gouv.qc.ca**

# COMMUNICATIONS GRAPHIQUES

par Jean-Sébastien **Marsan**

Le domaine des communications graphiques se décline en cinq grands sous-secteurs : la gestion et le service à la clientèle, la conception, la préimpression, l'impression et la finition-reliure. On y inclut parfois l'édition de journaux, de périodiques et de bases de données.

Le secteur compte plus de 2 900 entreprises et 59 300 travailleurs[1]. Les entreprises de conception, d'impression et activités connexes (dont la finition-reliure) ont généralement moins de 20 employés. Deux imprimeurs majeurs dominent l'industrie : Quebecor World (multinationale avec environ 27 500 employés dans le monde à l'automne 2007) et Transcontinental (premier imprimeur au Canada, également éditeur, avec plus de 14 500 employés à l'automne 2007).

## EMPLOI

Au printemps 2007, le Comité sectoriel de main-d'œuvre des communications graphiques a sondé les intentions d'embauche de 252 responsables d'entreprise pour 29 métiers. Dans le domaine de la gestion, les employeurs recherchaient particulièrement des représentants et des chargés de projets. En conception, des postes de graphistes étaient à pourvoir, tandis qu'en préimpression, quelques entreprises déclaraient un besoin d'infographes. Enfin, les employeurs de l'impression et de la finition-reliure évoquaient des besoins considérables (plus de 1 700 postes à pourvoir) et assez variés (pressiers, opérateurs, etc.)[2].

«C'est la finition-reliure qui déclare le plus grand manque de main-d'œuvre parce que c'est un travail manuel qui n'est pas très rémunérateur», indique Michel Cliche, directeur général du Comité sectoriel. Une recrue sans expérience empochera de 8,50 à 12 $ l'heure; les postes sont précaires, sur appel et à temps partiel. Par comparaison, les pressiers gagnent de 14 à 20 $ l'heure[3] et sont généralement syndiqués.

## RELÈVE

«La main-d'œuvre est relativement jeune dans la préimpression et vieillissante dans l'impression, notamment chez les pressiers où 26 % des travailleurs ont 45 ans et plus, souligne Michel Cliche. Dans la finition-reliure, il y a un mélange de jeunes et de travailleurs âgés.» Les maigres inscriptions aux programmes de formation collégiale tourmentent l'industrie. «Les *baby-boomers* occupent encore des postes clés dans l'industrie, rappelle Michel Cliche. Quand ils vont prendre leur retraite, ils vont libérer une quantité de postes que les jeunes ne pourront pas pourvoir. On a un immense défi à relever en matière de promotion et de revalorisation de l'industrie.» 09/07

1, 2. et 3. Comité sectoriel de main-d'œuvre des communications graphiques du Québec. *Étude salariale dans le secteur des communications graphiques au Québec*, juin 2007.

183

## ◎ RECHERCHÉS

Aides-pressiers • Chargés de projets en imprimerie • Estimateurs en imprimerie • Opérateurs d'équipements de finition-reliure • Pressiers • Représentants en imprimerie

## ⚠ OÙ TRAVAILLER?

Près de la moitié des emplois en lien avec les communications graphiques sont concentrés dans la région de Montréal (environ 23 % sur l'Île, 15 % en Montérégie et 5 % à Laval). La grande région de Québec accapare approximativement 10 % des emplois.

## POUR ALLER PLUS LOIN

Association canadienne de l'imprimerie : **www.cpia-aci.ca**
Comité sectoriel de main-d'œuvre des communications graphiques du Québec : **www.communicationsgraphiques.org**

par Geneviève **Dubé**

Les carrières d'avenir 2008 • Tournée de 39 secteurs d'emploi

Quelque 33 000 professionnels de la comptabilité[1] au Québec sont membres de l'un des trois ordres régissant le secteur, soit : l'Ordre des comptables agréés (CA), l'Ordre des comptables en management accrédités (CMA) et l'Ordre des comptables généraux licenciés (CGA).

Les comptables travaillent dans des entreprises privées issues de tous les secteurs d'activité, dans des cabinets comptables, de même que dans des organismes publics et parapublics. Ils y sont vérificateurs, gestionnaires, fiscalistes, notamment. Certains décrochent des postes aussi importants que ceux de chef des finances ou de directeur de l'administration.

## EMPLOI

La loi 198, adoptée à la suite des scandales financiers américains, exige des entreprises des rapports financiers plus stricts et crée par conséquent une forte demande de comptables. «Les nouvelles exigences que doivent respecter les entreprises et les contrôles resserrés entraînent un besoin plus grand de CMA, ce qui accentue le grave manque de main-d'œuvre qui sévit depuis environ cinq ans», affirme François Renauld, FCMA, président-directeur général de l'Ordre des CMA.

La demande est d'autant plus forte que les entreprises se préparent à se conformer aux normes internationales, qui entreront en vigueur en 2011. «Les candidats en voie de devenir CA sont assurés de décrocher un emploi après leur stage», soutient Diane Messier, CA, vice-présidente Formation professionnelle et Relève de l'Ordre des CA. Du côté des CGA, un projet de loi déposé à l'automne 2007 leur offrira de nouvelles ouvertures : «Les CGA auront accès à la comptabilité publique des entreprises privées; ils pourront donc signer les

états financiers vérifiés de ces organisations», souligne Danielle Blanchard, CGA, présidente-directrice générale de l'Ordre des CGA.

## RELÈVE

Même si les comptables ne sont en moyenne âgés que de 37 à 45 ans[2], les ordres professionnels n'en sont pas moins aux prises avec le problème de remplacement de la main-d'œuvre. «En 2010-2011, les départs massifs à la retraite des CA offriront de nombreuses occasions d'emploi», croit Diane Messier. Danielle Blanchard souligne le fait qu'un CGA sur trois se retirera du marché du travail à compter de 2017 : «Il faudra alors pourvoir aux postes vacants en plus de répondre aux besoins croissants des entreprises.»

Devant le manque de professionnels qualifiés, les trois ordres poursuivent la promotion de la profession auprès des jeunes, entamée il y a quelques années. «Nous travaillons également pour faciliter l'intégration des professionnels formés à l'étranger», ajoute François Renauld. 09/07

1. et 2. Ordres des CA, des CGA et des CMA.

## RECHERCHÉS

Analystes financiers • Chefs de comptabilité de gestion • Comptables en coût de revient • Comptables fiscalistes • Comptables spécialisés dans le domaine des technologies de l'information • Comptables spécialisés en vérification de sociétés cotées à la Bourse • Contrôleurs • Directeurs des finances et de l'administration • Juricomptables • Professeurs en sciences comptables • Vérificateurs • Vice-présidents aux finances

## OÙ TRAVAILLER?

Si plus de 60 % des comptables travaillent dans la grande région de Montréal, les besoins sont présents dans toutes les régions du Québec, font savoir les trois ordres professionnels.

**POUR ALLER PLUS LOIN**

Ordre des CA du Québec : **www.ocaq.qc.ca** • Ordre des CGA du Québec : **www.cga-quebec.qc.ca** • Ordre des CMA du Québec : **www.cma-quebec.org** • Site d'information sur la profession de CA (pour les jeunes) : **www.lesindispensables.ca** • Site d'information sur la profession de CMA (pour les jeunes) : **www.cliccma.ca**

# CONSTRUCTION

par Jean-Benoit **Legault**

Le secteur de la construction regroupe les entreprises dont l'activité principale est liée à la construction, la réparation et la rénovation d'immeubles, aux ouvrages de génie civil ainsi qu'au lotissement et à l'aménagement de terrains. Les immeubles peuvent être de nature résidentielle, commerciale, institutionnelle ou industrielle; les ouvrages de génie civil comprennent, entre autres, les barrages, les autoroutes, les ponts, les égouts et les lignes de transport d'énergie et de télécommunication. En 2006, plus de 186 000 personnes œuvraient dans le secteur au Québec[1].

## EMPLOI

L'investissement en construction résidentielle a enregistré un nouveau sommet au deuxième trimestre de 2007, atteignant 22,8 milliards de dollars, en hausse de 7 % par rapport au même trimestre en 2006[2].

Mais c'est la construction non résidentielle qui sera le principal levier de croissance du secteur dans les prochaines années, selon la Commission de la construction du Québec (CCQ). Des projets majeurs sont prévus dans les domaines institutionnel et commercial et de nombreux travaux de génie civil et de voirie ont été annoncés. Notons entre autres la phase 3 d'Intrawest, à Mont-Tremblant, le centre récréocommercial Lac-Mirabel, l'élargissement de la route 175 entre Québec et Saguenay et du boulevard Notre-Dame à Montréal, les prolongements des autoroutes 50, 30 et 25 et, du côté d'Hydro-Québec, les chantiers d'Eastmain-1-A-Rupert-Sarcelle, de la Péribonka et de la Romaine[3].

Emploi-Québec prévoit que la croissance de l'emploi devrait se poursuivre d'ici à 2011, mais à un rythme modeste, soit 0,7 % par année[4]. Pour sa part, la CCQ estime que le nombre d'heures travaillées devrait atteindre de nouveaux sommets d'ici à 2010, dépassant les 130 millions, comparativement à 123,5 millions en 2006.

## RELÈVE

La forte création d'emplois des dernières années a ouvert des portes à la relève : en 2006, les jeunes de moins de 25 ans étaient au nombre de 18 500 à travailler dans le secteur de la construction, comparativement à 9 000 en 1999[5]. Et ce n'est pas terminé : «Nous avons besoin de 14 000 nouveaux travailleurs par année pour assurer le roulement normal et la croissance», soutient André Martin, conseiller en relations publiques à la CCQ. 09/07

1., 3., 4. et 5. Site Web d'Emploi-Québec. Information sur le marché du travail, *Vue d'ensemble (Construction)*. 2. Statistique Canada. «Investissement en construction résidentielle», *Le Quotidien*, 4 septembre 2007.

## ◎ RECHERCHÉS

Arpenteurs (préposés aux instruments) • Briqueteurs-maçons • Charpentiers-menuisiers • Cimentiers-applicateurs • Couvreurs • Électriciens spécialisés en installation de systèmes de sécurité • Grutiers • Mécaniciens • Monteurs-mécaniciens (vitriers) • Opérateurs de pelle mécanique • Opérateurs d'équipement lourd • Plâtriers • Poseurs de revêtements souples • Poseurs de systèmes intérieurs

## OÙ TRAVAILLER?

La construction résidentielle, commerciale et industrielle se concentre surtout dans les centres urbains d'importance. Les grands chantiers industriels, de génie civil et d'infrastructures (comme les barrages hydroélectriques ou les champs d'éoliennes) sont souvent situés en région.

## POUR ALLER PLUS LOIN

Association de la construction du Québec: **www.acq.org** • Association des constructeurs de routes et grands travaux du Québec : **www.acrgtq.qc.ca** • Association provinciale des constructeurs d'habitations du Québec : **www.apchq.com** • Commission de la construction du Québec : **www.ccq.org** • Fonds de formation de l'industrie de la construction : **www.ffic.ca**

# DROIT ET SERVICES JURIDIQUES

par Emmanuelle **Tassé**

Le Québec comptait 22 190 avocats en 2007, dont 45 % étaient des femmes – cette proportion atteint 65 % chez les avocats qui comptent 10 ans de pratique et moins[1]. Ces professionnels travaillent à 50 % dans de grands cabinets d'avocats, mais aussi en entreprise privée (25 %) et dans les différents ministères ou organismes parapublics (25 %)[2].

Les 3 500 notaires de la province travaillent dans des études notariales dans une proportion de 80 %[3]. Les techniciens juridiques, au nombre de 4 000, ainsi que les 8 000 secrétaires juridiques[4] effectuent des recherches pour les notaires et les avocats. On trouve un peu plus de 150 sténographes officiels[5] au service des cabinets d'avocats, des tribunaux internationaux et des grandes entreprises.

## EMPLOI

Les spécialistes du droit des affaires et du droit international continuent d'être très demandés. Les juristes québécois sont particulièrement appréciés en raison de leur connaissance des deux principaux systèmes de droit au monde, le droit civil et la common law[6]. Champs moins connus, le droit des biotechnologies, de l'environnement et celui des technologies de l'information émergent doucement. Le droit civil, le droit du travail et le droit de la famille demeurent des avenues traditionnelles où le travail ne manque pas[7].

La population est mieux renseignée sur les services qu'offrent les notaires et sur l'importance de la prévention des litiges. Le vieillissement rapide de la population et les besoins de services en planification financière, en gestion du patrimoine et en droit de la personne en font d'ailleurs une profession d'avenir.

Au Centre de formation professionnelle Marie-Rollet, à Québec, on déplore un manque de secrétaires juridiques : on comptait en 2007 une dizaine de finissantes pour répondre aux 30 offres d'emploi déposées au centre.

## RELÈVE

Quarante pour cent des membres du Barreau du Québec sont de jeunes avocats qui ont 10 ans de pratique et moins. Par ailleurs, l'École du Barreau du Québec dénombre 867 finissants en 2007, ce qui compense largement le départ à la retraite des *baby-boomers*[8]. Depuis trois ans, le nombre de diplômés en notariat comble également les places laissées libres par les retraités. Des concours gouvernementaux qui ouvraient ces dernières années des postes de secrétaires juridiques ont stimulé le recrutement de candidats à la formation, mais l'absence de relève est encore bien réelle[9]. 09/07

1. et 2. Tableau de l'Ordre 2006-2007 du Barreau du Québec, information validée par France Bonneau, Barreau du Québec.   3. Chambre des notaires du Québec.
4. Site Internet d'Emploi-Québec, Information sur le marché du travail, *Métiers et professions*, 2005.   5. Lise Marcil, École de sténographie judiciaire du Québec.
6. et 7. Monique Laforest, conseillère en communication et en recrutement à la Faculté de droit de l'Université de Montréal.   8. France Bonneau, Barreau du Québec.
9. Lyne Michaud, conseillère en emploi au Centre de formation professionnelle Marie-Rollet.

Photo : Martin Tremblay, PPM Photos

Les carrières d'avenir 2008 • **Tournée de 39 secteurs d'emploi**

187

## ◎ RECHERCHÉS

Avocats spécialisés en droit de la faillite • Avocats spécialisés en droit immobilier • Avocats spécialisés en litige (plaideurs) • Avocats et notaires spécialisés en droit de la famille • Notaires spécialisés en droit de l'entreprise • Notaires spécialisés en fiscalité • Secrétaires juridiques

## OÙ TRAVAILLER?

Presque 55 % des avocats et 37 % des notaires travaillent dans la grande région de Montréal. Pour la région de Québec, les proportions sont de 15,7 % et 17 %. Quant aux secrétaires juridiques, elles évoluent à 65 % dans les grands centres.

### POUR ALLER PLUS LOIN

Barreau du Québec : **www.barreau.qc.ca** • Chambre des notaires du Québec : **www.cdnq.org** • École de sténographie judiciaire du Québec : **www.ecoledestenographie.ca** • École du Barreau du Québec : **www.ecoledubarreau.qc.ca** • Fédération des secrétaires professionnelles du Québec : **www.fspq.qc.ca** • Jeune pour jeunes : **www.carrieresenjustice.qc.ca** • Profession notaire : **www.cdnq.org/fr/professionNotaire/jeunesse**

# ÉCONOMIE SOCIALE

par Jean-Sébastien **Marsan**

L'économie sociale, «tiers secteur» ne relevant ni de l'État ni du privé à but lucratif, existe depuis un siècle. Sa reconnaissance officielle et publique remonte au Sommet sur l'économie et l'emploi organisé par le gouvernement du Québec en 1996. Les entreprises et projets du secteur sont des organisations sans but lucratif, gérées de façon collective et démocratique, qui offrent des produits et services visant l'amélioration de la qualité de vie de leur communauté et qui font primer l'humain sur le capital.

Le Comité sectoriel de main-d'œuvre Économie sociale et Action communautaire (CSMO-ÉSAC) estime que l'économie sociale et les organismes communautaires (incluant les coopératives) regroupaient en 2000 quelque 120 000 emplois répartis dans 14 000 entreprises et organismes[1], un tableau comparable à celui offert par l'industrie de la construction. Il n'existe cependant pas de données générales sur l'économie sociale postérieures à l'année 2000.

## EMPLOI

L'économie sociale comprend plus d'une vingtaine de secteurs, qui couvrent un spectre très varié. Au nombre de ces secteurs se trouvent les services sociaux, la culture et l'environnement. Il n'existe pas de prévisions d'embauche globales.

Le sous-secteur le plus important en ce qui a trait aux emplois est celui du réseau des centres de la petite enfance (CPE), qui employait près de 40 000 personnes en 2006[2]. «Les CPE ont toujours besoin d'éducatrices, particulièrement dans les régions éloignées où aucun cégep n'offre la formation, de même que dans les régions où la population et la natalité sont importantes, Montréal et la Montérégie, notamment», affirme Céline Charpentier du CSMO-ÉSAC. Outre ce sous-secteur, ceux «qui embauchent le plus sont l'aide domestique et les organismes communautaires en lien avec la santé et les services sociaux», précise-t-elle.

Pour ce qui est de l'aide domestique, 8 000 personnes y travaillaient en 2006. Les préposés à la vie domestique (comme on les appelle depuis peu) effectuent ménages et achats, préparent des repas et réalisent diverses tâches d'entretien pour des personnes âgées, handicapées ou en convalescence.

## RELÈVE

Environ 60 % de la main-d'œuvre était âgée de plus de 35 ans en 2000[3]. Le défi du domaine de l'économie sociale pour les prochaines années consiste à attirer une relève malgré des emplois souvent plus précaires et moins rémunérateurs que ceux offerts dans les secteurs public et parapublic. Pour ce faire, il devra mettre en évidence les atouts qu'offre l'économie sociale : la vie démocratique en entreprise, une organisation du travail plus flexible et la satisfaction de contribuer au mieux-être des collectivités. 09/07

1. et 3. CSMO-ÉSAC. *Travailler solidairement*. Document préparatoire au sommet de l'Économie sociale et solidaire, novembre 2006, p. 24. Disponible dans Internet à l'adresse www.csmoesac.qc.ca/uploads/documents/realisations_publications/csmo_travsoli_finalpdf.pd. 2. Selon l'Association québécoise des centres de la petite enfance.

 **RECHERCHÉS**

Coordonnateurs d'organismes communautaires • Éducateurs en techniques d'éducation à l'enfance • Intervenants sociocommunautaires • Organisateurs communautaires • Préposés à la vie domestique • Valoristes (employés de centres de récupération de matières résiduelles)

 **OÙ TRAVAILLER?**

«Des entreprises d'économie sociale existent dans toutes les régions, mais plus particulièrement à Montréal, en Montérégie et dans les régions de la Capitale-Nationale, de Chaudière-Appalaches, du Saguenay, de la Gaspésie–Îles-de-la-Madeleine et de l'Abitibi-Témiscamingue», énumère Céline Charpentier.

## POUR ALLER PLUS LOIN

Chantier de l'économie sociale : **www.chantier.qc.ca**
Conseil de la coopération du Québec : **www.coopquebec.coop**
CSMO-ÉSAC : **www.csmoesac.qc.ca**
Économie sociale Québec : **http://economiesocialequebec.ca**

par Geneviève **Dubé**

Quelque 180 000 employés ont été rémunérés par les 2 770 établissements d'enseignement primaire et secondaire du Québec en 2005-2006. De ce nombre, un peu plus de 100 000 ont effectué une tâche d'enseignement[1]. Dans les 48 cégeps de la province, on comptait 34 649 travailleurs, dont près de 20 000 enseignants en 2004-2005[2]. Quant aux neuf universités et leurs constituantes, elles fournissent du travail à environ 9 000 professeurs-chercheurs réguliers[3].

En 2006-2007, 88,3 % des élèves du primaire et du secondaire étudiaient dans le réseau public, un pourcentage qui se maintiendra dans les prochaines années selon le ministère de l'Éducation, du Loisir et du Sport (MELS). Du côté des cégeps, le réseau public accueille 89,7 % des élèves, une part qui s'accroît chaque année[4].

## EMPLOI

En 2006-2007, une heure et demie d'enseignement a été ajoutée chaque semaine au primaire. «Cela a entraîné une demande accrue d'enseignants spécialistes en anglais langue seconde, en éducation physique et en arts. Toutefois, ce besoin de recrutement supplémentaire ne se renouvellera pas», précise Chad Décarie-Deblois, démographe à la Direction de la recherche, des statistiques et des indicateurs au MELS.

Au secondaire, la poursuite de la réforme de l'éducation entraîne une modification des domaines de spécialisation recherchés. «L'augmentation du temps d'enseignement en français exige, par exemple, l'embauche de plusieurs centaines d'enseignants dans ce champ en 2007-2008, alors que d'autres disciplines, telles que l'économie familiale, disparaîtront», illustre M. Décarie-Deblois.

Par ailleurs, de 2006 à 2008, 1 200 postes[5] seront créés pour améliorer les services aux élèves handicapés ou en difficulté, tant au primaire qu'au secondaire. Il est toutefois important de noter que le nombre d'enseignants est appelé à diminuer au cours des prochaines années, en raison de la baisse du nombre d'élèves.

## RELÈVE

Les départs à la retraite massifs qu'ont connus les commissions scolaires entre 2000 et 2006 (de 2 200 à 2 700 chaque année) ont contribué à diminuer l'âge moyen des enseignants à 40,4 ans et à accroître les occasions d'emploi. «On prévoit cependant que le nombre de retraites décroîtra à court et à moyen terme», précise le démographe.

À partir de 2007-2008, et cela pendant sept ans, à peu près 5 % de l'effectif enseignant permanent des cégeps commencera à quitter chaque année, ce qui libérera environ 500 postes annuellement. À l'université, 1 000 professeurs réguliers devront être embauchés chaque année jusqu'en 2012[6]. 09/07

1. MELS. *Statistiques de l'éducation*, édition 2006.  2., 4. et 5. Chad Décarie-Deblois, MELS.  3. et 6. Conférence des recteurs et des principaux des universités du Québec. *Le système universitaire québécois : données et indicateurs*, 2006.

## RECHERCHÉS

Audiologistes • Éducateurs en service de garde • Enseignants en anglais langue seconde • Enseignants en français langue seconde • Orthopédagogues • Orthophonistes • Psycho-éducateurs • Responsables d'un service de garde • Techniciens en éducation spécialisée

## OÙ TRAVAILLER?

Les besoins de chacune des régions demeurent difficiles à déterminer puisque les prévisions du MELS sont calculées pour l'ensemble de la province selon la langue d'enseignement. Toutefois, les commissions scolaires et la Fédération des cégeps fournissent sur demande de l'information sur les besoins de recrutement régionaux.

## POUR ALLER PLUS LOIN

Association des commissions scolaires anglophones du Québec : **www.qesba.qc.ca** • Conférence des recteurs et des principaux des universités du Québec : **www.crepuq.qc.ca** • Fédération des cégeps : **www.fedecegeps.qc.ca** • Fédération des commissions scolaires du Québec : **www.fcsq.qc.ca** • Le Carrefour virtuel canadien des ressources humaines du collégial : **www.emploicollege.ca** • MELS : **www.mels.gouv.qc.ca** • Réseau des cégeps et des collèges francophones du Canada : **www.rccfc.ca**

# Hydro-Québec, c'est…

… quatre divisions, des activités corporatives, un centre de services partagés, un institut de recherche à la fine pointe de la technologie, et plus encore.

## Tout un réseau de carrières

Chef de file mondial dans le secteur de l'énergie, nous comptons 22 500 employés qui collaborent à produire, à transporter et à distribuer l'électricité, à maintenir la qualité du service et à favoriser les innovations technologiques et les initiatives commerciales. Plus que jamais, nous fondons nos projets d'avenir sur la relève et, en appliquant des principes d'accès à l'égalité en emploi, nous comptons tirer partie de la diversité des talents et des expériences qui est à notre portée sur le marché de l'emploi. Nous prévoyons devoir embaucher plusieurs milliers de personnes partout au Québec d'ici 2014.

## Un univers d'experts qui bouge

En vous joignant à Hydro-Québec, vous participerez au développement d'une industrie dynamique. Technologies de pointe, outils évolués, pratiques rigoureuses… Quel que soit votre champ de compétence, vous serez appelé à relever des défis personnels et collectifs aussi diversifiés que motivants, et ce, dans un milieu en constante évolution.

## Des stages diversifiés

Hydro-Québec offre environ 200 stages chaque année. Les stages qui s'adressent aux étudiants des universités sont affichés en janvier, en mai et en septembre et ont lieu le trimestre suivant. Ceux qui s'adressent aux étudiants du collégial sont affichés en février.

Visitez notre site Internet durant ces périodes et posez votre candidature.

**www.hydroquebec.com/emplois**

# ... pour vous!

## Vous avez l'énergie qu'il nous faut!

Mettez à profit votre savoir-faire et parti-cipez à une mission qui contribue à l'essor de l'économie québécoise! Que vous soyez travailleur expérimenté ou jeune diplômé, Hydro-Québec vous propose un large éventail d'emplois stimulants, assortis de nombreux avantages, notamment un régime de rémunération dynamique, des conditions de travail qui favorisent l'équilibre entre le travail et la vie privée et le perfec-tionnement soutenu de vos compétences.

## Les domaines en forte croissance

Hydro-Québec recrute les meilleurs candidats, notamment dans le domaine technique ou scientifique. Au cours des prochaines années, les domaines suivants seront en forte croissance :

- sciences (baccalauréat en génie, en mathématiques, en statistiques, etc.) ;
- techniques (DEC en technologie de l'électronique industrielle, en mécanique du bâtiment, en génie civil, etc.) ;
- métiers spécialisés (DEP en électromé-canique de systèmes automatisés, en mécanique industrielle de construction et d'entretien, en montage de lignes, etc.) ;
- comptabilité et finances (baccalauréat ou maîtrise avec spécialisation).

**Consultez souvent notre site Internet pour tout connaître sur les emplois ou les stages offerts.**

Profitez-en pour soumettre votre candidature à l'aide du formulaire électronique ou pour mettre à jour votre dossier.

**www.hydroquebec.com/emplois**

## En bref

**Hydro-Québec**
75, boul. René-Lévesque Ouest
Montréal (Québec)  H2Z 1A4

**Activités principales**
Produire, transporter et distribuer l'électricité ; construire les infrastructures de production et de transport.

**Effectif**
22 500 employés

**Lieux d'embauche**
Dans toutes les régions du Québec

*Branchée sur la relève!*

# ÉNERGIE

par Jean-Benoit **Legault**

L'industrie de l'énergie fournit du travail à près de 43 000 personnes au Québec. Hydro-Québec et ses 23 000 employés représentent plus de la moitié de ce total.

Selon les dernières données disponibles[1], les autres grands employeurs sont la distribution des produits pétroliers (15 400 emplois), le raffinage du pétrole (3 000 postes) et la distribution du gaz naturel (plus de 1 300 emplois).

## EMPLOI

Le gouvernement du Québec et Hydro-Québec ont procédé en janvier 2007 au lancement officiel des travaux de construction des centrales hydroélectriques de l'Eastmain-1-A et de la Sarcelle, ainsi que des ouvrages nécessaires à la dérivation des eaux de la rivière Rupert à des fins de production hydroélectrique. Au cours des six prochaines années, ce dernier projet devrait fournir du travail à 27 000 personnes, dont plus de 4 000 travailleurs sur les chantiers au plus fort des travaux[2].

Le Bureau d'audiences publiques sur l'environnement a donné en juillet le feu vert au projet de terminal méthanier Rabaska, à Lévis, qui devrait permettre aux divers fournisseurs de générer 2 440 emplois directs et 2 555 emplois indirects entre 2007 et 2010[3].

Statistique Canada prévoit, par ailleurs, que les investissements dans le secteur de l'électricité auront fait un bond de 19,5 % en 2007, pour atteindre 15,6 milliards de dollars à l'échelle du pays. Cette hausse profitera aux installations nucléaires et d'énergie éolienne ainsi qu'à la modernisation de l'infrastructure actuelle.

Enfin, les investissements dans la distribution du gaz naturel afficheront une augmentation de 37,9 % en 2007, pour atteindre 1,9 milliard de dollars[4].

## RELÈVE

«Hydro-Québec prévoit réaliser au cours des prochaines années des investissements importants pour la construction de centrales et le renouvellement de ses équipements et systèmes de commande, ainsi que dans le domaine de la conversion d'énergie», indique Lucie Gagnon, une porte-parole de l'entreprise.

Entre 2007 et 2015, la société d'État, dont 35 % de l'effectif est âgé de 50 ans et plus, compte remplacer environ 8 500 personnes, fait savoir Mme Gagnon. 09/07

1. Ministère des Ressources naturelles et de la Faune du Québec (MRNFQ). *L'énergie au Québec*, édition 2004. 2. MRNFQ. Communiqué. *Projet Eastmain-1-A / dérivation Rupert / la Sarcelle – «Le plus important investissement au Québec depuis la deuxième phase de la Baie James»* - Jean Charest, 11 janvier 2007. 3. Projet Rabaska : www.rabaska.net/page.php?idS=5&idL=fr#emplois 4. Statistique Canada. «Investissements privés et publics», *Le Quotidien*, 28 février 2007.

## ◎ RECHERCHÉS

Assembleurs, monteurs et contrôleurs • Conseillers en sécurité sur les chantiers de construction • Électriciens • Ingénieurs (des procédés chimiques, électriciens, civils, de projets, en mécanique du bâtiment) • Mécaniciens • Monteurs de lignes • Opérateurs de salle de commande centrale • Opérateurs d'installation de traitement des produits chimiques • Techniciens (de procédés de raffinerie, civils, mécaniques, en génie électrique, en automatisme et en mécanique du bâtiment)

## ⚠ OÙ TRAVAILLER?

L'industrie de l'électricité est surtout présente en Montérégie, à Montréal, en Estrie et dans le Centre-du-Québec. Plusieurs régions, dont la Gaspésie et le Bas-Saint-Laurent, profitent de projets d'énergie propre, comme des parcs éoliens. Enfin, des activités d'exploration pétrolière et gazière sont concentrées dans l'est du Québec.

## POUR ALLER PLUS LOIN

Elexpertise : **www.csmoiee.qc.ca**
Hydro-Québec : **www.hydroquebec.com**
Ministère des Ressources naturelles et de la Faune du Québec – Énergie : **www.mrn.gouv.qc.ca/energie**
Office national de l'énergie : **www.neb.gc.ca**

# ENVIRONNEMENT

par Denise **Proulx**

Selon Statistique Canada, l'environnement fournit des emplois directs à plus de 32 000 personnes au Québec, soit 20 % des travailleurs environnementaux du Canada[1]. L'industrie québécoise compte près de 1 700 établissements, qui génèrent annuellement 3,1 milliards de dollars en revenus. Les secteurs qui se développent le plus rapidement sont ceux des services-conseils et de la vente de technologies écoefficientes. Ces dernières servent à diminuer l'utilisation de matériaux polluants comme l'amiante, à récupérer des sous-produits utiles comme le caoutchouc et à réduire la consommation d'énergie[2].

## EMPLOI

Dominique Dodier, directrice générale d'EnviroCompétences, le Comité sectoriel de main-d'œuvre de l'environnement, constate que les activités environnementales ont la cote. «La moitié des entreprises du Canada ont observé un accroissement de leur chiffre d'affaires entre 2004 et 2007 alors que 6,5 % seulement ont rapporté une baisse.»

Cette croissance des activités crée une demande de travailleurs. Au Québec, sept entreprises sur dix prévoient une augmentation modérée à forte de leur effectif au cours des trois prochaines années, selon un récent diagnostic sectoriel d'EnviroCompétences. Les occasions d'emploi seront particulièrement nombreuses pour les technologues et techniciens en géologie, en minéralogie et en biologie, les inspecteurs de la santé publique, les ingénieurs chimistes et le personnel des ventes et du marketing.

Le manque de candidats avec expérience est cité par les entreprises comme la plus importante de leurs difficultés en matière de ressources humaines, suivie du manque de candidats qualifiés. Pour combler leurs besoins de main-d'œuvre, les trois quarts des employeurs offrent des mesures visant à accommoder les travailleurs, notamment des horaires flexibles[3].

## RELÈVE

Au cours des prochaines années, les départs à la retraite devraient toucher surtout les postes de direction et d'administration générale, où les employés de plus de 40 ans représentent 50 % de la main-d'œuvre. Les postes qui présentent la plus forte concentration de travailleurs de moins de 30 ans sont ceux liés à l'informatique et aux techniques scientifiques ainsi que ceux destinés au personnel de métier et de soutien aux opérations, comme les mécaniciens[4]. 09/07

1, 2, 3. et 4. EnviroCompétences. *Diagnostic industriel et de main-d'œuvre en environnement*, 2007.

Photo : Comité sectoriel de main-d'œuvre de l'environnement

Les carrières d'avenir 2008 • Tournée de 39 secteurs d'emploi

193

##  RECHERCHÉS

Chimistes • Géologues • Hydrogéologues • Ingénieurs chimistes • Inspecteurs de la santé publique, de l'environnement, de l'hygiène et de la sécurité au travail • Opérateurs en eau potable • Techniciens en biologie • Techniciens en géologie et en minéralogie • Techniciens en nettoyage industriel • Techniciens spécialisés en réhabilitation des sols, en traitement des eaux, en assainissement, en milieux naturels, en hygiène industrielle et en analyse en laboratoire

## OÙ TRAVAILLER?

Bien que près de la moitié des postes liés à l'industrie de l'environnement se trouvent dans la grande région de Montréal, on note une croissance des emplois offerts en région, principalement en Estrie, dans la région de la Capitale-Nationale et dans le Bas-Saint-Laurent.

## POUR ALLER PLUS LOIN

Eco Canada : **www.cchrei.ca** • EnviroCompétences : **www.csmoe.org** • Environnement Canada, recrutement : **www.ec.gc.ca/jobs_f.html** • Ministère du Développement durable, de l'Environnement et des Parcs : **www.mddep.gouv.qc.ca** • Ministère du Développement économique, de l'Innovation et de l'Exportation : **www.mdeie.gouv.qc.ca**

# FABRICATION MÉTALLIQUE INDUSTRIELLE

par Geneviève **Dubé**

La fabrication métallique industrielle regroupe trois principaux sous-secteurs : la fabrication de produits métalliques – charpentes d'acier, pièces usinées, réservoirs sous pression –, la fabrication de machines et la fabrication de matériel de transport. Les entreprises de ce secteur œuvrent dans la deuxième et la troisième transformation du métal; à partir de feuilles, de plaques et de barres, elles peuvent fabriquer, par exemple, des boîtiers d'ordinateurs et des structures de camions. La fabrication étant principalement faite sur mesure et sur commande, la main-d'œuvre est constituée à 54 % d'ouvriers spécialisés. L'industrie, qui compte 3 400 entreprises et 95 800 travailleurs[1], se compose surtout de PME, alors que plus de 87 % des entreprises ont moins de 50 employés[2].

## EMPLOI

Dans le domaine manufacturier, les trois sous-secteurs de la fabrication métallique industrielle sont ceux qui connaîtront la plus forte croissance de l'emploi d'ici à 2011[3]. La demande de matériel dans les domaines éolien et minier, des projets d'envergure dans le domaine de la charpente d'acier ainsi que d'importants contrats de fabrication d'avions, de trains, d'autobus et de navires favorisent notamment cette poussée.

«Les entreprises sont surtout actives sur le marché nord-américain. Le secteur est peu touché par la concurrence asiatique en raison des contrats exigeant une proximité avec le client et des coûts de transport très élevés.», explique Claude Dupuis, coordonnateur du Comité sectoriel de main-d'œuvre dans la fabrication métallique industrielle (CSMOFMI). L'augmentation de la valeur du dollar canadien pourrait cependant nuire aux entreprises qui exportent aux États-Unis. Mais globalement,

comme les ouvriers spécialisés manquent à l'appel, le secteur poursuit la promotion des divers métiers pertinents – machinistes, outilleurs et soudeurs, entre autres.

## RELÈVE

«Alors que les besoins de main-d'œuvre augmentent, le nombre de diplômés dans les métiers liés au secteur a chuté de 41,1 % entre 1999 et 2005, déplore Claude Dupuis. Pour répondre à la demande, le nombre de finissants aurait dû s'accroître dans des proportions équivalentes aux besoins.» Confrontées à un sérieux problème de recrutement, plusieurs entreprises expriment le désir d'embaucher une main-d'œuvre venant de l'extérieur du pays.

Par ailleurs, alors que 30 % des travailleurs sont âgés de 45 ans et plus[4], les employeurs tentent de retarder les départs massifs à la retraite afin que les ouvriers chevronnés puissent transmettre leur expertise aux nouveaux diplômés. 09/07

1. et 2. CSMOFMI. *Diagnostic sectoriel de l'industrie de la fabrication de produits métalliques, de machines et de matériel de transport au Québec et dans la région métropolitaine de recensement de Montréal,* mars 2007. 3. Emploi-Québec. *Le marché du travail et l'emploi sectoriel au Québec 2007-2011,* 2007. 4. Statistique Canada. *Recensement 2001.* (Les données du recensement de 2006 n'étaient pas encore disponibles au moment de l'entrevue.)

Photo : Patrick Deslandes

## ◉ RECHERCHÉS

Assembleurs • Assembleurs de charpente • Assembleurs-soudeurs • Machinistes • Matriceurs • Mécaniciens industriels • Moulistes • Outilleurs-ajusteurs • Peintres de produits métalliques • Soudeurs • Techniciens en génie mécanique • Tôliers de précision

## ⚠ OÙ TRAVAILLER?

Plus de 50 % des entreprises se trouvent dans la grande région de Montréal et en Montérégie. S'il y a des employeurs du secteur dans toutes les régions du Québec, ils sont peu nombreux en Outaouais, dans le Nord-du-Québec et sur la Côte-Nord.

## POUR ALLER PLUS LOIN

Association des manufacturiers d'équipements de transport et de véhicules spéciaux : **www.ametvs.com**
CSMOFMI : **www.csmofmi.qc.ca**
Programmes de formation professionnelle et technique au Québec :
**www2.inforoutefpt.org/guide/programme_global.asp**

# FONCTION PUBLIQUE

par Anick **Perreault-Labelle**

En 2005-2006, la fonction publique québécoise comptait plus de 67 500 employés réguliers, occasionnels, étudiants et stagiaires[1]. Ces techniciens, employés de bureau, ouvriers et professionnels œuvraient dans une centaine de ministères et organismes, dont la Régie du cinéma, l'Institut de tourisme et d'hôtellerie, le ministère du Développement durable, de l'Environnement et des Parcs et la Commission de la santé et de la sécurité du travail[2].

En mars 2007, le gouvernement fédéral employait de son côté 43 600 personnes au Québec dans une soixantaine de ministères, organismes et agences[3].

## EMPLOI

Le plan de modernisation de l'État du gouvernement québécois vise à réduire de 20 % l'effectif gouvernemental entre 2004 et 2014 en misant sur l'attrition. «Environ la moitié des employés qui prennent leur retraite seront remplacés chaque année», précise Elisabeth Allard, directrice des politiques de main-d'œuvre pour la fonction publique au Secrétariat du Conseil du trésor du Québec. «En 2006-2007, nous avons procédé à plus de 1 500 embauches sur des emplois réguliers. Nous avons embauché environ 70 agents d'aide socio-économique et environ 70 agents d'indemnisation», illustre Mme Allard.

En 2005-2006, le gouvernement fédéral a recruté 2 000 personnes au Québec. Le nombre total est encore plus élevé si on ajoute les contractuels et les embauches dans la région d'Ottawa-Gatineau. «On prévoyait également quelque 2 000 embauches en 2006-2007», précise France Langlois, conseillère principale en communications à la Commission de la fonction publique du Canada.

## RELÈVE

En 2006, les fonctionnaires provinciaux étaient âgés de 47,5 ans en moyenne, c'est-à-dire d'une année et demie de plus qu'en 2002[4]. «Le nombre d'embauches devrait augmenter, pour ainsi suivre la hausse prévue des départs à la retraite», dit Mme Allard. Environ 16 000 nouvelles personnes devraient être engagées entre 2004 et 2014, selon le Plan de modernisation 2004-2007[5].

Les retraites sont aussi à la hausse chez les fonctionnaires fédéraux établis au Québec : elles sont passées de 895 en 2003-2004 à 1 541 en 2006-2007[6]. France Langlois ajoute que plus de postes sont désormais offerts à la grandeur du pays, indépendamment du lieu d'embauche. 09/07

1. Elisabeth Allard, directrice des politiques de main-d'œuvre dans la fonction publique, Secrétariat du Conseil du trésor du Québec. 2. et 4. Secrétariat du Conseil du trésor du Québec. *L'effectif de la fonction publique du Québec 2005-2006*, 2007. 3. Pierre-Alain Bujold, conseiller aux communications, Secrétariat du Conseil du Trésor du Canada. 5. Brigitte Asselin, conseillère aux communications, Secrétariat du Conseil du trésor du Québec. 6. Alexander Myers, conseiller aux communications, Agence de la fonction publique du Canada.

Photo : PPM Photos, Martin Tremblay

Les carrières d'avenir 2008 • **Tournée de 39 secteurs d'emploi**

195

## RECHERCHÉS

Actuaires • Analystes en informatique • Économistes • Édimestres • Fiscalistes • Ingénieurs • Médecins • Spécialistes en géomatique • Statisticiens • Techniciens en administration • Techniciens en travaux publics • Webmestres

## OÙ TRAVAILLER?

Près de la moitié des fonctionnaires provinciaux (46 %) travaille dans la région de la Capitale-Nationale et un sur cinq (21 %) à Montréal. Les autres sont répartis dans le reste du Québec. Du côté des employés québécois du gouvernement fédéral, on travaille majoritairement à Gatineau (49 %) et à Montréal (20 %).

## POUR ALLER PLUS LOIN

Commission de la fonction publique du Canada : www.psc-cfp.gc.ca • Recrutement étudiant à la fonction publique fédérale : www.psc-cfp.gc.ca/centres/empl_f.htm#etudiants • Recrutement étudiant au Secrétariat du Conseil du trésor du Québec : www.tresor.gouv.qc.ca/fr/ress_humaine/emplois/emplois/etudiant/index.asp • Secrétariat du Conseil du trésor du Québec : www.tresor.gouv.qc.ca

# FORESTERIE

par Jean-Benoit **Legault**

La foresterie, qui génère quelque 130 000 emplois directs et indirects au Québec, contribue annuellement pour environ 11,2 milliards de dollars au produit intérieur brut de la province, soit à peu près 5 % du PIB total[1].

Trois sous-secteurs d'activité sont liés au domaine : la foresterie et l'exploitation forestière (qui inclut les travaux de reforestation), la fabrication de produits en bois et les pâtes et papiers, auxquels sont aussi rattachées la fabrication de meubles et l'impression, qui utilisent le bois comme matière première. Les principaux employeurs sont de grandes entreprises telles qu'Abitibi-Consolidated, Tembec, Kruger et Domtar.

## EMPLOI

Dans le sous-secteur foresterie et exploitation forestière, 7 000 travailleurs ont perdu leur emploi depuis 2002, dont 2 000 dans la seule année 2006. L'effectif devrait continuer à diminuer jusqu'en 2009, avant de se stabiliser à 16 000[2]. Parmi les causes, notons le conflit persistant entre le Canada et les États-Unis dans le dossier du bois d'œuvre et la décision du gouvernement québécois de réduire les possibilités de coupe sur son territoire.

Toutefois, l'exploitation de terres privées, entre autres dans le Bas-Saint-Laurent et dans Chaudière-Appalaches, pourrait compenser une partie de ces effets négatifs. Par ailleurs, différentes mesures adoptées par le gouvernement et l'industrie pourraient faire augmenter la demande de services de reboisement et d'entretien forestier.

Dans le domaine des pâtes et papiers, notons que la papetière Domtar a annoncé, le 31 juillet dernier, la fermeture de quatre usines, dont une au Québec, envoyant 430 personnes au chômage.

Quant au nombre d'emplois liés à la fabrication de produits en bois, on prévoit qu'il régressera pendant encore trois ans avant de croître à nouveau, faiblement, pour atteindre 51 000 en 2011.

## RELÈVE

En 2006, plus de la moitié des effectifs avaient 45 ans ou plus. Le directeur général du Comité sectoriel de main-d'œuvre en aménagement forestier, Christian André, reconnaît qu'à court terme les possibilités d'emploi sont très limitées, mais précise que la situation devrait s'améliorer en raison des départs à la retraite massifs prévus d'ici à 2011. «À un jeune qui envisage une formation de trois ans comme technicien ou de quatre ans comme ingénieur, je dis *go*! lance-t-il. La situation sera complètement nouvelle quand il va arriver sur le marché du travail.» 09/07

1. Ministère des Ressources naturelles et de la Faune du Québec. *Ressources et industries forestières*, édition complète 2007.  2. Site Web d'Emploi-Québec. Information sur le marché du travail, *Vue d'ensemble (Foresterie)*.

Photo : Michel Lajoie

## ⊚ RECHERCHÉS

Commis à la comptabilité et personnel assimilé • Conducteurs de camions • Conducteurs d'équipement lourd • Ingénieurs • Mécaniciens d'équipement lourd • Ouvriers de pépinières et de serres

## ⚠ OÙ TRAVAILLER?

C'est dans la région du Saguenay–Lac-Saint-Jean que se trouve la plus forte proportion de la main-d'œuvre de ce secteur, soit 19 %. Le Bas-Saint-Laurent, Chaudière-Appalaches et l'Abitibi-Témiscamingue suivent, avec 12 ou 13 % selon la région.

## POUR ALLER PLUS LOIN

Comité sectoriel de main-d'œuvre des industries de la transformation du bois : **www.csmobois.qc.ca**
Comité sectoriel de main-d'œuvre en aménagement forestier : **www.csmoaf.com**
Conseil de l'industrie forestière du Québec : **www.cifq.qc.ca**
Ordre des ingénieurs forestiers du Québec : **www.oifq.com**

# INFORMATIQUE ET LOGICIELS

par Jean-Benoit **Legault**

Le secteur de l'informatique se porte bien au Québec. Le nombre d'emplois est ainsi passé de 40 000 en 2001 à environ 50 000 en 2006 selon les plus récentes données disponibles. Les quelque 4 000 entreprises actives dans ce secteur se spécialisent dans la conception et le développement de systèmes informatiques, le service-conseil, le soutien technique et la gestion d'infrastructures et de réseaux[1].

Dans le domaine du logiciel, les chiffres les plus récents, compilés en 2004, font état de 5 000 emplois, répartis dans quelque 200 entreprises. Les applications financières et manufacturières, le dessin 3D et la sécurité informatique font partie des secteurs les plus prometteurs.

## EMPLOI

«Le domaine va très bien», témoigne Jean-François Dumais, directeur de projets, ressources humaines, pour TECHNO*Compétences*, le Comité sectoriel de main-d'œuvre en technologies de l'information et des communications. Et si les entreprises spécialisées dans les services informatiques aux entreprises, telle CGI, recherchent fréquemment de nouveaux employés qualifiés, il faut savoir que la moitié des emplois du secteur sont offerts par des entreprises qui n'œuvrent pas en informatique, souligne M. Dumais. Par exemple, les banques, les sociétés d'État, les manufacturiers.

Le secteur peine à pourvoir tous les postes vacants, poursuit le directeur de projets. C'est que le bogue de l'an 2000, qui avait créé des emplois de façon éphémère, a fait peur en illustrant la fragilité potentielle des réseaux informatiques. Combiné à l'éclatement de la bulle technologique, il a donné naissance

à un mythe voulant qu'il n'y ait plus de bons emplois dans ce secteur, soutient M. Dumais. Par ailleurs, les élèves du secondaire optent fréquemment pour le cours de mathématiques 416, plutôt que le 436, ce qui les empêche par la suite d'avoir accès aux formations plus techniques requises pour travailler dans le domaine.

## RELÈVE

Les employés sont relativement jeunes dans le secteur de l'informatique et des logiciels. Les plus vieux, généralement des gestionnaires, affichent une moyenne d'âge de 46,8 ans, alors que celle des plus jeunes (concepteurs graphiques et illustrateurs, notamment) est de 35,3 ans. N'empêche, «il y a beaucoup de demande et plusieurs postes à pourvoir», précise Jean-François Dumais. Le programme de baccalauréat en informatique de gestion, offert dans de nombreuses universités, est particulièrement prisé des employeurs. 09/07

1. TECHNO*Compétences*.

## RECHERCHÉS

Administrateurs de système • Agents de soutien technique • Analystes d'affaires • Analystes fonctionnels • Architectes de système/application • Gestionnaires de projets • Gestionnaires de réseau local • Ingénieurs électroniciens • Ingénieurs en logiciel • Ingénieurs informaticiens • Programmeurs Internet • Programmeurs orientés objet • Programmeurs 4GL

## OÙ TRAVAILLER?

S'il est possible de trouver un emploi pratiquement partout dans la province, il reste que les professionnels du domaine s'activent surtout dans les centres urbains, soit par ordre d'importance Montréal, Québec et l'Outaouais.

**POUR ALLER PLUS LOIN**

Centre de recherche informatique de Montréal : **www.crim.ca** • Centre francophone d'informatisation des organisations : **www.cefrio.qc.ca** • Conseil des technologies de l'information et des communications : **www.ictc-ctic.ca** • Réseau inter logiQ : **www.interlogiq.ca** • TECHNO*Compétences* : **www.technocompetences.qc.ca**

par Anick **Perreault-Labelle**

Les ingénieurs utilisent leurs connaissances scientifiques pour régler des problèmes concrets. Ils travaillent dans une foule de secteurs, de l'aérospatiale à l'agroalimentaire en passant par la construction. On dénombrait 54 200 de ces professionnels au Québec en août 2007[1]. La moitié d'entre eux étaient employés dans des entreprises de plus de 1 000 travailleurs tandis que 1 sur 5 œuvrait dans le secteur public, parapublic ou une société d'État[2].

La province compte aussi 4 000 technologues professionnels, toutes spécialités confondues[3]. Les technologues en génie civil, par exemple, élaborent des plans de construction ou mènent des tests sur les matériaux de construction. Soixante-cinq pour cent des technologues travaillent dans le privé[4].

## EMPLOI

Selon un sondage mené en 2006 auprès de 200 des plus grands employeurs d'ingénieurs au Québec, ceux-ci prévoyaient embaucher quelque 1 900 ingénieurs et 700 finissants en génie en 2007[5]. «C'est comme cela depuis trois ou quatre ans», précise Lise Lauzon, directrice du service carrière du Réseau des ingénieurs du Québec.

Les bris récents de différentes infrastructures laissent présager de grands chantiers pour les prochaines années et un fort besoin d'ingénieurs. «Puisque trouver de nouvelles formes d'énergie devient un besoin pressant, ceux qui se spécialisent dans ce domaine sont très demandés», dit Lise Lauzon.

Les technologues professionnels ne manqueront pas d'ouvrage non plus, d'autant que les jeunes sont peu attirés par ce métier. Ceux qui n'ont pas d'inclination pour de longues études s'en tiennent à une formation professionnelle, tandis que les plus doués continuent à l'université. Résultat, il manque de monde au collégial, déplore l'Ordre des technologues professionnels du Québec. Les besoins sont criants dans les industries du bâtiment, de la transformation des aliments et de l'environnement[6].

## RELÈVE

Les ingénieurs québécois ont 42 ans en moyenne. «Les départs à la retraite demeurent une grande préoccupation», dit Mme Lauzon. Les ingénieurs civils sont parmi les plus âgés, ajoute-t-elle, et leur taux de chômage est très bas : à peine 2,3 % en juin 2007! Au contraire, ceux qui se spécialisent en génie informatique et logiciel sont plutôt jeunes puisqu'il s'agit d'un nouveau domaine. La demande reste néanmoins forte : en 2007, à peine 1,8 % d'entre eux n'avaient pas de travail. 09/07

1, 2. et 5. Lise Lauzon, directrice du service carrière, Réseau des ingénieurs du Québec. 3., 4. et 6. Denis-Philippe Tremblay, directeur du développement professionnel, Ordre des technologues professionnels du Québec.

## RECHERCHÉS

Ingénieurs civils • Ingénieurs électriciens • Ingénieurs en électricité du bâtiment • Ingénieurs en informatique et logiciels • Ingénieurs en production automatisée • Ingénieurs mécaniciens • Technologues professionnels liés au secteur du génie

## OÙ TRAVAILLER?

Environ 60 % des ingénieurs travaillent à Montréal et dans ses environs (Laval, Laurentides, Lanaudière et Montérégie). Un sur dix travaille à Québec et de 4 à 5 % en Estrie.

## POUR ALLER PLUS LOIN

Association des ingénieurs-conseils du Québec : **www.aicq.qc.ca** • Conseil canadien des techniciens et technologues : **www.cctt.ca** • Ingénieurs Canada : **www.engineerscanada.ca** • Institut canadien des ingénieurs : **www.eic-ici.ca** • Ordre des ingénieurs du Québec : **www.oiq.qc.ca** • Ordre des technologues professionnels du Québec : **www.otpq.qc.ca** • Réseau des ingénieurs du Québec : **www.reseauiq.qc.ca**

**POLYTECHNIQUE, DU GÉNIE ET ENCORE PLUS !**

## POLYTECHNIQUE OFFRE LE BACCALAURÉAT DANS ONZE SPÉCIALITÉS DE GÉNIE

NOUVEAU! ▶

| | | | |
|---|---|---|---|
| BIOMÉDICAL* | ÉLECTRIQUE | INFORMATIQUE | MINES |
| CHIMIQUE | GÉOLOGIQUE | LOGICIEL | PHYSIQUE |
| CIVIL | INDUSTRIEL | MÉCANIQUE | |

## DES PROGRAMMES RENOUVELÉS

› Cours de spécialité dès la 1$^{re}$ année.
› Un stage (ou +) rémunéré de 4 mois minimum pour tous les programmes.
› Une formation appliquée incluant un projet intégrateur chaque année.
› De multiples possibilités d'échanges et de stages à l'international.
› Un taux de placement de 95 % pour nos diplômés.

**UNE FORMULE DE STAGES DES PLUS FLEXIBLES... (DE 4 À 12 MOIS), À VOTRE CHOIX.**

La moyenne salariale de nos stagiaires est d'environ 2 500 $ par mois !

**Informations : www.polymtl.ca/sp**

**POLYTECHNIQUE**
MONTRÉAL
Affiliée à l'Université de Montréal

\* Sous réserve de l'approbation du ministère de l'Éducation, du Loisir et du Sport (MELS).

**Renseignements :**
Recrutement étudiants
(514) 340-4711, poste 4928
www.monavenir.polymtl.ca

# JEU ÉLECTRONIQUE ET MULTIMÉDIA

par Jean-Benoit **Legault**

Le multimédia englobe les établissements spécialisés dans le jeu et le divertissement, les produits éducatifs, les œuvres culturelles, l'apprentissage en ligne, les services et communications interactifs, les produits d'information et de référence ainsi que les logiciels. Selon les données les plus récentes, ce domaine comptait environ 5 300 employés au Québec en 2003-2004, dont plus de 4 400 dans la région de Montréal[1].

De loin le plus dynamique, le sous-secteur du jeu électronique fournissait du travail à quelque 4 500 personnes au Québec au début de l'année 2007. Plus de 3 200 emplois étaient générés par 33 entreprises de développement de jeux électroniques, environ 420 par 5 entreprises testant les jeux et plus de 860 par 13 entreprises de logiciels et de services de soutien[2].

## EMPLOI

Une étude réalisée par TECHNO*Compétences*, le Comité sectoriel de main-d'œuvre en technologies de l'information et des communications, révèle que les employeurs du jeu électronique ont l'intention d'embaucher plus de 1 200 nouveaux employés en 2007[3]. Ces intentions d'embauche sont réparties entre environ 430 postes artistiques, 550 postes techniques, 150 gestionnaires et 140 testeurs. La croissance de l'emploi devrait atteindre 29 % à Montréal et 44 % dans la région de Québec.

«Il s'agit d'un secteur en pleine accélération; il n'y a pas d'essoufflement», commente Jean-François Dumais, directeur de projets, ressources humaines, pour TECHNO-*Compétences*. Le nombre d'employés est ainsi passé de 1 000 en 2001 à plus de 4 500 aujourd'hui, et de nouvelles embauches sont prévues, surtout avec l'arrivée du jeu sur téléphone cellulaire.

Les autres segments du multimédia sont aussi en croissance grâce au développement du Web 2.0 et des sites transactionnels. Plusieurs entreprises décrochent des contrats à l'étranger.

## RELÈVE

«Au Québec, on note un plus grand nombre d'emplois que de candidats», explique Jean-François Dumais. Quant à la formation recherchée, l'étude sur le jeu électronique indique que «le niveau de complexité augmente avec les nouvelles consoles et a pour effet de relever les exigences, notamment en mathématiques et en physique. Les entreprises de développement de jeux recherchent donc principalement des candidats possédant un baccalauréat, quand ce n'est pas une maîtrise, sauf en ce qui a trait aux graphistes et aux designers», pour qui un diplôme d'études collégiales ou professionnelles est jugé suffisant. 09/07

1. Observatoire de la culture et des communications du Québec. *Enquête sur le profil des établissements spécialisés en production multimédia, 2003-2004*, février 2006. 2. TECHNO*Compétences*. *L'emploi dans l'industrie du jeu électronique au Québec : évolution récente et perspectives*, avril 2007. 3. TECHNO*Compétences*. *L'emploi dans l'industrie du jeu électronique au Québec : enjeux de formation et de développement économique*, avril 2005.

## RECHERCHÉS

Analystes en commerce électronique • Animateurs 2D-3D • Ingénieurs électroniciens • Ingénieurs en logiciel • Ingénieurs informaticiens • Programmeurs et développeurs en médias interactifs • Testeurs • Webmestres

## OÙ TRAVAILLER?

Il y aurait au Québec environ 340 établissements spécialisés en production multimédia. Les trois quarts de ces établissements (soit environ 250) se trouvent dans la région de Montréal, une quarantaine dans celle de la Capitale-Nationale et une cinquantaine ailleurs en province. Pour le jeu électronique, 42 des 51 entreprises établies au Québec sont à Montréal, 6 à Québec et 3 ailleurs en province.

## POUR ALLER PLUS LOIN

Alliance numériQC : **www.numeriqc.ca** • Conseil québécois des arts médiatiques : **www.cqam.org** • Fédération internationale des associations de multimédia : **www.fiam.org** • Lien multimédia : **www.lienmultimedia.com** • TECHNO*Compétences* : **www.technocompetences.qc.ca**

# MEUBLE

L'industrie du meuble comptait près de 39 000 employés en 2006, soit 2 000 travailleurs de plus que l'année précédente[1]. Il s'agit de la première augmentation de l'emploi depuis 2002. La fabrication de meubles de maison, la fabrication d'armoires de cuisine et la production d'ameublement institutionnel procurent du travail à près de 85 % de la main-d'œuvre totale de l'industrie; la fabrication de meubles de bureau et la fabrication d'autres produits connexes, tels que les matelas et les stores, se partagent environ 15 % des travailleurs[2].

En 2008, la hausse du dollar canadien, la concurrence des pays asiatiques et le ralentissement annoncé de la cadence dans la construction résidentielle au Québec influenceront les besoins de main-d'œuvre de cette industrie.

## EMPLOI

Après plusieurs années difficiles et de nombreuses mises à pied, l'industrie du meuble semble entrevoir de meilleurs jours. Mais tout n'est pas gagné. «En 2007, le secteur des portes et fenêtres et celui des meubles de bureau ont été en croissance. Cependant, certaines entreprises spécialisées en fabrication de meubles résidentiels et de meubles rembourrés sont encore en difficulté. Elles doivent procéder à des mises à pied», souligne Christian Galarneau, coordonnateur du Comité sectoriel de main-d'œuvre des industries des portes et fenêtres, du meuble et des armoires de cuisine.

Pour se positionner avantageusement dans un marché compétitif, les entreprises doivent miser sur leur potentiel d'innovation et sur le perfectionnement de leurs procédés de fabrication.

Selon les perspectives d'Emploi-Québec, pour la période de 2007 à 2011, la progression de la production devrait demeurer modeste, alors que l'emploi devrait reculer en moyenne de 1,1 % par année, pour atteindre un effectif d'environ 36 000 travailleurs en 2011[3].

## RELÈVE

L'industrie est plus touchée par le manque de main-d'œuvre formée que par le vieillissement de ses travailleurs. «Afin de recruter de futurs employés, nous devons réussir à rendre notre industrie plus attirante auprès des jeunes. Puisque le secteur est soumis à de fréquents changements technologiques, les professions sont aussi plus complexes qu'auparavant et requièrent donc un perfectionnement continu en entreprise», déclare M. Galarneau. En dépit d'une conjoncture de l'emploi moins favorable, la main-d'œuvre spécialisée et qualifiée est, plus que jamais, recherchée. 09/07

1., 2., et 3. Site Internet d'Emploi-Québec, Information sur le marché du travail, *Information sur le secteur d'activité Meubles et produits connexes*, 2007.

Les carrières d'avenir 2008 • **Tournée de 39 secteurs d'emploi**

**201**

## ◎ RECHERCHÉS

Apprentis opérateurs de machines industrielles • Assembleurs-ajusteurs • Assembleurs de portes et fenêtres • Assembleurs de portes et fenêtres architecturales • Couturiers de meubles • Cuisinistes • Dessinateurs-concepteurs • Ébénistes • Ébénistes industriels • Installateurs d'armoires de cuisine • Installateurs de meubles commerciaux • Opérateurs de machines industrielles • Ouvriers d'ateliers • Peintres-finisseurs • Rembourreurs

## ⚠ OÙ TRAVAILLER?

Montréal regroupe une grande partie des entreprises du secteur, particulièrement dans la production de meubles sur mesure. La fabrication de meubles de maison en série est réalisée davantage en région, notamment en Chaudière-Appalaches, en Mauricie et en Montérégie.

## POUR ALLER PLUS LOIN

Association des fabricants de meubles du Québec : **www.afmq.com** • Comité sectoriel de main-d'œuvre des industries des portes et fenêtres, du meuble et des armoires de cuisine : **www.clicemplois.net** • École des métiers du meuble de Montréal : **www.csdm.qc.ca/emmm** • École nationale du meuble et de l'ébénisterie : **www.ecolenationaledumeuble.ca**

# MINES ET MÉTALLURGIE

par Anick Perreault-Labelle

Le sous-sol du Québec regorge, entre autres, de fer, de cuivre, de zinc, de nickel et d'or. Alors que les réserves connues de ces métaux à travers le monde ont diminué, ces derniers sont très demandés en Chine, en Inde et au Brésil. Résultat : leur valeur grimpe, ce qui favorise l'exploration et l'exploitation minières. «La fermeté des prix devrait se maintenir à un niveau élevé pendant quatre à cinq ans», ajoute André Lavoie, directeur des communications et des relations publiques à l'Association minière du Québec.

Au Québec, 12 000 personnes travaillent dans une vingtaine de mines de minéraux métalliques et 14 000 dans l'exploitation de minéraux non métalliques[1]. L'industrie de la métallurgie de première transformation, pour sa part, emploie 31 000 travailleurs[2].

## EMPLOI

«D'ici à 2012, la réalisation de cinq ou six gros projets d'exploitation minière va démarrer au Québec, dont la mine de zinc d'Xstrata à Matagami, et le projet Éléonore de Goldcorp à la Baie-James. Par ailleurs, de 200 à 250 chantiers d'exploration sont en cours. En 2007, ceux-ci ont représenté des investissements d'environ 300 millions de dollars pour des travaux de cartographie, de relevés géophysiques ou de forage», explique Jean-Pierre Thomassin, directeur général de l'Association de l'exploration minière du Québec.

«Quelque 1 500 emplois sont apparus dans le secteur en 2006-2007. Dans la prochaine décennie, 2 500 postes additionnels seront créés», dit Pierre Guimont, directeur général du Comité sectoriel de main-d'œuvre (CSMO) de l'industrie des mines.

Les nouveaux emplois sont moins abondants dans la métallurgie de première transformation.

La construction par Alcan d'une usine pilote pour tester une technologie d'électrolyse va en créer 740 en 2010. «Mais l'usine Norsk Hydro de transformation de magnésium a fermé en avril 2007, mettant quelque 400 personnes à pied», rappelle Suzanne Proulx, directrice générale du CSMO de la métallurgie du Québec.

## RELÈVE

«Au Canada, la moitié des travailleurs miniers ont plus de 40 ans», dit André Lavoie. En clair : entre 2006 et 2016, le Québec devra trouver 1 500 ouvriers et techniciens pour remplacer ceux qui prennent leur retraite[3]. Ces départs vont aussi libérer de 2 500 à 4 000 postes en métallurgie entre 2005 et 2009, en particulier dans l'acier[4].

Enfin, depuis l'automne 2007, le site du CSMO de l'industrie des mines met en ligne les offres d'emploi du secteur. 09/07

1. et 3. Pierre Guimont, directeur général, CSMO de l'industrie des mines.   2. et 4. Suzanne Proulx, directrice générale, CSMO de la métallurgie du Québec.

Photo : Cégep de l'Abitibi-Témiscamingue

## ⊚ RECHERCHÉS

Arpenteurs-géomètres • Chimistes • Conducteurs de machinerie • Contremaîtres • Électriciens industriels • Foreurs-dynamiteurs • Géologues • Informaticiens • Ingénieurs de la métallurgie, des matériaux, des procédés miniers • Mécaniciens d'entretien • Mécaniciens industriels • Métallurgistes • Mineurs • Opérateurs d'équipement lourd • Opérateurs-machinistes de machines de traitement minier • Soudeurs • Techniciens en géologie • Techniciens en métallurgie

## OÙ TRAVAILLER?

L'Abitibi-Témiscamingue, la Côte-Nord et le Nord-du-Québec hébergent l'essentiel des mines québécoises. En métallurgie de première transformation, on travaille à Montréal, au Saguenay–Lac-Saint-Jean, en Montérégie, et plus particulièrement à Trois-Rivières, à Baie-Comeau et à Sept-Îles.

## POUR ALLER PLUS LOIN

Association de l'exploration minière du Québec : www.aemq.org • Association minière du Québec : www.amq-inc.com • Conseil canadien du commerce et de l'emploi dans la sidérurgie : www.cstec.ca • Conseil des ressources humaines de l'industrie minière : www.mitac.ca • CSMO de la métallurgie du Québec : www.metallurgie.ca • CSMO de l'industrie des mines : www.csmomines.qc.ca • Ministère des Ressources naturelles et de la Faune du Québec : www.mrn.gouv.qc.ca/mines/index.jsp

# Fondeur et modeleur
# Des métiers d'avenir !

## Des formations et un taux de placement exceptionnels

**Le Centre de formation professionnelle de La Baie (CFP La Baie)**

- Un centre de formation moderne
- Une équipe d'enseignants dynamiques
- Un enseignement de pointe axé
  sur les besoins de l'entreprise d'aujourd'hui

## Modelage

DEP (cours intensif)*
Date de début : janvier, mai et août 2008
*certaines conditions d'admission s'appliquent

## Fonderie

DEP (cours intensif)*
Date de début : janvier et août 2008
*certaines conditions d'admission s'appliquent

Commission scolaire des
Rives-du-Saguenay

*ENSEMBLE POUR RÉUSSIR!*

Pour inscription et information:
(418) 615-0087, poste 6000

par Denise **Proulx**

Les entreprises liées au domaine des pêches s'adonnent à la capture, à la transformation et à la commercialisation des produits marins, de même qu'à la mariculture (élevage d'animaux en eau salée). La capture occupe plus de 1 000 entreprises, dirigées par des capitaines propriétaires, et emploie 2 500 aides-pêcheurs au Québec. Plus de 5 000 travailleurs sont actifs dans le secteur de la transformation et environ 150 personnes œuvrent en mariculture. On peut donc estimer le nombre d'employés qui travaillent dans le secteur des pêches maritimes à plus de 8 500.

En région, les entreprises en lien avec cette industrie s'activent au plus 10 mois par an; en milieu urbain, elles fonctionnent à l'année.

## EMPLOI

«De façon générale, la situation de l'emploi dans le secteur des pêches maritimes est stable. L'embauche de nouvelles personnes résulte du fait que les ressources humaines de l'industrie vieillissent, particulièrement dans le secteur de la capture», indique Michel Queenton, agent de projet au Comité sectoriel de main-d'œuvre des pêches maritimes (CSMOPM). Les régions maritimes font cependant face à un manque d'employés pour les usines de transformation. Celles-ci recherchent, entre autres, des contrôleurs de la qualité, des frigoristes, des mécaniciens industriels et des techniciens en transformation des produits de la mer. Et dans les régions urbaines, les usines connaissent un très haut taux de roulement de la main-d'œuvre. Des emplois sont aussi disponibles dans les fermes d'élevage d'ombles de fontaine et d'ombles chevaliers, qui sont en développement[1].

1. CSMOPM. *L'état de la mariculture au Québec*, édition 2007, www.csmopm.qc.ca/pdf/Etat_mariculture_Quebec_2007.pdf.

## RELÈVE

La moyenne d'âge se situe aux environs de 45 ans dans l'ensemble du secteur. C'est dans le domaine de la capture que les travailleurs sont les plus âgés, alors qu'on trouve davantage de jeunes dans les emplois de la transformation, de la mariculture et de la commercialisation. La Politique jeunesse du ministère de l'Agriculture, des Pêcheries et de l'Alimentation du Québec (MAPAQ) a nécessité la réalisation d'un document de consultation sur l'établissement des jeunes dans les pêches et l'aquaculture (élevage de poissons en eau douce) commerciales au Québec. Une consultation est en cours et des orientations seront annoncées en 2008. De plus, des efforts de promotion pour les formations et les métiers des pêches maritimes sont effectués par le CSMOPM et les maisons d'enseignement. 09/07

Photo : Comité sectoriel de main-d'œuvre des pêches maritimes / Michel Brisson, photographe

## ◎ RECHERCHÉS

Administrateurs • Contrôleurs de la qualité • Gestionnaires de la ressource • Ingénieurs • Mécaniciens et spécialistes de la maintenance et de la réfrigération • Mécaniciens industriels et frigoristes • Pêcheurs et aides-pêcheurs • Spécialistes de la mise en marché • Spécialistes de la production et de l'organisation du travail • Spécialistes en ressources humaines • Techniciens alimentaires et en recherche et développement • Techniciens en aquaculture et en mariculture (eaux douces et salées) • Techniciens en transformation des produits de la mer

## ▲ OÙ TRAVAILLER?

La pêche et la mariculture se pratiquent en Gaspésie, aux Îles-de-la-Madeleine, dans le Bas-Saint-Laurent et sur la Côte-Nord. La transformation des produits marins s'effectue dans ces régions, mais également dans les grands centres urbains.

### POUR ALLER PLUS LOIN
Conseil canadien des pêcheurs professionnels : **www.ccpfh-ccpp.org**
CSMOPM : **www.pechesmaritimes.org**
MAPAQ : **www.mapaq.gouv.qc.ca**
Pêches et Océans Canada : **www.dfo-mpo.gc.ca/Home-accueil_f.htm**

# PLASTURGIE

par Marie-Eve **Corbeil** et Karine **Moniqui**

L'industrie de la plasturgie emploie plus de 30 000 travailleurs au Québec : ingénieurs, techniciens, mécaniciens, opérateurs, découpeurs, ajusteurs, finisseurs-décorateurs, assembleurs, etc.[1]. Selon les dernières données disponibles, le sous-secteur des matières plastiques employait, à lui seul, 23 000 personnes alors que celui des matériaux composites en comptait plus de 7 000[2].

Les produits fabriqués par les entreprises spécialisées dans les matières plastiques servent principalement aux secteurs de l'emballage et de la construction. La fabrication de produits en matières composites, quant à elle, est davantage dédiée aux secteurs de l'aéronautique, du transport, de la construction et de l'industrie nautique.

## EMPLOI

Cette industrie connaît, depuis quelques années, une croissance annuelle intéressante. La mondialisation des marchés, la hausse du prix du pétrole et le manque de main-d'œuvre spécialisée inquiètent cependant les entreprises du secteur. Pour poursuivre leur expansion et pour se démarquer face à la concurrence asiatique, elles doivent donc trouver leur créneau, intégrer des équipements à la fine pointe de la technologie et miser sur une main-d'œuvre formée.

«Beaucoup d'emplois sont disponibles. Des programmes de formation sont offerts à la fois au secondaire, au cégep et à l'université afin de répondre à la demande des employeurs. Ceux-ci veulent embaucher des finissants qui connaissent, entre autres, les derniers développements technologiques et les nouveaux procédés électroniques, de robotisation et d'injection», déclare Guylaine Lavoie, directrice générale de PlastiCompétences, le Comité sectoriel de main-d'œuvre de l'industrie des plastiques et des composites.

## RELÈVE

L'industrie n'est pas grandement préoccupée par les départs à la retraite puisque la moyenne d'âge des employés en plasturgie tourne autour de 35 ans. Néanmoins, les besoins de main-d'œuvre restent considérables. «Les entreprises qui fabriquent des pièces en plastique et en matériaux composites pour tous les secteurs confondus doivent massivement recruter des employés», mentionne Guylaine Lavoie.

Les besoins de remplacement se manifestent surtout du côté des postes de direction dans les entreprises familiales, précise Érik Brisebois, chargé de projets chez PlastiCompétences. 09/07

1. et 2. PlastiCompétences et Emploi-Québec. *Descriptif de l'industrie des plastiques et des composites du Québec*, Rapport final, 2005.

Les carrières d'avenir 2008 • **Tournée de 39 secteurs d'emploi**

205

## ◎ RECHERCHÉS

Conducteurs-régleurs-opérateurs • Électromécaniciens • Ingénieurs chimistes • Ingénieurs mécaniques • Lamineurs de matériaux composites • Mécaniciens • Modeleurs et réparateurs de moules et de matrices • Superviseurs de la qualité • Techniciens en transformation des matériaux composites • Techniciens en transformation des matières plastiques

## OÙ TRAVAILLER?

L'industrie de la plasturgie est présente un peu partout dans la province. La majorité des entreprises du secteur est cependant située à Montréal (37,5 %). Viennent ensuite la Montérégie (23,1 %), la grande région de Laval, les Laurentides et Lanaudière (12,4 %) ainsi que Chaudière-Appalaches (11,6 %).

### POUR ALLER PLUS LOIN

Association canadienne de l'industrie des plastiques : **www.acipquebec.ca**
PlastiCompétences : **www.plasticompetences.ca**
Regroupement des industries des composites du Québec : **www.ricq.ca**

# SANTÉ

par Jean-Benoit **Legault**

Sept pour cent de la population active du Québec, soit 270 000 personnes, travaillent dans le secteur de la santé[1]. Celui-ci, constitué d'établissements tant publics que privés, compte quelque 430 centres locaux de services communautaire, 225 centres hospitaliers et 525 centres d'hébergement et de soins de longue durée.

Selon les estimations d'Emploi-Québec, c'est le secteur de la santé et de l'assistance sociale qui présentera le plus fort taux de croissance de l'emploi pendant la période 2007-2011, soit 2,5 %, comparativement à 1,3 % pour l'ensemble du marché du travail (cette prévision inclut les centres de la petite enfance et autres services sociaux)[2].

## EMPLOI

Le débat concernant la place à faire au secteur privé dans le système de santé s'est poursuivi en 2007. De nouvelles cliniques privées d'envergure, certaines offrant des postes très bien rémunérés, ont ainsi ouvert leurs portes.

Yola Dubé, chef du Service de planification et de développement de la main-d'œuvre au ministère de la Santé et des Services sociaux (MSSS), croit toutefois que le secteur privé pourrait avoir de la difficulté à offrir d'aussi bonnes conditions de travail que celles existant dans le secteur public, notamment en ce qui touche aux avantages sociaux. Elle reconnaît toutefois que l'impact du développement du privé n'est pas encore connu et qu'il s'agit d'un «phénomène qu'il faut surveiller».

Les projets de modernisation du Centre hospitalier de l'Université de Montréal et du Centre universitaire de santé McGill, qui seront réalisés en partenariat public-privé, devraient par ailleurs permettre une meilleure utilisation des ressources disponibles, contribuant ainsi à réduire l'impact du manque chronique de travailleurs que connaît le secteur.

## RELÈVE

Le manque chronique de personnel dans le système de santé public serait attribuable au vieillissement de la population qui, combiné à une baisse démographique, entraîne une réduction généralisée des inscriptions dans les établissements d'enseignement. «Nous allons atteindre le creux démographique en 2010-2012, au moment même où nous ferons face au plus grand nombre de départs à la retraite, précise Yola Dubé. Nous ne sommes pas encore dans le pire de la pénurie.»

C'est donc dire que celle-ci s'accentuera au cours des prochaines années. Par conséquent, les jeunes qui voudront faire carrière dans ce secteur seront accueillis à bras ouverts. 09/07

1. Site Web du MSSS. Statistiques.  2. Ministère de l'Emploi et de la Solidarité sociale. IMT, *Vue d'ensemble, Soins de santé et assistance sociale.*

## ◎ RECHERCHÉS

Aides-infirmiers • Aides-soignants et préposés aux bénéficiaires • Ambulanciers • Audiologistes et orthophonistes • Chimistes • Directeurs des services sociaux • Directeurs des soins de santé • Ergothérapeutes • Infirmiers • Infirmiers auxiliaires • Infirmiers en chef • Inhalothérapeutes • Médecins spécialistes • Omnipraticiens • Perfusionnistes cardiovasculaires • Pharmaciens • Physiothérapeutes • Techniciens de laboratoire médical • Technologues cardiopulmonaires • Technologues en radiation médicale • Travailleurs sociaux

## OÙ TRAVAILLER?

Il est possible de travailler dans le secteur de la santé dans toutes les régions du Québec. Toutefois, la pénurie de personnel est ressentie de manière encore plus aiguë loin des grands centres urbains, en Gaspésie et en Abitibi-Témiscamingue, notamment.

## POUR ALLER PLUS LOIN

Collège des médecins du Québec : **www.cmq.org**
MSSS : **www.msss.gouv.qc.ca**
Ordre des infirmières et infirmiers auxiliaires du Québec : **www.oiiaq.org/accueil.fr.html**
Ordre des infirmières et infirmiers du Québec : **www.oiiq.org**

KARLA MEZA
Analyste en formation

HUBERT MAKWANDA
Conseiller en intervention Diversité et équité en emploi

MATHIEU POULIOT
Agent en assurance de dommages

# CHEZ NOUS, CHACUN A UN RÔLE À JOUER

## Offrez-vous une carrière chez Desjardins.

Parce que les valeurs de coopération sont à la base même de ce qui nous distingue, Desjardins met tout en oeuvre pour que le talent, le travail et les compétences de chacun de nos 40 000 employés soient reconnus et mis à contribution.

C'est plus qu'une banque.
C'est le plus grand employeur privé au Québec.

# SERVICES FINANCIERS

par **Marie-Eve Corbeil** et Karine **Moniqui**

Le secteur des services financiers comprend tant les établissements qui effectuent des opérations financières dans le domaine du crédit (prêts hypothécaires, prêts automobiles et marges de crédit) que ceux qui se spécialisent dans le domaine des épargnes et des investissements (épargne-retraite, fonds de placement, actions, etc.). Les représentants au service à la clientèle formaient, en 2006, la plus grande proportion des 222 000 personnes en emploi dans le vaste secteur de la finance, des assurances, de l'immobilier et de la location, soit environ 11 %. Les agents financiers étaient également nombreux, soit 7 % de l'effectif du secteur[1]. Les femmes occupaient, toutes professions confondues, environ 60 % des postes[2] de l'industrie.

## EMPLOI

La hausse des taux d'intérêt attendue d'ici aux quatre prochaines années et la prudence accrue des investisseurs frappent l'industrie des services financiers, qui tente de s'adapter aux besoins des petits comme des grands épargnants. Selon Emploi-Québec, l'emploi dans le secteur devrait tout de même continuer à progresser jusqu'en 2011[3].

François Leduc, professeur et coordonnateur du programme *Conseil en assurances et en services financiers* au Collège Montmorency, explique que l'industrie connaît un manque persistant de main-d'œuvre. «Les banques, les cabinets de courtage et les caisses populaires n'arrivent pas à pourvoir leurs postes vacants. Les diplômés des cégeps qui arrivent sur le marché du travail ne suffisent toujours pas.»

L'Institut québécois de planification financière consacre pour sa part beaucoup d'efforts pour mieux faire connaître la profession de planificateur financier. «L'une des solutions envisagées pour combler le manque de main-d'œuvre est d'inciter les jeunes à choisir cette profession. Notre organisme est donc présent sur les campus universitaires et dans les journaux étudiants», déclare Jocelyne Houle LeSarge, directrice générale.

## RELÈVE

La moyenne d'âge des employés de l'industrie se chiffre à 49 ans. Les départs à la retraite dans le domaine devraient donc se faire en grand nombre entre 2011 et 2015. Il est estimé que 20,5 % des conseillers en sécurité financière, qui vendent des produits de placement et de l'assurance, quitteront le secteur durant cette période. Entre 2016 et 2020, une autre proportion importante de conseillers (19,3 %) devrait s'ajouter au rang des retraités[4]. 09/07

1, 2. et 3. Site Internet d'Emploi-Québec. Information sur le marché du travail, *Information sur le secteur d'activité Finance, assurances, immobilier et location*, 2007.
4. Chaire d'assurance et de services financiers L'Industrielle-Alliance. Rapport de recherche, *La population des conseillers en sécurité financière du Québec*, mai 2004.

## ⊚ RECHERCHÉS

Agents-conseils au crédit ou en finances personnelles • Analystes • Conseillers en sécurité financière • Courtiers en hypothèques • Courtiers en valeurs mobilières • Économistes • Gestionnaires de portefeuille • Planificateurs financiers

## OÙ TRAVAILLER?

Les établissements de services financiers sont présents dans l'ensemble des régions administratives de la province. Ils sont toutefois majoritairement concentrés dans les grands centres, principalement à Montréal, qui regroupe 57 % des emplois, et à Québec, qui emploie 14 % de la main-d'œuvre du secteur.

## POUR ALLER PLUS LOIN

Association des banquiers canadiens : **www.cba.ca/fr**
Autorité des marchés financiers : **www.lautorite.qc.ca**
Institut québécois de planification financière : **www.iqpf.org**

# TÉLÉCOMMUNICATIONS

Photo : PPM Photos, Martin Tremblay

par Jean-Benoit **Legault**

Le secteur des télécommunications comprend les applications et les services qui, grâce à l'électronique, permettent la transmission de données, de la voix ou de la vidéo. La téléphonie traditionnelle ou sans fil, les réseaux de télédistribution par câble ou par satellite, l'accès à Internet et les sous-secteurs que sont la recherche et le développement, l'ingénierie, le design et le soutien technique sont englobés dans cette industrie. La photonique, d'où sont issues les composantes optiques nécessaires à l'industrie, est également présente dans le paysage, de même que la fabrication et la vente de produits et services informatiques.

## EMPLOI

«Le secteur des télécommunications se maintient, sans plus», rapporte Jean-François Dumais, directeur de projets, ressources humaines, pour TECHNO*Compétences*, le Comité sectoriel en technologies de l'information et des communications.

Des rumeurs de fusion entre Bell et Telus ont circulé pendant un bon moment, avant que Bell ne soit finalement achetée par le fonds de retraite des enseignants de l'Ontario. Le Conseil de la radiodiffusion et des télécommunications canadiennes a aussi annoncé une déréglementation du domaine de la téléphonie locale. «Il est difficile de prédire les impacts que ces changements auront sur la main-d'œuvre», soutient M. Dumais.

Si plusieurs emplois manufacturiers ont été perdus au profit de l'Asie, les pertes tendent à se stabiliser. Les diplômés en génie sont ainsi très recherchés au Québec, explique M. Dumais, la province étant encore très forte en recherche et développement.

Le Conference Board du Canada a de son côté avancé au début de 2007 que la faible augmentation du coût des services offerts, l'arrivée de nouveaux joueurs dans le domaine de la téléphonie résidentielle et la hausse des coûts des équipements se traduiront par des profits réduits pour les entreprises, ce qui pourrait contribuer à la coupe de certains emplois.

## RELÈVE

La moyenne d'âge des travailleurs en télécommunications est un peu plus élevée que dans des domaines connexes comme l'informatique ou le jeu électronique, mais inférieure à celle des autres professions. C'est donc un secteur qui sera moins touché par les départs à la retraite, «sauf pour des postes de direction, tels ceux de directeurs des télécommunications, explique Jean-François Dumais. On voit que c'est un domaine où la demande de main-d'œuvre est stable, mais sans grande croissance.» 09/07

## ⊚ RECHERCHÉS

Ingénieurs électriciens et électroniciens • Ingénieurs en logiciel • Ingénieurs informaticiens • Surveillants dans la fabrication du matériel électronique • Technologues et techniciens en génie électronique

## ⚠ OÙ TRAVAILLER?

La vaste majorité des emplois du secteur est concentrée à Montréal et à Québec, en raison de la présence de géants comme Bell et des entreprises plus petites qui les desservent. Cependant, d'autres centres urbains, comme Trois-Rivières, Rimouski et Val-d'Or, tirent aussi leur épingle du jeu grâce à des entreprises comme Cogeco, Telus et Télébec.

**POUR ALLER PLUS LOIN**

Centre de recherche informatique de Montréal : **www.crim.ca** • Centre de recherches sur les communications du Canada : **www.crc.ca** • Institut national de la recherche scientifique – Télécommunications : **www.inrs-emt.uquebec.ca** • Site d'emploi des centres de contact clients au Québec (centres d'appels) : **www.c3job.com** • TECHNO*Compétences* : **www.technocompetences.qc.ca**

# VOYEZ GRAND
## POUR VOTRE AVENIR!

**Vidéotron ltée,** filiale à part entière de Quebecor Média inc., est une société intégrée de communications ouvrant dans les domaines de la télédistribution, du développement multimédia interactif, des services d'accès Internet, de la téléphonie par câble et de la téléphonie sans fil. Elle offre également une panoplie de services de télécommunications à sa clientèle affaires.

| Nos succès | Une entreprise... |
|---|---|
| ➤ Plus de **1 600 000** clients à son service de télédistribution | ➤ Dynamique et créative |
| ➤ Plus de **900 000** clients à son service Internet par câble | ➤ En constante évolution |
| ➤ Plus de **574 000** foyers avec le service de téléphonie résidentielle et commerciale | ➤ Orientée vers ses clients |
| ➤ Plus de 40 000 lignes de téléphonie sans-fil | ➤ À la fine pointe de la technologie |
| | ➤ Avec des perspectives d'avancement |
| | ➤ Offrant des conditions d'emploi avantageuses |

**Pas de doute, Vidéotron voit grand pour son avenir.
Vous aussi, voyez grand pour le vôtre.**

# Les défis qui vous attendent

> **Ventes** — Pour vous, qui aimez faire grimper les chiffres.

> **Service à la clientèle** — Pour vous, qui saurez conseiller adéquatement nos clients sur nos produits et services.

> **Qualité technique** — Pour vous, qui êtes passionné par l'électronique, l'installation et la réparation d'équipement.

> **Marketing** — Pour vous, qui savez analyser les besoins des clients, développer, positionner et mettre en marché des produits.

> **Ingénierie** — Pour vous, qui êtes avide de connaissances techniques et aimez naviguer dans un univers varié et nouveau.

> **Informatique** — Pour vous, dont le monde est celui de la programmation, de la configuration, des systèmes, réseaux et bases de données.

> **Finances** — Pour vous, qui suivez et gérez les ressources financières comme s'il s'agissait de votre portefeuille.

**Consultez sans tarder videotron.com/carrieres et appliquez sur le poste qui vous correspond !**

Le pouvoir infini du câble

# STIMULEZ
## VOTRE ESPRIT !

**FORMATION**
® QUEBECOR MEDIA

www.jobboomformation.com

# TEXTILE

par Marie-Eve **Corbeil**

Photo : PPM Photos, Martin Tremblay

Au Québec, l'industrie textile regroupe environ 435 entreprises et emploie près de 20 000 travailleurs[1]. Au pays, ce sont plus de 45 000 personnes qui évoluent dans des petites, moyennes et grandes entreprises spécialisées en production textile. «Les travailleurs de l'industrie sont amenés à occuper des postes dans une variété d'entreprises, qui réalisent des produits pouvant servir aux secteurs de la construction, de l'agriculture, du vêtement, de l'aérospatiale, des sports et loisirs, de la santé et du transport», indique Michèle Rappe, chargée de projet à la promotion des carrières au Comité sectoriel de main-d'œuvre de l'industrie textile du Québec (CSMO Textile).

## EMPLOI

Plus de trois ans après l'abolition du système de quotas régissant le commerce mondial du textile et la percée des pays asiatiques sur les marchés occidentaux, la fragilité de l'industrie québécoise se fait encore sentir. Les entreprises de la province redoublent cependant d'ardeur afin de mettre en place des solutions de redressement. «La plupart des entreprises décident de ne pas entrer en concurrence avec la Chine. Elles préfèrent se distinguer en offrant un service plus personnalisé aux clients et en se tournant vers la haute technologie, comme les textiles électroniques et les biotextiles», explique Michèle Rappe.

Au cours des prochaines années, un plus grand nombre d'emplois devrait être proposé dans les entreprises où l'on mise davantage sur les performances techniques et les propriétés fonctionnelles des tissus plutôt que sur leurs attributs esthétiques ou décoratifs. Moins de postes devraient être disponibles du côté des textiles vestimentaires, car le domaine connaît une décroissance continuelle[2].

## RELÈVE

Les employeurs éprouvent des problèmes à recruter de la main-d'œuvre. «À cause de leurs carnets de commandes fluctuants, les entreprises doivent temporairement mettre à pied leurs employés lors de périodes creuses. Les postes disponibles devenant de plus en plus spécialisés, les employeurs parviennent difficilement à trouver des travailleurs qui possèdent les compétences requises», souligne Michèle Rappe. Faute d'inscriptions suffisantes, les programmes collégiaux en production textile et en matières textiles n'ont pas encore été relancés au Cégep de Saint-Hyacinthe, seul établissement d'enseignement collégial à donner ces formations au Canada. 09/07

1. et 2. Site du CSMO Textile, données confirmées par Michèle Rappe, chargée de projet à la promotion des carrières.

##  RECHERCHÉS

Contremaîtres • Designers textiles • Opérateurs de machinerie • Représentants technico-commerciaux • Superviseurs de laboratoire • Techniciens de laboratoire • Technologues en amélioration des procédés et des tâches • Technologues en assurance qualité • Technologues en planification de production • Technologues en recherche et développement • Teinturiers

## OÙ TRAVAILLER?

Les entreprises de l'industrie textile sont concentrées principalement dans cinq régions de la province : Montréal, Montérégie, Centre-du-Québec, Chaudière-Appalaches et Estrie.

## POUR ALLER PLUS LOIN

Conseil des ressources humaines de l'industrie du textile : www.thrc-crhit.org • CSMO Textile : www.comitesectorieltextile.qc.ca • ExploreTextiles : www.exploretextiles.ca • Groupe CTT : www.gcttg.com • Survol des produits fabriqués en textile : www.groupecttgroup.com/modules/AxialRealisation/img_repository/ files/documents/secteurs-application-textiles.doc

by Lisa Marie **Noël**

Au Québec, 388 000 personnes travaillent en tourisme dans les 29 000 entreprises de restauration et d'hôtellerie, pourvoiries, musées, complexes récréatifs, agences de voyages, grossistes, transports, parcs et événements culturels et sportifs que compte la province[1]. La quasi-totalité (96 %) des entreprises touristiques sont des PME.

C'est la restauration qui emploie le plus grand nombre de travailleurs, soit au-delà de 171 000. Elle est suivie du transport, qui compte près de 51 000 travailleurs, puis de l'hôtellerie, qui offre 33 000 emplois[2]. Le travail saisonnier, surtout en région, et l'embauche d'étudiants en haute saison dans les postes semi-spécialisés engendrent un haut taux de roulement dans le secteur.

## EMPLOI

La vitalité de l'industrie du tourisme est à la merci de plusieurs facteurs extérieurs comme la météo, l'économie et le climat sociopolitique. L'emploi dans le secteur est relativement stable, même si depuis quelques années on observe une baisse significative de la clientèle américaine[3] en raison, notamment, de la forte valeur de la monnaie canadienne.

«Les espoirs du Québec se fondent beaucoup sur les visiteurs potentiels des pays latins comme le Mexique et les pays d'Amérique du Sud», affirme René Kirouac, chargé de projets au Conseil québécois des ressources humaines en tourisme (CQRHT). On observe malgré tout une croissance de l'emploi dans deux projets de développement québécois : la station touristique Mont-Tremblant, dans les Laurentides, et la construction du Massif dans Charlevoix. Par ailleurs, Montréal, réputée pour son tourisme d'affaires, est la deuxième ville la plus choisie en Amérique du Nord, après New York, pour la tenue de congrès internationaux[4].

## RELÈVE

Pour l'industrie, le défi demeure l'embauche de personnel afin de pouvoir soutenir la croissance dans certaines régions, surtout hors des grands centres, où l'exode des jeunes se fait sentir. Selon les derniers chiffres disponibles, le taux de roulement est de 31 % par année chez les employés du secteur du tourisme[5].

Plusieurs entreprises ont compris qu'elles doivent demeurer attentives à la gestion de leur personnel. Bon nombre tentent de se positionner comme employeur de choix, c'est-à-dire un employeur qui démontre qu'il a à cœur le bien-être de ses employés en plus de leur offrir de bons salaires et avantages. 09/07

1. Statistique Canada. Enquête sur la population active, Institut de la statistique du Québec, Compilation spéciale; ministère du Tourisme, 2005.   2. et 5. CQRHT. *Diagnostic des ressources humaines en tourisme, Horizon 2004-2009*, 2004.   3. LALIBERTÉ, Michèle. *Les ressources humaines en tourisme : le contexte et la situation*, Réseau de veille en tourisme, février 2007.   4. René Kirouac du CQRHT.

Les carrières d'avenir 2008 • Tournée de 39 secteurs d'emploi

216

Photo : Jean-Pierre Huard — Parc national de Miguasha

## ◎ RECHERCHÉS
Aides-cuisiniers • Cuisiniers • Préposés à la réception • Préposés à l'entretien ménager • Préposés en centres d'appels

##  OÙ TRAVAILLER?
Les régions de Montréal, de la Montérégie, de la Capitale-Nationale et des Laurentides sont celles qui génèrent le plus grand nombre d'emplois touristiques au Québec. Les autres régions bénéficient quant à elles d'un tourisme plutôt saisonnier, en fonction des activités offertes (villégiature, ski, motoneige, etc.).

## POUR ALLER PLUS LOIN
Conseil canadien des ressources humaines en tourisme : **www.cthrc.ca** • Conseil québécois des ressources humaines en tourisme : **www.cqrht.qc.ca** • Corporation de l'industrie touristique du Québec : **www.citq.qc.ca** • Réseau de veille en tourisme : **www.veilletourisme.ca** • Site touristique officiel du gouvernement du Québec : **www.bonjourquebec.com**

# TRANSFORMATION ALIMENTAIRE ET COMMERCE DE L'ALIMENTATION

par Lisa Marie **Noël**

Au Québec, 151 800 travailleurs œuvrent dans les commerces de l'alimentation de gros ou de détail[1]. Quarante pour cent des emplois du secteur sont offerts à temps partiel[2]. La main-d'œuvre y est plutôt jeune; 42 % des travailleurs ont de 15 à 24 ans[3].

L'industrie de la transformation des aliments et des boissons se situe, avec ses 68 000 travailleurs, incluant ceux du tabac, au premier rang québécois des entreprises manufacturières pour ce qui est du nombre d'emplois[4]. L'industrie compte environ 1 500 entreprises dans les secteurs de la viande et volaille, des produits laitiers, des jus et boissons, des fruits et légumes et de la boulangerie et pâtisserie[5]. Près de 90 % de ces entreprises sont des PME de moins de 100 employés[6].

## EMPLOI

L'allongement des heures d'ouverture des commerces d'alimentation, autorisé par le gouvernement l'année dernière, n'a pas eu d'impact sur le nombre d'emplois disponibles, soutient Laurence Zert, directrice générale du Comité sectoriel de main-d'œuvre du commerce de l'alimentation (CSMOCA). Les employés en poste effectuent simplement plus d'heures de travail. La main-d'œuvre jeune et temporaire occasionne par ailleurs un haut taux de roulement.

Les pertes d'emplois ont cessé en transformation alimentaire après la fermeture de trois usines d'Olymel au début de l'année 2007, indique Lise Perron, directrice générale du Comité sectoriel de main-d'œuvre en transformation alimentaire (CSMOTA). Le secteur des viandes est toujours celui où le besoin de main-d'œuvre est le plus criant, en raison notamment de préjugés négatifs liés aux abattoirs. Préjugés qui ne sont pas fondés, l'environnement de travail étant soumis à des normes de propreté et de qualité très strictes, précise Mme Perron.

## RELÈVE

La mécanisation toujours grandissante des opérations fait en sorte que le vide laissé par les retraités ne menace pas encore la vitalité du secteur de la transformation alimentaire. Celui-ci recrute cependant déjà en prévision des départs massifs à la retraite qui débuteront en 2012.

Quant aux commerces de l'alimentation, ils tentent d'assurer leur relève en incitant leurs jeunes employés à faire carrière chez eux. Ce secteur a pour avantage d'offrir des horaires flexibles et des emplois à proximité du milieu de vie des employés. Dans le but de valoriser les métiers du commerce, le CSMOCA produit une série de guides sur l'alimentation. 09/07

1. CSMOCA. *Rapport de planification stratégique*, 2007-2010.  2. Laurence Zert du CSMOCA.  3. www.csmoca.org.  4. www.csmota.qc.ca.
5. et 6. Lise Perron du CSMOTA.

Photo : Patrick Deslandes

Les carrières d'avenir 2008 • **Tournée de 39 secteurs d'emploi**

217

## RECHERCHÉS

Bouchers • Bouchers industriels • Boulangers • Caissiers et commis • Directeurs de magasin • Électromécaniciens • Fromagers • Gérants et adjoints au gérant • Manœuvres en transformation des aliments • Manutentionnaires • Opérateurs de machines industrielles • Pâtissiers • Poissonniers • Professionnels en recherche et développement/assurance qualité • Superviseurs d'entrepôt et de production • Techniciens en contrôle de qualité, contrôle de procédé • Techniciens en transformation des aliments

## OÙ TRAVAILLER?

S'il y a des commerces d'alimentation partout au Québec, 45 % de la main-d'œuvre se trouve à Montréal, en Montérégie et dans la Capitale-Nationale. La moitié des entreprises de transformation alimentaire est située dans la couronne métropolitaine, l'autre moitié se dispersant parmi les autres régions de la province, à l'exception de la Côte-Nord et du Nord-du-Québec, où aucune de ces entreprises n'est établie.

## POUR ALLER PLUS LOIN

Cégep régional de Lanaudière, Technologie de la transformation des aliments : **www.collanaud.qc.ca/joliette** • Comité sectoriel de main-d'œuvre des pêches maritimes : **www.csmopm.qc.ca** • CSMOCA : **www.csmoca.org** • CSMOTA : **www.csmota.qc.ca** • Institut de technologie agroalimentaire : **www.ita.qc.ca** • Ministère de l'Agriculture, des Pêcheries et de l'Alimentation du Québec : **www.mapaq.gouv.qc.ca** • Université Laval, Faculté des sciences de l'agriculture et de l'alimentation : **www.fsaa.ulaval.ca**

# TRANSPORT

par Lisa Marie **Noël**

Au Québec, l'industrie du transport routier fournit plus de 200 000 emplois. Ceux-ci sont répartis dans 35 000 entreprises[1], tant privées que publiques, dont la grande majorité sont des PME. Outre le transport routier de marchandises et de personnes, le secteur comprend les transports ferroviaire, aérien et maritime.

Les emplois offerts par ce dernier champ d'activité le sont principalement par les ports et la Société des traversiers du Québec. Le domaine ferroviaire englobe les chemins de fer, locaux et industriels, les services ferroviaires voyageurs comme Via Rail et l'Agence métropolitaine de transport, ainsi que les deux géants que sont Canadien National et Canadien Pacifique. Air Canada, West Jet et Air Transat sont, par ailleurs, les gros joueurs du Québec dans le secteur aérien.

## EMPLOI

«Le secteur des transports est au service de l'économie. En conséquence, il croît ou décroît avec elle», déclare Claude Chouinard, directeur général du Comité sectoriel de main-d'œuvre de l'industrie du transport routier au Québec (Camo-route). L'augmentation de la valeur du dollar canadien a ainsi fait ralentir les livraisons vers les États-Unis. La délocalisation d'usines a de son côté eu un effet moindre sur l'emploi en transport routier. Les marchandises autrefois chargées à l'usine en direction des entrepôts et des points de vente le sont maintenant du port, davantage de biens provenant aujourd'hui d'outre-mer.

Les transports ferroviaire et maritime sont en croissance depuis plusieurs années en raison de l'augmentation des échanges engendrée par la mondialisation, note Jacques Roy, professeur au Service de l'enseignement de la gestion des opérations et de la logistique à HEC Montréal.

1. www.camo-route.com.  2. Claude Chouinard, de Camo-route.

Le transport aérien n'est pas en reste, les gens d'affaires devant se déplacer pour visiter leurs partenaires commerciaux basés à l'étranger.

## RELÈVE

L'âge moyen des travailleurs routiers est de 55 ans[2]. Malgré le ralentissement des transports vers les États-Unis, l'industrie aura besoin de travailleurs pour remplacer ceux qui partiront prochainement à la retraite. Le besoin se fait particulièrement sentir dans le transport scolaire et le transport de marchandises. Bien que le secteur soit caractérisé par les horaires irréguliers, certaines entreprises, soucieuses d'attirer les travailleurs, offrent des horaires compatibles avec la vie familiale et favorisent pour les parents les livraisons locales et un retour le soir même. Quelques-unes ont même mis sur pied des services de garde en 2007. 09/07

## ⊚ RECHERCHÉS

Agents de bord • Agents d'entretien de la voie • Analystes financiers • Chefs de train • Conducteurs de camions • Conducteurs de véhicules de transport collectif • Directeurs de logistique • Gestionnaires en approvisionnement • Gestionnaires en transport et logistique • Mécaniciens de locomotive • Mécaniciens de véhicules lourds routiers • Officiers mécaniciens • Pilotes d'aéronefs • Préposés au service à la clientèle • Techniciens en avionique • Techniciens en entretien d'aéronefs • Techniciens en logistique

## OÙ TRAVAILLER?

L'industrie du transport est présente dans tout le Québec avec une concentration dans la région de Montréal, qui regroupe 80 % du personnel avionique, 50 % du ferroviaire et 50 % du routier. Quant au transport maritime, il se trouve surtout le long du fleuve Saint-Laurent à Québec, Trois-Rivières et Montréal.

### POUR ALLER PLUS LOIN

Association des propriétaires d'autobus du Québec : **www.apaq.qc.ca** • Association du camionnage du Québec : **www.carrefour-acq.org** • Camo-route : **www.camo-route.com** • Comité sectoriel de main-d'œuvre de l'industrie maritime : **www.csmoim.qc.ca** • Conseil canadien sectoriel de la chaîne d'approvisionnement : **www.supplychaincanada.org** • Groupe de recherche en gestion de la chaîne logistique : **http://web.hec.ca/chaine** • Institut maritime du Québec : **www.imq.qc.ca** • Ministère des Transports du Québec : **www.mtq.gouv.qc.ca** • Transports Canada : **www.tc.gc.ca**

Photo : Camo-route inc.

# VÊTEMENT

par Lisa Marie **Noël**

On compte quelque 1 200 fabricants de vêtements au Canada, dont plus de la moitié ont pignon sur rue au Québec[1]. Montréal est responsable à elle seule de 55 % de la production de l'industrie au Canada[2]. Quatre-vingt-dix-neuf pour cent de cette production vise le marché du Canada et des États-Unis[3]. Ces derniers achètent des vêtements d'extérieur, de travail et raffinés (haut de gamme, designer, produits exclusifs).

Jusqu'à tout récemment, 80 % de la main-d'œuvre travaillait à la production[4]. En raison des mises à pied des dernières années, le pourcentage tend à s'équilibrer entre les employés œuvrant à la production et ceux qui travaillent au design, à la vente et au marketing.

## EMPLOI

L'industrie du vêtement a connu des années difficiles entre 2001 et 2006 : la concurrence accrue des produits bon marché causée par l'élimination des quotas d'importation a engendré la perte de plus de 20 000 emplois[5]. Malgré ces rudes épreuves, le secteur a su rebondir et demeurer vivant en restructurant ses modèles d'affaires. Près de 80 % de l'industrie s'est ainsi réinventée grâce à l'innovation et à la créativité, note Jean G. Rivard, directeur général du Conseil des ressources humaines de l'industrie du vêtement (CRHIV).

Des manufacturiers misent donc sur la qualité et l'innovation ou se concentrent dans des créneaux spécialisés, comme des sacs d'épicerie réutilisables, du coton éthique et des vêtements écologiques. Innovations et nouveaux produits demandent l'exploration de nouveaux marchés afin de permettre leur écoulement; par conséquent, les besoins sont grands du côté de la vente et du marketing.

## RELÈVE

Le secteur de la production est également à la recherche d'employés. Au cours des 10 prochaines années, c'est presque 50 % de la main-d'œuvre qu'il faudra remplacer en raison des départs à la retraite[6]. Or, peu d'élèves s'inscrivent dans les programmes de production industrielle. De plus, le secteur souffre d'une mauvaise image. Mais la rareté de main-d'œuvre contribue en fait à améliorer les conditions de travail et à hausser les salaires. Par exemple, le salaire annuel moyen d'un patroniste est passé de 28 000 $ à 45 000 $ en 18 mois en raison du manque de personnel expérimenté[7]. Afin d'attirer la main-d'œuvre, le CRHIV a développé des formations offertes en usine pour tous les types de fonctions en production. 09/07

1. et 2. www.emploisvetement.ca. 3., 4., 6. et 7. Jean Rivard, du CRHIV. 5. Emploi-Québec, ministère de l'Emploi et de la Solidarité sociale et ministère du Développement économique, de l'Innovation et de l'Exportation. *Les besoins de l'industrie québécoise du vêtement en matière de main-d'œuvre*, 8 et 9 mai 2007.

Les carrières d'avenir 2008  •  Tournée de 39 secteurs d'emploi

221

## ◎ RECHERCHÉS

Acheteurs spécialisés • Analystes des nouvelles méthodes de production • Analystes des tendances • Logisticiens • Mécaniciens d'usine • Patronistes • Professionnels liés à la commercialisation et à l'exportation de la mode • Spécialistes en questions douanières et tarifaires • Techniciens en contrôle de la qualité • Techniciens en gestion de productions délocalisées (hors usine)

## OÙ TRAVAILLER?

L'industrie du vêtement forme un corridor qui s'étend de Montréal – son centre névralgique – jusqu'en Beauce, en passant par Trois-Rivières et Québec. Cinquante pour cent des emplois de la mode sont à Montréal, 12 % en Montérégie, 8 % en Estrie, 7 % à Laval, 6 % en Chaudière-Appalaches-Beauce, 4 % dans la Capitale-Nationale et 13 % dans les autres régions du Québec.

## POUR ALLER PLUS LOIN

CRHIV : **www.apparel-hrc.org** et **www.emploisvetement.ca**
Fédération canadienne du vêtement : **www.vetement.ca**
Liaison Mode Montréal : **www.liaisonmodemontreal.com**

# 150 FORMATIONS GAGNANTES

Au Québec, une pénurie de main-d'œuvre qualifiée se prépare lentement mais sûrement. Comme l'an dernier, nous avons répertorié cette année une quarantaine de programmes de formation qui n'ont pas assez de diplômés pour répondre aux besoins des employeurs. Visite guidée.

## LA FORMATION PROFESSIONNELLE ET COLLÉGIALE A LA COTE

- Les 45 diplômés annuels du DEP *Conduite de procédés de traitement de l'eau* ne suffisent pas à pourvoir les postes libérés chaque année par des employés qui prennent leur retraite. Même situation pour la vingtaine de diplômés du DEC *Assainissement de l'eau*. Les experts consultés craignent un manque de personnel qualifié dans ce domaine d'ici trois à cinq ans.

- Au Centre de formation professionnelle Léonard-De Vinci, à Saint-Laurent, les diplômés du DEP *Installation et réparation d'équipement de télécommunication* ne suffisent pas à la demande des employeurs. En 2007, une entreprise aurait même voulu embaucher 125 finissants... avant d'apprendre que l'école n'en avait que 60.

- Depuis septembre 2007, le DEC *Techniques de transformation des matières plastiques* n'est offert qu'au Cégep de Thetford. Ses 6 à 10 diplômés annuels ne suffisent pas à pourvoir tous les postes : il faudrait de 100 à 200 techniciens de plus par an pour y arriver.

- Le DEC *Gestion et exploitation d'entreprise agricole* intéresse fortement les agriculteurs à la recherche d'une relève. Plusieurs finissants retournent sur leur terre familiale. Les autres peuvent choisir, en moyenne, entre deux ou trois employeurs différents.

- Tant au Cégep de Rimouski qu'à celui du Vieux Montréal, il y a deux fois plus d'offres d'emploi que de diplômés du DEC *Technologie de maintenance industrielle*. La situation est semblable pour le DEC *Technologie de la mécanique du bâtiment* : les 12 diplômés de 2007 au Cégep de Trois-Rivières se sont vu proposer pas moins de 59 offres d'emploi, alors que les 35 finissants du Collège Ahuntsic ont pu en consulter environ 70.

## DES TENDANCES SE CONFIRMENT

- Le système de santé a toujours grand besoin de relève dans toutes les disciplines. Les 60 diplômés en ergothérapie de l'Université Laval, par exemple, ont reçu 180 offres d'emploi en 2007. L'Université McGill a reçu, pour sa part, 10 offres pour chacun de ses 57 finissants en physiothérapie!

- Les programmes universitaires en psychoéducation, en adaptation scolaire, en travail social, ainsi que le DEC *Techniques d'éducation spécialisée* forment des profession-nels aptes à soutenir les personnes les plus vulnérables de la société. L'augmen-tation des cas d'Alzheimer et les ressources allouées aux enfants ayant des troubles d'apprentissage sont deux des facteurs qui font augmenter la demande de cette main-d'œuvre qualifiée. À l'Université du Québec à Trois-Rivières, par exemple, les 41 nouveaux bacheliers en adaptation scolaire de 2007 ont reçu 113 offres d'emploi.

- La vigueur du secteur de la construction crée de l'emploi pour diverses catégories de travailleurs. Les diplômés des DEP *Conduite de grues* et *Mécanique d'engins de chantier* sont recherchés, tout comme ceux du DEC *Technologie de la géomatique* et des baccalauréats *Génie civil* et *Génie de la construction*.

pages 224 >> 304

# CONDUITE DE PROCÉDÉS DE TRAITEMENT DE L'EAU

Secteur 06/**DEP 5213**

Les carrières d'avenir 2008 • **150 formations gagnantes**

**224**

par **Denise Proulx**

## PLACEMENT

Au Québec, seul le Centre de formation professionnelle (CFP) Paul-Gérin-Lajoie, à Vaudreuil, donne le programme de diplôme d'études professionnelles (DEP) *Conduite de procédés de traitement de l'eau*. Ses 45 diplômés de 2007 ont tous trouvé du travail. En fait, le CFP ne réussit pas à pourvoir les 60 à 100 postes libérés chaque année dans la province en raison de départs à la retraite. «L'adoption, en 2001, du nouveau Règlement sur la qualité de l'eau potable a nécessité la construction d'usines de filtration ainsi que la mise aux normes des équipements existants», ajoute Diane Lachance, directrice adjointe au Développement, promotion et services aux entreprises de la Commission scolaire des Trois-Lacs, qui chapeaute le CFP. «Comme environ 6,5 millions de Québécois obtiennent leur eau potable d'un réseau de distribution, il faut de nombreux travailleurs pour la produire et traiter les eaux usées des municipalités, poursuit-elle. Le placement de nos finissants demeurera donc excellent pendant encore deux à trois ans.»

## PROFIL RECHERCHÉ

Pour réussir dans ce domaine, il faut aimer les sciences, surtout la chimie, et être sensible à l'environnement. C'est un travail diversifié qui plaira aux personnes qui n'aiment pas la routine. Les opérateurs d'installations d'assainissement de l'eau manipulent divers instruments de mesure pour déterminer, par exemple, le taux de coliformes fécaux dans l'eau. Ils doivent aussi résoudre des problèmes, notamment en période de sécheresse, quand la chaleur permet aux bactéries de proliférer dans l'eau. Les femmes sont particulièrement appréciées dans ce métier car elles sont, en règle générale, assez minutieuses. Elles ne représentent toutefois que 30 % des élèves du DEP.

La formation comprend des stages dans des municipalités ou dans des entreprises qui fabriquent des produits et appareils pour les usines d'épuration. Cette formation pratique prépare les opérateurs à répondre aux exigences de leur employeur. Ils doivent ensuite se perfectionner tout au long de leur carrière.

Le travail s'effectue selon un horaire variable, incluant le soir et le week-end.

## PERSPECTIVES

La personne qui se soucie de la bonne qualité de l'eau potable et qui veut améliorer la santé des cours d'eau ressentira une grande fierté à pratiquer ce métier. «Produire une eau potable pour les citoyens constitue une responsabilité importante, surtout avec les défis que posent la prolifération des algues bleues ainsi que la présence de pesticides et de médicaments dans l'eau», affirme Mme Lachance. Si l'employé démontre rapidement cette motivation, il pourra assumer des fonctions de contremaître et de surintendant. © 09/07

ÉTABLISSEMENT OFFRANT LE PROGRAMME

**114** Voir la liste des établissements en page 308.

## SUR LE TERRAIN

La Ville de Québec a embauché trois diplômés du DEP au début de l'été 2007. «Ils ont d'abord remplacé des employés en vacances, mais puisqu'ils ont démontré leur compétence, ils ont ensuite obtenu un poste à temps plein», explique Sylvain Langlois, surintendant aux opérations à l'usine de traitement d'eau. La Ville accueille aussi des stagiaires chaque année. «Nous prévoyons en prendre au moins deux autres en 2008», conclut-il.

| STATISTIQUES | Nombre de diplômés | Diplômés en emploi | À temps plein | En rapport avec la formation | Aux études | Taux de chômage | Salaire hebdo. moyen |
|---|---|---|---|---|---|---|---|
| Conduite de procédés de traitement de l'eau | 51 | 88,9 % | 84,4 % | 88,9 % | 5,6 % | 5,9 % | 731 $ |

*La Relance au secondaire en formation professionnelle, MELS, 2007.*

Consultez des portraits de diplômés issus de ces formations à http://carriere.jobboom.com/carrieres-avenir/formations-gagnantes.

## LES MÉTIERS DE LA CONSTRUCTION

Secteur 7/**DEP 5119, 5148 et 5315**

- **CALORIFUGEAGE**
- **PLOMBERIE-CHAUFFAGE**
- **RÉFRIGÉRATION**

par **Geneviève Dubé**

### PLACEMENT

À l'École des métiers de la construction de Montréal (ÉMCM), une vingtaine de personnes ont obtenu leur diplôme d'études professionnelles (DEP) en plomberie-chauffage en juin 2007. La moitié avait déjà trouvé un emploi avant la fin de ses études. Les autres diplômés ont été rapidement recrutés au cours des trois mois suivants. Si leurs services sont recherchés, c'est notamment parce que les nombreux bâtiments construits dans les années 1970 vieillissent et nécessitent des réparations, dit l'enseignant Stéphane Lemay.

Toujours à l'ÉMCM, les 17 finissants du DEP *Calorifugeage* se sont placés en mai 2007. Les calorifugeurs – des professionnels qui isolent tuyaux de plomberie, conduites d'air et réservoirs – ont en moyenne 48 ans. Les jeunes doivent remplacer cette main-d'œuvre vieillissante, estime l'enseignant Marcel Desjardins.

Au Centre de formation professionnelle 24-Juin de Sherbrooke, les 14 diplômés en réfrigération de mai 2007 se sont tous placés. L'enseignant Martin Gauthier affirme que les nombreux agrandissements et travaux de rénovation des supermarchés favorisent l'embauche de frigoristes. Ceux-ci peuvent toutefois œuvrer dans d'autres milieux, notamment en climatisation résidentielle.

### PROFIL RECHERCHÉ

Les plombiers doivent être débrouillards. «Lorsqu'on installe des tuyaux, on rencontre parfois des obstacles comme des colonnes de béton. On doit alors trouver une solution respectant le Code national de la plomberie», explique Stéphane Lemay. Les frigoristes, eux, doivent savoir travailler sous pression. «Quand les réfrigérateurs d'un supermarché ne fonctionnent plus, il faut trouver le problème et le régler rapidement», illustre Martin Gauthier.

Pour leur part, les calorifugeurs ne doivent surtout pas souffrir de vertige. «Dans les raffineries de pétrole, notamment, la tuyauterie et les équipements à isoler se situent à une centaine de mètres du sol. Les calorifugeurs travaillent à partir de la nacelle d'une grue», mentionne Marcel Desjardins.

### PERSPECTIVES

Avec l'expérience, les diplômés des trois formations peuvent aspirer à un poste de chef d'équipe ou de contremaître. Ils peuvent aussi lancer leur propre entreprise. Par ailleurs, une formation continue est nécessaire pour les plombiers. «De nouveaux matériaux arrivent régulièrement sur le marché, et les plombiers doivent les connaître pour bien faire leur travail», souligne Stéphane Lemay.

Les calorifugeurs qui aiment voyager ont l'occasion de le faire dans le cadre de leur travail. En effet, leurs services sont particulièrement demandés aux États-Unis et en Alberta. ◉ 09/07

ÉTABLISSEMENTS OFFRANT LE PROGRAMME

• **Voir la liste des établissements de formation en annexe, page 305.**

### SUR LE TERRAIN

L'entreprise Beaudin Le Prohon, dont le siège social est situé à Sherbrooke, donne du travail à environ 75 frigoristes. Chaque année, elle embauche une dizaine de diplômés du DEP *Réfrigération*. «Nous en recruterons en 2008 pour réaliser des contrats. Cela permettra aussi aux jeunes frigoristes d'apprendre des employés chevronnés avant que ceux-ci ne prennent leur retraite», explique Véronique Le Prohon, directrice des ressources humaines de l'entreprise.

| STATISTIQUES | Nombre de diplômés | Diplômés en emploi | À temps plein | En rapport avec la formation | Aux études | Taux de chômage | Salaire hebdo. moyen |
|---|---|---|---|---|---|---|---|
| Calorifugeage | n.d. | n.d. | n.d. | n.d. | n.d. | n.d. | n.d. |
| Plomberie-chauffage | 470 | 84,2 % | 97,1 % | 84,5 % | 5,0 % | 9,0 % | 680 $ |
| Réfrigération | 245 | 88,6 % | 95,9 % | 86,6 % | 2,4 % | 8,1 % | 659 $ |

*La Relance au secondaire en formation professionnelle, MELS, 2007.*

**Consultez des portraits de diplômés issus de ces formations à http://carriere.jobboom.com/carrieres-avenir/formations-gagnantes.**

# LES MÉTIERS DE LA **CONSTRUCTION**

Secteurs 10 et 15/**DEP 5248 et 5055**

- **CONDUITE DE GRUES**
- **MÉCANIQUE D'ENGINS DE CHANTIER** 4 ANS DANS *LES CARRIÈRES D'AVENIR*

par **Charles Allain**

## PLACEMENT

Au Québec, des travaux d'envergure comme la construction de mégahôpitaux et le développement de parcs d'éoliennes créent des conditions d'emploi très favorables pour les grutiers. «Ce métier n'est pas fait pour tout le monde, reconnaît Michel Gauthier, conseiller pédagogique à l'Atelier-école Les Cèdres. Mais comme la moyenne d'âge est assez élevée dans le milieu, nos quelque 50 finissants annuels se placent pratiquement tous.»

Les mécaniciens d'engins de chantier sont eux aussi très recherchés. «Chaque année, notre trentaine de diplômés trouvent tous facilement un emploi», fait valoir Jean-Pascal Fontaine, professeur responsable du programme *Mécanique d'engins de chantier* au Centre de formation professionnelle 24-Juin de Sherbrooke.

Le dynamisme du secteur de la construction alimente la demande de grutiers et de mécaniciens d'engins de chantier. La démographie y est aussi pour quelque chose. «Cette situation devrait se maintenir, car il y aura très peu de main-d'œuvre disponible à partir de 2012», ajoute M. Fontaine.

## PROFIL RECHERCHÉ

N'est pas grutier qui veut. Déplacer des objets à l'aide d'une grue peut être dangereux. Il faut donc avoir un très grand sens des responsabilités et la capacité de se représenter facilement l'espace en

trois dimensions. Une grande disponibilité est aussi nécessaire, car en début de carrière, on travaille souvent sur appel. «Les grutiers doivent posséder des aptitudes pour la communication, notamment pour travailler en équipe avec les autres travailleurs d'un chantier», ajoute Louis-Pierre Lafortune, directeur de Grues Guay, à Montréal.

Les meilleurs mécaniciens d'engins de chantier possèdent une bonne dextérité et de solides connaissances en électronique, un préalable pour établir le diagnostic quand un véhicule tombe en panne. «Ils doivent être déterminés et disponibles, car les bris de machines peuvent survenir à tout moment, par temps très froid par exemple», ajoute M. Fontaine.

## PERSPECTIVES

«Outre de bons salaires, les grutiers disposent de beaucoup d'autonomie et exercent un métier dont ils sont fiers», explique Michel Gauthier. Leur entrée sur le marché du travail s'effectue de façon progressive, car au sortir de leur formation, ils sont encore apprentis et doivent cumuler 2 000 heures de travail, soit l'équivalent de 50 semaines de 40 heures, avant de devenir compagnons. Le travail sur appel est toutefois courant, ce qui signifie que l'apprentissage peut s'étirer sur une plus longue période.

Chez les mécaniciens, la capacité de remettre un engin en état de marche est très motivante, tout comme le fait de travailler à l'extérieur. ● 09/07

ÉTABLISSEMENTS OFFRANT LE PROGRAMME

- **Voir la liste des établissements de formation en annexe, page 305.**

## SUR LE TERRAIN

Grues Guay possède 12 points de service dans autant de villes au Québec. «Nous avons environ 300 grutiers à notre service, précise Louis-Pierre Lafortune, et nous en embauchons environ une vingtaine par année. Tous doivent posséder le diplôme d'études professionnelles *Conduite de grues*.» Grues Guay privilégie des candidats très consciencieux et flexibles, car les horaires de travail ne peuvent pas être déterminés à l'avance.

| STATISTIQUES | Nombre de diplômés | Diplômés en emploi | À temps plein | En rapport avec la formation | Aux études | Taux de chômage | Salaire hebdo. moyen |
|---|---|---|---|---|---|---|---|
| Conduite de grues | 15 | 100,0 % | 72,7 % | 100,0 % | 0,0 % | 0,0 % | 1 136 $ |
| Mécanique d'engins de chantier | 212 | 76,3 %* | 100,0 % | 89,6 % | 14,4 % | 9,4 % | 674 $ |

*Ce faible taux d'emploi peut s'expliquer par le pourcentage élevé de diplômés qui poursuivent des études (14,4 %). *La Relance au secondaire en formation professionnelle*, MELS, 2007.

**Consultez des portraits de diplômés issus de ces formations à http://carriere.jobboom.com/carrieres-avenir/formations-gagnantes.**

# LES MÉTIERS DE LA **CONSTRUCTION**

Secteurs 07 et 16/**DEP 5233 et 5032**

- **FERBLANTERIE-TÔLERIE** ⬛7 ANS DANS LES CARRIÈRES D'AVENIR
- **POSE DE REVÊTEMENTS DE TOITURE**

par **Geneviève Dubé**

## PLACEMENT

Une quarantaine de finissants en pose de revêtements de toiture ont obtenu leur diplôme d'études professionnelles (DEP) en 2007, au Centre de formation Le Chantier, à Laval. Tous ont trouvé du travail. L'enseignant Claude Boulanger déplore un manque de couvreurs sur le marché du travail, alors que les nouvelles constructions sont nombreuses et qu'on doit procéder à l'entretien des bâtiments existants. «Le métier n'est pas valorisé parce qu'il ne faut qu'une troisième secondaire pour s'inscrire au DEP. De plus, le travail est exigeant physiquement.»

Le Centre de formation en métallurgie et multiservices, à Saguenay, a réussi à placer presque tous ses 18 diplômés d'octobre 2006 en ferblanterie-tôlerie. Au moment de l'entrevue, l'enseignant Alain Harvey prévoyait un placement tout aussi bon pour ses 15 finissants de l'automne 2007. Si les ferblantiers sont recherchés, c'est qu'ils sont capables d'œuvrer dans plusieurs domaines. «Nos élèves ne se retrouvent pas qu'en construction. Des entreprises spécialisées comme Bombardier les embauchent également pour travailler des feuilles de métal», explique M. Harvey.

## PROFIL RECHERCHÉ

La précision est de rigueur pour les ferblantiers, qui découpent de minces feuilles de métal. De plus, les machines à commande numérique et les logiciels de dessin utilisés requièrent des habiletés en informatique. «Il faut aussi être polyvalent, car les ferblantiers font tout : la conception des pièces, le polissage, le découpage et le soudage», mentionne Alain Harvey.

Les couvreurs doivent aimer être à l'extérieur, car ils travaillent sur le toit des bâtiments. La pose de bardeaux exige le souci du détail, tandis que les toits en asphalte appellent au travail d'équipe. «Un couvreur coule l'asphalte et son collègue l'étend», précise Claude Boulanger. Mais selon lui, les employeurs apprécient surtout les couvreurs ponctuels et assidus au travail.

## PERSPECTIVES

Contrairement à ce que l'on entend souvent dire, le métier de couvreur se pratique toute l'année. De plus, les couvreurs chevronnés ont de bonnes possibilités d'avancement. «Ils peuvent devenir gestionnaires de chantier ou chefs d'équipe», souligne Claude Boulanger.

De leur côté, les ferblantiers ont la chance d'exploiter leur créativité pour créer des pièces de métal aux formes diverses. Ils œuvrent dans différents milieux de travail, «comme un atelier ou un chantier de construction», illustre Alain Harvey. L'enseignant ajoute que les ferblantiers expérimentés peuvent accéder aux postes de contremaître ou de gestionnaire d'équipe. ◉ 10/07

ÉTABLISSEMENTS OFFRANT LE PROGRAMME

• Voir la liste des établissements de formation en annexe, page 305.

## SUR LE TERRAIN

Une vingtaine de couvreurs et quatre ferblantiers travaillent chez J. Veilleux & Fils, à Montréal-Nord. Cet entrepreneur spécialisé en revêtement de toiture a recruté, en 2007, cinq couvreurs non diplômés. Ces employés feront toutefois leur DEP durant la période moins occupée de l'année, soit à l'hiver 2008. «Nous aurions du travail pour trois couvreurs supplémentaires, mais nous ne trouvons pas de main-d'œuvre qualifiée», déplore Jacques Veilleux, président.

| STATISTIQUES | Nombre de diplômés | Diplômés en emploi | À temps plein | En rapport avec la formation | Aux études | Taux de chômage | Salaire hebdo. moyen |
|---|---|---|---|---|---|---|---|
| Ferblanterie-tôlerie | 108 | 87,1 % | 98,4 % | 93,3 % | 2,9 % | 7,6 % | 686 $ |
| Pose de revêtements de toiture | 100 | 76,8 %* | 94,3 % | 74,0 %* | 5,8 % | 8,6 % | 806 $ |

* Étant donné le caractère saisonnier des métiers de la construction, les statistiques de la Relance doivent être interprétées avec prudence. Ce sondage a lieu en mars, une période plus calme dans l'industrie.

La Relance au secondaire en formation professionnelle, MELS, 2007.

Consultez des portraits de diplômés issus de ces formations à http://carriere.jobboom.com/carrieres-avenir/formations-gagnantes.

# INSTALLATION ET RÉPARATION D'ÉQUIPEMENT DE TÉLÉCOMMUNICATION

Secteur 09/**DEP 5266**

par Jean-Sébastien Marsan

## PLACEMENT

«En ce moment, il y a plus d'offres d'emploi que de finissants du diplôme d'études professionnelles (DEP) *Installation et réparation d'équipement de télécommunication*, affirme Charles Ménard, conseiller pédagogique au Centre de formation professionnelle (CFP) Léonard-De Vinci, à Saint-Laurent. En juin 2007, une entreprise nous a contactés pour embaucher 125 finissants. Or, nous n'en avons que 60 par année.» La situation est similaire au CFP Gabriel-Rousseau, à Saint-Romuald. Les 21 diplômés de la cohorte 2007 ont tous obtenu un poste.

C'est donc le plein emploi pour ces techniciens qui maîtrisent quatre grandes catégories de technologies : la téléphonie avec fil et sans fil, la radiocommunication, la câblodistribution et les systèmes d'intercommunication utilisés notamment dans les hôpitaux. Cette formation polyvalente leur permet bien sûr de travailler pour les gros opérateurs en télécommunications comme Bell Canada et Vidéotron. Elle leur ouvre aussi la porte des entreprises qui vendent et réparent des systèmes d'alarme ou des émetteurs-récepteurs radio pour voitures de police, par exemple.

## PROFIL RECHERCHÉ

Les installateurs de matériel de télécommunication pratiquent un métier technique, axé sur l'électronique, et assez exigeant. Ils doivent se déplacer chez des clients, grimper dans une échelle pour installer des fils, etc. «Puisque les diplômés travaillent presque tous avec un camion, il leur faut un permis de conduire, souligne Charles Walsh, enseignant au CFP Gabriel-Rousseau. Et on utilise beaucoup de fils de couleur, donc il ne faut pas être daltonien!»

Par ailleurs, comme les télécommunications évoluent rapidement, les finissants doivent démontrer un intérêt marqué pour les nouvelles technologies, dont la téléphonie IP, et tenir leurs connaissances à jour.

## PERSPECTIVES

La forte demande devrait persister tant que les consommateurs continuent de s'abonner au câble et de faire installer des systèmes d'alarme dans leur maison. Mais si un secteur des télécommunications devait traverser une période difficile, les diplômés qui y travaillent pourraient toujours se tourner vers les autres domaines, puisqu'ils les ont étudiés pendant leur DEP.

«Avec de l'expérience, les techniciens peuvent être affectés au soutien technique, ou encore devenir chefs d'équipe», explique Sophie Forget, directrice, projets, chez Bell Solutions techniques. ® 09/07

ÉTABLISSEMENTS OFFRANT LE PROGRAMME

 Voir la liste des établissements en page 308.

## SUR LE TERRAIN

Bell Solutions techniques, une filiale de Bell Canada, compte 2 800 employés. Ses techniciens se déplacent chez les clients de Bell pour vérifier et réparer, s'il y a lieu, les services téléphoniques et Internet. L'entreprise embauche par vagues, en périodes de croissance et pour pourvoir les postes qui se libèrent. «Nos besoins vont en grandissant depuis trois ans, notamment pour remplacer les *baby-boomers* qui approchent de l'âge de la retraite», déclare Sophie Forget.

| STATISTIQUES | Nombre de diplômés | Diplômés en emploi | À temps plein | En rapport avec la formation | Aux études | Taux de chômage | Salaire hebdo. moyen |
|---|---|---|---|---|---|---|---|
| Instal. et répar. d'équipement de télécommunication | 70 | 85,7 % | 88,9 % | 87,5 % | 4,8 % | 7,7 % | 649 $ |

*La Relance au secondaire en formation professionnelle*, MELS, 2007.

Consultez un portrait de diplômé issu de cette formation à
http://carriere.jobboom.com/carrieres-avenir/formations-gagnantes.

## LES MÉTIERS DE LA **MÉCANIQUE**

Secteur 10/**DEP 5070**

### • MÉCANIQUE AGRICOLE

par **Denise Proulx**

### PLACEMENT

Les titulaires du diplôme d'études profession-nelles (DEP) en mécanique agricole sont très recherchés par les employeurs et ils trouvent facilement un emploi. «Nos 11 finissants du printemps 2007 ont tous décroché un travail. Il en aurait fallu 40 pour répondre aux attentes des employeurs de la région!» relate Léon Dutil, responsable de la formation au Centre multi-service de la Commission scolaire des Samares, à Joliette.

Les diplômés ne pratiquent pas tous dans le domaine agricole. En plus des garages, de nombreux employeurs comme les terrains de golf, les services d'excavation, les parcs municipaux et provinciaux, et des concessionnaires de machinerie agricole leur offrent des postes. «Certains finissants lancent leur propre entreprise, en aménagement paysager et en déneigement par exemple», ajoute l'enseignant. Près de 80 % des employeurs recrutent les finissants qu'ils ont accueillis en stage. «La demande de diplômés demeurera élevée pour les cinq prochaines années, car il va y avoir beaucoup de départs à la retraite», dit Claude Cadieux, directeur du Centre de formation agricole de Mirabel.

### PROFIL RECHERCHÉ

La personne autonome, débrouillarde, possédant un esprit de «patenteux» et comprenant les notions d'électronique et d'informatique sera heureuse en mécanique agricole. «On doit savoir analyser un problème et faire preuve d'ingéniosité pour réparer une pièce», précise Claude Cadieux. Il faut aussi aimer le travail manuel et connaître l'anglais, car plusieurs manuels d'apprentissage ne sont pas traduits en français.

Par ailleurs, s'il souhaite progresser rapidement dans son métier, le mécanicien devra suivre diverses formations aux États-Unis, fournies par les manufacturiers de machinerie agricole.

### PERSPECTIVES

Il y a de l'avenir dans ce domaine : «L'agriculture est une activité économique stable, car les gens n'arrêteront jamais de manger!» analyse Léon Dutil. Comme les possibilités d'emploi sont diversifiées, le diplômé aura l'embarras du choix entre différentes offres, selon ses goûts et ses ambitions. «La concurrence accrue dans le recrutement et le manque de mécaniciens agricoles font monter les salaires. Un débutant gagnera facilement de 16 à 18 $ l'heure dans un garage», dit Claude Cadieux. Il peut toucher jusqu'à 22 $ l'heure comme manœuvre dans une municipalité et 26 $ l'heure dans une entreprise d'excavation. «Un employé intelligent et qui a du cœur au ventre montera rapidement les échelons», note Léon Dutil. ◉ 09/07

ÉTABLISSEMENTS OFFRANT LE PROGRAMME

10 43 53 66 82 86 109

Voir la liste des établissements en page 308.

### SUR LE TERRAIN

Le concessionnaire de machinerie agricole Agritex, de Saint-Roch de l'Achigan, embauche des titulaires du DEP depuis 1993. «J'en recrute chaque année; 70 % de mes 56 employés possèdent ce DEP. Ce sont des travailleurs très compétents», explique le propriétaire Jean-Guy Perreault. Il sélectionne ses futurs employés durant les stages. «Dès qu'ils auront terminé leur formation, j'embaucherai deux stagiaires qui deviendront des employés à temps plein en 2008», promet-il. En attendant, l'entreprise leur offre du travail rémunéré, à temps partiel.

| STATISTIQUES | Nombre de diplômés | Diplômés en emploi | À temps plein | En rapport avec la formation | Aux études | Taux de chômage | Salaire hebdo. moyen |
|---|---|---|---|---|---|---|---|
| Mécanique agricole | 78 | 85,5 % | 95,7 % | 88,9 % | 9,1 % | 4,1 % | 507 $ |

*La Relance au secondaire en formation professionnelle, MELS, 2007.*

Consultez un portrait de diplômé issu de cette formation à
http://carriere.jobboom.com/carrieres-avenir/formations-gagnantes.

# LES MÉTIERS DE LA **MÉCANIQUE**

Secteur 10/**DEP 5298, ASP 5259 et 5232, DEP 5049**

- **MÉCANIQUE AUTOMOBILE**
- **MÉCANIQUE DE MOTEURS DIESELS ET DE CONTRÔLES ÉLECTRONIQUES**
- **MÉCANIQUE DE VÉHICULES LOURDS ROUTIERS** 9 ANS DANS *LES CARRIÈRES D'AVENIR*

par **Charles Allain**

## PLACEMENT

Les nouvelles technologies liées à l'automobile, comme la technologie hybride, et les départs à la retraite de nombreux mécaniciens transforment en profondeur ce métier. «Le titre de technicien spécialisé leur conviendrait mieux, croit Jean Baril, professeur au programme de mécanique automobile à l'École des métiers de l'équipement motorisé de Montréal. Bien que nous octroyions de 450 à 500 diplômes d'études professionnelles (DEP) en mécanique automobile par an, la demande demeure plus forte que l'offre.»

En mécanique de véhicules lourds, le taux de placement est excellent depuis 14 ans. «Nous ne pouvons pas répondre à toutes les offres reçues, explique André Paradis, directeur du Centre de formation en mécanique de véhicules lourds de Saint-Romuald. Parmi nos 60 diplômés annuels, plus de la moitié sont embauchés dans l'entreprise où ils ont effectué leur stage.» Mentionnons, en outre, qu'environ le tiers des diplômés poursuit ses études à l'ASP *Mécanique de moteurs diesels et de contrôles électroniques*, une spécialisation très prisée sur le marché du travail.

## PROFIL RECHERCHÉ

Les bons mécaniciens doivent faire preuve de dextérité manuelle, être débrouillards, autonomes et savoir résoudre des problèmes. «Il faut savoir trouver l'origine de la panne en faisant les bonnes déductions, avance Jean Baril. Il se révèle aussi indispensable de garder constamment ses connaissances à jour, car la technologie évolue encore plus rapidement que la formation.» Par ailleurs, il faut comprendre l'anglais, car plusieurs manuels techniques n'existent pas en français.

## PERSPECTIVES

Les véhicules ont des technologies de plus en plus complexes et des équipements de plus en plus sophistiqués. La main-d'œuvre qualifiée pour les réparer continuera donc d'être demandée au cours des prochaines années. Les mécaniciens choisissent leur spécialité selon leurs affinités et leur tempérament. Avoir son propre atelier demeure l'objectif de ceux à l'esprit entrepreneur, mais d'autres possibilités existent, comme celle de devenir conseiller ou gérant technique chez un concessionnaire automobile ou au sein d'une entreprise possédant une grande flotte de véhicules. 09/07

ÉTABLISSEMENTS OFFRANT LE PROGRAMME

- Voir la liste des établissements de formation en annexe, page 305.

## SUR LE TERRAIN

Le concessionnaire Gravel Pontiac Buick Cadillac de L'Île-des-Sœurs a toujours une équipe de 25 à 30 mécaniciens. «Nous prenons souvent des stagiaires pour assurer une relève, explique Gaston Picard, directeur de service. Les plus difficiles à trouver sont les mécaniciens avec de bonnes connaissances en électronique. L'attitude est aussi très importante : les nouveaux arrivés ne doivent pas s'imaginer qu'ils savent tout. Leurs collègues de travail peuvent leur en apprendre beaucoup.»

| STATISTIQUES | Nombre de diplômés | Diplômés en emploi | À temps plein | En rapport avec la formation | Aux études | Taux de chômage | Salaire hebdo. moyen |
|---|---|---|---|---|---|---|---|
| Mécanique automobile | 1 057 | 82,2 % | 98,5 % | 80,4 % | 8,5 % | 7,8 % | 506 $ |
| Mécan. de moteurs diesels et de contrôles électro. | 60 | 92,5 % | 100,0 % | 94,6 % | 2,5 % | 5,1 % | 689 $ |
| Mécanique de véhicules lourds routiers | 355 | 84,1 % | 99,0 % | 87,4 % | 10,5 % | 4,7 % | 667 $ |

*La Relance au secondaire en formation professionnelle, MELS, 2007.*

Consultez des portraits de diplômés issus de ces formations à http://carriere.jobboom.com/carrieres-avenir/formations-gagnantes.

## LES MÉTIERS DE LA **MÉCANIQUE**

Secteur 07/**DEP 5146 et 5121**

- **MÉCANIQUE DE MACHINES FIXES** `7 ANS DANS LES CARRIÈRES D'AVENIR`
- **MÉCANIQUE DE PROTECTION CONTRE LES INCENDIES**

par **Charles Allain**

### PLACEMENT

Le pavillon Dalbé-Viau du Centre de formation professionnelle de Lachine a, chaque année depuis 1992, une trentaine de diplômés en mécanique de machines fixes. Tous trouvent du travail dans leur domaine. «La demande est très forte, commente l'enseignant Bernard Laurent. Et comme c'est un programme d'alternance travail-études, au moins la moitié des élèves restent là où ils ont fait leur stage.»

Au Québec, seule l'École polymécanique de Laval offre le diplôme d'études professionnelles *Mécanique de protection contre les incendies*. «Nous avons un taux de placement de 100 %, indique José Gauvin, conseiller pédagogique. Comme l'obligation de poser des systèmes de gicleurs s'applique maintenant à la construction résidentielle, les diplômés ne manqueront pas de travail.»

### PROFIL RECHERCHÉ

Les mécaniciens de machines fixes doivent avoir l'esprit d'initiative et de la curiosité, car ils travaillent souvent seuls, de nuit et les fins de semaine. «Ils doivent bien comprendre le fonctionnement des systèmes de chauffage, de ventilation ou de climatisation pour réussir à les rétablir en cas de bris», précise Bernard Laurent.

Les mécaniciens de protection contre les incendies, eux, déplacent des objets lourds sur des échafaudages parfois élevés. Ils ne doivent donc pas être sujets au vertige. En outre, ils doivent être en mesure de travailler dans des espaces parfois restreints.

### PERSPECTIVES

Peu connu, le métier de mécanicien de machines fixes offre beaucoup de possibilités. Avec le temps, les mécaniciens peuvent devenir gestionnaires d'édifice ou chefs de centrale thermique. À une époque où les préoccupations environnementales sont de plus en plus importantes, on leur confie des défis intéressants, comme réduire la consommation d'énergie des systèmes dont ils assurent l'entretien.

Les mécaniciens de protection contre les incendies bénéficient d'excellentes conditions salariales. Après 8 000 heures de travail, soit environ quatre ans à temps plein, ils gagnent plus de 30 $ l'heure. Les plus compétents peuvent devenir des experts dans la mise en place de systèmes de protection complexes. Ils peuvent aussi fonder leur propre entreprise. © 09/07

ÉTABLISSEMENTS OFFRANT LE PROGRAMME

• **Voir la liste des établissements de formation en annexe, page 305.**

### SUR LE TERRAIN

La firme Dynatech de Longueuil, qui exploite la centrale Gazmont, est spécialisée dans la gestion et la maintenance d'infrastructures de production d'énergie. L'entreprise compte une dizaine de mécaniciens de machines fixes parmi son personnel. «Nous cherchons avant tout des gens compétents qui peuvent s'intégrer aisément à des équipes de travail, mentionne Guy Girard, responsable des opérations à la centrale Gazmont. Les embauches dépendent directement des départs, car nous favorisons évidemment la rétention au sein de l'entreprise.»

| STATISTIQUES | Nombre de diplômés | Diplômés en emploi | À temps plein | En rapport avec la formation | Aux études | Taux de chômage | Salaire hebdo. moyen |
|---|---|---|---|---|---|---|---|
| Mécanique de machines fixes | 79 | 85,1 % | 100,0 % | 90,0 % | 4,3 % | 11,1 % | 783 $ |
| Mécanique de protection contre les incendies | 32 | 100,0 % | 100,0 % | 90,0 % | 0,0 % | 0,0 % | 706 $ |

*La Relance au secondaire en formation professionnelle, MELS, 2007.*

Consultez des portraits de diplômés issus de ces formations à http://carriere.jobboom.com/carrieres-avenir/formations-gagnantes.

# REPRÉSENTATION (ASP)

Secteur 01/**ASP 5054**

par **Peggy Bédard**

## PLACEMENT

Les diplômés de l'attestation de spécialisation professionnelle (ASP) *Représentation* sont des experts de la vente. Ils ne travaillent toutefois pas en magasin. Ce sont eux, par exemple, qui convainquent les propriétaires de supermarchés de mettre une nouvelle marque de biscuits sur leurs tablettes ou les constructeurs de bateaux d'utiliser un nouveau modèle de moteur. «Ce programme offre de très bonnes perspectives d'emploi. Chaque année, 90 % de nos 40 finissants se placent», dit Isabelle Myrand, conseillère d'orientation et responsable du programme au Centre de formation professionnelle (CFP) Maurice-Barbeau de Sainte-Foy.

Les élèves de l'ASP réalisent des stages dans le cadre de leur formation. Lyne Boivin, responsable du programme au Centre de formation des Nouvelles-Technologies, à Sainte-Thérèse, est notamment en contact avec des employeurs du domaine de l'alimentation. Plusieurs autres secteurs d'emploi, dont l'industrie des pièces de véhicules motorisés et les télécommunications (vente de cellulaires, entre autres) ont aussi besoin de nouveaux talents. «Ceux qui se démarquent dans leur stage ont de très bonnes chances de se faire une place sur le marché du travail.»

## PROFIL RECHERCHÉ

Le représentant travaille seul et il est souvent sur la route. «Il faut des personnes capables de se fixer des objectifs et de se dépasser, soutient Mme Boivin. On doit être attentif afin de comprendre et d'analyser rapidement le besoin de son client», ajoute-t-elle. Dans le secteur alimentaire, par exemple, le représentant doit savoir ce qui se vend bien dans chacun des commerces qu'il visite, de façon à proposer les bons produits à son client.

«Les employeurs veulent des personnes autonomes, d'habiles communicateurs dotés d'un grand sens de l'organisation, dit Mme Myrand. Il faut être bilingue, ou capable de se débrouiller en anglais.» On demande aussi des connaissances en informatique. «Les présentations et les rapports de vente se font souvent en PowerPoint et en Excel», précise Gérald Cayouette, gestionnaire régional des ventes pour Les Aliments Maple Leaf.

## PERSPECTIVES

Les représentants travaillent habituellement à commission. Le salaire de départ s'élève en moyenne à quelque 29 000 $ par an, selon la plus récente *Relance* du ministère de l'Éducation, du loisir et du Sport. La rémunération augmente toutefois quand on est efficace et persévérant, et lorsqu'on se construit un bon réseau professionnel, affirme Mme Myrand. Les représentants ont de bonnes conditions de travail et des primes, renchérit Mme Boivin. ◎ 09/07

ÉTABLISSEMENTS OFFRANT LE PROGRAMME

1 8 26 27 44 52 65 81 86
97 109 113 116 122 135 139 210

Voir la liste des établissements en page 308.

Les carrières d'avenir 2008 • **150 formations gagnantes**

233

## SUR LE TERRAIN

Les grandes entreprises, comme Maple Leaf, ont plusieurs divisions et territoires à couvrir. «On limite le territoire de chaque représentant et la quantité de produits qu'il présente à ses clients. Ça lui permet de rentabiliser son travail et d'apprendre à connaître ses produits à fond», dit M. Cayouette. L'entreprise a embauché une diplômée du Centre de formation des Nouvelles-Technologies en 2004. Elle pourrait en recruter trois ou quatre autres au cours des cinq prochaines années.

| STATISTIQUES | Nombre de diplômés | Diplômés en emploi | À temps plein | En rapport avec la formation | Aux études | Taux de chômage | Salaire hebdo. moyen |
|---|---|---|---|---|---|---|---|
| Représentation | 314 | 84,7 % | 84,3 % | 80,7 % | 5,9 % | 7,0 % | 565 $ |

*La Relance au secondaire en formation professionnelle*, MELS, 2007.

Consultez des portraits de diplômés issus de ces formations à
http://carriere.jobboom.com/carrieres-avenir/formations-gagnantes.

# LES CARRIÈRES DE LA **SANTÉ**

Secteur 19/**DEP 5317 et 5316**

- **ASSISTANCE À LA PERSONNE À DOMICILE**
- **ASSISTANCE À LA PERSONNE EN ÉTABLISSEMENT DE SANTÉ**

par **Johanne Latour**

## PLACEMENT

Le vieillissement de la population et le manque de personnel dans le système de santé ont un effet positif sur les perspectives d'emploi associées à ces deux programmes. Au Centre multiservice des Samares, à Joliette, et à l'École professionnelle de Saint-Hyacinthe, on parle de taux de placement variant de 98 à 100 %.

La plupart des diplômés se voient offrir des postes surnuméraires et du travail sur appel. Toutefois, les besoins des employeurs sont si importants que, dans bien des cas, ils travaillent tout de même à temps plein. Pour les attirer, il arrive d'ailleurs qu'on leur offre un certain nombre de jours de travail garanti par semaine.

Les écoles reçoivent régulièrement des offres d'emploi pour leurs finissants. «On a même lancé un projet qui permet aux élèves de travailler dans leur domaine à temps partiel, afin de répondre aux besoins des employeurs», indique Elaine Brodeur, enseignante à l'École professionnelle de Saint-Hyacinthe, au sujet du diplôme d'études professionnelles *Assistance à la personne en établissement de santé*.

## PROFIL RECHERCHÉ

Que l'on soit préposé aux bénéficiaires ou auxiliaire aux services de santé et sociaux, il est impératif de se soucier du bien-être des personnes. «Le respect des bénéficiaires est très important», mentionne Marlyne Falardeau, enseignante à l'École professionnelle de Saint-Hyacinthe.

Il importe aussi de démontrer beaucoup de flexibilité: les bénéficiaires nécessitent des soins le jour, le soir, la nuit et la fin de semaine. Une bonne santé physique et psychologique représente un autre atout de taille. En effet, travailler avec des personnes qui vivent différentes difficultés peut être une source de stress.

Les auxiliaires aux services de santé et sociaux issus du programme *Assistance à la personne à domicile* doivent être autonomes. Il leur faut aussi un permis de conduire et une voiture, pour pouvoir se rendre seuls chez leurs patients.

## PERSPECTIVES

Aider les gens, les accompagner, les soulager, peut être une source de grande satisfaction. Bien sûr, il y a des gestes routiniers, comme les bains ou les pansements. Toutefois, contrairement au travail en usine, par exemple, on est toujours en interaction avec un être humain.

Les diplômés ont la chance de jouer un rôle important au sein d'une équipe multidisciplinaire, avec des médecins, infirmières et autres professionnels de la santé. Avec l'expérience, ils peuvent devenir chefs d'équipe. Cependant, à moins de retourner aux études, leur travail n'offre pas d'autres possibilités d'avancement. ◉ 09/07

ÉTABLISSEMENTS OFFRANT LE PROGRAMME

• Voir la liste des établissements de formation en annexe, page 305.

## SUR LE TERRAIN

Le Centre de santé et de services sociaux de Gatineau a recruté, en 2006-2007, environ 150 préposés aux bénéficiaires et une dizaine d'auxiliaires aux services de santé et sociaux qui offrent des soins à domicile. Bien qu'il soit difficile de faire des prévisions, on s'attend à ce que le nombre d'embauches soit semblable pour l'année 2007-2008. «On cherche des personnes motivées, prêtes à s'adapter à des horaires, à des patients et à des milieux différents», dit Sonia Beaulne, agente en gestion du personnel.

| STATISTIQUES | Nombre de diplômés | Diplômés en emploi | À temps plein | En rapport avec la formation | Aux études | Taux de chômage | Salaire hebdo. moyen |
|---|---|---|---|---|---|---|---|
| Assistance à la personne à domicile | 515 | 84,2 % | 74,0 % | 92,2 % | 7,0 % | 4,5 % | 520 $ |
| Assistance à la personne en établissement de santé | 1 936 | 84,4 % | 70,2 % | 84,5 % | 6,3 % | 4,8 % | 524 $ |

*La Relance au secondaire en formation professionnelle, MELS, 2007.*

Consultez des portraits de diplômés issus de ces formations à
http://carriere.jobboom.com/carrieres-avenir/formations-gagnantes.

## LES CARRIÈRES DE LA **SANTÉ**

Secteur 19/**DEP 5144 et 5302**

- **ASSISTANCE DENTAIRE**
- **ASSISTANCE TECHNIQUE EN PHARMACIE** **10** ANS DANS *LES CARRIÈRES D'AVENIR*

par **Carole Boulé**

### PLACEMENT

La population québécoise prend de plus en plus de médicaments. Comme les pharmaciens ne sont pas suffisamment nombreux pour servir tout le monde, ils délèguent certaines tâches à des assistants techniques en pharmacie (ATP), explique Micheline Jutras, pharmacienne et enseignante au Centre de formation professionnelle (CFP) Bel-Avenir, à Trois-Rivières. Cet établissement a donc réussi, en 2007, à placer la majorité des 14 diplômés issus de cette discipline. Josiane Bellerive, conseillère à l'emploi au Bureau d'emploi en formation professionnelle de la Mauricie, confirme que le taux de placement est excellent dans la région. Il s'établissait déjà à 94 % en 2005-2006.

En 2007, l'École des métiers des Faubourgs de Montréal a augmenté sa capacité d'accueil en assistance dentaire. Elle accepte maintenant 200 inscriptions par an. L'enseignante Danielle Delorme indique que la majorité des diplômées* trouve un emploi après ses études. Les remplacements de congés de maternité et le roulement élevé de main-d'œuvre dans ce domaine favorisent aussi le placement.

### PROFIL RECHERCHÉ

Assistantes dentaires et ATP doivent avoir de l'entregent et aimer aider la clientèle. Dans un cabinet dentaire, il faut aussi être à l'aise de travailler en étroite collaboration avec le dentiste que l'on assiste. En pharmacie, il faut être responsable, minutieux et méthodique pour préparer les médicaments correctement. On doit aussi apprendre rapidement pour effectuer certaines tâches déléguées par le pharmacien, comme la gestion des stocks, l'entretien des appareils et la surveillance des dates de péremption. En outre, une bonne mémoire est utile pour apprendre les noms des médicaments.

### PERSPECTIVES

Les ATP qui le désirent ont la possibilité de se spécialiser dans les préparations stériles utilisées dans les hôpitaux et les laboratoires pharmaceutiques, note Mme Jutras. Ils peuvent aussi être affectés à la préparation de médicaments pour les patients d'une unité de soins dans un centre hospitalier. Plusieurs autres ouvertures s'offrent aux ATP. Certains, par exemple, sont embauchés par des bannières de pharmacies pour former d'autres assistants à l'utilisation des logiciels pertinents à la profession.

L'assistante dentaire a moins de possibilités d'avancement. Elle peut toutefois poursuivre ses études au cégep en techniques d'hygiène dentaire, souligne Claire-Marie Larochelle, directrice du site de placement EmploiDentaire.com. © 09/07

\* Le féminin est utilisé pour le programme *Assistance dentaire*, étant donné la très grande proportion de femmes diplômées de cette formation.

ÉTABLISSEMENTS OFFRANT LE PROGRAMME

- **Voir la liste des établissements de formation en annexe, page 305.**

### SUR LE TERRAIN

EmploiDentaire.com crée un lien entre les candidats et les employeurs du domaine dentaire. «Les dentistes affichent leurs offres d'emploi sur notre site. En août 2007, près de 250 personnes [hygiénistes, assistantes dentaires, secrétaires dentaires, etc.] étaient inscrites dans notre banque de candidatures», dit Claire-Marie Larochelle. La demande est forte dans ce domaine : ainsi, en septembre 2007, 18 employeurs étaient à la recherche d'une assistante dentaire le même jour.

| STATISTIQUES | Nombre de diplômés | Diplômés en emploi | À temps plein | En rapport avec la formation | Aux études | Taux de chômage | Salaire hebdo. moyen |
|---|---|---|---|---|---|---|---|
| Assistance dentaire | n.d. | n.d. | n.d. | n.d. | n.d. | n.d. | n.d. |
| Assistance technique en pharmacie | 25 | 93,8 % | 86,7 % | 100,0 % | 0,0 % | 0,0 % | 558 $ |

*La Relance au secondaire en formation professionnelle, MELS, 2007.*

Consultez des portraits de diplômés issus de ces formations à
http://carriere.jobboom.com/carrieres-avenir/formations-gagnantes.

# LES CARRIÈRES DE LA **SANTÉ**

Secteur 19/**DEP 5287**

**10** ANS DANS LES CARRIÈRES D'AVENIR

## • SANTÉ, ASSISTANCE ET SOINS INFIRMIERS

par **Johanne Latour**

## PLACEMENT

De nombreux départs à la retraite et une pénurie d'infirmières assurent aux titulaires du diplôme d'études professionnelles (DEP) *Santé, assistance et soins infirmiers* d'excellentes possibilités de placement. «Comme les infirmières sont débordées, nous devons utiliser toutes les ressources disponibles», indique Stéphanie Gervais, conseillère en gestion des ressources humaines au Centre de santé et de services sociaux Jardins-Roussillon, dont le siège social est situé à Candiac. Les infirmières auxiliaires* issues du DEP se voient donc confier diverses tâches, comme des prises de sang.

Cette situation profite aux diplômées. À titre d'exemple, le Centre de formation professionnelle (CFP) C.-E.-Pouliot, à Gaspé, et le CFP Gérard-Filion, à Longueuil, avaient une trentaine de finissantes au printemps 2007. Toutes ont trouvé du travail dans leur domaine. Il s'agit, pour plusieurs, de travail sur appel, comme cela se voit dans plusieurs métiers de la santé.

## PROFIL RECHERCHÉ

Plusieurs parlent de cette profession comme étant une véritable vocation. Diverses qualités sont requises, dont l'empathie, le sens des responsabilités et un réel désir d'aider les autres. «Devant un patient exigeant, il faut se rappeler comment on voudrait que soit traité notre père ou notre mère», suggère Jocelyne Bouchard, enseignante au CFP Gérard-Filion.

«Durant leurs stages, les élèves pourront se rendre compte par elles-mêmes si ce travail leur convient vraiment. Elles peuvent aussi, si elles le désirent, travailler comme préposées aux bénéficiaires pendant leurs études», ajoute-t-elle. Notons aussi que dans ce domaine, il faut être prêt à œuvrer le jour, le soir et la nuit, en étant prévenu parfois à la dernière minute.

## PERSPECTIVES

On ne s'ennuie jamais dans le milieu de la santé : chaque cas est différent et, pour suivre l'évolution des méthodes et des équipements, les formations d'appoint sont courantes. «Avec le temps, il est souvent possible de s'orienter vers le département de son choix, que ce soit l'urgence, la gériatrie, la pédiatrie...», ajoute Colette Leblanc, conseillère pédagogique en formation professionnelle au CFP C.-E.-Pouliot.

Les plus compétentes pourront devenir chefs d'équipe, si elles démontrent du leadership. Par ailleurs, celles qui désirent continuer leur formation pour devenir infirmières peuvent se prévaloir de la passerelle DEP-DEC pour faire reconnaître leurs acquis lorsqu'elles s'inscriront au cégep. ® 10/07

* Le féminin est utilisé dans cet article étant donné la très grande proportion de femmes diplômées en *Santé, assistance et soins infirmiers*.

ÉTABLISSEMENTS OFFRANT LE PROGRAMME

• Voir la liste des établissements de formation en annexe, page 305.

Les carrières d'avenir 2008 • **150 formations gagnantes**

**237**

## SUR LE TERRAIN

Le Centre de santé et de services sociaux Jardins-Roussillon emploie quelque 132 infirmières auxiliaires, selon Stéphanie Gervais. Une vingtaine d'entre elles ont été recrutées au printemps 2007 et d'autres embauches sont prévues pour la fin des classes, en 2008. Les nouvelles employées commenceront par faire des remplacements pendant les vacances d'été. Ensuite, il est fort probable que les départs à la retraite leur permettront de conserver leur poste.

| STATISTIQUES | Nombre de diplômés | Diplômés en emploi | À temps plein | En rapport avec la formation | Aux études | Taux de chômage | Salaire hebdo. moyen |
|---|---|---|---|---|---|---|---|
| Santé, assistance et soins infirmiers | 119 | 80,6 % | 76,0 % | 86,8 % | 3,2 % | 9,1 % | 580 $ |

*La Relance au secondaire en formation professionnelle, MELS, 2007.*

Consultez des portraits de diplômés issus de ces formations à
http://carriere.jobboom.com/carrieres-avenir/formations-gagnantes.

## SOUDAGE-MONTAGE

Secteur 16/**DEP 5195**

**11** ANS DANS LES CARRIÈRES D'AVENIR

Les carrières d'avenir 2008 • 150 formations gagnantes

**238**

par **Hélène Marion**

### PLACEMENT

En septembre 2007, les 10 finissants en soudage-montage d'Aviron Québec Collège Technique ont tous trouvé un emploi avant de terminer leur formation. «Certains de mes élèves n'ont même pas eu à faire de stage; ils ont été immédiatement engagés et rémunérés», soutient le responsable du programme, Michel Bolduc, qui reçoit deux ou trois offres d'emploi par semaine pour ses diplômés. Selon lui, la demande sera encore forte pendant les 15 prochaines années. «Les départs à la retraite sont nombreux dans ce domaine. Il y a aussi beaucoup de travaux de soudure à faire sur les ponts un peu partout au Québec!»

Si les entreprises embauchent beaucoup, c'est aussi que le marché du fer et de l'aluminium est en croissance et que le Québec fournit ces matériaux aux pays asiatiques, ajoute le conseiller d'orientation Jeannot Dubois, du Centre de formation professionnelle A.-W.-Gagné, à Sept-Îles. Cet établissement avait 18 finissants en soudage-montage en 2007. La grande majorité a décroché un emploi à la fin de la formation.

### PROFIL RECHERCHÉ

Le soudage est un travail individuel. Il faut toutefois savoir travailler en équipe pour manœuvrer de grosses pièces. Par ailleurs, les soudeurs-monteurs doivent être minutieux, car ils travaillent sur des pièces délicates et parfois très petites, souligne M. Dubois.

Dans ce métier, on ne doit pas craindre l'effort physique. «C'est exigeant : on lève souvent des charges et le travail s'effectue à l'extérieur», lance M. Bolduc. «Il est aussi primordial de savoir lire des plans en trois dimensions, afin de construire exactement ce qui est indiqué», dit Francine Lemay, conseillère aux communications chez Marmen, un fabricant d'éoliennes installé dans le Bas-Saint-Laurent et en Mauricie.

### PERSPECTIVES

«Parce qu'il ne possède qu'un diplôme d'études professionnelles, le soudeur voit parfois son travail dévalorisé. Pourtant, il doit viser la perfection. Par exemple, s'il travaille sur un barrage, il faut que cela soit très solide», dit Mme Lemay.

Les soudeurs-monteurs travaillent en usine ou sur des chantiers variés, pour Hydro-Québec, une mine ou un entrepreneur de construction, par exemple. Ils peuvent devenir contremaîtres, chefs d'équipe, superviseurs ou même directeurs de production dans une usine.

Il leur faut habituellement accepter des contrats en région éloignée s'ils veulent améliorer leur salaire. Par exemple, un soudeur-monteur peut aller travailler un mois dans le Nord-du-Québec, puis revenir deux semaines avant de repartir ailleurs, pour une autre compagnie. «L'emploi est en croissance à l'extérieur des grands centres», explique M. Dubois. ◉ 09/07

ÉTABLISSEMENTS OFFRANT LE PROGRAMME
• **Voir la liste des établissements de formation en annexe, page 305.**

---

**SUR LE TERRAIN**

L'entreprise Marmen a deux usines, l'une à Matane, l'autre à Trois-Rivières. Elle compte environ 150 soudeurs-monteurs parmi ses 900 employés. «Nous avons engagé 20 finissants en juin 2007 et nous continuerons, à cause de la grande demande d'éoliennes en Europe et aux États-Unis.» Comme Marmen roule sept jours par semaine et 24 heures sur 24, on y engage autant des employés à temps partiel qu'à temps plein.

---

| STATISTIQUES | Nombre de diplômés | Diplômés en emploi | À temps plein | En rapport avec la formation | Aux études | Taux de chômage | Salaire hebdo. moyen |
|---|---|---|---|---|---|---|---|
| Soudage-montage | 770 | 81,5 % | 96,9 % | 86,4 % | 9,4 % | 8,4 % | 618 $ |

*La Relance au secondaire en formation professionnelle*, MELS, 2007.

Consultez des portraits de diplômés issus de ces formations à
**http://carriere.jobboom.com/carrieres-avenir/formations-gagnantes**

# TRANSPORT PAR CAMION

Secteur 17/**DEP 5291**

par **Jean-Sébastien Marsan**

## PLACEMENT

L'École du routier professionnel du Québec, à Montréal, a environ 120 finissants par année en transport par camion. Ils se placent presque tous depuis cinq ans. Éric Larivée, responsable pédagogique, attribue la demande des employeurs à deux facteurs : les départs à la retraite des *baby-boomers* et la pratique du juste-à-temps dans l'industrie manufacturière. Cette méthode de gestion consiste à livrer au fur et à mesure pour éviter que les magasins, par exemple, n'aient besoin de grands entrepôts pour stocker la marchandise.

Les 600 à 700 finissants annuels du Centre de formation Routiers Express, à Boucherville, se placent à 99 %. «Toutes les semaines, un employeur m'appelle parce qu'il manque de chauffeurs, déclare André Millier, président du Centre. Récemment, une compagnie du Lac-Saint-Jean m'a téléphoné pour avoir un diplômé. Ce n'est pas la porte à côté! Je ne suis pas capable d'envoyer un diplômé là-bas.» En effet, les diplômés préfèrent les grands centres urbains.

## PROFIL RECHERCHÉ

Pour André Millier, un chauffeur professionnel doit être patient et débrouillard. «Il fait preuve de maturité, il arrive à l'heure, il suit les règles de conduite. Et il aime la solitude!» «Le travail se déroule sans supervision directe et il faut être capable de faire face aux imprévus», ajoute Éric Larivée. En effet, quand on se perd, il faut se débrouiller.

Presque tous les secteurs d'activité ont besoin de camionneurs, souligne Claude Chouinard, directeur général de Camo-route, le Comité sectoriel de main-d'œuvre de l'industrie du transport routier au Québec. «On a besoin de gens extravertis dans les domaines où il faut entrer en contact avec le public, pour les déménagements par exemple. Il y a aussi de la place pour les chauffeurs qui aiment rester dans leur bulle, comme ceux qui transportent seuls des fruits et des légumes entre la Californie et le Québec.»

## PERSPECTIVES

Éric Larivée précise que plus de 80 % des emplois se trouvent en transport longue distance. «On dit à nos élèves qu'il est important, avant de se lancer, de discuter avec leur conjointe de l'impact de leur métier sur la vie familiale. Même dans le transport local, les horaires de travail sont très variables.» Certaines entreprises soucieuses d'attirer les travailleurs se sont toutefois mises à offrir des horaires plus compatibles avec la vie familiale.

La carrière ne s'arrête pas quand on n'a plus envie de conduire. «Une personne expérimentée peut cheminer dans l'administration, les ventes ou les opérations», précise Claude Chouinard. ◉ 09/07

ÉTABLISSEMENTS OFFRANT LE PROGRAMME

11 27 28 45 65 78   Voir la liste des établissements
85 99 107 138 211   en page 308.

Les carrières d'avenir 2008 • **150 formations gagnantes**

**239**

## SUR LE TERRAIN

Les chauffeurs ont en moyenne 55 ans. «On aura besoin, uniquement pour remplacer les retraités, d'environ 5 000 personnes par an au cours des cinq ou six prochaines années, estime Claude Chouinard. Les finissants ont l'embarras du choix. Vous voulez devenir livreur de ciment avec une bétonnière? transporteur de gravier pour l'industrie de la construction? transporteur longue distance? Il y a de la place!» Un débutant peut donc se permettre de butiner pour trouver le créneau qui lui plaît.

| STATISTIQUES | Nombre de diplômés | Diplômés en emploi | À temps plein | En rapport avec la formation | Aux études | Taux de chômage | Salaire hebdo. moyen |
|---|---|---|---|---|---|---|---|
| Transport par camion | 1 484 | 86,0 % | 94,1 % | 88,7 % | 1,6 % | 8,5 % | 785 $ |

*La Relance au secondaire en formation professionnelle, MELS, 2007.*

Consultez des portraits de diplômés issus de ces formations à
http://carriere.jobboom.com/carrieres-avenir/formations-gagnantes.

# LES CARRIÈRES DE L'USINAGE

Secteur 11/**DEP 5223 et ASP 5224**

- **TECHNIQUES D'USINAGE** `11 ANS DANS LES CARRIÈRES D'AVENIR`
- **USINAGE SUR MACHINES-OUTILS À COMMANDE NUMÉRIQUE**

par **Hélène Marion**

## PLACEMENT

Le Centre Bernard-Gariépy, à Sorel-Tracy, et le Centre de formation Harricana, à Amos, offrent tous deux le diplôme d'études professionnelles (DEP) *Techniques d'usinage* et l'attestation de spécialisation professionnelle (ASP) *Usinage sur machines-outils à commande numérique*. «En 2007, la moitié de nos huit finissants au DEP a poursuivi sa formation en s'inscrivant à l'ASP, indique Denis Lafrenière, enseignant à Sorel-Tracy. Tous les diplômés se placent, car la demande est forte, principalement à cause des nombreux départs à la retraite.»

Au printemps 2007, à Amos, cinq élèves terminaient leur ASP et six, leur DEP. «La plupart ont un emploi assuré avant la fin de leurs études, depuis presque dix ans, soutient René Roy, conseiller pédagogique. En 2007, nous avons offert l'ASP pour cinq élèves seulement, car la demande est forte, surtout dans le domaine minier. D'habitude, nous attendons d'avoir davantage d'inscriptions avant d'offrir un programme.»

## PROFIL RECHERCHÉ

Le machiniste doit être débrouillard, précis et minutieux. «Par exemple, si deux pièces ne s'emboîtent pas bien, il faut trouver une autre façon de les modeler», dit M. Lafrenière. La minutie est aussi importante. «On mesure souvent des pièces au millième de pouce près. Or, quand

on rate une pièce, on doit recommencer et ça coûte cher en matériel», ajoute M. Roy. En outre, comme il doit savoir lire des plans et des commandes numériques en plus de programmer des machines, le travailleur issu du DEP ou de l'ASP doit avoir l'esprit mécanique et mathématique.

Pour attirer les bons machinistes, des employeurs offrent régulièrement des stages rémunérés, une nouvelle tendance dans le milieu de l'usinage.

## PERSPECTIVES

La réalisation d'une pièce compliquée, comme celle d'un moteur d'avion, est un défi stimulant pour le machiniste. «Parfois, on peut passer 24 heures sur une même pièce», dit M. Lafrenière. La minutie nécessaire à ce type de travail attire les femmes dans le milieu. «Ce n'est pas uniquement un métier d'hommes. Les femmes y ont tout autant leur place», affirme M. Roy.

S'il est compétent, le machiniste peut devenir chef d'équipe ou contremaître. «On atteint rapidement 20 $ l'heure quand on a du talent», lance M. Roy. Ceux qui font des études complémentaires en métallurgie, professionnelles ou techniques, ont plus de chances de travailler au développement de pièces au Conseil national de recherches Canada, le principal organisme de recherche scientifique et technique au pays. «On ne leur demande alors plus de faire de la production, mais plutôt de créer des pièces à usages divers. C'est très valorisant», dit M. Lafrenière. ◉ 09/07

ÉTABLISSEMENTS OFFRANT LE PROGRAMME

- Voir la liste des établissements de formation en annexe, page 305.

## SUR LE TERRAIN

L'Atelier d'Usinage Tracy (AUT) compte environ 35 employés, dont une vingtaine de machinistes. «Nous préférons ceux qui ont de l'expérience, mais nous en formons aussi à l'interne depuis 30 ans, dit Angel Vazquez Jr, vice-président. Nous engageons régulièrement à cause des départs à la retraite, mais comme il y a peu de diplômés, nous devons parfois recruter à l'étranger.» L'AUT paie ses bons machinistes 26 $ l'heure.

| STATISTIQUES | Nombre de diplômés | Diplômés en emploi | À temps plein | En rapport avec la formation | Aux études | Taux de chômage | Salaire hebdo. moyen |
|---|---|---|---|---|---|---|---|
| Techniques d'usinage | 310 | 76,9 %* | 97,0 % | 87,0 % | 14,8 % | 7,8 % | 584 $ |
| Usinage sur machines-outils à commande numérique | 178 | 86,3 % | 99,1 % | 87,5 % | 6,1 % | 5,8 % | 592 $ |

* Ce faible taux d'emploi peut s'expliquer par le pourcentage élevé de diplômés qui poursuivent des études (14,8 %).  *La Relance au secondaire en formation professionnelle, MELS, 2007.*

Consultez des portraits de diplômés issus de ces formations à
http://carriere.jobboom.com/carrieres-avenir/formations-gagnantes.

## ASSAINISSEMENT DE L'EAU

Secteur 06/**DEC 260.A0**

**5** ANS DANS LES CARRIÈRES D'AVENIR

par **Denise Proulx**

### PLACEMENT

Au Québec, seul le Cégep de Saint-Laurent offre le DEC en assainissement de l'eau. Les 20 finissants de 2007 qui se destinaient au marché du travail ont tous trouvé un emploi. C'est toutefois insuffisant pour les municipalités – plusieurs veulent moderniser leurs usines d'épuration construites durant les années 1970 – et les entreprises qui leur vendent des équipements. «On parle d'un possible manque de professionnels dans trois à cinq ans, car il y aura alors plusieurs départs à la retraite», estime Monique Henry, responsable du programme au Cégep.

Mme Henry déplore le fait que peu d'élèves réussissent ce programme. «Nous acceptons 40 inscriptions par année, mais à peine la moitié persévère jusqu'à l'obtention du diplôme. Cela demande de maîtriser les mathématiques et les sciences, en plus de comprendre les effets des nouveaux contaminants. Ça prend un bon dossier scolaire», poursuit-elle.

### PROFIL RECHERCHÉ

«Mille nouveaux produits toxiques arrivent sur les tablettes des magasins chaque année. Plusieurs sont utilisés pour le nettoyage et finissent dans les cours d'eau», observe Hélène Godmaire, directrice d'Union Saint-Laurent Grands Lacs, un organisme de sensibilisation à l'environnement. Dans ce contexte d'évolution rapide, les techniciens doivent maîtriser les technologies en place, comprendre facilement des données complexes et être curieux des nouveautés dans leur domaine. Ils auront d'ailleurs à se perfectionner tout au long de leur carrière.

Les techniciens en assainissement de l'eau doivent être rigoureux, avoir un bon jugement et pouvoir anticiper les risques sanitaires lors d'une inondation ou d'une sécheresse, par exemple. «Le technicien est souvent seul à s'occuper d'une usine. Il doit faire preuve d'autonomie, de débrouillardise et d'initiative», ajoute Monique Henry.

### PERSPECTIVES

Le salaire d'un débutant varie de 18 à 27 $ l'heure, selon qu'il travaille pour une municipalité, une entreprise, un bureau de génie-conseil ou un ministère. Or, en raison de l'abondance des offres, le technicien peut choisir le milieu de travail le plus stimulant pour lui.

Le métier de technicien en assainissement de l'eau a ses bons côtés. Il est souvent possible de diversifier son travail : des municipalités pratiquent une rotation des tâches entre les usines d'eau potable et les usines d'eaux usées. Les promotions et la formation continue sont d'autres avantages. «Les employés dynamiques passeront vite au poste de surintendant. Plusieurs employeurs paient aussi des formations spécialisées à leurs techniciens», dit Mme Henry. ◉ 09/07

ÉTABLISSEMENT OFFRANT LE PROGRAMME

 **146** Voir la liste des établissements en page 308.

### SUR LE TERRAIN

En 2007, la Ville de Repentigny a embauché une technicienne en assainissement de l'eau qui y avait fait un stage en usine d'eau potable et en usine d'eaux usées. «Son diplôme collégial lui procure toutes les connaissances requises. Nous encadrons son intégration en milieu de travail par le compagnonnage et nous la formons en santé et sécurité au travail», explique Antoine Laporte, chef de la Division des eaux et de l'assainissement de la municipalité. Il accueillera six stagiaires en 2008.

| STATISTIQUES | Nombre de diplômés | Diplômés en emploi | À temps plein | En rapport avec la formation | Aux études | Taux de chômage | Salaire hebdo. moyen |
|---|---|---|---|---|---|---|---|
| Assainissement de l'eau | 15 | 91,7 % | 90,9 % | 90,0 % | 0,0 % | 0,0 % | 695 $ |

*La Relance au collégial en formation technique, MELS, 2007.*

Consultez un portrait de diplômé issu de cette formation à
http://carriere.jobboom.com/carrieres-avenir/formations-gagnantes.

# FORMATION COLLÉGIALE

## LES CARRIÈRES EN **CONSTRUCTION ET BÂTIMENT**

Secteur 07/**DEC 221.CO**

**6** ANS DANS LES CARRIÈRES D'AVENIR

### • TECHNOLOGIE DE LA MÉCANIQUE DU BÂTIMENT

par **Charles Allain**

### PLACEMENT

Les techniciens en mécanique du bâtiment sont très recherchés. «Nous avons reçu 59 offres d'emploi pour nos 12 diplômés du printemps 2007», explique Maryse Grégoire, coordonnatrice du programme au Cégep de Trois-Rivières. Le diplôme d'études collégiales est de mieux en mieux connu des employeurs, qui trouvent grâce à lui du personnel compétent pouvant s'occuper de plusieurs systèmes comme la ventilation, la climatisation et le chauffage.

Au Collège Ahuntsic, il y a pour chaque cohorte d'environ 35 diplômés au moins le double d'offres d'emploi chaque année. «On croit à tort que l'embauche dans cette spécialisation dépend du secteur de la construction, alors que la demande se maintient même lorsque le nombre des chantiers diminue. Les propriétaires d'immeubles en profitent pour rénover leurs systèmes afin d'en accroître la performance et de réduire leurs coûts de fonctionnement», précise Chantal Perrier, coordonnatrice du programme.

### PROFIL RECHERCHÉ

«Les bons techniciens sont en mesure de comprendre rapidement les besoins des clients et de proposer des solutions efficaces», déclare Sandra Lefebvre, contrôleur chez Aubin Pélissier, une firme de Trois-Rivières spécialisée en climatisation et réfrigération. Les problèmes sont souvent complexes et touchent généralement à plusieurs systèmes dans un bâtiment. Les

employeurs recherchent donc avant tout des candidats ayant une bonne capacité d'analyse et une facilité à travailler avec d'autres spécialistes. Il est également essentiel d'être motivé et de rester à l'affût des nouveautés. La conscience écologique pousse aussi de plus en plus les propriétaires d'immeubles à rénover leurs systèmes afin d'en accroître la performance et de réduire les coûts d'entretien. «L'environnement et les économies d'énergie, par exemple, créent une forte demande de nouveaux produits comme les toits verts ou des logiciels d'économie d'énergie», ajoute Mme Grégoire.

### PERSPECTIVES

Les techniciens en mécanique du bâtiment bénéficient d'une formation qui leur permet d'occuper une grande variété de postes : représentant technique, chargé de projet, estimateur, technicien, concepteur... «Plusieurs techniciens acquièrent une formation supplémentaire en réfrigération ou en commande numérique, ce qui les rend d'autant plus intéressants pour les employeurs», fait valoir Mme Perrier. Ceux qui n'ont pas peur des responsabilités peuvent fonder leur compagnie ou gravir les échelons dans une grande entreprise. Chaque année, plusieurs diplômés de ce programme choisissent de poursuivre leur formation à l'École de technologie supérieure pour devenir ingénieurs en mécanique ou en construction. © 09/07

ÉTABLISSEMENTS OFFRANT LE PROGRAMME

 **13** **30** **100** **123** **151** **189** **206** **214**

Voir la liste des établissements en page 308.

### SUR LE TERRAIN

«Nos six employés ayant cette formation sont estimateurs, dessinateurs ou chargés de projet, mentionne Sandra Lefebvre. Les bons techniciens, capables de proposer les meilleures solutions au moindre coût, deviennent des conseillers pour leurs clients. C'est très valorisant.»

| STATISTIQUES | Nombre de diplômés | Diplômés en emploi | À temps plein | En rapport avec la formation | Aux études | Taux de chômage | Salaire hebdo. moyen |
|---|---|---|---|---|---|---|---|
| Technologie de la mécanique du bâtiment | 103 | 77,3 %* | 94,8 % | 94,5 % | 20,0 % | 3,3 % | 666 $ |

\* Ce faible taux d'emploi peut s'expliquer par le pourcentage élevé de diplômés qui poursuivent des études (20 %).  *La Relance au collégial en formation technique, MELS, 2007.*

Consultez un portrait de diplômé issu de cette formation à http://carriere.jobboom.com/carrieres-avenir/formations-gagnantes.

# LES CARRIÈRES EN **CONSTRUCTION ET BÂTIMENT**

Secteur 07/**DEC 221.D0**

**6** ANS DANS *LES CARRIÈRES D'AVENIR*

## • TECHNOLOGIE DE L'ESTIMATION ET DE L'ÉVALUATION EN BÂTIMENT

par **Charles Allain**

### PLACEMENT

L'Institut Grasset de Montréal forme chaque année une vingtaine de diplômés en technologie de l'estimation et de l'évaluation en bâtiment. «Ils sont souvent recrutés avant la fin de leurs études grâce à nos professeurs, qui connaissent très bien le marché du travail et les employeurs parce qu'ils sont eux-mêmes tous des praticiens en évaluation et en estimation», fait valoir Edgar Castro, responsable du programme. Les estimateurs calculent les coûts des travaux et des matériaux nécessaires pour construire de nouveaux immeubles. Pour leur part, les évaluateurs mesurent plutôt la valeur de bâtiments déjà érigés. «L'éventail d'employeurs est très large. Les bureaux d'évaluateurs, les entrepreneurs de construction, les municipalités, les secteurs financier et bancaire et les assureurs recrutent nos diplômés», ajoute M. Castro.

La demande de main-d'œuvre est soutenue depuis plusieurs années, notamment à cause de l'importante activité immobilière dans la province et parce que de nombreux estimateurs et évaluateurs expérimentés prennent leur retraite. «Nous avons chaque année une quinzaine de diplômés. Ils trouvent tous un emploi dans leur domaine, déclare Clarisse Guilbert, responsable du programme au Cégep de Drummondville. De plus, les élèves qui travaillent pendant leurs études connaissent souvent déjà des personnes sur le marché.»

### PROFIL RECHERCHÉ

Estimateurs et évaluateurs doivent être attirés par le domaine de la construction. «Les bons candidats sont persévérants, ils ont le sens de l'organisation et ils aiment compter», ajoute Clarisse Guilbert. «Les techniciens en estimation et en évaluation sont littéralement nos yeux, explique Pierre Turcotte, évaluateur agréé et président de Turcotte & Associés, une firme d'évaluation de Drummondville. Ils doivent donc être très fiables et méticuleux. L'à-peu-près n'est pas acceptable dans notre profession.»

### PERSPECTIVES

«Le diplôme d'études collégiales mène à de nombreuses possibilités d'emploi. Il constitue aussi une bonne porte d'entrée pour l'université», mentionne Edgar Castro. En effet, une carrière d'évaluateur agréé est possible pour ceux qui décident de s'inscrire, par exemple, au baccalauréat en administration des affaires de l'Université Laval ou de l'Université de Montréal (à condition de choisir la concentration appropriée). «Le travail n'est jamais monotone, car les nouveaux projets affluent constamment. On est appelé à rencontrer de nombreuses personnes, surtout en évaluation», ajoute Clarisse Guilbert. Les délais d'exécution, parfois très courts, peuvent toutefois faire monter la pression et le stress. ◉ 09/07

ÉTABLISSEMENTS OFFRANT LE PROGRAMME

  **29** **46** **96** **181** Voir la liste des établissements en page 308.

*Les carrières d'avenir 2008* • **150 formations gagnantes**

**243**

### SUR LE TERRAIN

Pierre Turcotte compte six techniciens au sein de sa firme d'évaluation. «Nos besoins dépendent des nouveaux contrats que nous obtenons, explique-t-il, et ce n'est pas toujours facile de trouver des employés.» Les nouvelles réglementations en immobilier et les préoccupations environnementales peuvent aussi créer des ouvertures au sein des bureaux et des municipalités, car elles entraînent souvent des modifications aux bâtiments.

| STATISTIQUES | Nombre de diplômés | Diplômés en emploi | À temps plein | En rapport avec la formation | Aux études | Taux de chômage | Salaire hebdo. moyen |
|---|---|---|---|---|---|---|---|
| Technologie de l'estimation et de l'évaluation en bâtiment | 10 | 100,0 % | 100,0 % | 90,0 % | 0,0 % | 0,0 % | 638 $ |

*La Relance au collégial en formation technique, MELS, 2007.*

Consultez un portrait de diplômé issu de cette formation à
http://carriere.jobboom.com/carrieres-avenir/formations-gagnantes.

## LES CARRIÈRES DE LA DOCUMENTATION

Secteurs 19 et 13/**DEC 411.A0 et 393.A0**

- **ARCHIVES MÉDICALES**
- **TECHNIQUES DE LA DOCUMENTATION**

par **Anick Perreault-Labelle**

### PLACEMENT

«Notre dizaine de finissants en techniques de la documentation trouvent tous un poste dans leur domaine depuis 2004 et cela devrait se maintenir pendant au moins cinq ans», dit Sylvie Morin, coordinatrice du département au Cégep de l'Outaouais. Les entreprises voient mieux l'importance de l'information dans leurs prises de décisions et «créent donc des centres pour gérer des documents au sujet de leurs concurrents ou d'innovations dans leur domaine», explique-t-elle.

On recherche aussi les finissants en archives médicales. Le Collège Laflèche en diplôme une quarantaine chaque année et, «depuis 2002, de 80 à 95 % se placent», dit Hélène Brouillette, conseillère aux affaires étudiantes. Certains établissements de santé ont besoin d'eux pour informatiser les dossiers des patients. La fusion d'établissements au sein des centres de santé et de services sociaux (CSSS) crée elle aussi du travail. «Elle exige qu'on regroupe les dossiers de ceux qui sont passés par le centre local de services communautaires (CLSC) et l'hôpital, par exemple», explique Ghislaine Longval, coordinatrice du programme d'archives médicales au Collège Laflèche.

### PROFIL RECHERCHÉ

Les archivistes médicaux et les techniciens de la documentation doivent être polyvalents. «Dans les CLSC, les archivistes font plus d'analyses statistiques et répondent aux demandes d'information, notamment de la part des médecins qui veulent les résultats d'un examen. Dans les centres hospitaliers de soins de longue durée, ils font davantage de l'entrée de données», illustre Ghislaine Longval. «À la bibliothèque de l'Université du Québec à Chicoutimi, les techniciens de la documentation font du catalogage, de la référence et initient les usagers aux différents outils de repérage», explique Laïla Ferris, responsable des divisions de la gestion et de l'information documentaire.

### PERSPECTIVES

«On croit souvent que les archivistes médicaux classent des papiers, mais ce sont les préposés aux dossiers qui le font! Les archivistes font plutôt des analyses statistiques et codent les traitements et les maladies», dit Ghislaine Longval. Avec le temps, ils peuvent gérer les archives de plusieurs établissements d'un CSSS.

Lorsqu'ils travaillent dans une bibliothèque, les techniciens de la documentation ont le défi de répondre aux besoins de différentes clientèles. «Par exemple, ils peuvent avoir à constituer une collection de livres et de bases de données sur le monde des affaires pour des entrepreneurs», dit Sylvie Morin. Au bout de quelques années, les plus ambitieux pourront se voir confier la responsabilité d'un secteur d'activité de la bibliothèque, comme le catalogage. ☺ 09/07

ÉTABLISSEMENTS OFFRANT LE PROGRAMME

• Voir la liste des établissements de formation en annexe, page 305.

### SUR LE TERRAIN

«Nous sommes en train de mettre sur pied une banque de candidats pour pallier de possibles absences chez nos techniciens», dit Laïla Ferris. Or, le recrutement est plus difficile dans la région depuis 2004, puisque le Cégep de Jonquière n'offre plus le diplôme d'études collégiales *Techniques de la documentation.*

| STATISTIQUES | Nombre de diplômés | Diplômés en emploi | À temps plein | En rapport avec la formation | Aux études | Taux de chômage | Salaire hebdo. moyen |
|---|---|---|---|---|---|---|---|
| Archives médicales | 80 | 91,7 % | 90,9 % | 88,0 % | 6,7 % | 0,0 % | 586 $ |
| Techniques de la documentation | 110 | 83,3 % | 81,5 % | 96,2 % | 5,1 % | 11,0 % | 584 $ |

*La Relance au collégial en formation technique, MELS, 2007.*

Consultez des portraits de diplômés issus de ces formations à
http://carriere.jobboom.com/carrieres-avenir/formations-gagnantes.

# LES CARRIÈRES DE L'ÉDUCATION

Secteur 20/**DEC 322.A0 et 351.A0**

- **TECHNIQUES D'ÉDUCATION À L'ENFANCE**
- **TECHNIQUES D'ÉDUCATION SPÉCIALISÉE**

par **Hélène Marion**

## PLACEMENT

En 2007, le Collège Laflèche de Trois-Rivières avait 40 finissants en techniques d'éducation à l'enfance, et 82 en techniques d'éducation spécialisée. «Depuis trois ans, environ 90 % de nos diplômés en éducation à l'enfance et 95 % de nos finissants en éducation spécialisée se placent», dit Hélène Brouillette, responsable du Service de placement au Collège Laflèche. La situation est semblable au Collège de Valleyfield, où 95 % des nouveaux éducateurs spécialisés et 100 % des éducateurs de la petite enfance trouvent du travail dans leur domaine depuis au moins huit ans. En 2007, ils étaient 16 finissants en éducation à l'enfance et 22 en éducation spécialisée.

Les diplômés en éducation à l'enfance travaillent dans des garderies privées et des centres de la petite enfance (CPE). «Le nombre de garderies augmente si vite qu'on n'a pas le temps de former suffisamment d'éducateurs!» lance Lorraine Couture, professeure au Collège de Valleyfield.

Les diplômés en éducation spécialisée œuvrent auprès de personnes de tout âge qui ont une déficience mentale, des difficultés d'adaptation ou de comportement. Plusieurs raisons expliquent l'excellent placement dans le domaine. «Les enseignants sont débordés et ont besoin d'aide. D'un autre côté, comme la population du Québec vieillit, les cas d'Alzheimer augmentent», illustre Stéphanie Hovington, coordonnatrice du Département d'éducation spécialisée au Collège de Valleyfield.

## PROFIL RECHERCHÉ

Ce qui relie les deux domaines, c'est le besoin de comprendre les gens. «En éducation spécialisée, on travaille avec des personnes en difficulté. On peut, par exemple, avoir à apaiser un enfant qui a lancé une chaise dans sa classe par frustration», dit Mme Hovington. «En service de garde, il faut savoir écouter les enfants, mais aussi être dynamique et positif, car on s'occupe de les faire bouger autant que de veiller à leur hygiène ou à leur alimentation», explique Monique Drouin, coordonnatrice du programme d'éducation à l'enfance au Collège Laflèche.

## PERSPECTIVES

«Participer au développement et à l'amélioration des comportements d'un individu, c'est une récompense pour les techniciens», dit Mme Couture. Le métier de technicien en éducation à l'enfance a d'autres bons côtés : après quelques années d'expérience, ils peuvent notamment aspirer à gérer un service de garde en milieu scolaire ou un centre de la petite enfance. Les éducateurs spécialisés, eux, ont moins de possibilités d'avancement. Ils peuvent toutefois faire des études universitaires s'ils veulent une promotion. ◉ 09/07

ÉTABLISSEMENTS OFFRANT LE PROGRAMME

- Voir la liste des établissements de formation en annexe, page 305.

## SUR LE TERRAIN

Le CPE Le Cerf-Volant, à Trois-Rivières, accueille des enfants ayant des troubles envahissants du comportement ou du développement. L'organisme compte 11 techniciens en éducation à l'enfance et en éducation spécialisée parmi ses 633 employés. «Le roulement est toujours élevé, principalement à cause des congés de maternité», explique Anita Julien, directrice du Centre. Elle a embauché deux finissants à l'été 2007, puis un autre à l'automne. Pour attirer de bons candidats, elle leur offre un horaire flexible.

| STATISTIQUES | Nombre de diplômés | Diplômés en emploi | À temps plein | En rapport avec la formation | Aux études | Taux de chômage | Salaire hebdo. moyen |
|---|---|---|---|---|---|---|---|
| Techniques d'éducation à l'enfance | 875 | 79,4 % | 77,6 % | 95,3 % | 16,1 % | 1,3 % | 491 $ |
| Techniques d'éducation spécialisée | 1 016 | 80,1 % | 64,9 % | 91,6 % | 17,5 % | 0,2 % | 598 $ |

*La Relance au collégial en formation technique, MELS, 2007.*

Consultez des portraits de diplômés issus de ces formations à http://carriere.jobboom.com/carrieres-avenir/formations-gagnantes.

# GESTION ET EXPLOITATION D'ENTREPRISE AGRICOLE

Secteur 02/**DEC 152.A0**

**10** ANS DANS LES CARRIÈRES D'AVENIR

*par* **Denise Proulx**

## PLACEMENT

Au Collège Lionel-Groulx, les sept finissants en gestion et exploitation d'entreprise agricole de décembre 2007 avaient tous un emploi assuré dès la fin de l'été. «Tout le monde trouve du travail rapidement à cause du manque de main-d'œuvre dans le secteur», explique Marie-Josée Ferron, enseignante responsable du programme. Puisque les fils et filles de producteurs retournent sur la terre familiale, les autres finissants peuvent choisir en moyenne entre deux ou trois entreprises différentes. «Ce sont des perles rares que les producteurs s'arrachent», poursuit Mme Ferron.

Les sept diplômés du Collège d'Alma travaillent tous, eux aussi, dans une ferme ou une entreprise qui vend de la moulée, des semences ou des pesticides, par exemple. Plusieurs sont invités à travailler à temps plein dans les fermes où ils ont fait leur stage. «Les employeurs ont vu leur potentiel et ils leur font confiance», ajoute Robert Fortin, coordonnateur du programme.

## PROFIL RECHERCHÉ

Les finissants qui aiment la nature et les animaux, et qui ne craignent pas de travailler 55 heures par semaine, seront heureux en agriculture. Ils doivent être curieux face aux nouvelles technologies – comme la robotisation de la traite des vaches – et tendre vers des techniques de culture moins polluantes. «Les personnes vaillantes, fiables et disponibles qui s'adaptent selon les conditions météo, qui aiment le travail manuel et qui présentent des aptitudes pour la gestion d'entreprise obtiendront beaucoup d'autonomie dans leur travail», indique Robert Fortin.

Le jeune doit aussi s'intéresser à la vie agricole de sa communauté. «Nous encourageons l'élève à s'intégrer aux réunions agricoles et à participer aux activités sociales de sa profession», complète Mme Ferron.

## PERSPECTIVES

Le finissant aura plusieurs défis à relever au cours de sa carrière, puisque les fermes grossissent, utilisent plusieurs technologies et doivent se conformer à des exigences agro-environnementales élevées.

«Pour garder les bons employés, les employeurs leur garantissent des jours de congé payés. Ils pratiquent aussi le troc, en leur prêtant des outils, par exemple», dit Robert Fortin.

En production végétale, les travailleurs peuvent alterner entre les travaux aux champs et le service à la clientèle, soit pour la livraison ou la tenue d'un comptoir dans un marché. «Les consommateurs sont mieux informés et ils aiment discuter de la qualité des aliments qu'ils achètent. Il faut savoir répondre à leurs questions», souligne Marie-Josée Ferron. ® 09/07

ÉTABLISSEMENTS OFFRANT LE PROGRAMME

**15 17 47 56 72 84**
**91 124 130 186 217**

Voir la liste des établissements en page 308.

## SUR LE TERRAIN

Depuis 2006, la ferme laitière BARKA de Brownsburg-Chatham, dans les Laurentides, emploie un diplômé en gestion et exploitation d'entreprise agricole du Collège Lionel-Groulx. Un second, qui travaille déjà à temps partiel à la ferme, se joindra à l'équipe à la fin de ses études. «C'est intéressant de recruter la meilleure relève. Ce sont des personnes passionnées par le métier. Elles comprennent mieux le pourquoi des gestes à poser», explique Nathalie Malo, copropriétaire de la ferme.

| STATISTIQUES | Nombre de diplômés | Diplômés en emploi | À temps plein | En rapport avec la formation | Aux études | Taux de chômage | Salaire hebdo. moyen |
|---|---|---|---|---|---|---|---|
| Gestion et exploitation d'entreprise agricole – Spécialisation en productions animales* | 118 | 85,4 % | 97,4 % | 89,2 % | 13,5 % | 1,3 % | 475 $ |

* Une autre spécialisation (production végétale) est offerte, mais ses statistiques de placement dans la plus récente *Relance* du MELS ne correspondent pas à nos critères de sélection.

*La Relance au collégial en formation technique*, MELS, 2007.

Consultez un portrait de diplômé issu de cette formation à
http://carriere.jobboom.com/carrieres-avenir/formations-gagnantes.

# LES CARRIÈRES DE LA SANTÉ

Secteur 19/**DEC 160.A0, 144.B0, 160.A0**

- **AUDIOPROTHÈSE**
- **TECHNIQUES D'ORTHÈSES ET DE PROTHÈSES ORTHOPÉDIQUES** [10 ANS DANS *LES CARRIÈRES D'AVENIR*]
- **TECHNIQUES D'ORTHÈSES VISUELLES** [10 ANS DANS *LES CARRIÈRES D'AVENIR*]

par **Catherine Bachaalani**

## PLACEMENT

La population vieillissante du Québec achète de plus en plus d'audioprothèses, de lunettes et d'orthèses (appareils qui redressent ou solidifient un membre) ou de prothèses (appareils qui remplacent une partie d'un membre) orthopédiques. La pollution sonore qui nous entoure et l'omniprésence des ordinateurs, dont les écrans peuvent nuire à la vision, augmentent aussi les besoins de prothèses auditives et d'orthèses visuelles. C'est pourquoi les diplômés des programmes *Audioprothèse*, *Techniques d'orthèses visuelles* et *Techniques d'orthèses et de prothèses orthopédiques* sont très recherchés partout dans la province.

En 2007, 16 élèves ont obtenu leur diplôme d'études collégiales (DEC) en orthèses et prothèses orthopédiques au Collège Montmorency, à Laval. Le Collège de Rosemont, à Montréal, seul cégep à offrir le DEC *Audioprothèse*, a distribué 11 diplômes dans cette discipline. Enfin, le Collège Édouard-Montpetit, à Longueuil, a produit une soixantaine de nouveaux opticiens issus du DEC *Techniques d'orthèses visuelles*. Partout, presque tous les finissants trouvent un emploi dès la fin de leurs études.

## PROFIL RECHERCHÉ

Les techniciens des trois spécialités travaillent dans le domaine de la santé et entrent en contact avec des clients. Ils doivent donc avoir de l'empathie, de la patience et un profond désir d'aider les autres. Il leur faut aussi une bonne dextérité et de la minutie. Un intérêt pour les sciences, en particulier l'anatomie humaine, est indispensable.

En plus de ces qualités, l'audioprothésiste doit bien entendre et savoir s'exprimer clairement. L'opticien, de son côté, se doit de suivre les tendances de la mode afin d'être en mesure de proposer au client des montures de lunettes à l'allure moderne. Comme le technicien en orthèses et prothèses orthopédiques sert régulièrement des personnes qui traversent une dure épreuve, il doit avoir un côté psychologue.

## PERSPECTIVES

Les trois carrières supposent des tâches variées qui allient travaux manuels, relation d'aide et vente-conseil, ce qui peut être très stimulant. Aider une personne présentant un sérieux handicap auditif, visuel ou moteur procure le sentiment valorisant d'être utile.

Les possibilités d'avancement sont multiples. Par exemple, après quelques années de pratique, un orthésiste-prothésiste pourra obtenir un permis de laboratoire afin d'ouvrir sa propre entreprise. Un opticien pourra s'inscrire en optométrie à l'université. Un audioprothésiste pourra devenir chef d'équipe ou se diriger vers un programme universitaire, comme l'audiologie. ® 09/07

ÉTABLISSEMENTS OFFRANT LE PROGRAMME

• Voir la liste des établissements de formation en annexe, page 305.

## SUR LE TERRAIN

Nombreux sont ceux qui trouvent un emploi dans l'entreprise où ils ont fait un stage. Sans avancer de chiffres, Gilles Nolet, de l'Ordre des opticiens d'ordonnances du Québec, note que le nombre de diplômés en orthèses visuelles ne suffit pas et prévoit que cela durera encore quelques années. Même son de cloche du côté des audioprothésistes et des orthésistes-prothésistes. Dans les trois domaines, les nombreux départs en congé de maternité nécessitent des remplacements.

| STATISTIQUES | Nombre de diplômés | Diplômés en emploi | À temps plein | En rapport avec la formation | Aux études | Taux de chômage | Salaire hebdo. moyen |
|---|---|---|---|---|---|---|---|
| Audioprothèse | 12 | 100,0 % | 90,0 % | 100,0 % | 0,0 % | 0,0 % | 722 $ |
| Techniques d'orthèses et de prothèses orthopédiques | 40 | 92,3 % | 95,8 % | 100,0 % | 3,8 % | 0,0 % | 577 $ |
| Techniques d'orthèses visuelles | 63 | 94,7 % | 97,2 % | 100,0 % | 2,6 % | 0,0 % | 624 $ |

*La Relance au collégial en formation technique, MELS, 2007.*

Consultez des portraits de diplômés issus de ces formations à
http://carriere.jobboom.com/carrieres-avenir/formations-gagnantes.

## LES CARRIÈRES DE LA **SANTÉ**
Secteur 19/**DEC 180.A0 et 180.B0**

**9** ANS DANS LES CARRIÈRES D'AVENIR

### • SOINS INFIRMIERS

par **Carole Boulé**

### PLACEMENT

Le Collège de Bois-de-Boulogne, à Montréal, diplôme en moyenne 124 élèves en soins infirmiers chaque année. «Elles* trouvent un milieu de travail et une promesse d'embauche dès leur première année d'études. Les hôpitaux les recrutent comme préposées aux bénéficiaires à temps partiel, par exemple», note Chantal Gingras, conseillère en emploi au Collège.

Les 19 diplômées issues du Cégep de Matane en 2007 travaillent toutes dans leur domaine. «Les hôpitaux de notre région engagent de plus en plus nos finissantes en prévision des prochains départs à la retraite, dit Sylvie Huot, coordonnatrice du Département de soins infirmiers. Par exemple, le Centre de santé et de services sociaux de Matane a embauché sept de nos finissantes en 2007. Les autres diplômées ont quitté la région pour occuper des postes à temps plein, soit à Montréal ou à Québec.» Mme Huot constate aussi une baisse de la population étudiante dans la région, ce qui accentuera la difficulté à répondre aux besoins des employeurs.

### PROFIL RECHERCHÉ

Pour Mme Huot, l'infirmière joue un rôle important auprès des patients souffrant de maladies complexes et chroniques, comme le diabète, les maladies cardiovasculaires et l'asthme. «Malgré sa charge de travail, l'infirmière doit être empathique et à l'écoute de ses patients pour mieux les aider à modifier certains comportements qui nuisent à leur santé.»

Steve Morin dirige le Groupe SMC Santé, une agence de placement infirmier en soins critiques. Il recherche, pour sa part, des infirmières capables de s'adapter facilement aux différentes méthodes de travail et aux équipements des centres hospitaliers où elles iront travailler le temps d'un contrat. Une bonne capacité d'adaptation est utile à toutes les infirmières, puisqu'elle leur permet de mieux interagir avec les patients, selon leur âge ou leur pays d'origine, renchérit Mme Huot.

### PERSPECTIVES

«Les infirmières ont de belles perspectives de carrière si elles poursuivent leurs études à l'université. Elles peuvent notamment devenir cliniciennes ou praticiennes», suggère Mme Gingras.

Le domaine de la recherche est un autre beau défi à relever pour les infirmières, qui peuvent contribuer à l'avancement des savoirs en soins infirmiers, selon Mme Huot. «L'infirmière doit continuer à prendre sa place au sein de l'équipe de services professionnels. Il reste encore beaucoup de travail à faire pour la valorisation de notre profession», dit-elle. © 09/07

\* Le féminin est utilisé dans cet article étant donné la très grande proportion de femmes diplômées en *Soins infirmiers.*

ÉTABLISSEMENTS OFFRANT LE PROGRAMME

• Voir la liste des établissements de formation en annexe, page 305.

### SUR LE TERRAIN

Situé dans les Laurentides, le Groupe SMC Santé place des infirmières dans les unités de soins critiques des centres hospitaliers. «On a une banque de 45 à 50 infirmières, dit M. Morin. Il y a beaucoup de rotation de personnel dans les soins critiques, car c'est un milieu de travail très exigeant et stressant. On est toujours en recrutement. En 2007, on a eu besoin d'une dizaine d'infirmières avec un minimum de trois ans d'expérience, soit à l'urgence ou dans les soins intensifs.»

| STATISTIQUES | Nombre de diplômés | Diplômés en emploi | À temps plein | En rapport avec la formation | Aux études | Taux de chômage | Salaire hebdo. moyen |
|---|---|---|---|---|---|---|---|
| Soins infirmiers | 2 408 | 68,8 %* | 81,7 % | 97,2 % | 28,7 % | 1,0 % | 730 $ |

\* Ce faible taux peut s'expliquer par le pourcentage élevé de diplômées qui poursuivent des études (28,7 %). *La Relance au collégial en formation technique, MELS, 2007.*

Consultez un portrait de diplômé issu de cette formation à
http://carriere.jobboom.com/carrieres-avenir/formations-gagnantes.

# LES CARRIÈRES DE LA **SANTÉ**

Secteur 19/**DEC 110.B0, 111.A0 et 110.A0**

- **TECHNIQUES DE DENTUROLOGIE**
- **TECHNIQUES D'HYGIÈNE DENTAIRE** 7 ANS DANS *LES CARRIÈRES D'AVENIR*
- **TECHNIQUES DE PROTHÈSES DENTAIRES**

par **Carole Boulé**

## PLACEMENT

Chaque année, les 20 diplômées en hygiène dentaire du Collège de Maisonneuve et les 25 du Collège Édouard-Montpetit ont déjà une promesse d'emploi avant d'avoir terminé leurs études. Maisonneuve a d'ailleurs inauguré un nouveau pavillon d'hygiène dentaire, à l'automne 2007, dans le but d'augmenter sa capacité d'accueil.

Les 20 diplômés de 2007 en techniques de prothèses dentaires et les 23 sortants en techniques de denturologie au Collège Édouard-Montpetit travaillent tous dans leur domaine. «Les employeurs viennent recruter les élèves dès leur première année d'études pour des emplois d'été ou à temps partiel», dit Émilie Brûlé, coordonnatrice des techniques de prothèses dentaires. Le coordonnateur du programme en techniques de denturologie, Patrice Deschamps, croit pour sa part que l'essor du domaine de l'implantologie accentue la demande de services des denturologistes.

## PROFIL RECHERCHÉ

Le technicien de prothèses dentaires et le denturologiste fabriquent tous deux, en laboratoire, des prothèses dentaires amovibles. «Le technicien de prothèses dentaires travaille d'après l'ordonnance du dentiste ou du denturologiste», précise M. Deschamps. Il faut un grand souci du détail et un talent artistique pour imiter une dentition naturelle. Le denturologiste doit, en plus, savoir établir un contact direct avec la clientèle, puisqu'il installe les prothèses en bouche.

«Dans sa salle de soins, l'hygiéniste dentaire est seule responsable des traitements et de l'éducation des patients», affirme Brigitte Dion, gestionnaire au Centre dentaire Drummond, à Drummondville. La débrouillardise et l'autonomie dans l'organisation du travail sont des aptitudes très importantes dans ce métier.

## PERSPECTIVES

Depuis une dizaine d'années, de nouvelles technologies viennent simplifier le travail des techniciens de prothèses dentaires. Pour Mme Brûlé, le fait d'acquérir de nouvelles connaissances au sujet des implants et autres appareils dentaires permet aux techniciens d'enrichir leur pratique.

L'objectif premier du denturologiste est d'ouvrir sa propre pratique. Il peut poursuivre ses études dans d'autres domaines à l'université, ajoute M. Deschamps. L'administration, la gérontologie, la psychologie et l'enseignement, notamment, peuvent l'aider à faire avancer sa carrière.

Les résidences pour personnes âgées, de plus en plus populaires au fur et à mesure que la population du Québec vieillit, constitueront d'ailleurs tout un nouveau créneau à développer au cours des prochaines années. Plusieurs personnes qui y résident ne peuvent se déplacer, indique M. Deschamps. Elles peuvent donc être intéressées par des services d'implantologie à domicile. ◎ 09/07

ÉTABLISSEMENTS OFFRANT LE PROGRAMME

• Voir la liste des établissements de formation en annexe, page 305.

Les carrières d'avenir 2008 • **150 formations gagnantes**

**249**

## SUR LE TERRAIN

L'hygiéniste dentaire est la personne la plus recherchée dans les cliniques dentaires. «C'est la même réalité partout au Québec. Une ou deux fois par année, je dois embaucher des hygiénistes pour remplacer les congés de maternité de nos employées. Sur les cinq hygiénistes de la clinique, deux sont absentes», dit Brigitte Dion.

| STATISTIQUES | Nombre de diplômés | Diplômés en emploi | À temps plein | En rapport avec la formation | Aux études | Taux de chômage | Salaire hebdo. moyen |
|---|---|---|---|---|---|---|---|
| Techniques de denturologie | 21 | 86,7 % | 76,9 % | 100,0 % | 0,0 % | 13,3 % | 603 $ |
| Techniques d'hygiène dentaire | 247 | 97,2 % | 86,2 % | 99,3 % | 1,7 % | 0,6 % | 748 $ |
| Techniques de prothèses dentaires | 7* | 80,0 % | 100,0 % | 75,0 % | 0,0 % | 0,0 % | 480 $ |

* Plusieurs élèves de la cohorte 2006 ont choisi de se réorienter dans une autre discipline, ce qui explique le peu de diplômés.    *La Relance au collégial en formation technique*, MELS, 2007.

**Consultez un portrait de diplômé issu de cette formation à http://carriere.jobboom.com/carrieres-avenir/formations-gagnantes.**

# LES CARRIÈRES DE LA **SANTÉ**

Secteur 19/**DEC 140.A0, 142.B0, 142.A0**

- **TECHNIQUES D'ÉLECTROPHYSIOLOGIE MÉDICALE**
- **TECHNOLOGIE DE MÉDECINE NUCLÉAIRE**
- **TECHNOLOGIE DE RADIODIAGNOSTIC** [**8** ANS DANS *LES CARRIÈRES D'AVENIR*]

par **Jean-Sébastien Marsan**

## PLACEMENT

Les diplômés de ces spécialités sont relativement peu nombreux pour pourvoir aux postes laissés vacants par des départs à la retraite et répondre aux besoins croissants des hôpitaux. Au début de 2007, le Collège Ahuntsic avait 89 finissants en radiodiagnostic, une vingtaine en médecine nucléaire et une vingtaine en électrophysiologie médicale. «En ce qui concerne le placement, ce sont trois des programmes les plus performants du collège depuis quelques années déjà», observe Jean-Pierre Hébert, conseiller pédagogique au Service de l'alternance travail-études et du placement. Six mois après la fin de leurs études, 100 % des diplômés en médecine nucléaire de 2006 et 93 % de ceux en radiodiagnostic travaillaient à temps plein dans leur domaine. La proportion était un peu plus faible en électro-physiologie médicale (63 %), puisque le tiers des diplômés a affirmé travailler à temps partiel.

Au Cégep de Sainte-Foy, les 73 finissants de 2007 en radiodiagnostic ont tous obtenu un poste. «Ils sont sollicités par les centres hospitaliers bien avant la fin de leur formation», souligne Danielle Boué, coordonnatrice des stages en imagerie médicale.

## PROFIL RECHERCHÉ

Ces professions reposent sur des notions de physique, puisque l'équipement émet du rayonnement, et de biologie, car il faut analyser des images du corps humain. «Les technologues doivent être minutieux et développer une grande autonomie, indique Mme Boué. Ils doivent aussi avoir de l'empathie pour les patients, puisqu'ils peuvent avoir à leur administrer divers produits et médicaments.»

«Il faut avoir un bon esprit d'équipe, et de l'initiative pour proposer de nouvelles procédures si le besoin s'en fait sentir», ajoute Olivier Dauphin-Daffe, conseiller en ressources humaines au CHU Sainte-Justine.

## PERSPECTIVES

Un technologue peut rapidement se spécialiser. «Quand on embauche des diplômés en radiodiagnostic, on essaie le plus possible par la suite de les orienter dans les spécialités qu'ils préfèrent, comme la résonance magnétique ou l'échographie, explique M. Dauphin-Daffe. Ils auront de l'avancement dans la spécialité choisie.» Après quelques années d'expérience, un technologue peut lorgner des postes en gestion : coordonnateur technique, coordonnateur administratif, chef de service. «Les compagnies privées qui vendent des produits nécessaires au radiodiagnostic engagent aussi des technologues pour la vente, indique Mme Boué. Et il y a l'enseignement; on a besoin d'une relève dans les collèges!» ⊚ 09/07

ÉTABLISSEMENTS OFFRANT LE PROGRAMME

- **Voir la liste des établissements de formation en annexe, page 305.**

## SUR LE TERRAIN

Le CHU Sainte-Justine embauche des diplômés des trois programmes. «Cette année, on en a recruté facilement entre 10 et 15 en radiodiagnostic, révèle M. Dauphin-Daffe. Les techniciens en médecine nucléaire sont extrêmement rares. Seul le Collège Ahuntsic donne le programme au Québec : en 2006, il n'y avait que 26 finissants. Tous les hôpitaux sont en compétition pour les mêmes diplômés.» Avec les départs à la retraite qui surviendront au cours des prochaines années, les portes sont grandes ouvertes aux diplômés.

| STATISTIQUES | Nombre de diplômés | Diplômés en emploi | À temps plein | En rapport avec la formation | Aux études | Taux de chômage | Salaire hebdo. moyen |
|---|---|---|---|---|---|---|---|
| Techniques d'électro-physiologie médicale | 18 | 100,0 % | 83,3 % | 100,0 % | 0,0 % | 0,0 % | 636 $ |
| Technologie de médecine nucléaire | 19 | 100,0 % | 100,0 % | 100,0 % | 0,0 % | 0,0 % | 665 $ |
| Technologie de radiodiagnostic | 160 | 97,3 % | 93,5 % | 99,0 % | 1,8 % | 0,0 % | 679 $ |

*La Relance au collégial en formation technique, MELS, 2007.*

Consultez un portrait de diplômé issu de cette formation à
http://carriere.jobboom.com/carrieres-avenir/formations-gagnantes.

# LES CARRIÈRES DE LA SANTÉ

Secteur 19/**DEC 144.A0**

**6** ANS DANS LES CARRIÈRES D'AVENIR

## • TECHNIQUES DE RÉADAPTATION PHYSIQUE

par **Anick Perreault-Labelle**

### PLACEMENT

«Depuis le milieu des années 1990, environ 80 % de notre trentaine de finissants en techniques de réadaptation physique dénichent un emploi dans leur domaine. Cela ne devrait pas changer pour les deux ou trois prochaines années», dit Isabelle Dauphinais, conseillère à la vie étudiante au Collège Montmorency, à Laval. La situation est à l'avenant au Collège François-Xavier-Garneau, à Québec. «En 2006, 84 % de nos finissants qui se destinaient à l'emploi, ou 21 élèves sur 25, ont trouvé un poste relié à leurs études», dit Geneviève Duchesne, conseillère pédagogique affectée à la réalisation d'un sondage maison auprès des finissants.

Le vieillissement de la population crée une demande de thérapeutes en réadaptation physique (TRP). Le manque de physiothérapeutes est un autre facteur, dit Ginette Dubé, coordinatrice du programme de techniques de réadaptation physique au Collège Montmorency. «Les physiothérapeutes font les diagnostics, comme le requiert la loi, mais ils partagent avec les TRP l'administration des traitements.»

### PROFIL RECHERCHÉ

Les bons TRP n'ont pas peur de travailler sous pression, dit Isabelle Dauphinais. «Ils voient plusieurs clients dans un temps limité : ils doivent donc être capables de travailler vite et bien tout en donnant les meilleurs traitements possible.»

L'empathie est une autre qualité essentielle à développer. «Si le patient se sent écouté par son TRP, il a plus de chances de lui faire confiance, donc de respecter ses consignes», dit Mme Dubé.

### PERSPECTIVES

Ce métier convient à ceux qui aiment se garder à jour. En effet, «les techniques évoluent très vite, car c'est un métier jeune, qui a à peine une trentaine d'années», dit Geneviève Duchesne. Bref, c'est un milieu de travail stimulant, où il est impossible de se satisfaire de ses connaissances une bonne fois pour toutes.

L'autre défi des TRP consiste à s'imposer auprès des physiothérapeutes. «Ceux-ci les voient souvent comme moins compétents parce qu'ils n'ont qu'un diplôme collégial», explique Micheline Leblanc, conseillère aux ressources humaines au Centre de réadaptation MAB-Mackay. Or, physiothérapeutes et TRP sont complémentaires : les premiers peuvent déterminer qu'un patient a besoin de marcher davantage, par exemple, tandis que les deuxièmes décident quels exercices il fera et à quel moment.

Enfin, pour faire avancer leur carrière, «les plus ambitieux peuvent se spécialiser en ostéopathie ou en massothérapie ou s'inscrire à l'université, en ergothérapie par exemple», ajoute Mme Dubé. ◉ 09/07

ÉTABLISSEMENTS OFFRANT LE PROGRAMME

 Voir la liste des établissements en page 308.

Voir la liste des établissements en page 308.

*Les carrières d'avenir 2008 • Le Top 150 des formations*

**251**

### SUR LE TERRAIN

Le Centre de réadaptation MAB-Mackay, qui œuvre notamment auprès d'enfants handicapés, vient d'embaucher son premier TRP. «On en a profité pour remplacer notre éducateur spécialisé parti à la retraite. Il travaillait avec le physiothérapeute de l'établissement et montrait aux enfants à faire leurs exercices physiques», dit Micheline Leblanc. Si tout se passe bien avec ce premier TRP, d'autres seront embauchés.

| STATISTIQUES | Nombre de diplômés | Diplômés en emploi | À temps plein | En rapport avec la formation | Aux études | Taux de chômage | Salaire hebdo. moyen |
|---|---|---|---|---|---|---|---|
| Techniques de réadaptation physique | 177 | 86,2 % | 70,8 % | 97,3 % | 12,2 % | 0,0 % | 612 $ |

*La Relance au collégial en formation technique, MELS, 2007.*

Consultez des portraits de diplômés issus de ces formations à
http://carriere.jobboom.com/carrieres-avenir/formations-gagnantes.

## LES CARRIÈRES DE LA **SANTÉ**

Secteur 19/**DEC 141.A0**

8 ANS DANS *LES CARRIÈRES D'AVENIR*

### • TECHNIQUES D'INHALOTHÉRAPIE

par **Anick Perreault-Labelle**

### PLACEMENT

Depuis quatre ans, le Cégep de Sherbrooke n'a aucun mal à placer sa trentaine de finissants annuels en techniques d'inhalothérapie. «En 2006, 25 des 26 élèves qui se destinaient à l'emploi ont trouvé un poste dans leur domaine», illustre Claude Martel, conseiller pédagogique au Service de la recherche et du développement du collège, en précisant s'attendre au même taux de placement pour 2007. Au Cégep Vanier, à Montréal, les 15 finissants de 2007 ont tous déniché un emploi dans leur domaine. «Cela devrait continuer pendant au moins les 10 prochaines années», prédit Sara Engelsberg, coordonnatrice du programme d'inhalothérapie et d'anesthésie.

Ces techniciens sont fortement demandés, notamment «parce que les métiers en science attirent peu de candidats alors que les besoins des centres hospitaliers sont grandissants», explique Claude Martel. Les employeurs les recherchent aussi parce que, au fil des ans, leurs tâches se sont élargies, ajoute Mme Engelsberg. «Ils peuvent intuber un patient en réanimation cardiorespiratoire, par exemple, alors que ce geste était autrefois réservé aux médecins.»

### PROFIL RECHERCHÉ

«Il faut être autonome pour exceller dans ce métier», dit Guylaine Roy, agente aux ressources humaines au Centre de santé et de services sociaux (CSSS) - Institut universitaire de gériatrie de Sherbrooke. «La nuit, il y a souvent un seul inhalothérapeute de service : il ne peut compter que sur lui-même en cas d'urgence.»

«Le métier d'inhalothérapeute est très exigeant parce qu'on travaille souvent dans des milieux stressants et bruyants, comme les unités de soins intensifs. Les équipements bourdonnent et des alarmes sonnent», ajoute Mme Engelsberg. Pour savoir si on s'y sent à l'aise, rien de tel que de visiter ces lieux pendant quelques heures. «Les centres hospitaliers sont très ouverts à ces visites : ils savent qu'ils doivent aider les élèves à se former s'ils veulent avoir des diplômés à embaucher!»

### PERSPECTIVES

Un des grands défis en inhalothérapie est de garder une attitude positive. «On travaille avec des gens qui sont très mal en point. Il ne faut pas se sentir impuissant, voire coupable quand quelque chose se passe mal», dit Mme Engelsberg. Par ailleurs, le travail est stimulant. Surtout quand on ressent la poussée d'adrénaline qui survient lorsqu'un patient doit être réanimé.

Le métier offre peu de possibilités d'avancement. «Avec de l'expérience, on peut devenir chef d'équipe, dit M. Martel, mais pour aller plus loin, il faut aller à l'université pour étudier l'administration de la santé, par exemple.» © 09/07

ÉTABLISSEMENTS OFFRANT LE PROGRAMME

• Voir la liste des établissements de formation en annexe, page 305.

### SUR LE TERRAIN

Le CSSS – Institut universitaire de gériatrie de Sherbrooke compte une trentaine d'inhalothérapeutes. «Nous en embauchons de trois à cinq de plus chaque année, pour des remplacements de congés de maternité ou de vacances», dit Mme Roy. Comme dans plusieurs sous-secteurs de la santé, on commence souvent avec des postes temporaires. Deux chanceux ont toutefois trouvé un poste à temps plein au CSSS en mai 2007, en sortant de l'école!

| STATISTIQUES | Nombre de diplômés | Diplômés en emploi | À temps plein | En rapport avec la formation | Aux études | Taux de chômage | Salaire hebdo. moyen |
|---|---|---|---|---|---|---|---|
| Techniques d'inhalothérapie | 174 | 98,3 % | 83,6 % | 99,0 % | 0,8 % | 0,0 % | 706 $ |

*La Relance au collégial en formation technique, MELS, 2007.*

Consultez un portrait de diplômé issu de cette formation à
**http://carriere.jobboom.com/carrieres-avenir/formations-gagnantes.**

# LES CARRIÈRES DE LA **SANTÉ**

Secteur 19/**DEC 140.B0**

**7** ANS DANS *LES CARRIÈRES D'AVENIR*

## • TECHNOLOGIE D'ANALYSES BIOMÉDICALES

par **Emmanuelle Gril**

### PLACEMENT

Plus la population du Québec vieillit, plus elle a besoin de tests médicaux. Pendant ce temps, les technologues spécialisés en analyses biomédicales sont nombreux à prendre leur retraite. Les employeurs sont donc à la recherche de nouveaux talents.

Au Cégep de Rimouski, les 18 diplômés de 2007 en technologie d'analyses biomédicales ont tous trouvé du travail. C'est ainsi depuis 2002, affirme Roland Laflamme, coordonnateur du Service de placement. «Les centres hospitaliers communiquent avec le Département de technologie d'analyses biomédicales pour recruter les élèves. Si nous pouvions en former davantage, le marché pourrait sans doute les absorber.»

Le constat est également très positif du côté du Cégep de Sainte-Foy, où la cinquantaine de diplômés de mai 2007 affiche un taux de placement de 98 %. «Nous organisons chaque année une journée-carrière en santé, et les employeurs viennent recruter sur le campus. Nos élèves n'ont pas de difficulté à décrocher un poste», explique la conseillère en emploi Annie Marceau.

### PROFIL RECHERCHÉ

«La précision est la qualité première à posséder», remarque M. Laflamme. Le travail du technologue en analyses biomédicales requiert en effet une grande rigueur et un esprit méthodique. La minutie est de rigueur, car la moindre erreur d'interprétation sur un test sanguin, par exemple, peut fausser le diagnostic que le médecin posera.

Éléna Leclerc, agente de gestion des ressources humaines au Centre hospitalier régional de Rimouski, précise que les technologues doivent aussi faire preuve de polyvalence. «Ils peuvent être amenés à œuvrer dans différents laboratoires, par exemple en biologie, en pathologie, etc. On peut analyser des tissus pour vérifier s'ils sont cancéreux, ou encore du sang pour en mesurer le taux de cholestérol, notamment. Il faut donc savoir s'adapter.»

### PERSPECTIVES

Plusieurs jeunes qui s'inscrivent au programme croient que des séries télévisées comme *Les experts* (*CSI* en anglais) reflètent la réalité du métier. Ils pensent pouvoir reproduire les exploits des acteurs qui résolvent des crimes en quelques minutes grâce à des analyses en laboratoire. Or, les emplois dans le domaine médico-légal sont rares. Les technologues trouvent généralement du travail dans des hôpitaux, des laboratoires médicaux, des centres de recherche des universités ou différents ministères. La diversité des milieux de travail potentiels constitue d'ailleurs l'un des attraits du métier. De plus, les possibilités d'avancement sont bonnes. «Avec l'expérience, on peut devenir responsable de laboratoire», note M. Laflamme. ℗ 09/07

ÉTABLISSEMENTS OFFRANT LE PROGRAMME

13 31 72 90 102
123 124 170 174 213

Voir la liste des établissements en page 308.

Les carrières d'avenir 2008 • **150 formations gagnantes**

**253**

### SUR LE TERRAIN

Le Centre hospitalier régional de Rimouski emploie une cinquantaine de technologues en analyses biomédicales. «Chaque année, nous en embauchons de trois à cinq. Nous engageons des personnes d'expérience mais aussi beaucoup de titulaires du diplôme d'études collégiales qui ont fait leur stage chez nous. La proximité du Cégep de Rimouski facilite le recrutement, ce qui nous permet de répondre à nos besoins dans ce domaine», soutient Mme Leclerc.

| **STATISTIQUES** | Nombre de diplômés | Diplômés en emploi | À temps plein | En rapport avec la formation | Aux études | Taux de chômage | Salaire hebdo. moyen |
|---|---|---|---|---|---|---|---|
| **Technologie d'analyses biomédicales** | 214 | 88,8 % | 85,2 % | 98,3 % | 7,2 % | 2,9 % | 665 $ |

*La Relance au collégial en formation technique, MELS, 2007.*

Consultez un portrait de diplômé issu de cette formation à
http://carriere.jobboom.com/carrieres-avenir/formations-gagnantes.

## LES CARRIÈRES DE LA **SANTÉ**

Secteur 19/DEC 142.C0

### • TECHNOLOGIE DE RADIO-ONCOLOGIE

par **Emmanuelle Gril**

## PLACEMENT

Les technologues en radio-oncologie administrent à des patients des doses de radiation qui détruisent leurs cellules cancéreuses. Comme les cancers sont fréquents au Québec, et que de nombreux technologues prennent leur retraite, les titulaires du diplôme d'études collégiales sont attendus sur le marché du travail.

La preuve : le taux de placement des 22 diplômés de la dernière cohorte en technologie de radio-oncologie du Cégep de Sainte-Foy, en mai 2007, dépasse 90 %, selon la conseillère en emploi Annie Marceau.

En fait, il atteint 100 % si l'on ne tient pas compte des finissants qui ont changé de voie. Le Collège Ahuntsic, lui, a mené un sondage auprès de ses finissants de mai 2006. Les 10 diplômés joints pour l'enquête ont tous rapporté s'être placés dans leur domaine.

En parallèle avec ces importants besoins, on note une baisse des demandes d'admission au programme, déplore Jean-Pierre Hébert, conseiller pédagogique au Service d'alternance travail-études et de placement au Cégep Ahuntsic.

Le nombre d'élèves inscrits à cette formation ne cesse de décroître dans cet établissement, passant de 25 en 2003 à 15 en 2006. Or, comme seuls deux cégeps offrent ce programme au Québec, la diminution des inscriptions a un impact significatif sur le marché du travail.

## PROFIL RECHERCHÉ

Mme Marceau soutient que l'empathie et une bonne capacité d'écoute font partie des qualités requises dans le métier. Parce qu'il traite des personnes atteintes du cancer, le technologue doit également apprendre à accepter que certains patients ne guériront pas. Il se consolera en se disant que les soins amélioreront quand même leur qualité de vie.

Précision et rigueur sont nécessaires, car il faut administrer des doses de radiation avec une grande minutie. Une bonne résistance au stress est aussi essentielle, selon Annie Mercier, chef de service, planification de la main-d'œuvre et dotation, au Centre hospitalier universitaire de Sherbrooke (CHUS). «Les technologues travaillent de longues heures et côtoient des personnes qui luttent pour leur survie. Il faut être en mesure de supporter la pression.»

## PERSPECTIVES

Ce métier a un côté humain (contact avec les patients, travail d'équipe) et un côté technique (appareils de haute technologie). Il faut d'ailleurs se perfectionner sans cesse, puisque les technologies évoluent constamment. L'utilisation de l'imagerie médicale et des nouveaux appareils, entre autres, nécessite un apprentissage.

L'expérience aidant, un technologue doué du sens de l'organisation et de leadership peut aspirer à devenir chef d'équipe. ◉ 09/07

ÉTABLISSEMENTS OFFRANT LE PROGRAMME

  Voir la liste des établissements en page 308.

## SUR LE TERRAIN

Le CHUS emploie une quarantaine de technologues en radio-oncologie. «Nous embauchons de deux à huit technologues par an environ», précise Mme Mercier. Même si les diplômés dans ce domaine sont peu nombreux, le CHUS n'a pas de difficulté à recruter. «Notre établissement est un centre universitaire. Nous avons accès aux plus hautes technologies, tout en conservant une approche humaine et personnalisée. Cette combinaison attire les candidats.»

| STATISTIQUES | Nombre de diplômés | Diplômés en emploi | À temps plein | En rapport avec la formation | Aux études | Taux de chômage | Salaire hebdo. moyen |
|---|---|---|---|---|---|---|---|
| Technologie de radio-oncologie | 41 | 100,0 % | 88,9 % | 95,8 % | 0,0 % | 0,0 % | 648 $ |

*La Relance au collégial en formation technique, MELS, 2007.*

Consultez un portrait de diplômé issu de cette formation à
http://carriere.jobboom.com/carrieres-avenir/formations-gagnantes.

# TECHNIQUES DE BUREAUTIQUE

Secteur 01/**DEC 412.A0**

**7** ANS DANS LES CARRIÈRES D'AVENIR

par **Anick Perreault-Labelle**

## PLACEMENT

Au Cégep de Drummondville, tous les finissants en techniques de bureautique trouvent un poste, dit Hélène Jutras, coordonnatrice du département. «Habituellement, nous avons une quinzaine d'élèves. En 2007, toutefois, nous avions seulement trois finissants, à cause d'un concours de circonstances.» La situation est à l'avenant au Cégep de Sept-Îles : les cinq finissants de 2007 ont tous déniché un emploi dans leur domaine, dit Sylvie Chenel, coordinatrice du programme. Et cela devrait continuer. «Nous pourrions en placer le double s'il y avait plus d'inscriptions. Mais les jeunes préfèrent le diplôme d'études professionnelles (DEP) en secrétariat, qui ne dure qu'un an», ajoute-t-elle.

Le diplôme d'études collégiales est pourtant bien plus riche que le DEP, dit Hélène Jutras. «On y initie nos élèves à plusieurs logiciels, dont Dragon NaturallySpeaking [un outil de reconnaissance vocale]. Ils acquièrent aussi d'excellentes habiletés en communication et apprennent entre autres à recruter du personnel et à gérer des stocks. C'est pourquoi ils sont si recherchés!»

## PROFIL RECHERCHÉ

Tout bon technicien en bureautique a une grammaire et une orthographe impeccables, tant en français qu'en anglais. «Quand on travaille en tant qu'adjoint administratif, on voit passer toutes les communications entre gestionnaires, clients et fournisseurs. Il faut corriger les erreurs, sinon l'image de la compagnie va écoper», dit Tina Brosseau, conseillère en recrutement au Groupe CGI. Pour devenir encore meilleur, «on peut prendre des cours de conversation en anglais ou des cours d'appoint en grammaire», suggère Mme Chenel.

Mme Brosseau n'hésite pas à délier les cordons de la bourse quand elle trouve quelqu'un de parfaitement bilingue qui maîtrise bien l'informatique. «J'ai offert à une candidate 5 000 $ de plus par année que le salaire annoncé dans l'offre d'emploi», illustre-t-elle.

## PERSPECTIVES

«Au bout de quelques années d'expérience comme secrétaires, les diplômés peuvent devenir responsables des ressources humaines ou du service de la comptabilité», explique Mme Chenel. En effet, leur rôle ne consiste pas qu'à taper des lettres et répondre au téléphone, dit Mme Jutras. «Les diplômés sont appelés à coordonner une équipe de secrétaires ou à devenir le bras droit de la direction.»

Leur plus grand défi? S'adapter au changement, notamment en ce qui concerne les logiciels, qui évoluent parfois aux six mois. «C'est très valorisant parce qu'on apprend sans arrêt», dit Mme Chenel. ◉ 09/07

ÉTABLISSEMENTS OFFRANT LE PROGRAMME

• Voir la liste des établissements de formation en annexe, page 305.

## SUR LE TERRAIN

Au moment de l'entrevue, les bureaux montréalais du Groupe CGI venaient d'engager un finissant en techniques de bureautique en tant qu'adjoint administratif et avaient encore deux postes à pourvoir. Cette effervescence n'est pas inhabituelle. «Nous favorisons les promotions internes et il n'est pas rare que les adjoints administratifs accèdent à des postes de plus haut niveau ou plus spécialisés, dans les ressources humaines par exemple. Cela crée des besoins d'embauche», précise Mme Brosseau.

| STATISTIQUES | Nombre de diplômés | Diplômés en emploi | À temps plein | En rapport avec la formation | Aux études | Taux de chômage | Salaire hebdo. moyen |
|---|---|---|---|---|---|---|---|
| Techniques de bureautique – Coordination de travail de bureau* | 126 | 86,1 % | 95,4 % | 84,3 % | 8,9 % | 4,4 % | 573 $ |

\* Une autre spécialisation (en micro-édition et hypermédia) est offerte, mais ses statistiques de placement dans la plus récente *Relance* du MELS ne correspondent pas à nos critères de sélection.

*La Relance au collégial en formation technique*, MELS, 2007.

Consultez des portraits de diplômés issus de ces formations à
http://carriere.jobboom.com/carrieres-avenir/formations-gagnantes.

# TECHNIQUES DE LABORATOIRE
## (CHIMIE ANALYTIQUE)

Secteur 06/**DEC 210.A0**

**10** ANS DANS LES CARRIÈRES D'AVENIR

Les carrières d'avenir 2008 • **150 formations gagnantes**

**256**

par **Anick Perreault-Labelle**

## PLACEMENT

«Nous avons une dizaine de finissants en techniques de laboratoire, option chimie analytique, chaque année. Ils se placent tous depuis 2005», dit Jean-François Chandonnet, conseiller en stages et placement au Collège Shawinigan. Même taux de placement pour la quinzaine de finissants du Collège Dawson, dit Henry Khouri, coordonnateur du programme. «Montréal est connue dans le monde pour ses entreprises en pétrochimie et en pharmaceutique, où travaillent beaucoup de ces techniciens, explique-t-il. Par ailleurs, les connaissances toutes fraîches des diplômés sont toujours appréciées parce que les technologies changent vite dans ce domaine.»

«Récession ou pas, il y a toujours de l'emploi pour les techniciens en chimie analytique, qui travaillent dans presque tous les domaines. IBM a embauché un de mes diplômés parce que des procédés chimiques entrent dans la fabrication de circuits imprimés. D'autres finissants se placent dans l'aérospatiale, pour faire des analyses de l'environnement autour des pistes d'essai», dit Carl Pedneault, responsable du programme au Collège Shawinigan.

## PROFIL RECHERCHÉ

La minutie est une condition essentielle pour réussir dans ce métier. «Les techniciens font des analyses dont les résultats peuvent être lourds de conséquences. Si on prouve qu'une entreprise a trop pollué, par exemple, cela peut conduire à des poursuites. Les techniciens de laboratoire doivent donc garantir qu'ils ont suivi les procédures d'analyse et que leurs résultats sont fiables», illustre Jean-Pierre Blouin, chef de la division inorganique au Centre d'expertise en analyse environnementale du Québec.

## PERSPECTIVES

Contrairement à ce qu'on croit, le travail de laboratoire n'est pas dangereux, même si on y utilise des produits toxiques. En effet, «les techniciens apprennent les procédures et normes de sécurité à respecter», dit M. Pedneault.

Une fois leur diplôme d'études collégiales (DEC) en poche, ces diplômés peuvent monter en grade et augmenter leur salaire en allant décrocher un baccalauréat en chimie. «Il existe plusieurs passerelles DEC-Bac et, même en dehors de celles-ci, il est souvent possible pour ces techniciens de s'inscrire au baccalauréat en chimie même s'ils n'ont pas de DEC en sciences pures», précise M. Pedneault. Ceux qui ne souhaitent pas poursuivre leurs études «peuvent gérer un laboratoire ou une équipe de techniciens, ou vendre des instruments de mesure et d'analyse en chimie analytique», dit M. Khouri. ® 09/07

ÉTABLISSEMENTS OFFRANT LE PROGRAMME

    **56** **102** **127** **151** **174** **214**  Voir la liste des établissements en page 308.

Voir la liste des établissements en page 308.

### SUR LE TERRAIN

Le Centre d'expertise en analyse environnementale du Québec compte deux laboratoires qui analysent des échantillons d'air, d'eau et de sol. «Le laboratoire de Montréal emploie une quinzaine de techniciens, dont dix spécialisés en chimie analytique», dit M. Blouin. Au moment de l'entrevue, le Centre avait deux postes à pourvoir. «Il y aura probablement des départs à la retraite ces prochaines années, donc de nouvelles embauches», ajoute-t-il.

| STATISTIQUES | Nombre de diplômés | Diplômés en emploi | À temps plein | En rapport avec la formation | Aux études | Taux de chômage | Salaire hebdo. moyen |
|---|---|---|---|---|---|---|---|
| Techniques de laboratoire (chimie analytique) | 64 | 79,5 % | 94,3 % | 81,8 % | 11,4 % | 5,4 % | 660 $ |

*La Relance au collégial en formation technique, MELS, 2007.*

Consultez un portrait de diplômé issu de cette formation à
**http://carriere.jobboom.com/carrieres-avenir/formations-gagnantes.**

# TECHNIQUES DE PRODUCTION ET DE POSTPRODUCTION TÉLÉVISUELLES

Secteur 13/**DEC 589.A0**

par **Anick Perreault-Labelle**

## PLACEMENT

Le Cégep de Jonquière est le seul établissement d'enseignement public au Québec à offrir le diplôme d'études collégiales (DEC) *Techniques de production et de postproduction télévisuelles*. «Depuis 2002, environ 85 % de notre centaine de finissants annuels trouvent des contrats de travail», dit Johanne Tremblay, responsable des programmes en alternance travail-études. «Cela devrait se maintenir pendant au moins cinq ans, car le secteur est assez stable. Il crée de 150 à 160 nouveaux contrats par année, alors que nous n'avons que 108 diplômés», explique Jean Fortin, coordonnateur du département.

L'atout de ces finissants? Une formation qui leur donne accès à une foule de métiers. «Ils peuvent notamment travailler comme caméramans, éclairagistes, coordonnateurs de production ou monteurs, ou faire des enregistrements ou des effets spéciaux», énumère Johanne Tremblay. Ils sont également recherchés parce qu'ils connaissent les équipements dernier cri de l'industrie. En effet, au cours des trois dernières années, «le Cégep a investi plus de 15 millions de dollars en équipement, notamment pour la télévision à haute définition», dit M. Fortin.

## PROFIL RECHERCHÉ

En production et postproduction télévisuelles, le plus important est de nourrir une passion pour le tournage. «Les journées sont longues et, dans les émissions de fiction, on peut reprendre une scène quatre, cinq ou dix fois, dit M. Fortin. Si on n'est pas passionné par ce qu'on fait, on va rapidement vouloir faire autre chose.»

Faire un stage en milieu de travail est certainement un atout. «Les élèves peuvent expérimenter la réalité du terrain. Quand on monte un reportage pour un bulletin de nouvelles qui est déjà en ondes depuis 15 minutes, c'est autrement plus stressant que de le faire dans le cadre d'un cours!» précise M. Fortin.

## PERSPECTIVES

Les techniciens de production et postproduction télévisuelles sont rarement salariés. «Ils sont embauchés à forfait par une maison de production, pour produire une émission», dit M. Fortin. Mais le travail ne manque pas pour autant! En effet, «ils ont plus de mal à trouver du temps pour prendre leurs vacances qu'à remplir leur carnet de commandes», ajoute-t-il.

Les perspectives d'avancement professionnel sont également intéressantes. «Un caméraman qui se spécialise dans certains types de contenu, comme des événements sportifs ou des spectacles, peut se faire un nom dans le milieu et aspirer à de meilleurs salaires», estime M. Fortin. Quant aux monteurs, avec l'expérience, ils peuvent devenir réalisateurs. ◎ 09/07

ÉTABLISSEMENTS OFFRANT LE PROGRAMME

 **214**  Voir la liste des établissements en page 308.

## SUR LE TERRAIN

Chaque année, une centaine de diplômés en *Techniques de production et de postproduction télévisuelles* obtiennent un contrat avec la maison de production Avanti Ciné/Vidéo. Ils sont engagés comme monteur, caméraman ou preneur de son, entre autres. Et la durée d'un contrat peut varier d'une journée à... 150 jours! «On en embauche de plus en plus, surtout quand on a un besoin accru de techniciens pour mener de front plusieurs projets», dit Amélie Vachon, directrice de production.

| STATISTIQUES | Nombre de diplômés | Diplômés en emploi | À temps plein | En rapport avec la formation | Aux études | Taux de chômage | Salaire hebdo. moyen |
|---|---|---|---|---|---|---|---|
| Production télévisuelle | 63 | 91,5 % | 79,1 % | 64,7 %* | 4,3 % | 2,3 % | 516 $ |
| Postproduction télévisuelle | 24 | 83,3 % | 80,0 % | 100,0 % | 5,6 % | 0,0 % | 530 $ |

* *La Relance du ministère est effectuée en mars, ce qui correspond à un moment de l'année où de nombreuses productions télévisuelles sont terminées. Les diplômés reprennent le travail lié à leur formation quelques semaines plus tard.*  *La Relance au collégial en formation technique, MELS, 2007.*

Consultez un portrait de diplômé issu de cette formation à
http://carriere.jobboom.com/carrieres-avenir/formations-gagnantes.

## TECHNIQUES DE SANTÉ ANIMALE

Secteur 02/**DEC 145.A0**

**9** ANS DANS *LES CARRIÈRES D'AVENIR*

par **Hélène Marion**

### PLACEMENT

Tous les finissants en techniques de santé animale peuvent avoir un emploi dès la fin de leurs études, s'entendent Gildas Haméon, coordonnateur du programme au Cégep de Saint-Félicien, et Yovan Morin, coordonnateur du programme au Collège Lionel-Groulx, à Sainte-Thérèse. En 2007, entre 20 et 25 finissants sortaient du premier établissement, et environ 38, du second. «Nous avons plus d'offres d'emploi que de diplômés», dit M. Morin. «Chaque année, une quarantaine d'entreprises nous contactent pour proposer chacune plus d'un poste», renchérit M. Haméon.

Le placement est excellent depuis à peu près 10 ans. «Les techniciens en santé animale sont très utiles, en recherche comme en clinique vétérinaire. On peut les comparer aux infirmières, indispensables aux médecins», explique M. Morin. Les techniciens assistent les vétérinaires, entre autres, pour l'anesthésie et les radiographies.

L'Office des professions du Québec a officialisé leur travail en août 2007 : ils sont les seuls responsables de certains actes, comme les injections et les prélèvements de sang et d'urine. Certains techniciens en santé animale travaillent plutôt dans des centres de recherche où l'on pratique divers tests sur les animaux. Ils y assistent les chercheurs et supervisent notamment l'administration des médicaments.

### PROFIL RECHERCHÉ

«Il faut aimer travailler avec les animaux, pas seulement pour les flatter. Le technicien doit faire face à des maladies ou maîtriser les animaux agités», souligne M. Haméon. «Il faut être rigoureux, entre autres pour préparer la médication, faire une injection ou détartrer les dents d'un animal», dit M. Morin. L'autonomie est aussi importante : quand un client paniqué arrive avec un animal malade, et que le vétérinaire est occupé ailleurs, le technicien doit décider s'il s'agit d'une urgence.

Le respect et la fermeté sont essentiels, tant avec les clients qu'avec leurs animaux. «Certains animaux ne sont pas faciles. Par exemple, en laboratoire, il est ardu de faire une injection à une souris : c'est vif et ça peut mordre!» dit M. Haméon.

### PERSPECTIVES

Le service à la clientèle est important dans le milieu. C'est un des principaux défis pour les techniciens. «Dans une clinique vétérinaire, c'est le technicien qui accueille les clients. Lorsque l'un d'entre eux est en crise, il faut savoir gérer la situation», explique M. Morin.

Après quelques années sur le marché du travail, le technicien peut devenir spécialiste dans un domaine tel que la chirurgie ou la dermatologie. Il peut aussi coordonner le travail des autres techniciens et faire de la gestion et de la comptabilité s'il devient technicien en chef. ® 09/07

ÉTABLISSEMENTS OFFRANT LE PROGRAMME

**12** **72** **91** **101** **123** **189** **215**

Voir la liste des établissements en page 308.

### SUR LE TERRAIN

Le Centre vétérinaire DMV à Montréal se spécialise notamment en dermatologie, chirurgie et acupuncture. Sur 145 employés, 35 sont techniciens en santé animale. En mai 2007, DMV engageait quatre finissants. «Nous sommes en expansion, alors nous cherchons continuellement des techniciens», dit Annie Villeneuve, coordonnatrice en ressources humaines. Au moment de l'entrevue, trois postes à temps plein étaient disponibles.

| STATISTIQUES | Nombre de diplômés | Diplômés en emploi | À temps plein | En rapport avec la formation | Aux études | Taux de chômage | Salaire hebdo. moyen |
|---|---|---|---|---|---|---|---|
| Techniques de santé animale | 225 | 87,7 % | 94,7 % | 87,3 % | 11,7 % | 0,7 % | 466 $ |

*La Relance au collégial en formation technique, MELS, 2007.*

Consultez un portrait de diplômé issu de cette formation à
http://carriere.jobboom.com/carrieres-avenir/formations-gagnantes.

# TECHNIQUES DE THANATOLOGIE

Secteur 19/**DEC 171.A0**

**10** ANS DANS LES CARRIÈRES D'AVENIR

par **Marika Gauthier**

## PLACEMENT

Au Québec, seul le Cégep de Rosemont offre le diplôme d'études collégiales en techniques de thanatologie. Ses 12 diplômés de 2007 se sont vu offrir une vingtaine de postes grâce au Service de placement. «Le placement est toujours très bon. En moyenne, 92 % des élèves trouvent un emploi», explique Sophie Benoit, coordonnatrice du programme. Elle nuance toutefois en affirmant qu'il faut être ouvert à l'idée de déménager : l'Abitibi, la Gaspésie et l'Outaouais, notamment, ont de la difficulté à recruter. De plus, toutes les offres ne sont pas aussi intéressantes les unes que les autres. «Parfois, ce sont des emplois de fin de semaine ou des remplacements d'été. Mais la majorité des offres sont intéressantes», dit-elle.

Si les thanatologues se placent bien, c'est que la population vieillit, et qu'il y a de plus en plus de décès. «Aussi, la mentalité des propriétaires de maisons funéraires a changé. Auparavant, ils faisaient tout par eux-mêmes. Maintenant, ils préfèrent se faire aider par des techniciens afin de passer plus de temps avec leur famille», dit Mme Benoit.

## PROFIL RECHERCHÉ

Les diplômés peuvent exercer différentes fonctions au sein d'une maison funéraire. Ils peuvent être thanatopracteurs (embaumeurs), conseillers aux familles ou coordonnateurs de funérailles, par exemple. Certains remplissent tous ces rôles, en plus de transporter les corps et de passer le balai. La polyvalence est donc essentielle.

Par ailleurs, il est primordial d'avoir de l'entregent et d'être aimable. En plus d'être à l'écoute de ceux qui lui confient un proche décédé, le thanatologue est toujours en contact avec des fournisseurs pour les arrangements funéraires. Enfin, il doit être organisé parce qu'il n'a pas droit à l'erreur. «Les personnes en deuil veulent que tout soit parfait, car elles n'auront pas deux chances de dire adieu à l'être cher qui vient de mourir», explique Mme Benoit.

## PERSPECTIVES

Dans une maison funéraire, chaque journée est unique. «Les circonstances entourant la mort d'une personne sont parfois touchantes. Chaque défunt a son histoire personnelle», dit Mme Benoit.

De nombreux défis attendent les thanatopracteurs, dont le rôle consiste à embaumer, maquiller et coiffer les cadavres. «On peut avoir à embellir une personne morte d'un cancer. Même si elle a les traits tirés et des taches sur la peau, on s'assure qu'elle retrouve son allure d'avant la maladie.» Il n'est pas facile de gravir les échelons de l'entreprise, à moins de s'associer au propriétaire ou d'ouvrir sa propre entreprise.  09/07

ÉTABLISSEMENT OFFRANT LE PROGRAMME

**170** Voir la liste des établissements en page 308.

## SUR LE TERRAIN

La maison funéraire Magnus Poirier, à Montréal, a engagé trois finissants en techniques de thanatologie en 2007. «Nous avons remplacé des personnes parties à la retraite et d'autres qui ont changé de fonctions au sein de l'entreprise», explique Marc Poirier, propriétaire de Magnus Poirier. Les recrues ont été embauchées pour travailler dans le laboratoire, à titre de thanatopracteurs. L'une des trois occupe aussi des fonctions administratives, et une autre est parfois à la réception.

| STATISTIQUES | Nombre de diplômés | Diplômés en emploi | À temps plein | En rapport avec la formation | Aux études | Taux de chômage | Salaire hebdo. moyen |
|---|---|---|---|---|---|---|---|
| Techniques de thanatologie | 18 | 80,0 % | 75,0 % | 88,9 % | 13,3 % | 7,7 % | 578 $ |

*La Relance au collégial en formation technique, MELS, 2007.*

Consultez un portrait de diplômé issu de cette formation à http://carriere.jobboom.com/carrieres-avenir/formations-gagnantes.

## TECHNIQUES DE TRANSFORMATION DES MATIÈRES PLASTIQUES

Secteur 11/**DEC 241.12**

**5** ANS DANS *LES CARRIÈRES D'AVENIR*

par **Peggy Bédard**

### PLACEMENT

Depuis septembre 2007, le Cégep de Thetford est le seul au Québec à offrir le diplôme d'études collégiales (DEC) *Techniques de transformation des matières plastiques*. Le Cégep Ahuntsic a dû suspendre son programme, faute d'élèves. Or, le Cégep de Thetford n'a que de 6 à 10 diplômés par an dans cette discipline. «Ils trouvent tous un emploi après leur formation, dit Robert Hétu, superviseur des stages et chargé de la promotion du programme dans cet établissement. Il faudrait de 100 à 200 techniciens de plus par année pour satisfaire aux besoins des employeurs. Cependant, nos installations ne nous permet-traient pas d'accueillir plus de 30 personnes par an, même s'il y avait beaucoup de demandes d'admission.»

En pleine effervescence, l'industrie québécoise des plastiques recherche de la main-d'œuvre qualifiée. «Il y a des préjugés, alors il faut mieux informer les jeunes pour les attirer», explique M. Hétu. Quand on pense «plastique», on pense souvent «pollution». Pourtant l'industrie change, dit Guylaine Lavoie, directrice générale de Plasticompétences, le Comité sectoriel de main-d'œuvre de l'industrie des plastiques et des composites. «L'industrie recherche des matériaux "verts" pour remplacer les matières plus polluantes.» C'est pourquoi on développe actuellement des plastiques recyclables et moins polluants.

### PROFIL RECHERCHÉ

Une bonne dextérité manuelle est essentielle pour un technologue qui travaille avec diverses machines, en usine. «Il faut aussi avoir de l'entregent, aimer le travail d'équipe et posséder un très bon sens de l'analyse pour déterminer si les produits fabriqués sont de qualité, lorsqu'il faut procéder aux tests de rigidité et de résistance par exemple», dit M. Hétu.

Jean-François Laroche, directeur de la production aux Industries de Moules et Plastiques VIF de Saint-Hyacinthe, recherche surtout des candidats persévérants. «Il y a beaucoup de nouvelles machines qu'il faut apprendre à faire fonctionner. Il faut donc s'adapter rapidement, et constam-ment mettre ses connaissances à jour, grâce à la formation continue par exemple.»

### PERSPECTIVES

Les techniciens créent de nombreux produits utilisés dans la vie courante. «Cela va des verres de contact aux boîtiers d'ordinateurs, en passant par les chaussures, vêtements et pièces d'autos. Peu de gens savent que le plastique est aussi utilisé dans la production de ces biens de consom-mation», souligne Mme Lavoie. Par ailleurs, comme l'industrie de la plasturgie se divise en trois secteurs (la production et la fabrication, le contrôle de la qualité et la conception de produits), les diplômés peuvent choisir la branche qui les intéresse le plus.  09/07

ÉTABLISSEMENTS OFFRANT LE PROGRAMME

**57** Voir la liste des établissements en page 308.

### SUR LE TERRAIN

Pour pallier la pénurie de travailleurs qualifiés, certains employeurs offrent de la formation à l'interne. Moules et Plastiques VIF, qui doit régulièrement embaucher des techniciens, a retenu cette solution. L'entreprise formera elle-même 6 des 10 nouveaux techniciens embauchés. «Cela ne vaut pas la formation technique, mais ça nous permet au moins de fonctionner dans l'immédiat», explique M. Laroche.

| STATISTIQUES | Nombre de diplômés | Diplômés en emploi | À temps plein | En rapport avec la formation | Aux études | Taux de chômage | Salaire hebdo. moyen |
|---|---|---|---|---|---|---|---|
| Techniques de transformation des matières plastiques | 12 | 66,7 %* | 100,0 % | 100,0 % | 33,3 % | 0,0 % | 691 $ |

* Ce faible taux peut s'expliquer par le pourcentage élevé de diplômés qui poursuivent des études (33,3 %).     *La Relance au collégial en formation technique*, MELS, 2007.

Consultez un portrait de diplômé issu de cette formation à http://carriere.jobboom.com/carrieres-avenir/formations-gagnantes.

# TECHNOLOGIE DE LA GÉOMATIQUE
## (GÉODÉSIE)

Secteur 07/**DEC 230.A0**

**5** ANS DANS *LES CARRIÈRES D'AVENIR*

par **Geneviève Dubé**

## PLACEMENT

Au printemps 2007, les 32 finissants en technologie de la géomatique du Cégep Limoilou se sont tous placés, dit l'enseignant Michel Villeneuve. Même chose au Collège Ahuntsic, où 7 diplômés ont pu consulter pas moins de 63 offres d'emploi. «Nous pourrions en placer facilement une trentaine chaque année. Mais le programme est mal connu, et les jeunes s'intéressent peu à la géographie et aux mathématiques», croit Lucie Bouchard, coordonnatrice du programme et enseignante au Collège Ahuntsic.

La demande devrait demeurer élevée au cours des prochaines années. «La vigueur du secteur de la construction et du marché immobilier ainsi que la réforme du cadastre québécois créent une forte demande de technologues depuis environ cinq ans», souligne Mme Bouchard. «Beaucoup de technologues prennent leur retraite, ce qui accroît les besoins de main-d'œuvre dans le domaine», ajoute M. Villeneuve.

## PROFIL RECHERCHÉ

Le diplôme d'études collégiales comporte deux voies de spécialisation, la géodésie et la cartographie, qui nécessitent la maîtrise de diverses technologies. La minutie et la précision sont de rigueur pour les deux spécialités, car il faut parfois noter les données au dixième de millimètre près, tant sur les cartes que sur les relevés d'arpentage. Une bonne capacité d'analyse est aussi essentielle. Appelés à déterminer eux-mêmes quelles mesures ils prendront, les technologues en géodésie «doivent analyser les conditions du chantier et sélectionner l'outil qui fournira le niveau de précision souhaité», illustre Patrick Renaud, propriétaire et président de Nivax, une firme de construction spécialisée en arpentage. Les cartographes, eux, étudient les données prises sur le terrain pour en transmettre l'essentiel sur leurs plans.

Les technologues spécialisés en géodésie doivent être en bonne forme physique. «Ils travaillent dehors, dans des conditions climatiques parfois désagréables. De plus, leurs instruments sont lourds», explique M. Renaud.

## PERSPECTIVES

Les spécialistes en géodésie sont indispensables sur un chantier. «De l'étude préliminaire au contrôle final de la qualité, les sous-traitants comme les ingénieurs et les arpenteurs se réfèrent à eux. À long terme, ils font de très bons gestionnaires de chantier», croit le président de Nivax. «Les meilleurs salaires annuels de départ sont passés de 25 000 $ à 40 000 $», ajoute M. Villeneuve. En effet, les employeurs ont pris conscience de la valeur de la formation, et ont ajusté les salaires en conséquence depuis cinq ans. Le faible nombre de diplômés et le grand nombre d'employeurs y sont aussi pour quelque chose. ◉ 09/07

ÉTABLISSEMENTS OFFRANT LE PROGRAMME

  **30** **151** **206** Voir la liste des établissements en page 308.

## SUR LE TERRAIN

Six technologues spécialisés en géodésie travaillent chez Nivax. Deux ont été embauchés en 2004, puis un autre en 2006. L'entreprise compte en recruter davantage suivant l'évolution des contrats. Patrick Renaud déplore toutefois le manque de candidats intéressés. «Le recrutement est ardu parce que le travail de chantier est difficile», fait-il valoir.

| STATISTIQUES | Nombre de diplômés | Diplômés en emploi | À temps plein | En rapport avec la formation | Aux études | Taux de chômage | Salaire hebdo. moyen |
|---|---|---|---|---|---|---|---|
| Technologie de la géomatique (Géodésie) | 27 | 89,5 % | 100,0 % | 82,4 % | 10,5 % | 0,0 % | 607 $ |
| Technologie de la géomatique (Cartographie) | 21 | 81,3 % | 100,0 % | 76,9 % | 12,5 % | 7,1 % | 617 $ |

*La Relance au collégial en formation technique, MELS, 2007.*

Consultez un portrait de diplômé issu de cette formation à
http://carriere.jobboom.com/carrieres-avenir/formations-gagnantes.

# TECHNOLOGIE DE LA PRODUCTION HORTICOLE ET DE L'ENVIRONNEMENT

Secteur 02/**DEC 153.B0**

**5** ANS DANS *LES CARRIÈRES D'AVENIR*

par **Denise Proulx**

## PLACEMENT

En 2007, les 22 diplômés en technologie de la production horticole et de l'environnement de l'Institut de technologie agroalimentaire de Saint-Hyacinthe ont tous trouvé du travail à la fin de leurs études. «Leur nombre ne suffit pas à répondre à la demande. Nous avons reçu 107 offres d'emploi de partout au Québec», explique Céline Laliberté, du Service du placement et de l'aide financière.

Les perspectives d'emploi sont excellentes depuis 2001, et devraient le demeurer pendant encore plusieurs années, car le secteur de l'horticulture est en mutation et manque de personnel qualifié, surtout dans le domaine environnemental. «Les besoins en décontamination des sols, en assainissement de l'eau et en renaturalisation des berges sont criants, et nos cinq diplômés ont trouvé un emploi cette année», ajoute Louise Collins, coordonnatrice du Département d'horticulture du Cégep régional de Lanaudière à Joliette.

## PROFIL RECHERCHÉ

Les diplômés doivent être rigoureux et aimer analyser des problèmes. Ainsi, ils pourront trouver comment limiter les insectes dans les serres, par exemple. Le leadership est également essentiel, car ils sont souvent appelés à devenir chefs d'équipe et à diriger des projets comme la plantation d'arbres, pour des entreprises ou des particuliers. Un talent de communicateur est alors important pour diriger une équipe de travail.

## PERSPECTIVES

La protection de l'environnement par des projets novateurs, comme la création de toits verts, c'est excitant! Les diplômés sont au premier plan pour relever des défis, par exemple choisir les plantes qui nettoieront le mieux possible les eaux usées avant qu'elles ne s'écoulent du toit. «L'avenir des finissants est prometteur, car la protection de l'environnement n'est plus considérée comme une lubie des verts. Toute la population s'en préoccupe», croit Mme Collins. Par conséquent, les diplômés qui sont au service des entreprises en horticulture, des centres de recherche ou des municipalités, ont du travail à l'année. La routine ne fait pas partie de leur quotidien, car leur travail varie selon les saisons. En été, ils plantent des arbustes sur les berges d'un lac. L'hiver, ils donnent de la formation, notamment aux riverains tenus de respecter de nouvelles règles concernant l'aménagement de ces berges.

Un stage pendant la formation favorise l'entrée sur le marché du travail. «Le programme d'alternance travail-études que nous avons instauré permet aux finissants de développer une expérience pratique recherchée par les employeurs», dit Mme Collins. ◉ 09/07

ÉTABLISSEMENTS OFFRANT LE PROGRAMME

   **17** **84** **91** **130** Voir la liste des établissements en page 308.

## SUR LE TERRAIN

Le Centre de valorisation des plantes du Carrefour industriel et expérimental de Lanaudière est un organisme de recherche sur les plantes qui servent à assainir la nature. L'organisme a embauché deux finissants du diplôme d'études collégiales en 2007. «Nous les avions d'abord accueillis en stage et pour des emplois d'été. Leur formation les prépare bien à leur futur emploi et ils sont compétents», dit Pierre Lafontaine, directeur général du Centre. D'autres embauches sont prévues en 2008, pour les nouveaux projets.

| STATISTIQUES | Nombre de diplômés | Diplômés en emploi | À temps plein | En rapport avec la formation | Aux études | Taux de chômage | Salaire hebdo. moyen |
|---|---|---|---|---|---|---|---|
| Tech. prod. horticole et environnement<br>– Cultures horticoles légumières, fruitières et ornementales en serres et en champ* | 14 | 88,9 % | 100,0 % | 100,0 % | 0,0 % | 11,1 % | 559 $ |

\* Ce programme a trois autres voies de spécialisation dont les statistiques de placement (dans la *Relance* du MELS) ne correspondent pas à nos critères de sélection.

*La Relance au collégial en formation technique*, MELS, 2007.

Consultez un portrait de diplômé issu de cette formation à **http://carriere.jobboom.com/carrieres-avenir/formations-gagnantes.**

# TECHNOLOGIE DE LA TRANSFORMATION DES ALIMENTS

Secteur 03/**DEC 154.A0**

**11** ANS DANS LES CARRIÈRES D'AVENIR

par **Marika Gauthier**

## PLACEMENT

L'Institut de technologie agroalimentaire offre le diplôme d'études collégiales *Technologie de la transformation des aliments* à ses deux campus. En 2007, les 40 diplômés de Saint-Hyacinthe ont trouvé un poste. Quant aux 9 de La Pocatière, ils ont pu consulter 32 offres d'emploi.

«De nos jours, la population se préoccupe davantage de sa santé. Les fabricants de produits alimentaires en tiennent compte : ils engagent des gens pour créer de nouveaux produits sans gras trans, par exemple», explique Jean-Guy Leclerc, directeur de l'enseignement au campus de La Pocatière.

De plus, l'industrie agroalimentaire s'est dotée de normes de qualité très sévères pour s'assurer que les produits que l'on trouve sur le marché ne comportent aucun risque pour les consommateurs. «Tout le processus de la transformation des aliments doit respecter ces normes, que nos diplômés sont en mesure d'implanter», explique Céline Laliberté, responsable du placement au campus de Saint-Hyacinthe.

## PROFIL RECHERCHÉ

La rigueur et la minutie sont des qualités très importantes, puisque les tâches accomplies ont des répercussions sur toute la chaîne de production. «Si on analyse mal un échantillon de lait pasteurisé, on peut mettre en péril la qualité d'un fromage, ou même nuire à la santé des consommateurs», dit M. Leclerc. «Il est essentiel d'avoir les sens aiguisés, puisqu'on doit constamment juger les produits d'après leur apparence, leur odeur et leur goût», ajoute Mme Laliberté.

Par ailleurs, comme la compétition est féroce dans l'industrie, les compagnies font des pieds et des mains pour mettre en marché de nouveaux produits qui sauront plaire aux consommateurs. Les technologues qui travaillent en recherche et développement doivent donc être curieux et innovateurs.

## PERSPECTIVES

Le monde de l'agroalimentaire est très stimulant pour les gourmets et tous ceux qui ont envie de créer de nouveaux produits. En recherche et développement, les employés doivent constamment améliorer le goût, la texture et l'apparence des aliments. Quant au travail de laboratoire, il n'est jamais routinier. «Nos analyses varient toujours, car nous travaillons avec des produits naturels, comme la liqueur de cacao ou le sucre, qui réagissent différemment selon les recettes», explique Karen Provencher, superviseure de l'assurance et de la qualité chez Barry Callebaut, un fabricant de chocolat.

Les jeunes qui aspirent à occuper un jour un poste de responsabilité seront heureux dans le domaine. Plus ils acquièrent de l'expérience, plus les technologues voient des portes s'ouvrir. Ils peuvent gérer une équipe de travail, superviser la production ou même fonder leur propre entreprise. © 09/07

ÉTABLISSEMENTS OFFRANT LE PROGRAMME

**17** **84** **130** Voir la liste des établissements en page 308.

## SUR LE TERRAIN

L'usine Barry Callebaut de Saint-Hyacinthe compte 450 employés, dont 19 travaillent au contrôle de la qualité et 4 en recherche et développement. «En 2007, nous avons engagé deux personnes pour remplacer des congés de maternité au laboratoire, et une autre en recherche et développement», affirme Mme Provencher. Elle prévoit d'ailleurs que quelques employés partiront à la retraite au cours des prochaines années.

| STATISTIQUES | Nombre de diplômés | Diplômés en emploi | À temps plein | En rapport avec la formation | Aux études | Taux de chômage | Salaire hebdo. moyen |
|---|---|---|---|---|---|---|---|
| Technologie de la transformation des aliments | 42 | 75 %* | 94,4 % | 88,2 % | 16,7 % | 0,0 % | 699 $ |

\* Ce faible taux peut s'expliquer par le pourcentage élevé de diplômés qui poursuivent des études (16,7 %).    *La Relance au collégial en formation technique*, MELS, 2007.

Consultez un portrait de diplômé issu de cette formation à http://carriere.jobboom.com/carrieres-avenir/formations-gagnantes.

## TECHNOLOGIE DE MAINTENANCE INDUSTRIELLE

**7 ANS DANS LES CARRIÈRES D'AVENIR**

Secteur 14/**DEC 241.D0**

par **Charles Allain**

### PLACEMENT

«On ne réussit pas à répondre à la demande, annonce Brigitte Chrétien, coordonnatrice des techniques de la mécanique au Cégep de Rimouski. On reçoit chaque année au moins deux offres d'emploi pour chacun de nos 12 diplômés en maintenance industrielle.» Même situation au Cégep du Vieux Montréal. «Nos 15 diplômés de mai 2007 ont reçu 33 offres d'emploi en tout», explique Daniel Mallette, coordonnateur des programmes *Technologie de maintenance industrielle* et *Techniques de génie mécanique*. «D'après un sondage auprès de nos finissants 2005-2006, le taux de placement est à 100 % en maintenance industrielle.»

Le faible nombre de diplômés dans les huit cégeps offrant ce programme et la forte demande de l'industrie indiquent que cette situation favorable va se prolonger. «Toute entreprise qui a des équipements et des machines doit les entretenir, fait valoir Mme Chrétien. En fait, les techniciens peuvent littéralement choisir le secteur où ils préfèrent travailler – l'agroalimentaire ou le pharmaceutique, par exemple.»

### PROFIL RECHERCHÉ

Pour réussir, il faut s'intéresser à la mécanique et posséder une certaine habileté manuelle. «Les technologues manient des outils et réparent des machines», explique Denis Leblanc, directeur, Ingénierie et Maintenance chez Lavo, un fabricant de produits de lessive et d'entretien ménager. «Ils

doivent aussi être méticuleux et ordonnés.» Il ne faut pas avoir peur de se salir les mains, et surtout ne pas hésiter à se servir de son jugement pour proposer des solutions qui optimiseront l'utilisation des équipements. Précision, minutie et patience, ainsi qu'un bon esprit d'analyse sont par ailleurs nécessaires au technicien, car une grande partie du travail consiste à prévoir l'usure et les bris des équipements afin de prévenir des arrêts de production extrêmement coûteux pour l'employeur. Les techniciens travaillent aussi beaucoup avec des logiciels de maintenance : ils doivent donc être à l'aise avec l'informatique.

### PERSPECTIVES

Comme les entreprises manufacturières dépendent de plus en plus d'équipements de fabrication automatisée, l'avenir des techniciens en maintenance industrielle est très prometteur. Ces travailleurs peuvent rapidement devenir contremaîtres ou se diriger vers la planification de la maintenance et les achats d'équipements. Lorsqu'on aime travailler dans l'usine et connaître à fond des machines parfois complexes, c'est un travail très valorisant. «Les techniciens développent un sentiment de responsabilité envers la bonne marche de l'entreprise», explique Daniel Mallette. Un bémol, toutefois : le travail des techniciens en maintenance industrielle a souvent lieu lorsque les machines sont arrêtées. Il leur est donc fréquent de travailler la nuit ou la fin de semaine. ® 09/07

ÉTABLISSEMENTS OFFRANT LE PROGRAMME

6  13  56  64  72  80  100  147

Voir la liste des établissements en page 308.

### SUR LE TERRAIN

«Nous avons deux techniciens au sein de notre personnel, dont un avec cinq ans d'ancienneté, déclare Denis Leblanc, de Lavo. Pour l'instant, nos besoins sont satisfaits, mais de façon générale, les candidats qui ont de l'expérience sont particulièrement difficiles à trouver.»

| STATISTIQUES | Nombre de diplômés | Diplômés en emploi | À temps plein | En rapport avec la formation | Aux études | Taux de chômage | Salaire hebdo. moyen |
|---|---|---|---|---|---|---|---|
| Technologie de maintenance industrielle | 81 | 71,4 %* | 100,0 % | 91,1 % | 23,8 % | 4,3 % | 818 $ |

* Ce faible taux peut s'expliquer par le pourcentage élevé de diplômés qui poursuivent des études (23,8 %).          *La Relance au collégial en formation technique*, MELS, 2007.

Consultez un portrait de diplômé issu de cette formation à
http://carriere.jobboom.com/carrieres-avenir/formations-gagnantes.

## ACTUARIAT
Secteur 01/**Baccalauréat**

**11** ANS DANS LES CARRIÈRES D'AVENIR

*par* **Marika Gauthier**

### PLACEMENT

«Une trentaine d'étudiants ont obtenu un diplôme d'actuariat en 2007, mais nous avons reçu deux fois plus d'offres d'emploi», dit Francine Salinitri, conseillère en emploi à l'Université Concordia. «En 2007, 90 % de nos 88 diplômés se sont placés», ajoute Claude Pichet, directeur du programme d'actuariat à l'Université du Québec à Montréal. Si les futurs actuaires se placent si bien, c'est notamment parce qu'ils sont appelés à évaluer les risques financiers que prennent les compagnies d'assurance dans un monde où les dangers de pandémies ou de désastres naturels sont de plus en plus grands.

Pour obtenir le titre professionnel de l'Institut canadien des actuaires (ICA), on doit passer sept examens après le baccalauréat. «Seulement le tiers des diplômés les réussit tous. Les finissants ne deviennent donc pas tous actuaires, mais la formation est assez générale pour permettre à l'ensemble de trouver un emploi dans des métiers connexes, comme conseiller financier ou administrateur de régime de retraite», dit M. Pichet.

### PROFIL RECHERCHÉ

Tout actuaire doit aimer les mathématiques, puisqu'il devra faire des calculs complexes. «Un actuaire peut avoir à anticiper, par exemple, la valeur future d'un régime de retraite qu'il doit partager entre deux ex-conjoints qui divorcent», explique Louise Guilbert, directrice des ressources humaines chez Morneau Sobeco. Le professionnel doit aussi posséder des aptitudes pour la communication, parce qu'il travaille en équipe et explique des calculs mathématiques à ses clients.

Par ailleurs, les stages en entreprise sont un excellent moyen de percer le marché de l'emploi. «Les étudiants de deuxième année qui font bonne impression sont souvent engagés à temps partiel durant leur dernière année d'études», dit M. Pichet.

### PERSPECTIVES

Il faut compter de 7 à 10 ans pour faire tous les examens qui mènent au titre d'actuaire. Entre-temps, on travaille, mais sans porter le titre. «Or, ceux qui adorent les mathématiques et qui veulent exercer un métier prestigieux et très bien payé seront heureux d'avoir persévéré», fait valoir M. Pichet.

Pas de routine en actuariat! «Plus les finissants prennent de l'expérience, et plus leurs travaux se diversifient. Ils sont appelés à faire des calculs complexes, par exemple évaluer combien il en coûterait pour modifier un régime de retraite quand une convention collective se renégocie», dit Mme Guilbert. Avec plusieurs années d'expérience, on peut notamment espérer devenir superviseur d'actuaires débutants. ◉ 08/07

ÉTABLISSEMENTS OFFRANT LE PROGRAMME

**42** **193** **194** **195**  Voir la liste des établissements en page 308.

### SUR LE TERRAIN

Morneau Sobeco a engagé 70 diplômés en actuariat en 2007, et prévoit en recruter une cinquantaine en 2008. «Nous avons pris de l'expansion, c'est pourquoi nous avons besoin de plusieurs diplômés», dit Mme Guilbert. L'entreprise forme d'ailleurs des étudiants lors de stages. «Nous embauchons de 35 à 45 stagiaires par an. C'est la façon naturelle d'entrer chez nous.» La compagnie compte 275 employés avec un baccalauréat en actuariat, dont 60 qui sont actuaires et une cinquantaine qui se préparent aux examens de l'ICA.

| STATISTIQUES | Nombre de diplômés | Diplômés en emploi | À temps plein | En rapport avec la formation | Aux études | Taux de chômage | Salaire hebdo. moyen |
|---|---|---|---|---|---|---|---|
| Actuariat | 63 | 100,0 % | 90,9 % | 96,7 % | 0,0 % | 0,0 % | 981 $ |

*La Relance à l'université, MELS, 2007.*

Consultez un portrait de diplômé issu de cette formation à
http://carriere.jobboom.com/carrieres-avenir/formations-gagnantes.

# ADAPTATION SCOLAIRE

Secteur 20/**Baccalauréat**

**11** ANS DANS LES CARRIÈRES D'AVENIR

par **Marika Gauthier**

## PLACEMENT

En 2007, les 19 diplômés en adaptation scolaire de l'Université du Québec à Chicoutimi (UQAC) se sont tous placés. Même des commissions scolaires de Colombie-Britannique les ont courtisés! Le placement est tout aussi bon à l'Université du Québec à Trois-Rivières (UQTR), qui a reçu 113 offres d'emploi pour ses 41 finissants!

Yan Martel, du Service de placement de l'UQTR, soutient que beaucoup d'enfants éprouvent des difficultés d'apprentissage, comme les hyperactifs ou ceux qui souffrent de déficit de l'attention. «Avant on leur prescrivait du Ritalin. Aujourd'hui, ils sont mieux encadrés grâce aux enseignants en adaptation scolaire», dit-il. En fait, le gouvernement du Québec a décidé d'intégrer ces élèves aux classes régulières avec la réforme scolaire en 2000. Il leur a donc alloué plus de ressources. «Un enseignant en adaptation scolaire peut accompagner un professeur régulier dans sa classe. Il peut aussi suivre un élève en privé ou jouer un rôle qui était auparavant réservé aux orthopédagogues, par exemple avoir une petite classe d'élèves avec des difficultés spécifiques, comme en lecture», explique Lucie Deslauriers, directrice du programme en adaptation scolaire à l'UQAC.

## PROFIL RECHERCHÉ

Les diplômés travaillent avec des jeunes qui souffrent d'un handicap ou d'un trouble de l'apprentissage ou du comportement. Ils doivent être ouverts aux différentes réalités que vivent les jeunes et leurs familles. Il faut de la patience et une bonne écoute pour être en mesure de bien aider les enfants. «Si l'un d'eux nous explique qu'il se lève à quatre heures tous les matins pour traire les vaches, on comprend mieux pourquoi il a de la difficulté à se concentrer l'après-midi», précise Mme Deslauriers.

Les enseignants en adaptation scolaire doivent avoir une solide connaissance du français et des mathématiques, qui sont les bêtes noires de leurs élèves, ajoute-t-elle. «Ce sont des spécialistes des difficultés d'apprentissage dans ces matières.»

## PERSPECTIVES

Le principal défi d'un enseignant en adaptation scolaire consiste à constamment chercher des solutions afin d'aider ses élèves à progresser. Sa plus grande récompense : les voir réussir là où ils échouaient auparavant. «J'ai réussi à enseigner la lecture à une élève de 14 ans. Tous les collègues qui avaient essayé auparavant en avaient été incapables. C'est très gratifiant de trouver la bonne méthode», explique Mme Deslauriers.

De plus, plusieurs possibilités s'offrent aux enseignants en adaptation scolaire qui ont de l'expérience. «Ils peuvent devenir conseillers pédagogiques à la commission scolaire, directeurs d'école ou encore directeurs adjoints», ajoute Yan Martel. ◉ 09/07

ÉTABLISSEMENTS OFFRANT LE PROGRAMME

**19** **75** **104** **194** **195** **208** **218**

Voir la liste des établissements en page 308.

## SUR LE TERRAIN

Le baccalauréat en orthopédagogie a cessé d'exister en 2004, explique Carole Cossette, présidente de l'Association des orthopédagogues du Québec. Depuis, les enseignants en adaptation scolaire occupent les postes réservés auparavant aux orthopédagogues. «Même si le gouvernement a investi beaucoup de ressources pour les jeunes en difficulté, on n'arrive pas à satisfaire à tous les besoins des enfants», affirme-t-elle.

| STATISTIQUES | Nombre de diplômés | Diplômés en emploi | À temps plein | En rapport avec la formation | Aux études | Taux de chômage | Salaire hebdo. moyen |
|---|---|---|---|---|---|---|---|
| Adaptation scolaire | 419 | 93,4 % | 90,0 % | 97,5 % | 2,8 % | 0,0 % | 738 $ |

*La Relance à l'université*, MELS, 2007.

Consultez un portrait de diplômé issu de cette formation à
http://carriere.jobboom.com/carrieres-avenir/formations-gagnantes.

## ARCHITECTURE

Secteur 07/ **Maîtrise professionnelle**

**8 ANS DANS LES CARRIÈRES D'AVENIR**

par **Emmanuelle Gril**

### PLACEMENT

En mai 2007, les quelque 60 diplômés en architecture issus de l'Université de Montréal ont pratiquement tous décroché un emploi, explique Anne Cormier, architecte et directrice de l'École d'architecture. «L'industrie de la construction va très bien depuis plusieurs années. En outre, les exigences des municipalités sont désormais plus élevées en ce qui concerne les projets de construction, et il faut avoir recours à l'expertise d'un architecte plus tôt dans le processus, à l'étape du projet préliminaire.»

Même son de cloche à l'Université Laval. «La demande est très forte depuis deux ans environ, et nous recevons davantage d'offres d'emploi en architecture que nous n'avons d'étudiants. La soixantaine de diplômés de mai 2007 sont tous placés. D'ailleurs, le placement est très bon dans le domaine depuis le début des années 1990. À cette époque, certains architectes devaient toutefois explorer des secteurs connexes, comme le design», remarque Jacques White, directeur de l'École d'architecture.

### PROFIL RECHERCHÉ

Selon M. White, le diplômé qui allie créativité et rigueur détient assurément la combinaison gagnante aux yeux des employeurs. C'est que, dans cette profession, il faut savoir être imaginatif tout en respectant des normes établies. Il souligne également que les bureaux apprécient les jeunes architectes qui leur apportent quelque chose, comme un souci pour le développement durable.

Marie-Chantal Croft, architecte et associée du bureau Croft Pelletier à Québec, soutient pour sa part que les diplômés doivent avoir l'esprit ouvert et être prêts à apprendre. «Il faut savoir faire le pont entre la théorie apprise sur les bancs de l'école et la pratique sur le terrain.» Ce métier ne se résume pas à dessiner, il faut aussi sortir de son bureau pour rencontrer clients ou entrepreneurs.

### PERSPECTIVES

L'architecture est un vaste domaine, qui touche tant le design urbain que l'aménagement paysager. Les horizons de l'architecte sont aussi de plus en plus vastes, dépassant largement les frontières du Québec et même de l'Amérique du Nord. «Là où il y a de la construction, il y a du travail! Et il y a toujours quelque chose qui se construit quelque part dans le monde», explique Mme Cormier. Le travail à l'échelon international occupe de plus en plus de place dans la pratique des architectes, et ceux qui connaissent plusieurs langues sont d'autant plus favorisés. «Les architectes sont moins vulnérables aux caprices de l'économie d'ici, puisqu'ils peuvent œuvrer à l'échelle internationale. On en voit partout, même en Chine», ajoute M. White. ◎ 09/07

ÉTABLISSEMENTS OFFRANT LE PROGRAMME

  Voir la liste des établissements en page 308.

### SUR LE TERRAIN

Le bureau Croft Pelletier emploie deux architectes et deux stagiaires et recrute régulièrement de jeunes diplômés comme contractuels, pour divers projets. «Je donne des cours d'architecture à l'Université Laval et j'embauche fréquemment mes anciens étudiants pour divers projets», explique Mme Croft. Si la firme n'éprouve pas de difficulté à trouver de la main-d'œuvre, il reste que les jeunes diplômés ont beaucoup à apprendre, une fois sur le marché du travail.

| STATISTIQUES | Nombre de diplômés | Diplômés en emploi | À temps plein | En rapport avec la formation | Aux études | Taux de chômage | Salaire hebdo. moyen |
|---|---|---|---|---|---|---|---|
| Architecture – bac* | 155 | 38,5 % | 87,5 % | 94,3 % | 45,2 % | 24,5 % | 639 $ |
| Architecture – maîtrise | 147 | 84,5 % | 97,2 % | 97,1 % | 11,9 % | 1,4 % | 661 $ |

*Ces statistiques de placement plus faibles s'expliquent par le fait que la maîtrise est nécessaire pour travailler comme architecte au Québec.     *La Relance à l'université*, MELS, 2007.

Consultez un portrait de diplômé issu de cette formation à
http://carriere.jobboom.com/carrieres-avenir/formations-gagnantes.

# COMPTABILITÉ ET SCIENCES COMPTABLES

**11** ANS DANS *LES CARRIÈRES D'AVENIR*

Secteur 01/**Baccalauréat**

par **Emmanuelle Gril**

## PLACEMENT

En mai 2007, une centaine de personnes ont décroché un baccalauréat en sciences comptables à l'Université du Québec à Trois-Rivières. Toutes se sont placées, selon Benoit Lavigne, directeur du comité de ce programme. «Les cabinets d'experts-comptables viennent sur le campus pour recruter les étudiants avant même la fin de leur troisième année. Nous sommes actuellement dans une période de plein emploi.»

Même son de cloche du côté de l'Université de Sherbrooke. «La demande est forte depuis trois ans environ. L'économie roule bien et la mondialisation nous oblige à nous familiariser avec les normes comptables d'autres pays, ce qui complexifie les affaires», explique Denis-Robert Elias, directeur du Service des stages et du placement à l'Université de Sherbrooke. Dans cet établissement, le baccalauréat compte trois stages rémunérés obligatoires. M. Elias note que les employeurs s'arrachent aussi les stagiaires. «Cette année, c'est de 400 à 500 offres de stages que nous n'avons pas pu satisfaire.»

## PROFIL RECHERCHÉ

Les comptables sont appelés à œuvrer pour des clients et des employeurs variés, tant des entreprises privées que des organismes du secteur public. Ils doivent donc faire preuve d'une bonne capacité d'adaptation et avoir l'esprit curieux. «Il faut aussi avoir à cœur de garder ses connaissances à jour, car il y a constamment de nouvelles normes comptables à apprendre», note M. Elias.

Maturité, professionnalisme et esprit d'initiative font aussi partie des qualités les plus souvent mentionnées par les employeurs et les représentants des universités. «Il est important de parler au moins deux langues, dont l'anglais, la langue des affaires», ajoute Louise Roby, comptable agréée et associée au cabinet comptable Harel Drouin - PKF, à Montréal.

## PERSPECTIVES

La comptabilité est un milieu de travail qui offre des défis stimulants à ceux qui sont prêts à y mettre les efforts. «Aujourd'hui, le comptable a un rôle plus stratégique qu'avant, c'est un membre à part entière de l'équipe de gestion. On le considère davantage comme un conseiller d'affaires, et non plus comme un "bas brun" qui aligne des rangées de chiffres!» fait valoir M. Lavigne.

Les perspectives d'avancement sont également intéressantes. «S'il travaille dans un cabinet comptable, le diplômé peut gravir les échelons et devenir vérificateur adjoint, responsable de dossier, etc. En entreprise, on peut aspirer au poste de contrôleur puis de vice-président finance», poursuit-il. ⊚ 09/07

ÉTABLISSEMENTS OFFRANT LE PROGRAMME

7  19  42  74  75  104  192  193  195  196
208  218  219  220  Voir la liste des établissements en page 308.

Les carrières d'avenir 2008 • **150 formations gagnantes**

**269**

## SUR LE TERRAIN

Le cabinet Harel Drouin - PKF compte 75 comptables et en embauche régulièrement. «Nous avons encore plusieurs postes à pourvoir et nous faisons affaire avec six ou sept chasseurs de têtes pour y parvenir», soutient Mme Roby. Le recrutement est donc difficile et le travail ne manque pas pour les spécialistes des sciences comptables. Pour attirer les candidats, le cabinet offre notamment d'excellentes conditions de travail, ainsi qu'une rémunération et des avantages sociaux concurrentiels.

| STATISTIQUES | Nombre de diplômés | Diplômés en emploi | À temps plein | En rapport avec la formation | Aux études | Taux de chômage | Salaire hebdo. moyen |
|---|---|---|---|---|---|---|---|
| Comptabilité et Sciences comptables | 911 | 89,3 % | 97,3 % | 93,2 % | 6,6 % | 2,4 % | 812 $ |

*La Relance à l'université, MELS, 2007.*

Consultez des portraits de diplômés issus de ces formations à
http://carriere.jobboom.com/carrieres-avenir/formations-gagnantes.

# GÉNIE CIVIL/GÉNIE DE LA CONSTRUCTION*

Secteur 07/**Baccalauréat**

par **Geneviève Dubé**

## PLACEMENT

À l'École Polytechnique de Montréal, les 76 diplômés en génie civil du printemps 2007 ont tous trouvé du travail. Au total, au cours de l'année scolaire 2006-2007, les diplômés et étudiants ont reçu pas moins de 286 offres d'emploi et de stage! «Le placement est excellent depuis 2001. L'embauche d'ingénieurs civils est favorisée par les investissements du gouvernement pour entretenir des routes et des bâtiments, ainsi que par les nombreux projets de construction commerciale», explique Maryse Deschênes, directrice du Service des stages et du placement à l'École Polytechnique de Montréal.

La grande majorité des quelque 67 diplômés en génie civil de l'Université Laval a trouvé du travail facilement, ajoute Geneviève Bruneau, conseillère en emploi. «Depuis le début des années 2000, nous recevons une centaine d'offres d'emploi par an dans cette discipline», précise-t-elle.

À l'École de technologie supérieure (ÉTS), les 88 diplômés de 2007 en génie de la construction ont pu consulter 150 offres d'emploi. «Le manque de diplômés, les nombreux départs à la retraite et la réfection des installations du secteur public assureront le bon placement des ingénieurs de la construction pour la prochaine décennie», croit Pierre Rivet, directeur du Service de l'enseignement coopératif à l'ÉTS.

## PROFIL RECHERCHÉ

Les ingénieurs civils et de la construction doivent savoir travailler en équipe. «Ils communiquent avec des sous-traitants, des architectes, des ingénieurs, des contremaîtres et des ouvriers. Ils doivent donc savoir se comporter avec eux», souligne Mme Deschênes. L'entrepreneurship est aussi recherché. «L'ingénieur a un contact direct avec le client. Il doit développer la relation d'affaires», ajoute Éric Fillion, conseiller aux ressources humaines pour la firme d'ingénierie BPR.

## PERSPECTIVES

Un mythe tenace veut que le génie civil utilise de vieilles méthodes. Or, la discipline est plutôt à la fine pointe de la technologie. «Des logiciels sophistiqués permettent de mesurer les structures et d'effectuer des calculs», illustre Mme Deschênes. Elle ajoute que les salaires équivalent à ceux des autres disciplines du génie (en moyenne 42 900 $ par année dès le début de la carrière) et que les employeurs accordent souvent des horaires flexibles aux employés soucieux de concilier leur vie professionnelle et leur vie familiale.

Les ingénieurs accèdent aussi rapidement à des promotions. «Selon leurs champs d'intérêt, ils peuvent devenir experts techniques ou gestionnaires de projets, ou encore se spécialiser dans le développement des affaires», mentionne M. Fillion. ◉ 09/07

*Ces deux programmes sont distincts.

ÉTABLISSEMENTS OFFRANT LE PROGRAMME

  42 75 190 191 193 196 219 220

Voir la liste des établissements en page 308.

## SUR LE TERRAIN

BPR compte 700 ingénieurs, dont près de 200 ingénieurs civils et de la construction dans ses unités d'affaires Infrastructures urbaines et Transport. L'entreprise a engagé une trentaine de ces diplômés en 2007, et elle prévoit en recruter plusieurs autres au cours des prochaines années. «BPR est en pleine expansion. Nos embauches dépendront des contrats que nous obtiendrons», précise Éric Fillion.

| STATISTIQUES | Nombre de diplômés | Diplômés en emploi | À temps plein | En rapport avec la formation | Aux études | Taux de chômage | Salaire hebdo. moyen |
|---|---|---|---|---|---|---|---|
| Génie civil/Génie de la construction | 268 | 81,1 % | 97,9 % | 96,4 % | 13,7 % | 3,4 % | 918 $ |

*La Relance à l'université, MELS, 2007.*

Consultez des portraits de diplômés issus de ces formations à
http://carriere.jobboom.com/carrieres-avenir/formations-gagnantes.

## GÉNIE DES MINES

Secteur 15/**Baccalauréat**

5 ANS DANS
*LES CARRIÈRES*
*D'AVENIR*

par **Denise Proulx**

Les carrières d'avenir 2008 • **150 formations gagnantes**

272

### PLACEMENT

Le Québec manque d'ingénieurs des mines depuis l'an 2000. Or, les trois universités qui offrent ce programme ne distribuent, au total, qu'une vingtaine de diplômes par an. Ces jeunes professionnels n'ont évidemment aucune difficulté à trouver du travail. «Nos finissants se placent tous», dit Louise Millette, directrice du Département des génies civil, géologique et des mines à l'École Polytechnique de Montréal. Et pour cause : en 2007, les entreprises minières ont offert 380 emplois et stages aux deux finissants de cet établissement d'enseignement!

Comme l'industrie minière prévoit que sa croissance se maintiendra pour les cinq prochaines années, les entreprises sont très actives en matière de recrutement. «Elles dénichent leurs employés lors des stages, leur offrent un excellent salaire et des avantages sociaux enviables», observe Richard Laplante, coordonnateur des programmes coopératifs pour le Département de génie des mines, de la métallurgie et des matériaux à l'Université Laval.

### PROFIL RECHERCHÉ

Pour les employeurs, le candidat idéal fait preuve d'initiative, de créativité et d'ouverture d'esprit. De plus, il parle trois langues (dont le français et l'anglais) et il accepte de travailler en région éloignée ou à l'étranger. Et les entreprises sont généreuses pour attirer la perle rare. Rio Tinto, par exemple, fournit notamment un mentor à chacun de ses nouveaux ingénieurs, afin de les aider à progresser.

«Il faut aussi être à l'aise en travail d'équipe et comprendre aisément diverses technologies industrielles», complète Richard Laplante. Pour faciliter leur entrée sur le marché du travail, il recommande aux étudiants de s'adonner à un sport d'équipe, afin d'apprendre à réagir avec aplomb face à des situations inhabituelles et complexes.

### PERSPECTIVES

«C'est un métier très valorisant, car vous avez la responsabilité de la sécurité des mineurs entre vos mains», ajoute Richard Laplante. L'employé talentueux est assuré de franchir rapidement les échelons de responsabilité, passant en moins de deux ans du poste d'ingénieur de projet à celui de surintendant et ensuite au titre de directeur de service. «Ce secteur utilise de nombreuses technologies sophistiquées et automatisées et se préoccupe d'environnement. On est loin du pic et de la pelle, comme au XIXe siècle», précise Mme Millette. Ce métier est plus rude que du travail de bureau, mais il ne comporte aucune routine. En plus, les entreprises investissent en formation continue pour que l'employé se maintienne à la fine pointe des connaissances dans le domaine des mines et de l'informatique. ◉ 07/09

ÉTABLISSEMENTS OFFRANT LE PROGRAMME

 42 191 196 Voir la liste des établissements en page 308.

### SUR LE TERRAIN

La minière Agnico-Eagle a embauché, en mai 2007, un ingénieur des mines issu de Polytechnique et visite régulièrement les universités québécoises pour recruter trois finissants en mai 2008. «S'il était possible d'en embaucher 15, nous les prendrions tous. Dès leur entrée, nous leur offrons une formation spécifique pour qu'ils puissent certifier nos projets et répondre à nos besoins rapidement», explique Sandra Marseille, agente aux ressources humaines de l'entreprise.

| STATISTIQUES | Nombre de diplômés | Diplômés en emploi | À temps plein | En rapport avec la formation | Aux études | Taux de chômage | Salaire hebdo. moyen |
|---|---|---|---|---|---|---|---|
| Génie des mines | 9 | 100,0 % | 100,0 % | 100,0 % | 0,0 % | 0,0 % | 1 106 $ |

*La Relance à l'université, MELS, 2007.*

Consultez un portrait de diplômé issu de cette formation à
http://carriere.jobboom.com/carrieres-avenir/formations-gagnantes.

# MÉDECINE VÉTÉRINAIRE

Secteur 19/**Doctorat de premier cycle**

8 ANS DANS LES CARRIÈRES D'AVENIR

par **Hélène Marion**

## PLACEMENT

L'Université de Montréal est le seul établissement du Québec à former des vétérinaires. Ses 85 finissants de 2007 ont tous trouvé un emploi. «Les finissants sont convoités depuis 15 ans», spécifie Christiane Girard, vice-doyenne aux Affaires étudiantes et à la Vie facultaire. La demande s'explique notamment ainsi : les diplômés ne désirent plus travailler de 50 à 70 heures par semaine, comme le faisaient les vétérinaires il y a 25 ans. «Pour compenser, les employeurs engagent deux vétérinaires à 30 heures par semaine au lieu d'un seul à 70 heures par semaine», explique Mme Girard.

L'Ordre des médecins vétérinaires du Québec (OMVQ) reçoit tous les deux mois une quarantaine d'offres d'emploi. Elles proviennent du ministère de l'Agriculture, des Pêcheries et de l'Alimentation du Québec, de l'Agence canadienne d'inspection des aliments et des cabinets où l'on traite des animaux de ferme ou de compagnie. «Il y a peu de finissants et la demande est grande, à cause de l'émergence de maladies telle celle de la vache folle ou de l'importance des animaux de compagnie dans les familles», souligne Mathieu Bilodeau, directeur des communications à l'OMVQ.

## PROFIL RECHERCHÉ

Le vétérinaire doit savoir bien communiquer avec ses clients et réconforter les animaux.

Selon Francis Caignon, médecin vétérinaire et propriétaire de l'Hôpital vétérinaire Ami Fidèle à Saint-Jean-sur-Richelieu, l'employé doit avoir de l'entregent et de la patience. «Les clients veulent souvent traiter leurs animaux eux-mêmes, en leur donnant du Tylenol, par exemple. Or, cela peut les tuer. Lorsqu'un client trouve un traitement trop cher, il faut lui en expliquer l'importance.»

Il faut aussi être flexible. «En été, on reçoit souvent des animaux happés par une voiture, alors on prolonge notre horaire», dit M. Caignon. «La soif d'apprendre est primordiale, afin d'être au courant des avancées dans le domaine», ajoute Mme Girard.

## PERSPECTIVES

Un mythe persiste, celui du vétérinaire sauveur. «Les vétérinaires ne peuvent pas sauver tous les animaux, comme ils le souhaiteraient en sortant de l'université», dit Mme Girard. Ainsi, ils devront accepter les euthanasies.

Le finissant qui intègre une clinique peut devenir associé s'il a envie de prendre part aux décisions et faire plus de gestion. Il peut aussi ouvrir sa propre clinique. «Un finissant peut débuter à 29 $ l'heure et le salaire croît avec l'expérience», souligne M. Caignon. Le défi le plus intéressant? Établir un lien de confiance avec la clientèle. ◎ 08/07

ÉTABLISSEMENT OFFRANT LE PROGRAMME

**194** Voir la liste des établissements en page 308.

## SUR LE TERRAIN

L'Hôpital vétérinaire Ami Fidèle à Saint-Jean-sur-Richelieu a fait paraître une annonce dans le journal de l'OMVQ en juin 2007. Un médecin vétérinaire à temps partiel était recherché pour s'intégrer à une équipe de cinq spécialistes. Depuis, des vétérinaires ont quitté, et l'hôpital cherche toujours du renfort. «Nous ouvrons actuellement 109 nouveaux dossiers par mois. L'entreprise grossit. Nous avons besoin d'aide», spécifie M. Caignon. Pour attirer les candidats, il offre une formation continue payée et un salaire compétitif.

| STATISTIQUES | Nombre de diplômés | Diplômés en emploi | À temps plein | En rapport avec la formation | Aux études | Taux de chômage | Salaire hebdo. moyen |
|---|---|---|---|---|---|---|---|
| Médecine vétérinaire | n.d. | n.d. | n.d. | n.d. | n.d. | n.d. | n.d. |

*La Relance à l'université, MELS, 2007.*

Consultez un portrait de diplômé issu de cette formation à
http://carriere.jobboom.com/carrieres-avenir/formations-gagnantes.

## PSYCHOÉDUCATION

Secteur 20/**Baccalauréat et maîtrise**

**10** ANS DANS *LES CARRIÈRES D'AVENIR*

par **Hélène Marion**

### PLACEMENT

Les bacheliers en psychoéducation deviennent éducateurs, animateurs ou intervenants dans les écoles et les centres de réadaptation, entre autres. La maîtrise mène au titre de psychoéducateur, qui vient avec un meilleur salaire et des tâches plus variées, comme la coordination d'équipe. «Depuis quatre ans, la majorité de nos finissants du baccalauréat et de la maîtrise trouve de l'emploi», dit Claude Fortin, agente des stages en psychoéducation à l'Université du Québec en Abitibi-Témiscamingue. En 2007, une quinzaine de finissants obtenaient leur diplôme de premier cycle. La moitié s'inscrivait à la maîtrise.

À l'Université de Montréal, les 24 bacheliers de 2007 se sont inscrits à la maîtrise. Selon Josée Lehoux, coordonnatrice des stages de troisième année du baccalauréat et de maîtrise en psychoéducation, les besoins sont criants dans les écoles. «Les enseignants n'ont pas la formation adéquate pour prendre en charge les élèves avec de graves problèmes de comportement. Ils ont de plus grosses classes qu'avant et plus d'élèves en difficulté.»

### PROFIL RECHERCHÉ

La patience, l'ouverture d'esprit et l'empathie sont de rigueur pour bien travailler avec la clientèle, que ce soit des personnes âgées ou des jeunes délinquants. «Il faut avoir une bonne santé mentale et une capacité à tolérer les relations tendues», renchérit Mme Lehoux. Par-dessus tout, ajoute-t-elle, il faut être rigoureux et professionnel. «Si on blâme un élève turbulent en lui lançant qu'il ne comprend rien, on fera baisser son estime de soi. Il faut plutôt valoriser ses comportements positifs, soit quand il écoute les autres ou qu'il lève la main pour parler.»

### PERSPECTIVES

Le rôle du diplômé en psychoéducation peut être très valorisant, puisqu'il aide des personnes vulnérables à évoluer. La clientèle présente des défis professionnels stimulants, dit Marie Cormier, agente de gestion du personnel au CNDE-Dixville, un établissement de l'Estrie qui comprend deux centres de réadaptation en déficience intellectuelle et en troubles envahissants du développement. «Notre clientèle est moins populaire que le milieu scolaire ou le travail avec les délinquants. Elle a pourtant de grandes possibilités de développement, souvent insoupçonnées. C'est une source de gratification pour les psychoéducateurs, qui aident ces personnes à s'intégrer à la société.»

Les psychoéducateurs pourront gravir les échelons dans une entreprise privée, un organisme sans but lucratif ou un établissement public. Ils peuvent devenir gestionnaires, superviseurs cliniques ou conseillers pédagogiques, entre autres. ◉ 08/07

ÉTABLISSEMENTS OFFRANT LE PROGRAMME

   **7 75 104 194 208**  Voir la liste des établissements en page 308.

### SUR LE TERRAIN

Le Regroupement CNDE-Dixville compte treize bacheliers et six titulaires de maîtrise en psychoéducation. «Nous embauchons principalement pour notre liste de rappel. Les intervenants travaillent de 25 à 38,75 heures par semaine, explique Mme Cormier. On n'exige pas de maîtrise, mais ceux qui ont le titre de psychoéducateur sont intéressants, car ils peuvent constituer une relève pour des postes plus élevés.» Au printemps 2007, deux finissants ont été engagés, dont un avec une maîtrise.

| STATISTIQUES | Nombre de diplômés | Diplômés en emploi | À temps plein | En rapport avec la formation | Aux études | Taux de chômage | Salaire hebdo. moyen |
|---|---|---|---|---|---|---|---|
| Psychoéducation – bac | 276 | 68,6 %* | 79,8 % | 93,2 % | 28,7 % | 0,8 % | 696 $ |
| Psychoéducation – maîtrise | 49 | 90,3 % | 85,7 % | 95,8 % | 9,7 % | 0,0 % | 826 $ |

*Ce faible taux peut s'expliquer par le pourcentage élevé de diplômés qui poursuivent des études (28,7 %).  *La Relance à l'université*, MELS, 2007.

Consultez un portrait de diplômé issu de cette formation à
http://carriere.jobboom.com/carrieres-avenir/formations-gagnantes.

Pour plus de renseignements sur les statistiques et nos critères de sélection, consultez la rubrique *Comment interpréter l'information*, p. 16.

# LES CARRIÈRES DE LA **SANTÉ**

Secteur 19/**Maîtrise**

**11** ANS DANS *LES CARRIÈRES D'AVENIR*

## • AUDIOLOGIE ET ORTHOPHONIE*

par **Catherine Bachaalani**

### PLACEMENT

L'audiologie et l'orthophonie sont deux programmes différents, mais complémentaires. Les audiologistes, spécialistes de l'ouïe, et les orthophonistes, experts du langage, sont trop peu nombreux au Québec. Le président de leur ordre professionnel, Louis Beaulieu, juge qu'il faudrait 120 audiologistes et 400 orthophonistes de plus pour répondre aux besoins de la population. La demande ne cesse de s'accroître depuis quatre ans en audiologie, mais depuis plusieurs années déjà en orthophonie. Ces deux spécialités sont notamment recherchées dans les écoles, où elles ont été publicisées au cours des dernières décennies, entre autres au moyen de campagnes de sensibilisation. Les personnes âgées, de plus en plus nombreuses, ont aussi besoin de ces services.

Si ces professionnels sont peu nombreux, c'est entre autres parce qu'il leur faut généralement une maîtrise pour porter leur titre. Or, l'Université Laval n'accueille que 36 personnes par an à la maîtrise en orthophonie (cette cohorte pourrait passer à 50 en 2008). Tous, ou presque, reçoivent une promesse d'emploi avant d'obtenir leur diplôme. À l'Université de Montréal, 65 personnes ont reçu leur diplôme en 2007, en orthophonie ou en audiologie. «On ne répond pas à la demande», admet Simon Garzon, coordonnateur de stages.

### PROFIL RECHERCHÉ

Jocelyne Bergeron-Ethier, cadre à la Commission scolaire Marguerite-Bourgeoys, embauche régulièrement des orthophonistes. À ses yeux,

les habiletés relationnelles sont primordiales. D'une part parce que le travail de l'orthophoniste exige une bonne dose d'empathie et, d'autre part, parce que ce professionnel doit régulièrement travailler en équipe.

L'audiologiste et l'orthophoniste sont constamment en relation d'aide. Quand ils s'occupent d'un enfant, ils doivent savoir gagner sa confiance et celle de ses parents. «Il faut être habile en counseling, avoir de l'entregent, savoir réagir envers un enfant, etc.», précise M. Garzon.

### PERSPECTIVES

Le travail des orthophonistes et des audiologistes est très stimulant. Dans ces professions en développement constant, il y a notamment du travail en recherche, pour les titulaires du doctorat, explique Joël Macoir, directeur du programme à l'Université Laval. Les professionnels ont aussi la chance de venir en aide à diverses clientèles, tant les personnes âgées que les enfants. Ces motivations importantes s'ajoutent à des salaires intéressants. Ceux qui désirent être leur propre patron peuvent aussi choisir la pratique privée.

Mme Bergeron-Ethier observe à quel point les orthophonistes avec lesquels elle travaille sont passionnés par leur métier, même près de la retraite. Elle constate que l'orthophonie est un métier stimulant qui permet d'assister à des progrès rapides chez les patients. ◉ 08/07

*Ces deux programmes sont distincts.

ÉTABLISSEMENTS OFFRANT LE PROGRAMME

  Voir la liste des établissements en page 308.

### SUR LE TERRAIN

La Commission scolaire Marguerite-Bourgeoys, dans l'ouest de l'île de Montréal, emploie 30 orthophonistes au primaire et au secondaire. Elle pourrait créer un ou deux nouveaux postes d'ici un an. De plus, elle recherche régulièrement des remplaçants en raison de nombreux congés de maternité.

| STATISTIQUES | Nombre de diplômés | Diplômés en emploi | À temps plein | En rapport avec la formation | Aux études | Taux de chômage | Salaire hebdo. moyen |
|---|---|---|---|---|---|---|---|
| Audiologie et orthophonie | 105 | 93,2 % | 89,7 % | 100,0 % | 2,7 % | 0,0 % | 867 $ |

*La Relance à l'université*, MELS, 2007.

Consultez des portraits de diplômés issus de ces formations à http://carriere.jobboom.com/carrieres-avenir/formations-gagnantes.

## LES CARRIÈRES DE LA **SANTÉ**

Secteur 19/**Doctorat de premier cycle**

### • CHIROPRATIQUE

par **Peggy Bédard**

### PLACEMENT

L'Université du Québec à Trois-Rivières (UQTR), seule université du Québec à offrir le doctorat en chiropratique, distribue de 40 à 50 diplômes par an dans cette discipline. «Les finissants travaillent dès la fin de leurs études, sauf s'ils choisissent de voyager ou d'étudier pour se spécialiser», souligne André Bussières, directeur du programme. «Les diplômés n'ont pas besoin de notre aide», confirme Yan Martel, responsable du Service d'aide à l'emploi de l'UQTR.

Si le placement est si bon, c'est notamment que les cohortes d'étudiants sont petites. En parallèle, de nombreux chiropraticiens prennent leur retraite et bien des gens consultent pour des maux de dos liés au travail sédentaire, souvent devant un ordinateur. «L'Ordre des chiropraticiens du Québec compte à peine 1 000 membres. Or, la demande de soins augmente depuis que la profession a été réglementée au Québec, en 1973, et les possibilités de travail sont excellentes», affirme M. Bussières.

### PROFIL RECHERCHÉ

Un bon chiropraticien a plusieurs qualités. «Il est passionné par la santé, proche de ses patients et habile de ses mains, pour donner des traitements efficaces», résume M. Martel. «La formation de cinq ans demande que les étudiants soient organisés, autonomes, curieux et capables de travailler en équipe, croit M. Bussières. Au travail, ils devront faire preuve d'empathie, d'écoute et de patience, puisque certains patients seront exigeants.» Selon lui, les chiropraticiens doivent être en bonne santé, car le travail est physique.

Enfin, tous sont d'accord sur ce point : tout chiropraticien doit avoir des qualités de gestionnaire, puisque la pratique est privée dans le domaine. Les professionnels doivent s'associer à d'autres, ou lancer leur entreprise.

### PERSPECTIVES

«Ce métier offre plusieurs avantages attrayants», dit M. Bussières. Les spécialités chiropratiques, comme la radiologie diagnostique, l'orthopédie chiropratique et le traitement des blessures sportives, s'enseignent à Toronto et à l'étranger, ce qui permet de voyager. On peut aussi travailler dans des cabinets multidisciplinaires où les échanges entre professionnels de la santé sont très enrichissants. «Mais le principal avantage de cette carrière, c'est la relation privilégiée du chiropraticien avec ses patients, une relation devenue rare dans le système de santé actuel», soutient Richard Giguère, qui a fondé le Centre de santé l'Harmonie, à Montréal. ◉ 08/07

ÉTABLISSEMENT OFFRANT LE PROGRAMME

 **104** Voir la liste des établissements en page 308.

### SUR LE TERRAIN

À son centre, M. Giguère côtoie différents professionnels, dont une autre chiropraticienne, une psychologue et une massothérapeute. Selon lui, ce genre d'association sera de plus en plus répandu puisqu'il permet de partager les responsabilités liées à la gestion d'une clinique, comme le recrutement de personnel, l'administration et la promotion. Cette collaboration facilite aussi la conciliation travail-famille.

| STATISTIQUES | Nombre de diplômés | Diplômés en emploi | À temps plein | En rapport avec la formation | Aux études | Taux de chômage | Salaire hebdo. moyen |
|---|---|---|---|---|---|---|---|
| Chiropratique | 42 | 96,0 % | 66,7 % | 100,0 % | 4,0 % | 0,0 % | 1 442 $ |

*La Relance à l'université, MELS, 2007.*

Consultez un portrait de diplômé issu de cette formation à
http://carriere.jobboom.com/carrieres-avenir/formations-gagnantes.

# LES CARRIÈRES DE LA SANTÉ

Secteur 19/**Baccalauréat**

**11** ANS DANS *LES CARRIÈRES D'AVENIR*

## • ERGOTHÉRAPIE

par **Anick Perreault-Labelle**

### PLACEMENT

Autant à l'Université Laval qu'à l'Université McGill, tous les diplômés en ergothérapie trouvent un poste dans leur domaine, et ce, depuis au moins quatre ans. «Nous avons reçu plus de 180 offres d'emploi en 2007. Or, nous avons à peu près 60 finissants par an», dit Suzanne Bussières, conseillère en emploi au Service de placement de l'Université Laval.

Et les besoins n'iront qu'en croissant. Déjà, en 2002, le ministère de la Santé et des Services sociaux calculait qu'il manquerait 95 ergothérapeutes en 2008, 132 en 2009 et 155 en 2010! Des prévisions qui tiennent encore la route, selon l'Ordre des ergothérapeutes du Québec. De fait, «les cliniques privées bourgeonnent pour compenser le manque de services dans le réseau de la santé», dit Caroline Storr-Ordolis, coordinatrice de l'éducation clinique du programme d'ergothérapie de l'Université McGill. Les postes se multiplient donc.

Par ailleurs, la maîtrise devrait être exigée dès 2010 pour pratiquer le métier. Cela risque d'accroître encore le manque de main-d'œuvre, puisque tout le monde n'a pas envie de faire d'aussi longues études.

### PROFIL RECHERCHÉ

Le plus important pour un ergothérapeute – outre son diplôme – est d'être compréhensif et de savoir communiquer. «Il fait affaire avec toutes sortes de personnes et des situations très sensibles peuvent surgir. Par exemple, il arrive qu'un patient paraplégique pose des questions au sujet des dysfonctions sexuelles qu'il éprouve. Dans un tel cas, l'ergothérapeute doit répondre avec sensibilité et tact, voire envoyer le patient au psychologue de son équipe», illustre Mme Storr-Ordolis. Pour développer cette sensibilité et cette capacité d'écoute, rien de tel que d'être moniteur dans une colonie de vacances ou professeur de ski, de patin ou de natation, dit-elle.

Les ergothérapeutes ont une vision globale de leurs clients, insiste Lynn Lecours, conseillère clinicienne en ergothérapie au Centre de santé et de services sociaux (CSSS) de la Vieille-Capitale. «Quand une personne n'arrive plus à sortir de son lit, ce n'est pas toujours pour une raison physique. Ce peut être à cause d'un déficit cognitif, par exemple, ou parce que le lit est mal adapté. On doit savoir distinguer ces causes possibles pour trouver une solution appropriée.»

### PERSPECTIVES

Les ergothérapeutes ont accès à des postes de gestion autrefois réservés à des diplômés en sciences infirmières, ajoute Mme Lecours. «Ils peuvent désormais diriger une unité dans un centre d'hébergement, c'est-à-dire coordonner le personnel et les soins sur un des étages, par exemple.» ◉ 08/07

ÉTABLISSEMENTS OFFRANT LE PROGRAMME

42  75  104  194  196     Voir la liste des établissements en page 308.

Les carrières d'avenir 2008 • **150 formations gagnantes**

277

### SUR LE TERRAIN

Quelque 60 ergothérapeutes œuvrent au CSSS de la Vieille-Capitale «et nous avons au moins sept postes à pourvoir», dit Mme Lecours. Depuis 2003, au moins une dizaine de diplômés ont été embauchés. «Le gouvernement tient à maintenir les personnes âgées à domicile le plus longtemps possible, afin de désengorger les centres d'hébergement. Cela crée des besoins de main-d'œuvre», explique-t-elle. En effet, les aînés qui doivent cuisiner, se promener ou se laver seuls ont souvent besoin des conseils d'un ergothérapeute.

| STATISTIQUES | Nombre de diplômés | Diplômés en emploi | À temps plein | En rapport avec la formation | Aux études | Taux de chômage | Salaire hebdo. moyen |
|---|---|---|---|---|---|---|---|
| Ergothérapie | 165 | 88,3 % | 90,8 % | 98,9 % | 9,0 % | 0,0 % | 766 $ |

*La Relance à l'université, MELS, 2007.*

Consultez un portrait de diplômé issu de cette formation à
http://carriere.jobboom.com/carrieres-avenir/formations-gagnantes.

## LES CARRIÈRES DE LA **SANTÉ**

Secteur 19/**Doctorat de premier cycle**

### • MÉDECINE DENTAIRE

par **Carole Boulé**

## PLACEMENT

En 2007, l'Université Laval a distribué 38 doctorats en médecine dentaire. Tous les diplômés travaillent dans leur domaine, selon la Dre Sylvie Morin, directrice du programme. Même scénario à l'Université de Montréal, où les 83 diplômés de 2007 ont eu un taux de placement autour de 100 %.

«Les perspectives de placement en médecine dentaire sont très bonnes. On ne prévoit pas de difficultés au cours des 15 prochaines années, car les nouveaux dentistes que l'on forme comblent les départs à la retraite d'autres dentistes. Il y a un équilibre», dit la Dre Morin. Suzanne Bussières, conseillère en emploi au Service de placement à l'Université Laval, rappelle que les inscriptions au programme sont contingentées, donc relativement peu nombreuses. Or, les diplômés sont recherchés dans toutes les régions du Québec. «C'est un très bon secteur d'emploi. Les gens prennent de plus en plus soin de leurs dents de nos jours et ça crée une forte demande de soins dentaires», dit-elle.

## PROFIL RECHERCHÉ

«Les dentistes accomplissent des gestes précis et répétés dans un espace réduit, en position assise, pendant plusieurs heures. Il leur faut de la dextérité, une bonne capacité de concentration, de la patience et une bonne résistance physique», estime la Dre Morin. Les diplômés doivent aussi posséder des aptitudes en gestion, car ils peuvent être appelés à diriger une clinique privée. Ils doivent conserver leur curiosité scientifique et rester à l'affût des nouveaux traitements.

Louise Caron, coordonnatrice à la Clinique dentaire Davignon, Charette et Associés, à Mont-Royal, privilégie les candidats qui ont une facilité à entrer en communication avec les patients. C'est un atout essentiel, selon elle, pour bien expliquer les plans de traitement aux clients.

## PERSPECTIVES

«Nos étudiants développent de plus en plus une vocation sociale», note le Dr Pierre Duquette, vice-doyen aux études de la Faculté de médecine dentaire à l'Université de Montréal. Dans le cadre de leurs études, ils collaborent à des projets communautaires pour traiter des populations défavorisées, notamment les jeunes de la rue, grâce au CLSC des Faubourgs de Montréal. «C'est un très beau défi. J'ai bon espoir que ces futurs diplômés auront une approche très humaine avec la population qui vieillit», dit le Dr Duquette.

Selon la Dre Morin, les dentistes auront un autre défi stimulant : surveiller la santé globale de leurs patients. L'acquisition de connaissances en pharmacologie leur permet de mieux répondre aux besoins complexes de leur clientèle vieillissante. ◉ 09/07

ÉTABLISSEMENTS OFFRANT LE PROGRAMME

  **42** **194** **196** Voir la liste des établissements en page 308.

## SUR LE TERRAIN

Après 27 années de pratique, les deux dentistes propriétaires de la Clinique dentaire Davignon, Charette et Associés commencent à préparer leur relève. «Ils sont à la recherche de deux dentistes disposés à devenir associés», dit Mme Caron. En leur offrant des parts et des intérêts dans la clinique, les propriétaires actuels veulent inciter les nouveaux dentistes à rester pour prendre la relève.

| STATISTIQUES | Nombre de diplômés | Diplômés en emploi | À temps plein | En rapport avec la formation | Aux études | Taux de chômage | Salaire hebdo. moyen |
|---|---|---|---|---|---|---|---|
| Médecine dentaire | 147 | 85,4 % | 75,0 % | 100,0 % | 10,1 % | 2,6 % | 1 956 $ |

*La Relance à l'université*, MELS, 2007.

Consultez un portrait de diplômé issu de cette formation à
http://carriere.jobboom.com/carrieres-avenir/formations-gagnantes.

# LES CARRIÈRES DE LA **SANTÉ**

Secteur 19/**Doctorat et diplôme d'études supérieures spécialisées**

- **MÉDECINE GÉNÉRALE/MÉDECINE FAMILIALE** [6 ANS DANS *LES CARRIÈRES D'AVENIR*]
- **SPÉCIALITÉS MÉDICALES**

par **Louis-Philippe Messier**

## PLACEMENT

Les diplômés en médecine sont très recherchés. «Le taux de placement des 259 finissants de 2007 frise les 100 %», dit Anne-Marie Labrecque, chef de cabinet du doyen de la Faculté de médecine de l'Université de Montréal. Et comme la population vieillit, on entrevoit encore une hausse de la demande de services médicaux au cours des prochaines années.

Dans ce domaine d'études contingenté, on est certain de trouver du travail, mais pas forcément dans la région de son choix. «Le ministère de la Santé et des Services sociaux détermine combien de postes s'ouvrent dans un établissement et dans quelle spécialité», explique Mme Labrecque.

Le contingentement touche aussi l'accès à certaines spécialisations. «C'est notamment le cas en radiologie, en pédiatrie, en anesthésiologie, en chirurgie plastique, en obstétrique et en dermatologie», affirme Hélène Sergerie, conseillère à la gestion des études de la Faculté de médecine de l'Université Laval. Si 60 % des jeunes médecins se spécialisent, ce n'est pas toujours dans le domaine voulu.

## PROFIL RECHERCHÉ

Le Collège royal des médecins et chirurgiens du Canada souhaite que ses membres sachent communiquer et travailler en équipe. «Le développement de ces aptitudes fait désormais partie intégrante de la formation des médecins pendant leurs années de résidence», dit Mme Labrecque.

«La quantité faramineuse de travail requis avant, pendant et après des études de médecine fait en sorte que les diplômés sont tous ou presque des bourreaux de travail. On s'assure toutefois qu'ils voient leurs patients comme des êtres humains, et pas seulement comme des sujets», ajoute Mme Labrecque. Les médecins cérébraux et insensibles n'ont donc plus la cote.

## PERSPECTIVES

Un médecin a le choix entre pratiquer, enseigner ou gérer un établissement de santé. «Il doit aussi accorder du temps à sa formation continue», dit Guy Labrecque, conseiller à la gestion des études de premier cycle à la Faculté de médecine de l'Université Laval. De constantes mises à jour sont nécessaires pour se tenir au courant de tout ce qui entoure le vieillissement de la population, les nouvelles connaissances scientifiques et les nouvelles technologies médicales.

La profession est prestigieuse et bien rémunérée. Les médecins qui le désirent peuvent ralentir la cadence et avoir un horaire flexible. «Un médecin est libre de travailler seulement deux ou trois jours par semaine. Ceux qui ont des enfants sont portés à faire ce choix», raconte Mme Labrecque. ® 09/07

ÉTABLISSEMENTS OFFRANT LE PROGRAMME

    42  75  194  196  218  219  Voir la liste des établissements en page 308.

## SUR LE TERRAIN

Les établissements de santé rivalisent entre eux pour obtenir les services des rares médecins disponibles. «On se les arrache», confirme Nicole Mercier, chef de l'équipe médicale du CHSLD Drapeau-Deschambault, à Sainte-Thérèse. «Attirer un médecin chez soi, c'est l'enlever à un autre établissement.» Le CHSLD a récemment réussi à attirer 2 nouveaux médecins, car avec son équipe qui comptait déjà 11 médecins pour 409 lits, il était en mesure d'offrir un horaire flexible.

| STATISTIQUES | Nombre de diplômés | Diplômés en emploi | À temps plein | En rapport avec la formation | Aux études | Taux de chômage | Salaire hebdo. moyen |
|---|---|---|---|---|---|---|---|
| Médecine générale et spécialités médicales | n.d. | n.d. | n.d. | n.d. | n.d. | n.d. | n.d. |

*La Relance à l'université*, MELS, 2007.

Consultez des portraits de diplômés issus de ces formations à http://carriere.jobboom.com/carrieres-avenir/formations-gagnantes.

## LES CARRIÈRES DE LA **SANTÉ**

Secteur 19/**Doctorat de premier cycle**

### • OPTOMÉTRIE

**8** ANS DANS *LES CARRIÈRES D'AVENIR*

par **Louis-Philippe Messier**

### PLACEMENT

L'Université de Montréal est le seul établissement à former des optométristes au Québec, au rythme d'une quarantaine par an. «Nos étudiants se font courtiser par des employeurs pendant leur dernière année d'études. Ils commencent à travailler dès qu'ils ont leur diplôme», dit Jacques Gresset, directeur de l'École d'optométrie.

«Les diplômés qui veulent rester à Montréal y trouvent facilement de l'emploi, mais la demande est forte aussi ailleurs au Québec. Les chaînes d'opticiens et d'optométristes recrutent activement en Gaspésie, au Lac-Saint-Jean et en Abitibi, par exemple», explique pour sa part François Charbonneau, directeur général de l'Association des optométristes du Québec.

Le vieillissement de la population augmentera la demande de services d'optométrie pendant au moins les deux prochaines décennies. «Les perspectives de chômage sont nulles», résume avec optimisme Line-Anne Chassé, présidente de l'Ordre des optométristes du Québec.

### PROFIL RECHERCHÉ

Un optométriste doit avoir l'esprit scientifique et le sens des affaires. Un cabinet d'optométrie implique en effet la gestion de stocks de montures et de lentilles dont le coût d'achat représente plus de la moitié des dépenses. «C'est pourquoi l'université sélectionne les candidats aux études qui ont le plus d'entrepreneurship», dit M. Charbonneau.

«Il faut aussi qu'un optométriste ait de l'empathie, comme dans tous les métiers de la santé où l'on est susceptible de rencontrer des gens qui souffrent», ajoute Mme Chassé. Depuis 2003, les optométristes peuvent traiter certaines infections oculaires et prescrire des antibiotiques. Ils doivent donc parfois répondre à des urgences. Enfin, un bon candidat est prêt à travailler la fin de semaine pour voir les clients qui ne peuvent se libérer du lundi au vendredi.

### PERSPECTIVES

Un optométriste peut s'installer presque partout au Québec et choisir combien d'heures il travaillera. «Nous pouvons diminuer graduellement nos heures de travail en vieillissant. La plupart d'entre nous ne prennent pas leur retraite d'un coup, mais petit à petit», raconte Mme Chassé. Les diplômés peuvent, eux aussi, obtenir un horaire flexible, puisque les employeurs qui convoitent leurs services sont prêts à leur consentir divers avantages. Ceux qui désirent gérer un cabinet doivent toutefois «s'attendre à devoir jongler avec les horaires des employés et se tenir disponibles six jours sur sept, au cas où l'un d'eux serait absent», dit Léo Breton, président des 26 cliniques Opto-Réseau.

Un autre avantage de la profession : le grand nombre d'options qu'offre la pratique de l'optométrie. «Un diplômé a le choix entre travailler pour un cabinet, ouvrir le sien ou en acheter un, se joindre à une bannière ou travailler dans un centre de réadaptation», explique M. Gresset. ◉ 09/07

ÉTABLISSEMENT OFFRANT LE PROGRAMME

 **194** Voir la liste des établissements en page 308.

### SUR LE TERRAIN

Beaucoup d'optométristes travaillent pour plus d'un employeur. «Ils répartissent leurs heures dans différentes cliniques pour s'assurer d'avoir des patients toute la semaine», explique M. Breton, d'Opto-Réseau. Cette bannière embauche quatre ou cinq nouveaux diplômés par an.

| STATISTIQUES | Nombre de diplômés | Diplômés en emploi | À temps plein | En rapport avec la formation | Aux études | Taux de chômage | Salaire hebdo. moyen |
|---|---|---|---|---|---|---|---|
| Optométrie | 43 | 100,0 % | 95,8 % | 100,0 % | 0,0 % | 0,0 % | 1 154 $ |

*La Relance à l'université*, MELS, 2007.

Consultez un portrait de diplômé issu de cette formation à
http://carriere.jobboom.com/carrieres-avenir/formations-gagnantes.

# LES CARRIÈRES DE LA **SANTÉ**

Secteur 19/**Baccalauréat et doctorat de premier cycle**

**10** ANS DANS *LES CARRIÈRES D'AVENIR*

## • PHARMACIE

par **Carole Boulé**

### PLACEMENT

À l'Université Laval, les 91 diplômés de 2007 au baccalauréat en pharmacie ont décroché un emploi sans difficulté. «L'excellent taux de placement en pharmacie est constant, dit Suzanne Bussières, conseillère en emploi au Service de placement. En 2007, j'ai reçu 72 offres d'emploi en pharmacie, et chacune contenait plus d'un poste à pourvoir. Les employeurs font aussi du recrutement auprès des étudiants pendant divers événements, dont le tournoi de golf de la Faculté de pharmacie.»

À l'Université de Montréal, les 136 diplômés de 2007 ont, eux aussi, bénéficié d'un taux de placement frôlant les 100 %. «Les perspectives d'emploi sont excellentes, car il y a toujours un manque d'effectif en pharmacie. Les candidats sont ardemment recherchés par les propriétaires de pharmacies et les hôpitaux», dit Claudine Laurier, professeure titulaire et secrétaire de la Faculté de pharmacie à l'Université de Montréal. Selon elle, cette situation se poursuivra au cours des 10 prochaines années, notamment à cause de nombreux départs à la retraite.

### PROFIL RECHERCHÉ

L'Université de Montréal a remplacé, à l'automne 2007, son baccalauréat en pharmacie par un doctorat de premier cycle. Résultat : l'évaluation des compétences générales est plus explicite et mieux organisé. «Les diplômés devront démontrer leur professionnalisme, leur capacité à travailler en équipe, leur autonomie dans l'apprentissage, leurs habiletés pour la communication et leur pensée critique», dit Mme Laurier.

L'empathie et le sens de l'écoute sont deux qualités recherchées, selon Julie Laplante, coordonnatrice du recrutement chez Pharmaprix. «Pour nous, les conseils aux patients sont primordiaux. Le pharmacien doit être en mesure d'obtenir le plus d'information possible auprès des patients avant de les conseiller sur un médicament pour s'assurer qu'il n'y ait pas de contre-indication.»

### PERSPECTIVES

Le pharmacien a le devoir de surveiller ce que prennent ses patients pour s'assurer que leur thérapie médicamenteuse est efficace et sécuritaire. «Il peut aussi entreprendre ou modifier un traitement, en demandant des tests de laboratoire pour vérifier si cela fonctionne bien et s'il y a des effets indésirables. Selon les cas, il peut procéder à des ajustements en collaboration avec le médecin», explique Mme Laurier. Ce défi stimulant peut amener le pharmacien à développer des stratégies pour sensibiliser sa clientèle à l'importance de bien prendre ses médicaments, estime Mme Laplante. Pour y arriver, ils peuvent organiser des minicliniques, par exemple. ◉ 08/07

ÉTABLISSEMENTS OFFRANT LE PROGRAMME

 **42** **194** Voir la liste des établissements en page 308.

### SUR LE TERRAIN

«Chaque année, on embauche entre 40 et 50 diplômés en pharmacie. On recrute aussi très tôt les meilleurs étudiants en leur octroyant des bourses qui vont de 2 000 $ à 15 000 $ par année d'études. Ils doivent toutefois s'engager à travailler pour nous par la suite», mentionne Mme Laplante. Ce besoin de main-d'œuvre serait dû à la croissance du réseau Pharmaprix. Il lui faut des pharmaciens salariés et des pharmaciens propriétaires pour soutenir son expansion.

| STATISTIQUES | Nombre de diplômés | Diplômés en emploi | À temps plein | En rapport avec la formation | Aux études | Taux de chômage | Salaire hebdo. moyen |
|---|---|---|---|---|---|---|---|
| Pharmacie | 334 | 80,2 % | 94,3 % | 98,8 % | 18,0 % | 0,6 % | 1 518 $ |

*La Relance à l'université*, MELS, 2007.

Consultez un portrait de diplômé issu de cette formation à http://carriere.jobboom.com/carrieres-avenir/formations-gagnantes.

## LES CARRIÈRES DE LA **SANTÉ**

Secteur 19/**Baccalauréat**

### • PHYSIOTHÉRAPIE

**10** ANS DANS *LES CARRIÈRES D'AVENIR*

par **Anick Perreault-Labelle**

### PLACEMENT

«En 2007, j'ai reçu à peu près 200 offres d'emploi pour mes quelque 70 finissants en physiothérapie», dit Suzanne Bussières, conseillère en emploi au Service de placement de l'Université Laval. Même chose à l'Université McGill, où «les 57 finissants ont pu choisir entre au moins 10 offres d'emploi chacun», rapporte Liliane Asseraf-Pasin, coordinatrice de l'enseignement clinique du programme de physiothérapie de l'École de physiothérapie et d'ergothérapie de l'Université. La tendance est vieille d'au moins huit ans et ne devrait pas changer de sitôt, ajoute-t-elle. «Les CLSC et les programmes de soins à domicile veulent des physiothérapeutes mais ils en trouvent difficilement. Par ailleurs, la pratique privée se développe, et de 60 à 65 % des physiothérapeutes y travaillent.» Derrière cette hausse importante des besoins en physio, on trouve une population vieillissante et des problèmes de santé de plus en plus présents.

### PROFIL RECHERCHÉ

Les stages sont à la fois obligatoires et utiles. «Chaque clientèle est spécifique et exige un tempérament différent chez le physiothérapeute. Par exemple, ceux qui veulent travailler avec des enfants devront faire des jeux et chanter des comptines. Il faut aimer cela! On doit aussi être assez solide émotionnellement pour voir chaque

jour des jeunes malades. C'est seulement en stage qu'on peut s'assurer d'avoir la bonne personnalité pour cela», dit Mme Asseraf-Pasin.

Réussir dans le métier exige aussi une âme d'étudiant. «Il faut aimer la formation continue, car il y a sans arrêt de nouvelles techniques et technologies qui apparaissent, comme l'électrolyse pour soigner des tendinites», explique Maxime Nault, physiothérapeute et copropriétaire de la clinique Physio Sport Excellence, à Sherbrooke.

### PERSPECTIVES

«Une maîtrise sera probablement exigée dès 2010 pour obtenir le titre de physiothérapeute», dit Serge Orzes, chargé de projet à l'Ordre professionnel des physiothérapeutes du Québec. En effet, les universités McGill, Laval et de Sherbrooke ont modifié leur programme à l'automne 2007. «Ceux qui commencent leurs études doivent s'inscrire à une maîtrise professionnelle de quatre ans et demi», précise-t-il.

Les physiothérapeutes qui travaillent dans une clinique privée peuvent en devenir copropriétaires, dit M. Nault. Dans le réseau public, les professionnels «ont la possibilité de faire de la recherche ou d'enseigner, à condition de faire une maîtrise ou un doctorat», ajoute M. Orzes. ℗ 08/07

ÉTABLISSEMENTS OFFRANT LE PROGRAMME

   **42** **75** **194** **196** Voir la liste des établissements en page 308.

### SUR LE TERRAIN

Quatre physiothérapeutes travaillent à la clinique sherbrookoise Physio Sport Excellence. Un d'eux a été embauché l'an passé et il reste un poste à pourvoir. Pour attirer des candidats, «nous offrons une certaine flexibilité quant aux horaires ou au temps de vacances», dit M. Nault, copropriétaire de l'entreprise. Si la clinique est occupée, c'est que le public comprend de mieux en mieux le rôle des physiothérapeutes, croit M. Nault. «Les gens savent qu'on peut alléger les blessures orthopédiques et les douleurs musculosquelettiques», dit-il.

| STATISTIQUES | Nombre de diplômés | Diplômés en emploi | À temps plein | En rapport avec la formation | Aux études | Taux de chômage | Salaire hebdo. moyen |
|---|---|---|---|---|---|---|---|
| Physiothérapie | 159 | 89,2 % | 93,9 % | 100,0 % | 9,0 % | 0,0 % | 745 $ |

*La Relance à l'université, MELS, 2007.*

Consultez un portrait de diplômé issu de cette formation à
http://carriere.jobboom.com/carrieres-avenir/formations-gagnantes.

# LES CARRIÈRES DE LA **SANTÉ**

Secteur 19/**Baccalauréat**

10 ANS DANS *LES CARRIÈRES D'AVENIR*

## • SCIENCES INFIRMIÈRES

par **Carole Boulé**

### PLACEMENT

«Notre plus récent sondage a rejoint 41 de nos 71 diplômées* en sciences infirmières de 2006. Toutes ont un emploi dans leur domaine. Les bachelières – aussi appelées cliniciennes – sont recherchées dans notre région. Les employeurs viennent les chercher à l'école», dit Yan Martel, conseiller en information professionnelle au Service de placement de l'Université du Québec de Trois-Rivières (UQTR). Il ajoute que les centres de santé et de services sociaux de la Mauricie et du Centre-du-Québec participent en grand nombre à la journée carrière annuelle de l'UQTR.

À l'Université du Québec à Chicoutimi, la majorité des 80 finissantes de 2007 en sciences infirmières travaillaient déjà à temps partiel dans des hôpitaux pendant leurs études, selon Danielle Poirier, directrice du module en sciences infirmières. Une fois diplômées, elles étaient bien placées pour obtenir des postes à temps plein.

### PROFIL RECHERCHÉ

«Les cliniciennes doivent être autonomes et capables de fonctionner en soins d'urgence, en soins intensifs, en santé communautaire ou en soins à domicile, par exemple, selon les besoins de leur employeur. Ces domaines exigent un bon jugement clinique, car il faut surveiller l'état de santé des patients», explique Mme Poirier.

Une bonne santé physique et psychologique est aussi requise pour exercer cette profession. Il y a beaucoup de pression dans certaines unités, comme à l'urgence ou aux soins intensifs, note

M. Martel. Il faut s'assurer d'avoir un bon équilibre travail-vie personnelle pour éviter l'épuisement professionnel.

Les infirmières doivent, bien sûr, faire preuve d'empathie et savoir écouter leurs patients. Comme les bachelières sont appelées à gérer du personnel, il leur faut aussi des qualités de rassembleur et de leader.

### PERSPECTIVES

Les étudiantes du baccalauréat peuvent explorer divers domaines, comme la santé mentale ou les soins intensifs, souligne Mme Poirier. Ces expériences peuvent leur permettre de choisir une spécialité qui les intéresse, si elles désirent poursuivre leurs études à la maîtrise.

Soucieux de retenir ses employés, le Centre hospitalier universitaire de Québec (CHUQ) a mis sur pied un projet de développement de carrière pour ses nouvelles recrues. Les jeunes infirmières bachelières sont informées des possibilités qui leur sont accessibles, comme le poste d'infirmière clinicienne pivot en cancérologie, ou encore d'infirmière clinicienne spécialisée pour celles qui choisissent de faire une maîtrise. «Nous aidons à développer leurs compétences et leur plan de carrière», dit Micheline Grégoire, adjointe à la direction des soins infirmiers du CHUQ. ◎ 09/07

* Le féminin est utilisé dans cet article étant donné la très grande proportion de femmes diplômées en *Sciences infirmières*.

ÉTABLISSEMENTS OFFRANT LE PROGRAMME

**7** **19** **42** **75** **104** **194** **196** **208** **218** **219** **220**

Voir la liste des établissements en page 308.

*Les carrières d'avenir 2008* • **150 formations gagnantes**

**283**

### SUR LE TERRAIN

Au CHUQ, près de 28 % des 2 700 infirmières sont bachelières. Selon Mme Grégoire, ce taux augmentera de façon progressive d'ici à 2010. Ces infirmières travaillent dans des secteurs du CHUQ où la clientèle est plus complexe à soigner, et où le travail d'équipe et l'enseignement aux patients et à leurs proches sont prédominants. «Les activités de recrutement sont importantes au CHUQ, notamment notre présence dans de nombreux salons carrières.»

| **STATISTIQUES** | Nombre de diplômés | Diplômés en emploi | À temps plein | En rapport avec la formation | Aux études | Taux de chômage | Salaire hebdo. moyen |
|---|---|---|---|---|---|---|---|
| Sciences infirmières | 894 | 91,2 % | 85,6 % | 97,5 % | 5,0 % | 0,4 % | 934 $ |

*La Relance à l'université*, MELS, 2007.

Consultez un portrait de diplômé issu de cette formation à
http://carriere.jobboom.com/carrieres-avenir/formations-gagnantes.

# SCIENCES DE L'ORIENTATION/ DÉVELOPPEMENT DE CARRIÈRE*

Secteur 20/**Baccalauréat et maîtrise**

par **Marika Gauthier**

## PLACEMENT

Dans le domaine, le baccalauréat mène à des postes de conseillers en emploi, tandis que la maîtrise donne accès au titre de conseiller d'orientation. «Nos 100 à 120 diplômés annuels se placent tous», affirme Edwidge Desjardins, directrice du baccalauréat en développement de carrière à l'UQAM. Richard Buteau, directeur du Service de placement à l'Université Laval, affirme avoir reçu entre 250 et 300 offres d'emploi en 2007. «Or, nous n'avions que 67 finissants au bac et 60 à la maîtrise», dit-il.

Pourquoi une telle demande? «Les travailleurs s'autorisent maintenant à changer de métier lorsqu'ils ne sont plus heureux. Ils ont besoin d'être conseillés, c'est pourquoi les firmes de développement de carrière pullulent», dit Mme Desjardins. Pour sa part, M. Buteau ajoute que, depuis quelques années, le marché de l'emploi est excellent, et que le gouvernement a mis en place des programmes pour aider les travailleurs qui ont de la difficulté à trouver un poste. Les diplômés en développement de carrière en profitent!

## PROFIL RECHERCHÉ

Les conseillers en emploi et les conseillers d'orientation rencontrent des personnes qui se questionnent sur leur avenir sur le marché du travail. Ces professionnels doivent donc s'intéresser aux autres, et faire abstraction de leurs préjugés pour entrer en relation d'aide.

«Il faut aussi avoir beaucoup d'entregent, parce qu'on sera amené à rencontrer des personnes de différents milieux professionnels ou culturels», dit Mme Desjardins.

L'écoute est aussi importante puisque l'intervenant doit être capable de cerner les besoins de son client. «Il peut arriver, par exemple, qu'une personne ait de la difficulté à réussir ses entrevues d'embauche. Si l'on se rend compte que sa faible confiance en soi l'empêche de mettre ses compétences en valeur, on l'aidera à faire valoir ses qualités», soutient Marie-Hélène Beaulieu, conseillère en emploi à l'Université Laval.

## PERSPECTIVES

«Les clients des conseillers en emploi font face à des difficultés qui ont des solutions», dit Mme Desjardins, qui considère comme très valorisant le fait d'aider les gens à avoir du succès. «On contribue à changer leur destin.»

Diane Brunelle, directrice du Centre de recherche d'emploi de Côte-des-Neiges, précise que son travail est intéressant parce qu'elle doit constamment s'adapter aux besoins spécifiques de chacun de ses clients. «On peut travailler avec un nouvel arrivant qui ne comprend pas comment fonctionne le marché de l'emploi au Québec. Puis avec un homme dans la cinquantaine qui vient de perdre son emploi, et un jeune sans expérience», explique-t-elle. ◎ 09/07

* Ces deux programmes sont distincts.

ÉTABLISSEMENTS OFFRANT LE PROGRAMME

  **42** **75** **195** **196**   Voir la liste des établissements en page 308.

## SUR LE TERRAIN

Le Centre de recherche d'emploi Côte-des-Neiges, à Montréal, est un organisme sans but lucratif qui rémunère six conseillers en emploi. En 2007, Mme Brunelle en a engagé deux pour remplacer des employées parties en congé de maternité. «Ceux que j'engage temporairement n'ont pas de difficulté à se placer une fois leur contrat terminé. Ils peuvent travailler pour Emploi-Québec, le ministère de l'Immigration, des commissions scolaires ou des compagnies privées», dit-elle.

| STATISTIQUES | Nombre de diplômés | Diplômés en emploi | À temps plein | En rapport avec la formation | Aux études | Taux de chômage | Salaire hebdo. moyen |
|---|---|---|---|---|---|---|---|
| Bac* | 145 | 52,9 %** | 87,0 % | 80,9 % | 40,2 % | 6,9 % | 682 $ |
| Maîtrise* | 67 | 90,0 % | 84,4 % | 89,5 % | 0,0 % | 8,2 % | 723 $ |

\* Ces données sont tirées de la catégorie Orientation, information scolaire et professionnelle.
\*\* Ce faible taux peut s'expliquer par le pourcentage élevé de diplômés qui poursuivent des études (40,2 %).

*La Relance à l'université*, MELS, 2007.

Consultez un portrait de diplômé du baccalauréat en développement de carrière à http://carriere.jobboom.com/carrieres-avenir/formations-gagnantes.

# SCIENCES GÉOMATIQUES/ GÉNIE GÉOMATIQUE*

Secteur 07/**Baccalauréat**

**11** ANS DANS LES CARRIÈRES D'AVENIR

par **Geneviève Dubé**

## PLACEMENT

Les sciences géomatiques mènent à la profession d'arpenteur-géomètre, alors que le génie géomatique mène au métier de géomaticien, qui jumelle cartographie et informatique. L'Université Laval n'arrive pas à produire assez de diplômés pour satisfaire aux besoins des employeurs. Depuis trois ans, ses finissants bénéficient d'un excellent taux de placement. Les 20 arpenteurs-géomètres et les 5 géomaticiens diplômés en 2007 ont d'ailleurs tous trouvé un emploi. À l'Université de Sherbrooke, les diplômés du baccalauréat en géomatique appliquée à l'environnement ont aussi l'embarras du choix. «Les 17 finissants diplômés entre juin 2006 et mai 2007 ont pu consulter 45 offres d'emploi», affirme Serge Gagné, responsable du secteur Placement au Service des stages et du placement.

«Beaucoup d'arpenteurs-géomètres prennent leur retraite. Or, la réforme du cadastre québécois et les projets de construction favorisent déjà l'embauche de nos diplômés», explique Annick Jaton, directrice adjointe des baccalauréats en sciences géomatiques et en génie géomatique à l'Université Laval. «On applique la géomatique dans des domaines de plus en plus nombreux, comme la santé, ce qui augmente les occasions d'emploi pour les géomaticiens», ajoute M. Gagné.

## PROFIL RECHERCHÉ

Les arpenteurs-géomètres doivent faire preuve de précision et de minutie, puisqu'ils recueillent des données qui serviront à représenter un territoire.

«La capacité de travailler en équipe est aussi importante pour eux, puisqu'ils collaborent notamment avec des notaires, des ingénieurs, des urbanistes et des agronomes», précise Mme Jaton.

Les géomaticiens, qui conçoivent des logiciels de calcul et de cartographie, doivent posséder une bonne capacité d'analyse. «Il faut un esprit de synthèse pour organiser les données de façon claire», mentionne M. Gagné.

## PERSPECTIVES

En sciences géomatiques, il faut constamment maintenir ses connaissances à jour. «Les logiciels et les autres technologies évoluent», dit Mme Jaton. Elle souligne aussi que les salaires annuels de départ des arpenteurs-géomètres ont plus que doublé en dix ans, passant de 20 000 $ à 45 000 $.

Pour leur part, les diplômés en géomatique appliquée à l'environnement sont des pionniers de cette jeune discipline. «C'est l'occasion pour eux de faire connaître leur profession et d'user de créativité pour diversifier encore davantage les applications possibles», suggère M. Gagné.

Après avoir accumulé de l'expérience, arpenteurs-géomètres et géomaticiens peuvent devenir chefs de projet ou même créer leur propre entreprise. Ces rôles exigent toutefois des aptitudes pour la gestion. ◉ 09/07

\* Ces deux programmes sont distincts.

ÉTABLISSEMENTS OFFRANT LE PROGRAMME

**42** **75**  Voir la liste des établissements en page 308.

## SUR LE TERRAIN

Le Groupe Giroux, dont le siège social se situe à Sainte-Foy, emploie sept arpenteurs-géomètres, dont trois ont été embauchés en 2005. Selon Marie-Josée Drouin, coordonnatrice des ressources humaines, l'entreprise compte en recruter davantage à court terme afin de répondre, entre autres, à la demande accrue de réalisation de certificats de localisation.

| STATISTIQUES | Nombre de diplômés | Diplômés en emploi | À temps plein | En rapport avec la formation | Aux études | Taux de chômage | Salaire hebdo. moyen |
|---|---|---|---|---|---|---|---|
| Sciences géomatiques/ Génie géomatique* | 22 | 68,2 %** | 100,0 % | 100,0 % | 22,7 % | 6,3 % | 760 $ |

\* Ces données sont tirées de la catégorie Géodésie (arpentage).
\*\* Ce faible taux peut s'expliquer par le pourcentage élevé de diplômés qui poursuivent des études (22,7 %).

*La Relance à l'université*, MELS, 2007.

Consultez des portraits de diplômés issus de ces formations à
http://carriere.jobboom.com/carrieres-avenir/formations-gagnantes.

# TRAVAIL SOCIAL

Secteur 20/**Baccalauréat**

par **Marika Gauthier**

## PLACEMENT

«Nos 70 à 75 diplômés annuels en travail social décrochent tous un emploi», affirme Jacques Moreau, directeur du département à l'Université de Montréal. Même son de cloche du côté de l'Université de Sherbrooke, où 68 étudiants ont obtenu leur diplôme en 2007. «Les seuls qui ne se sont pas placés avaient décidé de poursuivre leurs études dans un autre domaine», dit Suzanne Garon, directrice du Département de travail social à l'Université de Sherbrooke.

Les départs massifs à la retraite expliquent cet excellent placement. D'ailleurs, le phénomène existe déjà depuis deux ou trois ans, et il s'intensifie. «Nous prévoyons qu'il n'y aura pas suffisamment de diplômés pour pourvoir tous les postes qui se libéreront d'ici à 2011», soutient Mme Garon.

Comme les étudiants apprennent à interagir avec plusieurs types de clientèles, les milieux de travail sont variés. «Ils peuvent aussi bien travailler dans des CLSC qu'au sein de centres jeunesse, d'organismes communautaires en santé mentale, ou auprès des personnes âgées», explique M. Moreau.

## PROFIL RECHERCHÉ

Les travailleurs sociaux s'occupent de personnes en détresse qui sont aux prises, par exemple, avec une maladie mentale ou vivent dans une pauvreté extrême. Sauna Callender, responsable des ressources humaines aux Centres de la jeunesse et de la famille Batshaw, à Westmount,

explique que les professionnels doivent être sensibles à la souffrance, mais savoir aussi conserver une certaine distance. «On peut ressentir de la compassion pour un enfant victime de violence, mais on ne peut pas ramener nos préoccupations professionnelles à la maison. Sinon, on risque de sombrer dans l'épuisement professionnel», dit-elle.

## PERSPECTIVES

Les travailleurs sociaux sont généralement des gens qui veulent changer le monde. Ils ne sont jamais aussi heureux que lorsqu'ils réussissent à améliorer les conditions de vie de personnes en difficulté. En cela, leur emploi leur fournit de belles occasions de se dépasser. «C'est le cas quand ils aident un enfant maltraité, ou des assistés sociaux à obtenir de meilleures conditions de logement, notamment», illustre M. Moreau. Mme Garon soutient qu'ils sont motivés par la justice sociale et qu'ils aiment contribuer à ce qu'un schizophrène, par exemple, retrouve un sentiment d'appartenance à sa communauté.

Avec l'expérience, on peut devenir superviseur d'une équipe de travailleurs sociaux ou cadre dans la fonction publique. Plusieurs se sont lancés en politique, dont Marie Malavoy et Pauline Marois, qui sont d'anciennes travailleuses sociales. ◉ 09/07

ÉTABLISSEMENTS OFFRANT LE PROGRAMME

Voir la liste des établissements en page 308.

## SUR LE TERRAIN

Les Centres de la jeunesse et de la famille Batshaw viennent en aide aux familles anglophones et juives de l'île de Montréal qui vivent des difficultés. Ils ont engagé une trentaine de travailleurs sociaux en 2007. «Nous en cherchons constamment pour remplacer ceux partis à la retraite ou en congé de maternité», explique Mme Callender. D'ailleurs, elle prévoit qu'au cours de cinq prochaines années, une quarantaine de ses 900 travailleurs sociaux prendront leur retraite.

| STATISTIQUES | Nombre de diplômés | Diplômés en emploi | À temps plein | En rapport avec la formation | Aux études | Taux de chômage | Salaire hebdo. moyen |
|---|---|---|---|---|---|---|---|
| Bac | 645 | 86,5 % | 90,1 % | 93,9 % | 7,8 % | 1,1 % | 702 $ |
| Maîtrise | 139 | 93,0 % | 82,5 % | 87,9 % | 3,5 % | 0,0 % | 947 $ |

*La Relance à l'université*, MELS, 2007.

Consultez un portrait de diplômé issu de cette formation à
http://carriere.jobboom.com/carrieres-avenir/formations-gagnantes.

Sous cette rubrique, vous trouverez des formations qui, lors de nos enquêtes auprès des établissements d'enseignement, ont été classées parmi celles ayant un caractère prometteur : recrudescence marquée de la demande de diplômés en 2007, intégration possible des diplômés dans des secteurs en développement sur le marché du travail, débouchés traditionnellement intéressants pour les diplômés, mais momentanément incertains à cause d'une conjoncture économique particulière, etc.

Toutefois, les plus récentes statistiques provinciales de ces programmes ne correspondent pas strictement à nos critères de sélection. C'est pourquoi nous les traitons à part.

- Les formations qui figuraient l'an dernier dans la sélection des formations gagnantes font l'objet d'un texte plus documenté.

- Nous présentons sous forme de liste les programmes pour lesquels des établissements de formation nous ont signalé, lors de nos récentes enquêtes sur le terrain, un manque de diplômés par rapport à la demande des employeurs.

- Par ailleurs, certains programmes de la rubrique À *surveiller* mènent à des métiers saisonniers. Or, les enquêtes *Relance* ont lieu à l'hiver. Cela peut expliquer pourquoi les statistiques ne se conforment pas toujours à nos critères, alors que sur le terrain les perspectives d'emploi des diplômés sont décrites comme excellentes par les établissements de formation.

À leur façon, ces formations sont toutes à surveiller!

## LES MÉTIERS DE LA CONSTRUCTION

Secteur 01/ASP 5309

### • GESTION D'UNE ENTREPRISE DE LA CONSTRUCTION

par **Geneviève Dubé**

### PLACEMENT

Le placement des diplômés de l'attestation de spécialisation professionnelle (ASP) en gestion d'une entreprise de la construction est excellent depuis plus de dix ans. L'École des métiers et occupations de l'industrie de la construction du Québec a octroyé une quarantaine de ces ASP en 2007. Tous les finissants ont fondé leur entreprise ou déniché un poste de gestion, dit l'enseignant Michel Tremblay. «Les entrepreneurs de construction vieillissent et prennent leur retraite. Les diplômés jouiront donc d'un bon placement au cours des prochaines années.»

Même son de cloche au Centre de formation professionnelle (CFP) Pierre-Dupuy. En 2007, 21 titulaires de l'ASP ont quitté l'école avec l'intention de fonder une entreprise ou d'obtenir un poste de chargé de projet, de gestionnaire d'entreprise de construction ou de contremaître de chantier. «Depuis que nous avons commencé à offrir le programme en 2003, la vitalité de l'industrie a été profitable pour les diplômés», explique Rose Desjardins, directrice adjointe au CFP Pierre-Dupuy. Nul doute que les diplômés de 2007 entreront sur le marché du travail sans difficulté, comme leurs prédécesseurs.

### PROFIL RECHERCHÉ

Tout entrepreneur de construction doit savoir composer avec l'instabilité. «Comme les chefs d'entreprise sont rémunérés à la fin de leurs contrats, ils empruntent de l'argent à la banque au début des projets en attendant d'être payés», souligne Michel Tremblay.

Le sens de l'organisation est de rigueur, car les entrepreneurs et les contremaîtres gèrent à la fois équipe, budget, échéancier, fournisseurs et clients. Ils doivent planifier leurs contrats en détail, prévoir l'échéancier et les matériaux nécessaires. Cette profession exige d'ailleurs d'avoir du cœur à l'ouvrage : «Ils travaillent une soixantaine d'heures par semaine, pour s'assurer que le projet sera mené à bien. Ce sont les premiers arrivés le matin, et les derniers repartis», prévient Michel Tremblay.

### PERSPECTIVES

Gérer sa propre entreprise demeure en soi un défi de taille. «Les entrepreneurs assument tous les risques et absorbent les pertes financières en cas de dépassement des budgets. Ils doivent donc bien évaluer les coûts et les délais associés à un projet avant de soumissionner», explique Michel Tremblay.

Par ailleurs, entrepreneurs et gestionnaires ont la possibilité de se spécialiser dans un domaine, par exemple dans la construction de maisons adaptées pour les personnes à mobilité réduite, ou de diriger de plus gros travaux comme la construction d'un édifice à bureaux. ◉ 10/07

ÉTABLISSEMENTS OFFRANT LE PROGRAMME

**93 116 136** Voir la liste des établissements en page 308.

### SUR LE TERRAIN

La Régie du bâtiment du Québec dénombrait, en 2006-2007, quelque 36 110 entrepreneurs de construction. Chaque année, environ 5 000 nouveaux entrepreneurs se lancent en affaires, alors qu'autant quittent le domaine pour prendre leur retraite ou embrasser une autre carrière, dit Luc Martin, directeur général de la Corporation des entrepreneurs généraux du Québec. «Les entreprises ont de nombreux contrats à réaliser, notamment à cause du développement commercial et résidentiel», souligne-t-il.

| STATISTIQUES | Nombre de diplômés | Diplômés en emploi | À temps plein | En rapport avec la formation | Aux études | Taux de chômage | Salaire hebdo. moyen |
|---|---|---|---|---|---|---|---|
| Gestion d'une entreprise de la construction | 103 | 81,5 % | 92,5 % | 73,5 % | 7,7 % | 7,0 % | 911 $ |

*La Relance au secondaire en formation professionnelle, MELS, 2007.*

Consultez un portrait de diplômé issu de cette formation à
http://carriere.jobboom.com/carrieres-avenir/formations-gagnantes.

**290**

## DIPLÔMES D'ÉTUDES PROFESSIONNELLES (DEP)

**Électromécanique de systèmes automatisés**
DEP 5281

| | |
|---|---|
| Nombre de diplômés ...........757 | Aux études .................13,1 % |
| Diplômés en emploi .........78,0 % | Taux de chômage ............8,2 % |
| Temps plein ...............96,8 % | Salaire hebdomadaire moyen ...685 $ |
| En rapport avec la formation ...80,6 % | |

**Forage au diamant**
DEP 5253

| | |
|---|---|
| Nombre de diplômés ............31 | Aux études .................0,0 % |
| Diplômés en emploi .........94,7 % | Taux de chômage ............5,3 % |
| Temps plein ..............100,0 % | Salaire hebdomadaire moyen ..1 245 $ |
| En rapport avec la formation ...77,8 % | |

**Mécanique d'entretien en commandes industrielles**
ASP 5006

| | |
|---|---|
| Nombre de diplômés ............53 | Aux études .................21,6 % |
| Diplômés en emploi .........73,0 % | Taux de chômage ............6,9 % |
| Temps plein ...............96,3 % | Salaire hebdomadaire moyen ...634 $ |
| En rapport avec la formation ...73,1 % | |

**Mécanique industrielle de construction et d'entretien**
DEP 5260

| | |
|---|---|
| Nombre de diplômés ...........406 | Aux études .................11,7 % |
| Diplômés en emploi .........77,9 % | Taux de chômage ...........11,1 % |
| Temps plein ...............98,3 % | Salaire hebdomadaire moyen ...747 $ |
| En rapport avec la formation ...81,7 % | |

**Montage de câbles et de circuits**
DEP 5269

| | |
|---|---|
| Nombre de diplômés ............66 | Aux études .................0,0 % |
| Diplômés en emploi .........88,9 % | Taux de chômage ...........11,1 % |
| Temps plein ...............95,0 % | Salaire hebdomadaire moyen ...663 $ |
| En rapport avec la formation ...78,9 % | |

**Montage de structures en aérospatiale**
DEP 5197

| | |
|---|---|
| Nombre de diplômés ............86 | Aux études .................5,5 % |
| Diplômés en emploi .........83,6 % | Taux de chômage ...........11,5 % |
| Temps plein ..............100,0 % | Salaire hebdomadaire moyen ...635 $ |
| En rapport avec la formation ...73,9 % | |

Ces statistiques sont tirées de l'enquête *La Relance au secondaire en formation professionnelle* (2007) publiée par le ministère de l'Éducation, du Loisir et du Sport.

## LES CARRIÈRES DE LA **SANTÉ**

Secteur 19/**DEC 112.A0**

**5** ANS DANS LES CARRIÈRES D'AVENIR

### • ACUPUNCTURE

par Catherine Bachaalani

#### PLACEMENT

Au Québec, seul le Collège de Rosemont enseigne l'acupuncture. Un sondage mené auprès de 16 des 24 diplômés de 2006 révèle que 88 % d'entre eux travaillent aujourd'hui dans leur domaine, à temps plein ou partiel. La vaste majorité le fait à son compte, en bureau individuel ou en clinique privée.

Ghyslaine Douville, coordonnatrice du département, souligne que la grande majorité des diplômés choisit de travailler à temps partiel. La demande leur permettrait toutefois de travailler à temps plein s'ils le désiraient : depuis trois ans, les offres se multiplient. Elles proviennent de cliniques médicales et de cliniques de physio-thérapie ou d'acupuncture, par exemple, qui louent des espaces de pratique aux acupuncteurs, note la coordonnatrice.

Mme Douville attribue cette hausse à la popularité grandissante de cette médecine traditionnelle. «Les patients veulent de plus en plus avoir recours à des traitements sans médication.» Selon elle, le bouche-à-oreille et le fait que l'acupuncture soit de mieux en mieux connue au Québec font croître la demande.

#### PROFIL RECHERCHÉ

Un acupuncteur doit savoir écouter ses patients pour comprendre leurs besoins. Il lui faut aussi une excellente dextérité manuelle. Il doit aimer travailler seul, mais aussi discuter avec d'autres professionnels de la santé dans le cadre du suivi de certains patients, explique Mme Douville. Un stage, par exemple à la clinique-école du Collège de Rosemont, est une excellente manière de vérifier si on a ces aptitudes et de les développer. Judith Curnew, de l'Ordre des acupuncteurs du Québec, précise que la formation continue et les échanges entre collègues aident aussi à développer ces qualités.

Mélanie Gratton, responsable du placement au Collège de Rosemont, ajoute que pour conserver sa clientèle, l'acupuncteur doit pouvoir bien vulgariser son travail et savoir mettre le client en confiance.

#### PERSPECTIVES

Le principal mythe auquel doit faire face l'acupuncteur est celui de la douleur que pourraient causer les aiguilles. Pourtant, explique la coordonnatrice, elles sont très fines. Bien manipulées, elles n'occasionnent aucune douleur.

«On aide les gens à se sentir mieux, on soulage leur douleur. On ne travaille pas avec une maladie mais avec l'ensemble de la personne. C'est stimulant», dit Mme Curnew. Elle ajoute que le fait d'être travailleur autonome présente des avantages considérables. On peut, par exemple, choisir son propre horaire et sa clientèle (athlètes, accidentés du travail, etc.). «La profession d'acupuncteur n'est jamais monotone. Il faut toujours chercher une solution à un problème de santé. C'est un beau défi», conclut Mme Douville. ◎ 09/07

ÉTABLISSEMENTS OFFRANT LE PROGRAMME

**170**    Voir la liste des établissements en page 308.

Les carrières d'avenir 2008 • 150 formations gagnantes • À SURVEILLER

**291**

---

#### SUR LE TERRAIN

Selon Mme Douville, le Québec compte environ 600 acupuncteurs. La plupart créent leur propre emploi. Mme Gratton rappelle que cela exige de se bâtir une clientèle, d'offrir un bon service et... de persévérer. La plupart des acupuncteurs commencent à temps partiel, constate-t-elle, ce qui permet d'occuper un autre emploi et d'avoir un revenu régulier le temps de se faire connaître.

| STATISTIQUES | Nombre de diplômés | Diplômés en emploi | À temps plein | En rapport avec la formation | Aux études | Taux de chômage | Salaire hebdo. moyen |
|---|---|---|---|---|---|---|---|
| Acupuncture | 21 | 85,7 % | 25,0 % | 66,7 % | 0,0 % | 0,0 % | 370 $ |

*La Relance au collégial en formation technique, MELS, 2007.*

## DIPLÔMES D'ÉTUDES COLLÉGIALES (DEC)

**Avionique**
DEC 280.04

| | |
|---|---|
| Nombre de diplômés ............22 | Aux études .................37,5 % |
| Diplômés en emploi .........62,5 % | Taux de chômage ............0,0 % |
| Temps plein ..............100,0 % | Salaire hebdomadaire moyen ...736 $ |
| En rapport avec la formation ..90,0 % | |

**Environnement, hygiène et sécurité au travail**
DEC 260.B0

| | |
|---|---|
| Nombre de diplômés ............27 | Aux études .................36,8 % |
| Diplômés en emploi .........63,2 % | Taux de chômage ............0,0 % |
| Temps plein ..............100,0 % | Salaire hebdomadaire moyen ...710 $ |
| En rapport avec la formation ..91,7 % | |

**Techniques de construction aéronautique**
DEC 280.B0

| | |
|---|---|
| Nombre de diplômés ............66 | Aux études .................31,9 % |
| Diplômés en emploi .........66,0 % | Taux de chômage ............3,1 % |
| Temps plein ...............96,8 % | Salaire hebdomadaire moyen ...904 $ |
| En rapport avec la formation ..90,0 % | |

**Techniques de génie mécanique**
DEC 241.A0

| | |
|---|---|
| Nombre de diplômés ...........351 | Aux études .................44,1 % |
| Diplômés en emploi .........54,0 % | Taux de chômage ............1,4 % |
| Temps plein ...............98,6 % | Salaire hebdomadaire moyen ...666 $ |
| En rapport avec la formation ..86,4 % | |

**Techniques de maintenance d'aéronefs**
DEC 280.C0

| | |
|---|---|
| Nombre de diplômés ...........108 | Aux études .................21,3 % |
| Diplômés en emploi .........76,0 % | Taux de chômage ............3,4 % |
| Temps plein ..............100,0 % | Salaire hebdomadaire moyen ...694 $ |
| En rapport avec la formation ..86,0 % | |

**Technologie de l'électronique – Ordinateurs et réseaux**
DEC 243.B0

| | |
|---|---|
| Nombre de diplômés ............66 | Aux études .................46,4 % |
| Diplômés en emploi .........51,8 % | Taux de chômage ............3,3 % |
| Temps plein ...............86,2 % | Salaire hebdomadaire moyen ...625 $ |
| En rapport avec la formation ..76,0 % | |

**Technologie de l'électronique – Télécommunications**
DEC 243.B0

| | |
|---|---|
| Nombre de diplômés ...........145 | Aux études .................26,9 % |
| Diplômés en emploi .........68,5 % | Taux de chômage ............6,3 % |
| Temps plein ...............95,9 % | Salaire hebdomadaire moyen ...625 $ |
| En rapport avec la formation ..81,7 % | |

**Technologie de l'électronique industrielle**
DEC 243.C0

| | |
|---|---|
| Nombre de diplômés ...........447 | Aux études .................27,4 % |
| Diplômés en emploi .........67,9 % | Taux de chômage ............4,9 % |
| Temps plein ...............98,3 % | Salaire hebdomadaire moyen ...718 $ |
| En rapport avec la formation ..79,9 % | |

Ces statistiques sont tirées de l'enquête *La Relance au collégial en formation technique* (2007) publiée par le ministère de l'Éducation, du Loisir et du Sport.

## DIPLÔMES D'ÉTUDES COLLÉGIALES (DEC) (SUITE)

**Technologie du génie civil**
DEC 221.B0

| | |
|---|---|
| Nombre de diplômés ...........229 | Aux études .................43,4 % |
| Diplômés en emploi .........52,0 % | Taux de chômage ............4,3 % |
| Temps plein ................96,7 % | Salaire hebdomadaire moyen ...717 $ |
| En rapport avec la formation ...92,0 % | |

**Technologie du génie industriel**
DEC 235.B0

| | |
|---|---|
| Nombre de diplômés ............31 | Aux études .................45,5 % |
| Diplômés en emploi .........45,5 % | Taux de chômage ............9,1 % |
| Temps plein ...............100,0 % | Salaire hebdomadaire moyen ...699 $ |
| En rapport avec la formation ..100,0 % | |

Ces statistiques sont tirées de l'enquête *La Relance au collégial en formation technique* (2007) publiée par le ministère de l'Éducation, du Loisir et du Sport.

**V**oici d'autres formations professionnelles, collégiales et universitaires qui, selon les enquêtes *Relance* qu'a effectuées le ministère de l'Éducation, du Loisir et du Sport du Québec en 2007, affichent un bilan statistique se conformant à nos critères de sélection, soit :

- Proportion de diplômés en emploi : 80 % et plus;
- Taux d'emploi en rapport avec la formation : 80 % et plus;
- Taux de chômage : 10 % et moins.

Étant donné qu'aucune mention spéciale ne nous a été fournie concernant ces formations au cours de notre recherche approfondie sur le terrain et que ces nouvelles statistiques n'ont été disponibles qu'en novembre 2007, il nous a été impossible de corroborer cette information de façon qualitative auprès de nos personnes-ressources.

Si, au cours des prochaines années, ces formations conservent leur profil statistique prometteur, peut-être passeront-elles sous notre «loupe» lors d'une prochaine édition du guide *Les carrières d'avenir*.

## DIPLÔMES D'ÉTUDES PROFESSIONNELLES (DEP)

**Affûtage**
DEP 5073

Nombre de diplômés . . . . . . . . . . . .19
Diplômés en emploi . . . . . . . . .93,3 %
Temps plein . . . . . . . . . . . . . . .92,9 %
En rapport avec la formation . . .84,6 %
Aux études . . . . . . . . . . . . . . . . . .0,0 %
Taux de chômage . . . . . . . . . . . .6,7 %
Salaire hebdomadaire moyen . . .770 $

**Boucherie de détail**
DEP 5268

Nombre de diplômés . . . . . . . . . . . .200
Diplômés en emploi . . . . . . . . .86,0 %
Temps plein . . . . . . . . . . . . . . .93,3 %
En rapport avec la formation . . .79,4 %
Aux études . . . . . . . . . . . . . . . . . .6,6 %
Taux de chômage . . . . . . . . . . . .5,5 %
Salaire hebdomadaire moyen . . .426 $

**Chaudronnerie**
DEP 5165

Nombre de diplômés . . . . . . . . . . . .17
Diplômés en emploi . . . . . . . .100,0 %
Temps plein . . . . . . . . . . . . . .100,0 %
En rapport avec la formation . .100,0 %
Aux études . . . . . . . . . . . . . . . . . .0,0 %
Taux de chômage . . . . . . . . . . . .0,0 %
Salaire hebdomadaire moyen . . .994 $

**Cuisine actualisée**
DEP 5159

Nombre de diplômés . . . . . . . . . . . .93
Diplômés en emploi . . . . . . . . .81,2 %
Temps plein . . . . . . . . . . . . . . .92,9 %
En rapport avec la formation . . .98,1 %
Aux études . . . . . . . . . . . . . . . . .14,5 %
Taux de chômage . . . . . . . . . . . .1,8 %
Salaire hebdomadaire moyen . . .529 $

**Dessin de bâtiment**
DEP 5250

Nombre de diplômés . . . . . . . . . . . .375
Diplômés en emploi . . . . . . . . .81,8 %
Temps plein . . . . . . . . . . . . . . .97,6 %
En rapport avec la formation . . .81,2 %
Aux études . . . . . . . . . . . . . . . . . .7,5 %
Taux de chômage . . . . . . . . . . . .9,6 %
Salaire hebdomadaire moyen . . .511 $

## DIPLÔMES D'ÉTUDES PROFESSIONNELLES (DEP) (SUITE)

**Extraction de minerai**
DEP 5261

Nombre de diplômés . . . . . . . . . . . .34
Diplômés en emploi . . . . . . . . .90,9 %
Temps plein . . . . . . . . . . . . . .100,0 %
En rapport avec la formation . . .95,0 %

Aux études . . . . . . . . . . . . . . . . . .0,0 %
Taux de chômage . . . . . . . . . . . .9,1 %
Salaire hebdomadaire moyen . . .1 160 $

---

**Fabrication de moules**
DEP 5249

Nombre de diplômés . . . . . . . . . . . . .6
Diplômés en emploi . . . . . . . . .100,0 %
Temps plein . . . . . . . . . . . . . .100,0 %
En rapport avec la formation . .100,0 %

Aux études . . . . . . . . . . . . . . . . . 0,0 %
Taux de chômage . . . . . . . . . . . . .0,0 %
Salaire hebdomadaire moyen . . .591 $

---

**Installation et entretien de systèmes de sécurité**
DEP 5296

Nombre de diplômés . . . . . . . . . . . .65
Diplômés en emploi . . . . . . . .100,0 %
Temps plein . . . . . . . . . . . . . . 95,3 %
En rapport avec la formation . . .82,9 %

Aux études . . . . . . . . . . . . . . . . . .0,0 %
Taux de chômage . . . . . . . . . . . . .0,0 %
Salaire hebdomadaire moyen . . .594 $

---

**Mécanique d'ascenseurs**
DEP 5200

Nombre de diplômés . . . . . . . . . . . .38
Diplômés en emploi . . . . . . . .100,0 %
Temps plein . . . . . . . . . . . . . .100,0 %
En rapport avec la formation . . .80,0 %

Aux études . . . . . . . . . . . . . . . . . .0,0 %
Taux de chômage . . . . . . . . . . . . .0,0 %
Salaire hebdomadaire moyen . . .815 $

---

**Montage de lignes électriques**
DEP 5185

Nombre de diplômés . . . . . . . . . . . .75
Diplômés en emploi . . . . . . . . .87,0 %
Temps plein . . . . . . . . . . . . . . .97,9 %
En rapport avec la formation . . .84,8 %

Aux études . . . . . . . . . . . . . . . . . 0,0 %
Taux de chômage . . . . . . . . . . . .9,6 %
Salaire hebdomadaire moyen . . .949 $

---

**Pâtisserie de restaurant**
ASP 1057

Nombre de diplômés . . . . . . . . . . . .28
Diplômés en emploi . . . . . . . . .81,0 %
Temps plein . . . . . . . . . . . . . . .88,2 %
En rapport avec la formation . .100,0 %

Aux études . . . . . . . . . . . . . . . . . .14,3 %
Taux de chômage . . . . . . . . . . . . .0,0 %
Salaire hebdomadaire moyen . . .662 $

---

**Production acéricole**
DEP 5256

Nombre de diplômés . . . . . . . . . . . .15
Diplômés en emploi . . . . . . . .100,0 %
Temps plein . . . . . . . . . . . . . .92,9 %
En rapport avec la formation . . .92,3 %

Aux études . . . . . . . . . . . . . . . . . .0,0 %
Taux de chômage . . . . . . . . . . . . .0,0 %
Salaire hebdomadaire moyen . . .625 $

---

**Production porcine**
DEP 5171

Nombre de diplômés . . . . . . . . . . . .23
Diplômés en emploi . . . . . . . . .94,1 %
Temps plein . . . . . . . . . . . . . .93,8 %
En rapport avec la formation . . .80,0 %

Aux études . . . . . . . . . . . . . . . . . .0,0 %
Taux de chômage . . . . . . . . . . . . .0,0 %
Salaire hebdomadaire moyen . . .465 $

---

**Régulation de vol**
DEP 5304

Nombre de diplômés . . . . . . . . . . . .12
Diplômés en emploi . . . . . . . .100,0 %
Temps plein . . . . . . . . . . . . . .87,5 %
En rapport avec la formation . . .85,7 %

Aux études . . . . . . . . . . . . . . . . . .0,0 %
Taux de chômage . . . . . . . . . . . . .0,0 %
Salaire hebdomadaire moyen . . .679 $

Les carrières d'avenir 2008 • **150 formations gagnantes**

**295**

## DIPLÔMES D'ÉTUDES PROFESSIONNELLES (DEP) (SUITE)

**Sciage**
DEP 5088

| | |
|---|---|
| Nombre de diplômés ............20 | Aux études ..................0,0 % |
| Diplômés en emploi .........87,5 % | Taux de chômage ............6,7 % |
| Temps plein ...............100,0 % | Salaire hebdomadaire moyen ...634 $ |
| En rapport avec la formation ...85,7 % | |

**Secrétariat**
DEP 5212

| | |
|---|---|
| Nombre de diplômés .........1 250 | Aux études ..................6,1 % |
| Diplômés en emploi .........81,9 % | Taux de chômage ............8,2 % |
| Temps plein ...............86,8 % | Salaire hebdomadaire moyen ...505 $ |
| En rapport avec la formation ...83,6 % | |

**Secrétariat juridique**
ASP 5226

| | |
|---|---|
| Nombre de diplômés ............82 | Aux études ..................4,3 % |
| Diplômés en emploi .........89,4 % | Taux de chômage ............6,7 % |
| Temps plein ...............92,9 % | Salaire hebdomadaire moyen ...519 $ |
| En rapport avec la formation ...87,2 % | |

**Serrurerie**
DEP 5162

| | |
|---|---|
| Nombre de diplômés ............11 | Aux études ..................14,3 % |
| Diplômés en emploi .........85,7 % | Taux de chômage ............0,0 % |
| Temps plein ...............100,0 % | Salaire hebdomadaire moyen ...503 $ |
| En rapport avec la formation ...83,3 % | |

**Service-conseil à la clientèle en équipement motorisé**
DEP 5258

| | |
|---|---|
| Nombre de diplômés ............53 | Aux études ..................0,0 % |
| Diplômés en emploi .........91,2 % | Taux de chômage ............6,1 % |
| Temps plein ...............100,0 % | Salaire hebdomadaire moyen ...544 $ |
| En rapport avec la formation ...90,3 % | |

**Sommellerie**
ASP 5314

| | |
|---|---|
| Nombre de diplômés ............92 | Aux études ..................4,8 % |
| Diplômés en emploi .........92,1 % | Taux de chômage ............1,7 % |
| Temps plein ...............81,0 % | Salaire hebdomadaire moyen ...655 $ |
| En rapport avec la formation ...80,9 % | |

**Soudage haute pression**
ASP 5234

| | |
|---|---|
| Nombre de diplômés ...........216 | Aux études ..................7,6 % |
| Diplômés en emploi .........87,9 % | Taux de chômage ............3,3 % |
| Temps plein ...............99,1 % | Salaire hebdomadaire moyen ...666 $ |
| En rapport avec la formation ...80,0 % | |

**Vente-conseil**
DEP 5196

| | |
|---|---|
| Nombre de diplômés ...........456 | Aux études ..................10,3 % |
| Diplômés en emploi .........82,1 % | Taux de chômage ............6,1 % |
| Temps plein ...............85,8 % | Salaire hebdomadaire moyen ...547 $ |
| En rapport avec la formation ...79,7 % | |

**Vente de produits de quincaillerie**
DEP 5272

| | |
|---|---|
| Nombre de diplômés ............14 | Aux études ..................0,0 % |
| Diplômés en emploi .........90,9 % | Taux de chômage ............0,0 % |
| Temps plein ...............100,0 % | Salaire hebdomadaire moyen ...513 $ |
| En rapport avec la formation ...80,0 % | |

Source : *La Relance au secondaire en formation professionnelle*, MELS, 2007.

## DIPLÔMES D'ÉTUDES COLLÉGIALES (DEC)

**Conseil en assurances et en services financiers**
DEC 410.C0

| | |
|---|---|
| Nombre de diplômés . . . . . . . . . . . . .80 | Aux études . . . . . . . . . . . . . . . . . .18,6 % |
| Diplômés en emploi . . . . . . . . . .81,4 % | Taux de chômage . . . . . . . . . . . . .0,0 % |
| Temps plein . . . . . . . . . . . . . . . .97,9 % | Salaire hebdomadaire moyen . . .649 $ |
| En rapport avec la formation . . .80,9 % | |

**Gestion de projet en communications graphiques**
DEC 581.C0

| | |
|---|---|
| Nombre de diplômés . . . . . . . . . . . .12 | Aux études . . . . . . . . . . . . . . . . . . .8,3 % |
| Diplômés en emploi . . . . . . . . . .83,3 % | Taux de chômage . . . . . . . . . . . . .9,1 % |
| Temps plein . . . . . . . . . . . . . . .100,0 % | Salaire hebdomadaire moyen . . .545 $ |
| En rapport avec la formation . . .80,0 % | |

**Techniques d'animation 3D et de synthèse d'images**
DEC 574.B0

| | |
|---|---|
| Nombre de diplômés . . . . . . . . . . . .27 | Aux études . . . . . . . . . . . . . . . . . .0,0 % |
| Diplômés en emploi . . . . . . . . .100,0 % | Taux de chômage . . . . . . . . . . . . .0,0 % |
| Temps plein . . . . . . . . . . . . . . . .95,2 % | Salaire hebdomadaire moyen . . .596 $ |
| En rapport avec la formation . . .80,0 % | |

**Techniques de gestion hôtelière**
DEC 430.A0

| | |
|---|---|
| Nombre de diplômés . . . . . . . . . . .162 | Aux études . . . . . . . . . . . . . . . . . .18,1 % |
| Diplômés en emploi . . . . . . . . . .80,9 % | Taux de chômage . . . . . . . . . . . . .1,3 % |
| Temps plein . . . . . . . . . . . . . . . .94,7 % | Salaire hebdomadaire moyen . . .565 $ |
| En rapport avec la formation . . .84,7 % | |

**Techniques de la logistique du transport**
DEC 410.A0

| | |
|---|---|
| Nombre de diplômés . . . . . . . . . . . .63 | Aux études . . . . . . . . . . . . . . . . . .10,0 % |
| Diplômés en emploi . . . . . . . . . .84,0 % | Taux de chômage . . . . . . . . . . . . .4,5 % |
| Temps plein . . . . . . . . . . . . . . .100,0 % | Salaire hebdomadaire moyen . . .645 $ |
| En rapport avec la formation . . .85,7 % | |

**Techniques de l'impression**
DEC 581.B0

| | |
|---|---|
| Nombre de diplômés . . . . . . . . . . . .13 | Aux études . . . . . . . . . . . . . . . . . .0,0 % |
| Diplômés en emploi . . . . . . . . .100,0 % | Taux de chômage . . . . . . . . . . . . .0,0 % |
| Temps plein . . . . . . . . . . . . . . . .90,9 % | Salaire hebdomadaire moyen . . .644 $ |
| En rapport avec la formation . .100,0 % | |

**Techniques de pilotage d'aéronefs : spécialisation en pilotage d'hélicoptères**
DEC 280.A0

| | |
|---|---|
| Nombre de diplômés . . . . . . . . . . . .10 | Aux études . . . . . . . . . . . . . . . . . .0,0 % |
| Diplômés en emploi . . . . . . . . .100,0 % | Taux de chômage . . . . . . . . . . . . .0,0 % |
| Temps plein . . . . . . . . . . . . . . .100,0 % | Salaire hebdomadaire moyen . . .779 $ |
| En rapport avec la formation . .100,0 % | |

**Technologie de l'électronique : spécialisation en audiovisuel**
DEC 243.B0

| | |
|---|---|
| Nombre de diplômés . . . . . . . . . . . .42 | Aux études . . . . . . . . . . . . . . . . . .0,0 % |
| Diplômés en emploi . . . . . . . . .100,0 % | Taux de chômage . . . . . . . . . . . . .0,0 % |
| Temps plein . . . . . . . . . . . . . . . .81,3 % | Salaire hebdomadaire moyen . . .588 $ |
| En rapport avec la formation . . .92,3 % | |

**Technologies des pâtes et papiers**
DEC 232.A0

| | |
|---|---|
| Nombre de diplômés . . . . . . . . . . . .21 | Aux études . . . . . . . . . . . . . . . . . .5,6 % |
| Diplômés en emploi . . . . . . . . . .88,9 % | Taux de chômage . . . . . . . . . . . . .5,9 % |
| Temps plein . . . . . . . . . . . . . . .100,0 % | Salaire hebdomadaire moyen . . .836 $ |
| En rapport avec la formation . . .81,3 % | |

## DIPLÔMES D'ÉTUDES COLLÉGIALES (DEC) (SUITE)

**Théâtre-production**
**– spécialisation en gestion**
**et techniques de scène**
DEC 561.A0

| | |
|---|---|
| Nombre de diplômés . . . . . . . . . . . .23 | Aux études . . . . . . . . . . . . . . . . . . .0,0 % |
| Diplômés en emploi . . . . . . . .100,0 % | Taux de chômage . . . . . . . . . . . . .0,0 % |
| Temps plein . . . . . . . . . . . . . . . .71,4 % | Salaire hebdomadaire moyen . . .537 $ |
| En rapport avec la formation . . .90,0 % | |

Source : *La Relance au collégial en formation technique*, MELS, 2007.

## BACCALAURÉATS (BAC)

**Administration**
**des affaires**

| | |
|---|---|
| Nombre de diplômés . . . . . . . . .2 206 | Aux études . . . . . . . . . . . . . . . . . .12,8 % |
| Diplômés en emploi . . . . . . . . .83,6 % | Taux de chômage . . . . . . . . . . . .2,5 % |
| Temps plein . . . . . . . . . . . . . . . .97,0 % | Salaire hebdomadaire moyen . . .819 $ |
| En rapport avec la formation . . .85,0 % | |

**Criminologie**

| | |
|---|---|
| Nombre de diplômés . . . . . . . . . . .107 | Aux études . . . . . . . . . . . . . . . . . .9,0 % |
| Diplômés en emploi . . . . . . . . .85,1 % | Taux de chômage . . . . . . . . . . . .1,7 % |
| Temps plein . . . . . . . . . . . . . . . .93,0 % | Salaire hebdomadaire moyen . . .765 $ |
| En rapport avec la formation . . .84,9 % | |

**Études**
**pluridisciplinaires en**
**sciences appliquées**

| | |
|---|---|
| Nombre de diplômés . . . . . . . . . . . .11 | Aux études . . . . . . . . . . . . . . . . . .0,0 % |
| Diplômés en emploi . . . . . . . .100,0 % | Taux de chômage . . . . . . . . . . . .0,0 % |
| Temps plein . . . . . . . . . . . . . . .100,0 % | Salaire hebdomadaire moyen .1 188 $ |
| En rapport avec la formation . .100,0 % | |

**Formation des**
**enseignants**
**– au préscolaire et**
**au primaire**

| | |
|---|---|
| Nombre de diplômés . . . . . . . . .1 482 | Aux études . . . . . . . . . . . . . . . . . .3,0 % |
| Diplômés en emploi . . . . . . . . .92,7 % | Taux de chômage . . . . . . . . . . . .1,0 % |
| Temps plein . . . . . . . . . . . . . . . .74,3 % | Salaire hebdomadaire moyen . . .720 $ |
| En rapport avec la formation . . .94,6 % | |

**Formation des**
**enseignants**
**– au secondaire**

| | |
|---|---|
| Nombre de diplômés . . . . . . . . . . .760 | Aux études . . . . . . . . . . . . . . . . . .4,9 % |
| Diplômés en emploi . . . . . . . . .93,4 % | Taux de chômage . . . . . . . . . . . .0,4 % |
| Temps plein . . . . . . . . . . . . . . . .88,3 % | Salaire hebdomadaire moyen . . .742 $ |
| En rapport avec la formation . . .94,8 % | |

**Formation des**
**enseignants**
**– de l'enseignement**
**professionnel au**
**secondaire et au collégial**

| | |
|---|---|
| Nombre de diplômés . . . . . . . . . . . .99 | Aux études . . . . . . . . . . . . . . . . . .2,9 % |
| Diplômés en emploi . . . . . . . . .95,6 % | Taux de chômage . . . . . . . . . . . .0,0 % |
| Temps plein . . . . . . . . . . . . . . . .89,2 % | Salaire hebdomadaire moyen . .1 101 $ |
| En rapport avec la formation . . .86,2 % | |

**Formation des**
**enseignants spécialistes**
**– au primaire et au**
**secondaire**

| | |
|---|---|
| Nombre de diplômés . . . . . . . . . . .695 | Aux études . . . . . . . . . . . . . . . . . .5,9 % |
| Diplômés en emploi . . . . . . . . .90,5 % | Taux de chômage . . . . . . . . . . . .0,2 % |
| Temps plein . . . . . . . . . . . . . . . .79,8 % | Salaire hebdomadaire moyen . . .722 $ |
| En rapport avec la formation . . .92,8 % | |

## BACCALAURÉATS (BAC) (SUITE)

**Génie alimentaire**

| | |
|---|---|
| Nombre de diplômés ............10 | Aux études ..................0,0 % |
| Diplômés en emploi ........100,0 % | Taux de chômage ............0,0 % |
| Temps plein ..............100,0 % | Salaire hebdomadaire moyen ...795 $ |
| En rapport avec la formation ..87,5 % | |

**Génie chimique**

| | |
|---|---|
| Nombre de diplômés ...........146 | Aux études ..................14,0 % |
| Diplômés en emploi .........80,0 % | Taux de chômage ............4,8 % |
| Temps plein ...............97,5 % | Salaire hebdomadaire moyen ...909 $ |
| En rapport avec la formation ..82,1 % | |

**Génie industriel et administratif**

| | |
|---|---|
| Nombre de diplômés ...........223 | Aux études ..................8,6 % |
| Diplômés en emploi .........84,9 % | Taux de chômage ............4,8 % |
| Temps plein ...............98,3 % | Salaire hebdomadaire moyen ...931 $ |
| En rapport avec la formation ..85,3 % | |

**Génie informatique et de la construction des ordinateurs**

| | |
|---|---|
| Nombre de diplômés ...........461 | Aux études ..................13,8 % |
| Diplômés en emploi .........81,3 % | Taux de chômage ............4,6 % |
| Temps plein ...............99,1 % | Salaire hebdomadaire moyen ...917 $ |
| En rapport avec la formation ..87,7 % | |

**Génie mécanique**

| | |
|---|---|
| Nombre de diplômés ...........750 | Aux études ..................13,7 % |
| Diplômés en emploi .........83,0 % | Taux de chômage ............3,1 % |
| Temps plein ...............98,3 % | Salaire hebdomadaire moyen ...903 $ |
| En rapport avec la formation ..85,5 % | |

**Gestion du personnel**

| | |
|---|---|
| Nombre de diplômés ...........205 | Aux études ..................6,7 % |
| Diplômés en emploi .........84,0 % | Taux de chômage ............5,7 % |
| Temps plein ...............95,0 % | Salaire hebdomadaire moyen ...826 $ |
| En rapport avec la formation ..81,1 % | |

**Information de gestion**

| | |
|---|---|
| Nombre de diplômés ...........124 | Aux études ..................10,4 % |
| Diplômés en emploi .........83,6 % | Taux de chômage ............6,7 % |
| Temps plein ...............91,1 % | Salaire hebdomadaire moyen ...825 $ |
| En rapport avec la formation ..90,2 % | |

**Santé communautaire et épidémiologie**

| | |
|---|---|
| Nombre de diplômés ............56 | Aux études ..................2,6 % |
| Diplômés en emploi .........97,4 % | Taux de chômage ............0,0 % |
| Temps plein ...............83,8 % | Salaire hebdomadaire moyen ..1 048 $ |
| En rapport avec la formation ..80,6 % | |

**Sciences de l'informatique**

| | |
|---|---|
| Nombre de diplômés ...........740 | Aux études ..................12,1 % |
| Diplômés en emploi .........82,8 % | Taux de chômage ............4,6 % |
| Temps plein ...............96,2 % | Salaire hebdomadaire moyen ...857 $ |
| En rapport avec la formation ..84,5 % | |

Source : *La Relance à l'université*, MELS, 2007.

Les carrières d'avenir 2008 • 150 formations gagnantes

## MAÎTRISES

### Administration des affaires

| | |
|---|---|
| Nombre de diplômés . . . . . . . . . .1 492 | Aux études . . . . . . . . . . . . . . . . . .3,2 % |
| Diplômés en emploi . . . . . . . . .92,1 % | Taux de chômage . . . . . . . . . . . .2,3 % |
| Temps plein . . . . . . . . . . . . . . .98,9 % | Salaire hebdomadaire moyen . .1 335 $ |
| En rapport avec la formation . . .85,9 % | |

### Administration publique

| | |
|---|---|
| Nombre de diplômés . . . . . . . . . . .282 | Aux études . . . . . . . . . . . . . . . . . .3,3 % |
| Diplômés en emploi . . . . . . . . .89,6 % | Taux de chômage . . . . . . . . . . . .5,2 % |
| Temps plein . . . . . . . . . . . . . . .97,5 % | Salaire hebdomadaire moyen . .1 294 $ |
| En rapport avec la formation . . .82,4 % | |

### Administration scolaire

| | |
|---|---|
| Nombre de diplômés . . . . . . . . . . . .85 | Aux études . . . . . . . . . . . . . . . . . .1,7 % |
| Diplômés en emploi . . . . . . . . .94,8 % | Taux de chômage . . . . . . . . . . . .0,0 % |
| Temps plein . . . . . . . . . . . . . .100,0 % | Salaire hebdomadaire moyen . .1 529 $ |
| En rapport avec la formation . . .92,7 % | |

### Animation sociale ou communautaire

| | |
|---|---|
| Nombre de diplômés . . . . . . . . . . . .60 | Aux études . . . . . . . . . . . . . . . . . .2,8 % |
| Diplômés en emploi . . . . . . . . .97,2 % | Taux de chômage . . . . . . . . . . . .0,0 % |
| Temps plein . . . . . . . . . . . . . . .77,1 % | Salaire hebdomadaire moyen . .1 193 $ |
| En rapport avec la formation . . .85,2 % | |

### Architecture urbaine et aménagement

| | |
|---|---|
| Nombre de diplômés . . . . . . . . . . . .19 | Aux études . . . . . . . . . . . . . . . . . .0,0 % |
| Diplômés en emploi . . . . . . . . .92,3 % | Taux de chômage . . . . . . . . . . . .7,7 % |
| Temps plein . . . . . . . . . . . . . . .91,7 % | Salaire hebdomadaire moyen . .1 059 $ |
| En rapport avec la formation . .100,0 % | |

### Arts graphiques (communications graphiques)

| | |
|---|---|
| Nombre de diplômés . . . . . . . . . . . .10 | Aux études . . . . . . . . . . . . . . . . .14,3 % |
| Diplômés en emploi . . . . . . . . .85,7 % | Taux de chômage . . . . . . . . . . . .0,0 % |
| Temps plein . . . . . . . . . . . . . .100,0 % | Salaire hebdomadaire moyen . . .609 $ |
| En rapport avec la formation . . .83,3 % | |

### Arts plastiques (peinture, dessin, sculpture)

| | |
|---|---|
| Nombre de diplômés . . . . . . . . . . . .40 | Aux études . . . . . . . . . . . . . . . . . .9,7 % |
| Diplômés en emploi . . . . . . . . .80,6 % | Taux de chômage . . . . . . . . . . . .7,4 % |
| Temps plein . . . . . . . . . . . . . . .52,0 % | Salaire hebdomadaire moyen . . .756 $ |
| En rapport avec la formation . . .92,3 % | |

### Bibliothéconomie et archivistique

| | |
|---|---|
| Nombre de diplômés . . . . . . . . . . .126 | Aux études . . . . . . . . . . . . . . . . . .3,9 % |
| Diplômés en emploi . . . . . . . . .88,2 % | Taux de chômage . . . . . . . . . . . .4,3 % |
| Temps plein . . . . . . . . . . . . . . .83,6 % | Salaire hebdomadaire moyen . . .826 $ |
| En rapport avec la formation . . .91,1 % | |

### Criminologie

| | |
|---|---|
| Nombre de diplômés . . . . . . . . . . . .27 | Aux études . . . . . . . . . . . . . . . . .13,3 % |
| Diplômés en emploi . . . . . . . . .86,7 % | Taux de chômage . . . . . . . . . . . .0,0 % |
| Temps plein . . . . . . . . . . . . . . .92,3 % | Salaire hebdomadaire moyen . . .939 $ |
| En rapport avec la formation . . .83,3 % | |

## MAÎTRISES (SUITE)

**Formation des enseignants – au préscolaire et au primaire**

Nombre de diplômés . . . . . . . . . . . .12
Diplômés en emploi . . . . . . . . .90,9 %
Temps plein . . . . . . . . . . . . . . .100,0 %
En rapport avec la formation . .100,0 %

Aux études . . . . . . . . . . . . . . . . . . .0,0 %
Taux de chômage . . . . . . . . . . . . .0,0 %
Salaire hebdomadaire moyen . .1 209 $

**Génie aérospatial, aéronautique et astronautique**

Nombre de diplômés . . . . . . . . . . . .39
Diplômés en emploi . . . . . . . . .81,8 %
Temps plein . . . . . . . . . . . . . . . . .5,3 %
En rapport avec la formation . . .83,3 %

Aux études . . . . . . . . . . . . . . . . . .13,6 %
Taux de chômage . . . . . . . . . . . . .5,3 %
Salaire hebdomadaire moyen . .1 022 $

**Gestion et administration des entreprises**

Nombre de diplômés . . . . . . . . . .378
Diplômés en emploi . . . . . . . . .87,4 %
Temps plein . . . . . . . . . . . . . . .97,9 %
En rapport avec la formation . . .83,7 %

Aux études . . . . . . . . . . . . . . . . . . .7,4 %
Taux de chômage . . . . . . . . . . . . .4,1 %
Salaire hebdomadaire moyen . .1 155 $

**Opérations bancaires et finance**

Nombre de diplômés . . . . . . . . . . . .69
Diplômés en emploi . . . . . . . . .92,7 %
Temps plein . . . . . . . . . . . . . . .100,0 %
En rapport avec la formation . . .84,2 %

Aux études . . . . . . . . . . . . . . . . . . .2,4 %
Taux de chômage . . . . . . . . . . . . .2,6 %
Salaire hebdomadaire moyen . .1 220 $

**Pharmacie et sciences pharmaceutiques**

Nombre de diplômés . . . . . . . . . .159
Diplômés en emploi . . . . . . . . .86,9 %
Temps plein . . . . . . . . . . . . . . .96,5 %
En rapport avec la formation . . .95,2 %

Aux études . . . . . . . . . . . . . . . . . .10,1 %
Taux de chômage . . . . . . . . . . . . .1,1 %
Salaire hebdomadaire moyen . .1 212 $

**Relations industrielles**

Nombre de diplômés . . . . . . . . . . . .43
Diplômés en emploi . . . . . . . . .80,0 %
Temps plein . . . . . . . . . . . . . . .100,0 %
En rapport avec la formation . . .95,8 %

Aux études . . . . . . . . . . . . . . . . . .13,3 %
Taux de chômage . . . . . . . . . . . . .4,0 %
Salaire hebdomadaire moyen . .1 004 $

**Ressources naturelles**

Nombre de diplômés . . . . . . . . . . . .13
Diplômés en emploi . . . . . . . . .84,6 %
Temps plein . . . . . . . . . . . . . . .81,8 %
En rapport avec la formation . . .88,9 %

Aux études . . . . . . . . . . . . . . . . . . .7,7 %
Taux de chômage . . . . . . . . . . . . .0,0 %
Salaire hebdomadaire moyen . .1 030 $

**Sciences infirmières et nursing**

Nombre de diplômés . . . . . . . . . . . .72
Diplômés en emploi . . . . . . . . .85,4 %
Temps plein . . . . . . . . . . . . . . .90,2 %
En rapport avec la formation . . .94,6 %

Aux études . . . . . . . . . . . . . . . . . .14,6 %
Taux de chômage . . . . . . . . . . . . .0,0 %
Salaire hebdomadaire moyen . .1 269 $

**Traduction**

Nombre de diplômés . . . . . . . . . . . .30
Diplômés en emploi . . . . . . . . .82,4 %
Temps plein . . . . . . . . . . . . . . .78,6 %
En rapport avec la formation . . .90,9 %

Aux études . . . . . . . . . . . . . . . . . .11,8 %
Taux de chômage . . . . . . . . . . . . .6,7 %
Salaire hebdomadaire moyen . . .761 $

Source : *La Relance à l'université*, MELS, 2007.

Chaque année, la Direction générale des programmes et du développement (DGPD) du ministère de l'Éducation, du Loisir et du Sport du Québec dresse son propre *TOP 50 des programmes de formation professionnelle et technique offrant les meilleures perspectives d'emploi*. Bien que les formations suivantes ne se conforment pas à nos critères statistiques, nous avons jugé pertinent d'en faire mention étant donné le caractère prometteur qui leur est attribué par la DGPD. Notez que les autres formations figurant au TOP 50 de la DGPD ont toutes été présentées ailleurs dans notre sélection.

## FORMATION PROFESSIONNELLE

**Conduite de machines industrielles**
DEP 5294

| | | | |
|---|---|---|---|
| Nombre de diplômés | n. d. | Aux études | n. d. |
| Diplômés en emploi | n. d. | Taux de chômage | n. d. |
| Temps plein | n. d. | Salaire hebdomadaire moyen | n. d. |
| En rapport avec la formation | n. d. | | |

**Conduite et réglage de machines à mouler**
DEP 5193

| | | | |
|---|---|---|---|
| Nombre de diplômés | 26 | Aux études | 0,0 % |
| Diplômés en emploi | 92,9 % | Taux de chômage | 7,1 % |
| Temps plein | 100,0 % | Salaire hebdomadaire moyen | 576 $ |
| En rapport avec la formation | 69,2 % | | |

**Dessin industriel**
DEP 5225

| | | | |
|---|---|---|---|
| Nombre de diplômés | 149 | Aux études | 6,5 % |
| Diplômés en emploi | 73,9 % | Taux de chômage | 17,1 % |
| Temps plein | 91,2 % | Salaire hebdomadaire moyen | 542 $ |
| En rapport avec la formation | 79,0 % | | |

**Fabrication de structures métalliques et de métaux ouvrés**
DEP 5308

| | | | |
|---|---|---|---|
| Nombre de diplômés | 31 | Aux études | 23,8 % |
| Diplômés en emploi | 66,7 % | Taux de chômage | 6,7 % |
| Temps plein | 92,9 % | Salaire hebdomadaire moyen | 597 $ |
| En rapport avec la formation | 84,6 % | | |

**Fabrication en série de meubles et de produits en bois ouvré**
DEP 5028

| | | | |
|---|---|---|---|
| Nombre de diplômés | n. d. | Aux études | n. d. |
| Diplômés en emploi | n. d. | Taux de chômage | n. d. |
| Temps plein | n. d. | Salaire hebdomadaire moyen | n. d. |
| En rapport avec la formation | n. d. | | |

**Matriçage**
ASP 5041

| | | | |
|---|---|---|---|
| Nombre de diplômés | n. d. | Aux études | n. d. |
| Diplômés en emploi | n. d. | Taux de chômage | n. d. |
| Temps plein | n. d. | Salaire hebdomadaire moyen | n. d. |
| En rapport avec la formation | n. d. | | |

**Mise en œuvre de matériaux composites**
DEP 5267

| | | | |
|---|---|---|---|
| Nombre de diplômés | 68 | Aux études | 18,4 % |
| Diplômés en emploi | 65,3 % | Taux de chômage | 17,9 % |
| Temps plein | 93,8 % | Salaire hebdomadaire moyen | 594 $ |
| En rapport avec la formation | 63,3 % | | |

## FORMATION PROFESSIONNELLE (SUITE)

### Outillage
ASP 5042

| | |
|---|---|
| Nombre de diplômés ............n. d. | Aux études ...................n. d. |
| Diplômés en emploi ...........n. d. | Taux de chômage ............n. d. |
| Temps plein ...................n. d. | Salaire hebdomadaire moyen .....n. d. |
| En rapport avec la formation ......n. d. | |

### Production laitière
DEP 5167

| | |
|---|---|
| Nombre de diplômés ...........140 | Aux études .................22,6 % |
| Diplômés en emploi .........68,9 % | Taux de chômage ............7,6 % |
| Temps plein ................97,3 % | Salaire hebdomadaire moyen ...469 $ |
| En rapport avec la formation ..85,9 % | |

### Secrétariat médical
ASP 5227

| | |
|---|---|
| Nombre de diplômés ...........349 | Aux études ...................3,4 % |
| Diplômés en emploi .........88,3 % | Taux de chômage ............5,6 % |
| Temps plein ................86,8 % | Salaire hebdomadaire moyen ...549 $ |
| En rapport avec la formation ..78,8 % | |

### Tôlerie de précision
DEP 5244

| | |
|---|---|
| Nombre de diplômés ............25 | Aux études ...................6,3 % |
| Diplômés en emploi .........81,3 % | Taux de chômage ...........13,3 % |
| Temps plein ...............100,0 % | Salaire hebdomadaire moyen ...709 $ |
| En rapport avec la formation ...76,9 % | |

## FORMATION TECHNIQUE

### Techniques de design industriel
DEC 570.C0

| | |
|---|---|
| Nombre de diplômés ............65 | Aux études .................31,3 % |
| Diplômés en emploi .........64,6 % | Taux de chômage ............6,1 % |
| Temps plein ................96,8 % | Salaire hebdomadaire moyen ...579 $ |
| En rapport avec la formation ..83,3 % | |

### Techniques de génie chimique
DEC 210.02

| | |
|---|---|
| Nombre de diplômés .............9 | Aux études ...................0,0 % |
| Diplômés en emploi .........85,7 % | Taux de chômage ............0,0 % |
| Temps plein ................83,3 % | Salaire hebdomadaire moyen ...795 $ |
| En rapport avec la formation ..100,0 % | |

### Techniques de laboratoire*
DEC 210.A0

| | |
|---|---|
| Nombre de diplômés ...........162 | Aux études .................33,9 % |
| Diplômés en emploi .........60,0 % | Taux de chômage ............5,5 % |
| Temps plein ................89,9 % | Salaire hebdomadaire moyen ...641 $ |
| En rapport avec la formation ..87,1 % | * Ces données incluent tous les diplômés, sans égard à la spécialisation choisie. |

### Techniques de laboratoire
– spécialisation en biotechnologies*
DEC 210.A0

| | |
|---|---|
| Nombre de diplômés ............98 | Aux études .................47,9 % |
| Diplômés en emploi .........47,9 % | Taux de chômage ............5,6 % |
| Temps plein ................85,3 % | Salaire hebdomadaire moyen ...621 $ |
| En rapport avec la formation ...93,1 % | * Ce DEC a une autre spécialisation (chimie analytique) qui se trouve dans la sélection des formations gagnantes de Jobboom, à la p. 256 |

Les carrières d'avenir 2008 • **150 formations gagnantes**

## FORMATION TECHNIQUE (SUITE)

**Techniques de l'informatique**
**– voie générale\***
DEC 420.A0

| | |
|---|---|
| Nombre de diplômés . . . . . . . . . . . .19 | Aux études . . . . . . . . . . . . . . . . . .26,7 % |
| Diplômés en emploi . . . . . . . . .53,3 % | Taux de chômage . . . . . . . . . . . .20,0 % |
| Temps plein . . . . . . . . . . . . . . .100,0 % | Salaire hebdomadaire moyen . . .808 $ |
| En rapport avec la formation . . .75,0 % | \* Ces données incluent tous les diplômés, sans égard à la spécialisation choisie. |

**Techniques de l'informatique**
**– spécialisation en gestion de réseaux informatiques**
DEC 420.A0

| | |
|---|---|
| Nombre de diplômés . . . . . . . . . . . .161 | Aux études . . . . . . . . . . . . . . . . . .14,3 % |
| Diplômés en emploi . . . . . . . . . .78,6 % | Taux de chômage . . . . . . . . . . . . .5,7 % |
| Temps plein . . . . . . . . . . . . . . . . .96,0 % | Salaire hebdomadaire moyen . . .634 $ |
| En rapport avec la formation . . .88,4 % | |

**Techniques de l'informatique**
**– spécialisation en informatique de gestion**
DEC 420.A0

| | |
|---|---|
| Nombre de diplômés . . . . . . . . . . . .691 | Aux études . . . . . . . . . . . . . . . . . .44,0 % |
| Diplômés en emploi . . . . . . . . . .50,9 % | Taux de chômage . . . . . . . . . . . . .7,2 % |
| Temps plein . . . . . . . . . . . . . . . . .91,5 % | Salaire hebdomadaire moyen . . .599 $ |
| En rapport avec la formation . . .83,5 % | |

**Techniques de l'informatique**
**– spécialisation en informatique industrielle**
DEC 420.A0

| | |
|---|---|
| Nombre de diplômés . . . . . . . . . . . .16 | Aux études . . . . . . . . . . . . . . . . . .66,7 % |
| Diplômés en emploi . . . . . . . . . .33,3 % | Taux de chômage . . . . . . . . . . . . .0,0 % |
| Temps plein . . . . . . . . . . . . . . .100,0 % | Salaire hebdomadaire moyen . . .540 $ |
| En rapport avec la formation . . .50,0 % | |

**Techniques de procédés chimiques**
DEC 210.B0

| | |
|---|---|
| Nombre de diplômés . . . . . . . . . . . .35 | Aux études . . . . . . . . . . . . . . . . . .4,3 % |
| Diplômés en emploi . . . . . . . . . .87,0 % | Taux de chômage . . . . . . . . . . . . .9,1 % |
| Temps plein . . . . . . . . . . . . . . .100,0 % | Salaire hebdomadaire moyen . . .909 $ |
| En rapport avec la formation . . .70,0 % | |

**Techniques du meuble et d'ébénisterie**
DEC 233.B0

| | |
|---|---|
| Nombre de diplômés . . . . . . . . . . . .18 | Aux études . . . . . . . . . . . . . . . . . .23,1 % |
| Diplômés en emploi . . . . . . . . . .61,5 % | Taux de chômage . . . . . . . . . . . .11,1 % |
| Temps plein . . . . . . . . . . . . . . .100,0 % | Salaire hebdomadaire moyen . . .556 $ |
| En rapport avec la formation . .100,0 % | |

**Technologie de systèmes ordinés**
DEC 243.15

| | |
|---|---|
| Nombre de diplômés . . . . . . . . . . . .52 | Aux études . . . . . . . . . . . . . . . . . .54,1 % |
| Diplômés en emploi . . . . . . . . . .45,9 % | Taux de chômage . . . . . . . . . . . . .0,0 % |
| Temps plein . . . . . . . . . . . . . . . . .94,1 % | Salaire hebdomadaire moyen . . .634 $ |
| En rapport avec la formation . . .68,8 % | |

**Technologie physique**
DEC 244.A0

| | |
|---|---|
| Nombre de diplômés . . . . . . . . . . . .38 | Aux études . . . . . . . . . . . . . . . . . .41,4 % |
| Diplômés en emploi . . . . . . . . . .51,7 % | Taux de chômage . . . . . . . . . . . .11,8 % |
| Temps plein . . . . . . . . . . . . . . . . .93,3 % | Salaire hebdomadaire moyen . . .675 $ |
| En rapport avec la formation . . .71,4 % | |

Ces statistiques sont tirées des enquêtes *La Relance au secondaire en formation professionnelle* (2007) et *La Relance au collégial en formation technique* (2007) publiées par le ministère de l'Éducation, du Loisir et du Sport.

# LISTE DES LIEUX DE FORMATION

**Pour connaître les établissements qui offrent les formations ci-dessous, repérez les numéros correspondants dans le répertoire, à la page 308.**

## FORMATION PROFESSIONNELLE

### CONSTRUCTION (Les métiers de la)

Calorifugeage : 136

Conduite de grues : 114

Ferblanterie-tôlerie : 24 • 45 • 51 • 93 • 136 • 210

Mécanique d'engins de chantier : 3 • 8 • 24 • 54 • 61 • 65 • 78 • 88 • 97 • 114 • 136 • 199 • 212

Plomberie-chauffage : 8 • 22 • 27 • 44 • 93 • 109 • 135 • 136 • 203 • 209

Pose de revêtement de toiture : 24 • 93

Réfrigération : 24 • 44 • 65 • 93 • 116 • 137 • 209

### MÉCANIQUE (Les métiers de la)

Mécanique automobile : 1 • 9 • 10 • 22 • 23 • 24 • 25 • 44 • 45 • 51 • 52 • 53 • 54 • 59 • 65 • 66 • 78 • 82 • 85 • 86 • 93 • 98 • 109 • 111 • 112 • 115 • 135 • 136 • 137 • 140 • 141 • 200 • 202 • 203 • 210 • 212

Mécanique de machines fixes : 24 • 43 • 137 • 209

Mécanique de moteurs diesels et de contrôles électroniques : 8 • 54 • 65 • 114

Mécanique de protection contre les incendies : 93

Mécanique de véhicules lourds routiers : 3 • 8 • 24 • 54 • 65 • 85 • 97 • 114 • 136 • 203 • 210

### SANTÉ (Les métiers de la)

Assistance à la personne à domicile : 5 • 8 • 11 • 20 • 23 • 25 • 27 • 44 • 51 • 52 • 54 • 59 • 65 • 68 • 78 • 82 • 85 • 86 • 87 • 88 • 89 • 93 • 94 • 98 • 109 • 111 • 112 • 121 • 136 • 137 • 141 • 197 • 203 • 204 • 210 • 211

Assistance à la personne en établissement de santé : 5 • 8 • 9 • 10 • 11 • 21 • 27 • 44 • 51 • 52 • 53 • 54 • 65 • 66 • 67 • 68 • 76 • 78 • 79 • 82 • 85 • 86 • 87 • 88 • 93 • 95 • 98 • 108 • 109 • 110 • 112 • 113 • 115 • 116 • 120 • 121 • 122 • 132 • 135 • 136 • 137 • 141 • 197 • 202 • 203 • 204 • 210 • 211

Assistance dentaire : 27 • 65 • 98 • 111 • 132 • 136 • 141 • 203 • 210

Assistance technique en pharmacie : 10 • 27 • 45 • 82 • 85 • 98 • 111 • 113 • 133 • 136 • 141 • 201 • 211

Santé, assistance et soins infirmiers : 5 • 8 • 9 • 10 • 21 • 23 • 27 • 44 • 51 • 52 • 54 • 59 • 61 • 65 • 68 • 76 • 78 • 79 • 82 • 85 • 86 • 87 • 88 • 93 • 95 • 98 • 108 • 109 • 110 • 112 • 115 • 116 • 120 • 121 • 122 • 132 • 136 • 137 • 141 • 198 • 203 • 210 • 211

### USINAGE (Les métiers de l')

Techniques d'usinage : 5 • 8 • 9 • 24 • 25 • 44 • 45 • 51 • 52 • 53 • 59 • 65 • 67 • 68 • 76 • 79 • 81 • 82 • 85 • 86 • 97 • 109 • 110 • 112 • 114 • 115 • 116 • 117 • 135 • 136 • 137 • 139 • 203 • 211

## FORMATION PROFESSIONNELLE (SUITE)

### USINAGE (Les métiers de l') (suite)

**Usinage sur machines-outils à commande numérique :** 5 • 8 • 24 • 44 • 45 • 52 • 53 • 65 • 67 • 81 • 82 • 86 • 97 • 109 • 110 • 114 • 115 • 116 • 135 • 136 • 137 • 139 • 203 • 211

### DIVERS

**Soudage-montage :** 3 • 8 • 9 • 10 • 22 • 23 • 24 • 25 • 44 • 45 • 51 • 52 • 54 • 61 • 65 • 67 • 68 • 76 • 82 • 85 • 93 • 98 • 108 • 110 • 112 • 115 • 116 • 117 • 121 • 135 • 136 • 137 • 140 • 198 • 203 • 210 • 211 • 212

## FORMATION COLLÉGIALE

### DOCUMENTATION (Les carrières de la)

**Archives médicales :** 84 • 101 • 151 • 169

**Techniques de la documentation :** 37 • 91 • 100 • 158 • 185 • 206

### ÉDUCATION (Les carrières de l')

**Techniques d'éducation à l'enfance :** 6 • 14 • 29 • 31 • 55 • 64 • 72 • 80 • 84 • 90 • 96 • 101 • 102 • 123 • 127 • 128 • 147 • 148 • 166 • 189 • 206 • 207 • 214

**Techniques d'éducation spécialisée :** 6 • 12 • 13 • 31 • 38 • 48 • 55 • 57 • 63 • 70 • 71 • 72 • 80 • 84 • 90 • 101 • 125 • 127 • 147 • 148 • 166 • 189 • 206 • 214

### SANTÉ (Les carrières de la)

**Audioprothèse :** 170

**Soins infirmiers :** 6 • 12 • 13 • 14 • 15 • 30 • 31 • 37 • 46 • 47 • 55 • 56 • 57 • 58 • 63 • 64 • 70 • 72 • 80 • 84 • 90 • 96 • 100 • 102 • 123 • 124 • 125 • 127 • 128 • 145 • 146 • 147 • 155 • 158 • 174 • 185 • 189 • 206 • 207 • 213 • 214 • 215 • 217

**Techniques de denturologie :** 128

**Techniques d'électrophysiologie médicale :** 151

**Techniques de prothèses dentaires :** 128

**Techniques d'hygiène dentaire :** 37 • 100 • 123 • 128 • 158 • 185 • 206 • 213

**Techniques d'inhalothérapie :** 31 • 65 • 170 • 189 • 213
Collège Ellis, campus de Trois-Rivières : www.ecc.qc.ca

**Techniques d'orthèses et de prothèses orthopédiques :** 38 • 96

**Techniques d'orthèses visuelles :** 37 • 128

**Technologie de médecine nucléaire :** 151

**Technologie de radiodiagnostic :** 13 • 31 • 151 • 174

## TECHNIQUES DE BUREAUTIQUE

13 • 30 • 35 • 37 • 39 • 46 • 56 • 57 • 64 • 72 • 80 • 84 • 91 • 96 • 102 • 124 • 125 • 126 • 127 • 128 • 145 • 170 • 174 • 185 • 189 • 206 • 207 • 213 • 214
Collège Ellis, campus de Trois-Rivières : www.ecc.qc.ca
Centre d'études collégiales des Îles-de-la-Madeleine : www.cgaspesie.qc.ca/iles
Centre d'études collégiales Baie-des-Chaleurs : www.cgaspesie.qc.ca/carleton

Voici la liste des établissements d'enseignement en formation professionnelle **P**, collégiale **C** et universitaire **U**, et leurs coordonnées. Chaque établissement porte également un numéro servant à indiquer où sont offertes les formations traitées dans la section *150 formations gagnantes* (pages 224 à 304).

## ABITIBI-TÉMISCAMINGUE    région 08

**P ❶ Commission scolaire de l'Or-et-des-Bois**
☎ 819 825-4220
www.csob.qc.ca

**P ❷ Commission scolaire de Rouyn-Noranda**
☎ 819 762-8161
www.csrn.qc.ca

**P ❸ Commission scolaire du Lac-Abitibi**
☎ 819 333-5411
www.csdla.qc.ca

**P ❹ Commission scolaire du Lac-Témiscamingue**
☎ 819 629-2472
www.cslactem.qc.ca

**P ❺ Commission scolaire Harricana**
☎ 819 732-6561
www.csharricana.qc.ca

**C ❻ Cégep de l'Abitibi-Témiscamingue**
☎ 819 762-0931
www.cegepat.qc.ca

**U ❼ Université du Québec en Abitibi-Témiscamingue**
☎ 819 762-0971
www.uqat.ca

## BAS-SAINT-LAURENT    région 01

**P ❽ Commission scolaire de Kamouraska–Rivière-du-Loup**
☎ 418 862-8201
www.cskamloup.qc.ca

**P ❾ Commission scolaire des Monts-et-Marées**
☎ 418 629-6200
www2.csmm.qc.ca

**P ❿ Commission scolaire des Phares**
☎ 418 723-5927
www.csphares.qc.ca

**P ⓫ Commission scolaire du Fleuve-et-des-Lacs**
☎ 418 854-2370
www.csfl.qc.ca

**C ⓬ Cégep de La Pocatière**
☎ 418 856-1525
www.cglapocatiere.qc.ca

**C ⓭ Cégep de Rimouski**
☎ 418 723-1880
www.cegep-rimouski.qc.ca

**C ⓮ Cégep de Rivière-du-Loup**
☎ 418 862-6903
www.cegep-rdl.qc.ca

**C ⓯ Cégep de Matane**
☎ 418 562-1240
www.cgmatane.qc.ca

**C ⓰ Centre matapédien d'études collégiales**
☎ 418 629-4190
www.cemec.qc.ca

**C ⓱ Institut de technologie agroalimentaire de La Pocatière**
☎ 418 856-1110
www.ita.qc.ca

**C ⓲ Institut maritime du Québec (affilié au Cégep de Rimouski)**
☎ 418 724-2822
www.imq.qc.ca

**U ⓳ Université du Québec à Rimouski**
☎ 418 723-1986
www.uqar.qc.ca

## CAPITALE-NATIONALE    région 03

**P ⓴ Central Quebec School Board**
☎ 418 688-8730
www.cqsb.qc.ca

**P ㉑ Collège CDI, Campus de Québec**
☎ 418 694-0211
www.cdicollege.com

**P ㉒ Collège technique Aviron Québec**
☎ 418 529-1321
www.avironquebec.com

**P ㉓ Commission scolaire de Charlevoix**
☎ 418 665-3905
www.cscharlevoix.qc.ca

P (24) **Commission scolaire de la Capitale**
☎ 418 686-4040
www.cscapitale.qc.ca

P (25) **Commission scolaire de Portneuf**
☎ 418 285-2600
www.csportneuf.qc.ca

P (26) **Commission scolaire des Découvreurs**
☎ 418 652-2121
www.csdecou.qc.ca

P (27) **Commission scolaire des Premières-Seigneuries**
☎ 418 666-4666
www.csdps.qc.ca

P (28) **École nationale de camionnage et équipement lourd (E.N.C.E.L.)**
☎ 418 683-5053
www.encel.ca

C (29) **Campus Notre-Dame-de-Foy**
☎ 418 872-8041
www.cndf.qc.ca

C (30) **Cégep Limoilou**
☎ 418 647-6600
www.climoilou.qc.ca

C (31) **Cégep de Sainte-Foy**
☎ 418 659-6600
www.cegep-ste-foy.qc.ca

C (32) **Centre d'études collégiales de Montmagny**
☎ 418 248-7164
www.cec.montmagny.qc.ca

C (33) **Centre de formation et de consultation en métiers d'art**
☎ 418 647-0567
www.metierdart.com

C (34) **Champlain Regional College**
☎ 819 564-3666
www.champlaincollege.qc.ca
• **Campus St. Lawrence**
☎ 418 656-6921

C (35) **Collège Bart**
☎ 418 522-3906
www.bart.qc.ca

C (36) **Collège de Lévis**
☎ 418 833-1249
www.collegelevis.qc.ca

C (37) **Collège François-Xavier-Garneau**
☎ 418 688-8310
www.cegep-fxg.qc.ca

C (38) **Collège Mérici**
☎ 418 683-1591
www.college-merici.qc.ca

C (39) **Collège O'Sullivan de Québec**
☎ 418 529-3355
www.osullivan-quebec.qc.ca

C (40) **Petit Séminaire de Québec**
☎ 418 694-1020
www.petitseminaire.qc.ca

U (41) **Télé-université**
☎ 1 888 843-4333
www.teluq.uquebec.ca

U (42) **Université Laval**
☎ 1 877 7ulaval, poste 2764
ou 418 656-3333
www.ulaval.ca

## CENTRE-DU-QUÉBEC région **17**

P (43) **Commission scolaire de la Riveraine**
☎ 819 293-5821
www.csriveraine.qc.ca

P (44) **Commission scolaire des Bois-Francs**
☎ 819 758-6453
www.csbf.qc.ca

P (45) **Commission scolaire des Chênes**
☎ 819 478-6700
www.csdeschenes.qc.ca

C (46) **Cégep de Drummondville**
☎ 819 478-4671
www.cdrummond.qc.ca

C (47) **Cégep de Victoriaville**
☎ 819 758-6401
www.cgpvicto.qc.ca

C (48) **Collège d'affaires Ellis inc.**
☎ 819 477-3113
www.ellis.qc.ca

C (49) **Collège de l'Estrie inc. (Drummondville)**
☎ 819 478-8877
www.collegeestrie.com

C (50) **École nationale du meuble et de l'ébénisterie (affiliée au Cégep de Victoriaville)**
☎ 819 758-6401
www.ecolenationaledumeuble.com
Cet établissement offre aussi des programmes en formation professionnelle. ▶

## CHAUDIÈRE-APPALACHES région 12

**P 51 Commission scolaire des Appalaches**
☎ 418 338-7800
www.csappalaches.qc.ca

**P 52 Commission scolaire de la Beauce-Etchemin**
☎ 418 228-5541
www.csbe.qc.ca

**P 53 Commission scolaire de la Côte-du-Sud**
☎ 418 248-1001
www.cscotesud.qc.ca

**P 54 Commission scolaire des Navigateurs**
☎ 418 839-0500
www.csnavigateurs.qc.ca

**C 55 Cégep Beauce-Appalaches**
☎ 418 228-8896
www.cegepbceapp.qc.ca

**C 56 Cégep de Lévis-Lauzon**
☎ 418 833-5110
www.clevislauzon.qc.ca

**C 57 Cégep de Thetford**
☎ 418 338-8591
www.cegep-ra.qc.ca

**C 58 Centre d'études collégiales de Charlevoix**
☎ 418 665-6606
www.ceccharlevoix.qc.ca

## CÔTE-NORD région 09

**P 59 Commission scolaire de l'Estuaire**
☎ 418 589-0806
www.csestuaire.qc.ca

**P 60 Commission scolaire de la Moyenne-Côte-Nord**
☎ 418 538-3044
www.csmcn.qc.ca

**P 61 Commission scolaire du Fer**
☎ 418 968-9901
www.csdufer.qc.ca

**P 62 Commission scolaire du Littoral**
☎ 418 962-5558
www.csdulittoral.qc.ca

**C 63 Cégep de Baie-Comeau**
☎ 418 589-5707 ou
1 800 463-2030 (sans frais)
www.cegep-baie-comeau.qc.ca

**C 64 Cégep de Sept-Îles**
☎ 418 962-9848
www.cegep-sept-iles.qc.ca

## ESTRIE région 05

**P 65 Commission scolaire de la Région-de-Sherbrooke**
☎ 819 822-5540
www.csrs.qc.ca

**P 66 Commission scolaire des Hauts-Cantons**
☎ 819 832-4953
www.cshauts-cantons.qc.ca

**P 67 Commission scolaire des Sommets**
☎ 819 847-1610
www.csdessommets.qc.ca

**P 68 Eastern Townships School Board**
☎ 819 868-3100
www.etsb.qc.ca

**P 69 École d'administration, de secrétariat et d'informatique de Sherbrooke**
☎ 819 821-2199

**C 70 Cégep de Granby Haute-Yamaska**
☎ 450 372-6614
www.cegepgranby.qc.ca

**C 71 Champlain Regional College**
☎ 819 564-3666
www.champlaincollege.qc.ca
  • **Campus Lennoxville**
    819 564-3666

**C 72 Collège de Sherbrooke**
☎ 819 564-6350
www.collegesherbrooke.qc.ca

**C 73 Séminaire de Sherbrooke**
☎ 819 563-2050
www.seminaire-sherbrooke.qc.ca

**U 74 Université Bishop's**
☎ 819 822-9600
www.ubishops.ca

**U 75 Université de Sherbrooke**
☎ 819 821-8000 ou
1 800 267-UDES (sans frais)
www.usherbrooke.ca

## GASPÉSIE–ÎLES-DE-LA-MADELEINE région 07

**P 76 Commission scolaire des Chic-Chocs**
☎ 418 368-3499
www.cschic-chocs.net

P 77 **Commission scolaire des Îles**
☎ 418 986-5511
www.csdesiles.qc.ca

P 78 **Commission scolaire René-Lévesque**
☎ 418 534-3003
www.cs-renelevesque.qc.ca

P 79 **Eastern Shores School Board**
☎ 418 752-2247
www.essb.qc.ca

C 80 **Cégep de la Gaspésie et des Îles**
☎ 418 368-2201
www.cgaspesie.qc.ca

## LANAUDIÈRE                                région **14**

P 81 **Commission scolaire des Affluents**
☎ 450 492-9400
www.csaffluents.qc.ca

P 82 **Commission scolaire des Samares**
☎ 450 758-3500
www.cssamares.qc.ca

P 83 **Sir Wilfrid Laurier School Board (Lanaudière)**
☎ 450 621-5600
www.swlauriersb.qc.ca

C 84 **Cégep régional de Lanaudière**
www.collanaud.qc.ca

- **Collège constituant de Joliette**
  ☎ 450 759-1661

- **Collège constituant de L'Assomption**
  ☎ 450 470-0922

- **Collège constituant de Terrebonne**
  ☎ 450 470-0933

## LAURENTIDES                              région **15**

P 85 **Commission scolaire de la Rivière-du-Nord**
☎ 450 436-5040
www.csrdn.qc.ca

P 86 **Commission scolaire de la Seigneurie-des-Mille-Îles**
☎ 450 974-7000
www.cssmi.qc.ca

P 87 **Commission scolaire des Laurentides**
☎ 819 326-0333
www.cslaurentides.qc.ca

P 88 **Commission scolaire Pierre-Neveu**
☎ 819 623-4310
www.cspn.qc.ca

P 89 **Sir Wilfrid Laurier School Board (Laurentides)**
☎ 450 621-5600
www.swlauriersb.qc.ca

C 90 **Cégep de Saint-Jérôme**
☎ 450 436-1580
www.cegep-st-jerome.qc.ca

C 91 **Collège Lionel-Groulx**
☎ 450 430-3120
www.clg.qc.ca

C 92 **Institut d'enregistrement du Canada**
☎ 514 286-4336
www.recordingarts.com

## LAVAL                                     région **13**

P 93 **Commission scolaire de Laval**
☎ 450 662-7000
www.cslaval.qc.ca

P 94 **Sir Wilfrid Laurier School Board (Laval)**
☎ 450 621-5600
www.swlauriersb.qc.ca

C 95 **Collège CDI**
☎ 450 662-9090
www.cdicollege.ca

C 96 **Collège Montmorency**
☎ 450 975-6100
www.cmontmorency.qc.ca

## MAURICIE                                  région **04**

P 97 **Commission scolaire de l'Énergie**
☎ 819 539-6971
www.csenergie.qc.ca

P 98 **Commission scolaire du Chemin-du-Roy**
☎ 819 379-6565
www.csduroy.qc.ca

P 99 **École du routier G.C.**
☎ 819 379-9209
www.ergc.ca

C 100 **Cégep de Trois-Rivières**
☎ 819 376-1721
www.cegeptr.qc.ca

C 101 **Collège Laflèche**
☎ 819 375-7346
www.clafleche.qc.ca

Les carrières d'avenir 2008 • Répertoire des établissements d'enseignement

**312**

## ▶ MAURICIE (suite)    région 04

**C** 102 **Collège Shawinigan**
☎ 819 539-6401
www.collegeshawinigan.qc.ca

**C** 103 **École commerciale du Cap**
☎ 819 691-2600
www.ecc.qc.ca

**U** 104 **Université du Québec à Trois-Rivières**
☎ 819 376-5011
www.uqtr.ca

## MONTÉRÉGIE    région 16

**P** 105 **Académie Internationale des Hautes Études en Soins Esthétiques Compétence Beauté Ltée**
☎ 450 679-1110
www.competence-beaute.com

**P** 106 **Centre de formation professionnelle d'électrolyse et d'esthétique**
☎ 450 677-5605
www.cfpee.com

**P** 107 **Centre Formation Routiers express**
☎ 450 449-5445
www.routiers-express.com

**P** 108 **Commission scolaire de la Vallée-des-Tisserands**
☎ 450 225-2788
www.csvt.qc.ca

**P** 109 **Commission scolaire de Saint-Hyacinthe**
☎ 450 773-8401
www.cssh.qc.ca

**P** 110 **Commission scolaire de Sorel-Tracy**
☎ 450 746-3990
www.cs-soreltracy.qc.ca

**P** 111 **Commission scolaire des Grandes-Seigneuries**
☎ 514 380-8899
www.csdgs.qc.ca

**P** 112 **Commission scolaire des Hautes-Rivières**
☎ 450 359-6411
www.csdhr.qc.ca

**P** 113 **Commission scolaire des Patriotes**
☎ 450 441-2919
www.csp.qc.ca

**P** 114 **Commission scolaire des Trois-Lacs**
☎ 450 267-3700
www.cstrois-lacs.qc.ca

**P** 115 **Commission scolaire du Val-des-Cerfs**
☎ 450 372-0221
www.csvdc.qc.ca

**P** 116 **Commission scolaire Marie-Victorin**
☎ 450 670-0730
www.csmv.qc.ca

**P** 117 **Eastern Townships Schoolboard**
☎ 819 688-3100
www.etsb.qc.ca

**P** 118 **École d'administration et de secrétariat de la Rive-Sud**
☎ 450 670-5060

**P** 119 **École de technologie gazière**
☎ 450 449-6960
www.etg.gazmetro.com

**P** 120 **Institut de formation Santérégie**
☎ 450 674-4774
www.ifsanteregie.ca

**P** 121 **New Frontiers School Board**
☎ 450 691-1440
www.csnewfrontiers.qc.ca

**P** 122 **Riverside School Board**
☎ 450 672-4010
www.rsb.qc.ca

**C** 123 **Cégep de Saint-Hyacinthe**
☎ 450 773-6800
www.cegepsth.qc.ca

**C** 124 **Cégep de Saint-Jean-sur-Richelieu**
☎ 450 347-5301
www.cstjean.qc.ca

**C** 125 **Cégep de Sorel-Tracy**
☎ 450 742-6651
www.cegep-sorel-tracy.qc.ca

**C** 126 **Champlain Regional College**
☎ 819 564-3666
www.champlaincollege.qc.ca
- **Campus Saint-Lambert**
  ☎ 450 672-7360

**C** 127 **Collège de Valleyfield**
☎ 450 373-9441
www.colval.qc.ca

**C** 128 **Collège Édouard-Montpetit**
☎ 450 679-2631
www.college-em.qc.ca
- **Campus Longueuil**
  ☎ 450 679-2631
- **Campus Saint-Hubert**
  ☎ 450 678-3560

**C** 129 **École nationale d'aérotechnique**
☎ 450 678-3560

C ⑬⓪ **Institut de technologie agroalimentaire de Saint-Hyacinthe**
☎ 450 778-6504
www.ita.qc.ca

**MONTRÉAL** région **06**

P ⑬① **Centre de céramique Bonsecours**
☎ 514 866-6581
www.centreceramiquebonsecours.com

P ⑬② **Collège CDI**
☎ 514 849-1234
www.cdicollege.ca

P ⑬③ **Collège Herzing**
☎ 514 935-7494
www.herzing.edu

P ⑬④ **Collège supérieur de Montréal**
☎ 514 932-1122
www.collegecsm.com

P ⑬⑤ **Commission scolaire de la Pointe-de-l'Île**
☎ 514 642-9520
www.cspi.qc.ca

P ⑬⑥ **Commission scolaire de Montréal**
☎ 514 596-6000
www.csdm.qc.ca

P ⑬⑦ **Commission scolaire Marguerite-Bourgeoys**
☎ 514 855-4500
www.csmb.qc.ca

P ⑬⑧ **École du routier professionnel du Québec**
☎ 514 640-0111
www.techni-data.com

P ⑬⑨ **English Montreal School Board**
☎ 514 483-7200
www.emsb.qc.ca

P ⑭⓪ **Institut Technique Aviron de Montréal**
☎ 514 739-3010
www.avirontech.com

P ⑭① **Lester B. Pearson School Board**
☎ 514 422-3000
www.lbpsb.qc.ca

C ⑭② **Académie des arts et du design**
☎ 514 875-9777 ou
1 800 268-9777 (sans frais)
www.aadmtl.com

C ⑭③ **Ateliers de danse moderne de Montréal inc.**
☎ 514 866-9814
www.ladmmi.com

C ⑭④ **Cégep@distance**
☎ 514 864-6464
www.cegepadistance.ca

C ⑭⑤ **Cégep André-Laurendeau**
☎ 514 364-3320
www.claurendeau.qc.ca

C ⑭⑥ **Cégep de Saint-Laurent**
☎ 514 747-6521
www.cegep-st-laurent.qc.ca

C ⑭⑦ **Cégep du Vieux Montréal**
☎ 514 982-3437
www.cvm.qc.ca

C ⑭⑧ **Cégep Marie-Victorin**
☎ 514 325-0150
www.collegemv.qc.ca

C ⑭⑨ **Centennial Academy**
☎ 514 486-5533
www.centennial.qc.ca

C ⑮⓪ **Centre national d'animation et de design (Centre NAD)**
☎ 514 288-3447
www.centrenad.com

C ⑮① **Collège Ahuntsic**
☎ 514 389-5921
www.collegeahuntsic.qc.ca

C ⑮② **Collège André-Grasset**
☎ 514 381-4293
www.grasset.qc.ca

C ⑮③ **Collège April-Fortier**
☎ 514 878-1414
www.april-fortier.com

C ⑮④ **Collège dans la cité (CDC) de la Villa Sainte-Marcelline**
☎ 514 488-2528
villa.marcelline.qc.ca

C ⑮⑤ **Collège de Bois-de-Boulogne**
☎ 514 332-3000
www.bdeb.qc.ca

C ⑮⑥ **Collège de la Chambre immobilière du Grand Montréal**
☎ 514 762-2440
www.cigm.qc.ca

### ▶ MONTRÉAL (suite)  région **06**

**C 157 Collège de l'immobilier du Québec**
☎ 514 762-1862
www.collegeimmobilier.com

**C 158 Collège de Maisonneuve**
☎ 514 254-7131
www.cmaisonneuve.qc.ca

**C 159 Collège CDI**
☎ 514 849-1234
www.cdicollege.ca

**C 160 Collège de photographie Marsan**
☎ 514 525-3030
www.collegemarsan.qc.ca

**C 161 Collège Gérald-Godin**
☎ 514 626-2666
www.college-gerald-godin.qc.ca

**C 162 Collège Herzing**
☎ 514 935-7494
www.herzing.edu

**C 163 Collège Info-Technique**
☎ 514 685-0126
www.info-technique.qc.ca

**C 164 Collège Inter-DEC**
☎ 514 939-4444
www.interdec.qc.ca

**C 165 Collège Jean-de-Brébeuf**
☎ 514 342-9342
www.brebeuf.qc.ca

**C 166 Collège LaSalle**
☎ 514 939-2006
www.clasalle.qc.ca

**C 167 Collège Marsan**
☎ 514 525-3030
www.collegemarsan.qc.ca

**C 168 Collège Mother House**
☎ 514 935-2532
www.motherhouse.ca

**C 169 Collège O'Sullivan de Montréal**
☎ 514 866-4622
www.osullivan.edu

**C 170 Collège Rosemont**
☎ 514 376-1620
www.crosemont.qc.ca

**C 171 Collège Salette**
☎ 514 388-5725
www.collegesalette.qc.ca

**C 172 Collège technique de Montréal inc.**
☎ 514 932-6444
www.mtccollege.com

**C 173 Conservatoire Lassalle**
☎ 514 288-4140
www.colass.qc.ca

**C 174 Dawson College**
☎ 514 931-8731
www.dawsoncollege.qc.ca

**C 175 École du meuble de Montréal – École nationale du meuble et de l'ébénisterie (affiliée au Cégep de Victoriaville)**
☎ 514 528-8687
www.ecolenationaledumeuble.com

**C 176 École du Show-Business**
☎ 514 271-2244
www.ecoledushowbusiness.com

**C 177 École nationale de cirque**
☎ 514 982-0859
www.enc.qc.ca

**C 178 École nationale de l'humour**
☎ 514 849-7876
www.enh.qc.ca

**C 179 Institut de création artistique et de recherche en infographie ICARI inc.**
☎ 514 332-3000, poste 7501
www.icari.com

**C 180 Institut de tourisme et d'hôtellerie du Québec**
☎ 514 282-5108
www.ithq.qc.ca

**C 181 Institut Grasset**
☎ 514 277-6053
www.institut-grasset.qc.ca

**C 182 Institut supérieur d'informatique I.S.I.**
☎ 514 842-2426
www.isi-mtl.com

**C 183 Institut Teccart inc.**
☎ 514 526-2501
www.teccart.qc.ca

**C 184 Institut Trebas**
☎ 514 845-4141
www.trebas.com

**C 185 John Abbott College**
☎ 514 457-6610
www.johnabbott.qc.ca

C 186 **Macdonald College**
☎ 514 398-4455

C 187 **Marianopolis College**
☎ 514 931-8792
www.marianopolis.edu

C 188 **Musitechnic, Services éducatifs**
☎ 514 521-2060
www.musitechnic.com

C 189 **Vanier College**
☎ 514 744-7500
www.vaniercollege.qc.ca

U 190 **École de technologie supérieure (ETS)**
☎ 514 396-8800
www.etsmtl.ca

U 191 **École Polytechnique de Montréal**
☎ 514 340-4711
www.polymtl.ca

U 192 **HEC Montréal**
☎ 514 340-6000
www.hec.ca

U 193 **Université Concordia**
☎ 514 848-2424
www.concordia.ca

U 194 **Université de Montréal**
☎ 514 343-6111
www.umontreal.ca

U 195 **Université du Québec à Montréal**
☎ 514 987-3000
www.uqam.ca

U 196 **Université McGill**
www.mcgill.ca

- **Campus Centre-Ville**
  ☎ 514 398-4455

- **Campus Macdonald**
  ☎ 514 398-7925

P 197 **Commission scolaire Crie**
☎ 418 923-2764
www.cscree.qc.ca

P 198 **Commission scolaire de
la Baie-James**
☎ 418 748-7621

P 199 **Commission scolaire Kativik**
☎ 514 482-8220
www.kativik.qc.ca

P 200 **Commission scolaire au
Cœur-des-Vallées**
☎ 1 800 958-9966
www.cscv.qc.ca

P 201 **Commission scolaire des Draveurs**
☎ 819 663-9221
www.csdraveurs.qc.ca

P 202 **Commission scolaire des
Hauts-Bois-de-l'Outaouais**
☎ 819 449-7866
www.cshbo.qc.ca

P 203 **Commission scolaire des
Portages-de-l'Outaouais**
☎ 819 771-4548
www.cspo.qc.ca

P 204 **Western Quebec School Board**
☎ 819 684-2336
www.wqsb.qc.ca

P 205 **Académie Internationale
en soins esthétiques**
☎ 819 771-2001

C 206 **Cégep de l'Outaouais**
☎ 819 770-4012
cegepoutaouais.luka.ca

C 207 **Heritage College**
☎ 819 778-2270
www.cegep-heritage.qc.ca

U 208 **Université du Québec en Outaouais**
www.uqo.ca

- **Campus Gatineau**
  ☎ 819 595-3900

- **Campus St-Jérôme**
  ☎ 450 530-2916

P 209 **Commission scolaire
De La Jonquière**
☎ 418 542-7551
www.csjonquiere.qc.ca

▶

## SAGUENAY–LAC-SAINT-JEAN région 02

(suite)

**P 210 Commission scolaire des Rives-du-Saguenay**
☎ 418 698-5000
www.csrsaguenay.qc.ca

**P 211 Commission scolaire du Lac-Saint-Jean**
☎ 418 669-6000
www.cslacst-jean.qc.ca

**P 212 Commission scolaire du Pays-des-Bleuets**
☎ 418 275-2332
www.cspaysbleuets.qc.ca

**C 213 Cégep de Chicoutimi**
☎ 418 549-9520
www.cegep-chicoutimi.qc.ca

**C 214 Cégep de Jonquière**
☎ 418 547-2191
www.cjonquiere.qc.ca

**C 215 Cégep de Saint-Félicien**
☎ 418 679-5412
www.cstfelicien.qc.ca

**C 216 Centre d'études collégiales à Chibougamau**
☎ 418 748-7637
www.cec-chibougamau.qc.ca

**C 217 Collège d'Alma**
☎ 418 668-2387
www.calma.qc.ca

**U 218 Université du Québec à Chicoutimi**
☎ 418 545-5011
www.uqac.ca

## UNIVERSITÉS HORS DU QUÉBEC

**U 219 Université d'Ottawa**
☎ 613 562-5700
www.uottawa.ca

**U 220 Université de Moncton**
☎ 506 858-4000
www.umoncton.ca

**U 221 Université Saint-Paul**
☎ 613 236-1393
www.ustpaul.ca

## AUTRES RESSOURCES

**Association des collèges privés du Québec**
☎ 514 381-8891
www.cadre.qc.ca/acpq/

**Association québécoise d'information scolaire et professionnelle**
☎ 418 847-1781
www.aqisep.qc.ca

**Conseil interprofessionnel du Québec**
☎ 514 288-3574
www.professions-quebec.org

**Fédération des cégeps**
☎ 514 381-8631
www.fedecegeps.qc.ca

**Fédération nationale des enseignantes et des enseignants du Québec**
☎ 514 598-2241
www.fneeq.qc.ca

**Ministère de l'Éducation, du Loisir et du Sport du Québec**
(renseignements généraux)
☎ 418 643-7095
www.mels.gouv.qc.ca

**Ordre des conseillers et conseillères d'orientation et des psychoéducateurs et psychoéducatrices du Québec**
☎ 514 737-4717
www.orientation.qc.ca

**Ordre des technologues professionnels du Québec**
☎ 514 845-3247
www.otpq.qc.ca

**SRAM (Service régional d'admission du Montréal métropolitain)**
☎ 514 271-2454
www.sram.qc.ca

**SRAQ (Service régional d'admission de Québec)**
☎ 418 659-4873
www.sraq.qc.ca

**SRAS (Service régional d'admission du Saguenay–Lac-Saint-Jean)**
☎ 418 548-7191
www.sras.qc.ca

## Remerciements aux partenaires et aux annonceurs

**Nous remercions le gouvernement du Québec pour sa contribution
à l'élaboration du contenu de cette publication.**

# Questionnaire

## À VOUS LA PAROLE!

1. Le guide *LES CARRIÈRES D'AVENIR 2008* répond-t-il à vos besoins d'information en matière d'emploi et de formation?

   ○ Oui, dans l'ensemble
   ○ Oui, à part quelques lacunes (veuillez préciser)

   ○ Non (veuillez indiquer pourquoi)

2. Quelle(s) section(s) du guide avez-vous consultée(s)?
   (Vous pouvez choisir plus d'une section.)

   ○ Les dossiers    ○ Les 17 régions du Québec
   ○ Tournée de 39 secteurs d'emploi    ○ La sélection de 150 formations gagnantes

3. À l'aide des chiffres 1 à 4, veuillez numéroter les sections du guide, de la plus utile (1) à la moins utile (4).

   ○ Les dossiers    ○ Les 17 régions du Québec
   ○ Tournée de 39 secteurs d'emploi    ○ La sélection de 150 formations gagnantes

4. Y a-t-il des sujets en particulier que vous souhaiteriez retrouver dans la prochaine édition? (Veuillez préciser.)

5. Commentaires généraux relatifs à la publication.

6. Êtes-vous :

   ○ Un élève en processus de choix de carrière    ○ Le parent d'un élève
   ○ Un travailleur en processus de réorientation    ○ Un conseiller d'orientation
   ○ Un enseignant, un conseiller ou un directeur dans un établissement de formation
   ○ Autre (veuillez préciser) :

**Détachez cette page ou photocopiez-la, et envoyez vos réponses par télécopieur, au 514 373-9117.**

# GUIDE CARRIÈRE
# LE SITE DE RÉFÉRENCE
sur la carrière, la formation,
le marché du travail... et la vie!
# carriere.jobboom.com

jobboom.com

# L'ÉQUIPE DERRIÈRE *LES CARRIÈRES D'AVENIR 2008*

## Rédaction

**Directrices de la publication**
Christine Lanthier • Patricia Richard

**Rédactrices en chef**
Louise Casavant (section Secteurs)
Julie Gobeil (section Formations)
Emmanuelle Gril (section Régions)
Julie Leduc (section Dossiers)
Karine Moniqui (section Secteurs)

**Collaborateurs**
Charles Allain • Catherine Bachaalani •
Peggy Bédard • Guylaine Boucher • Carole
Boulé • Marie-Eve Corbeil • Geneviève Dubé •
Marika Gauthier • Emmanuelle Gril • Johanne
Latour • Jean-Benoit Legault • Hélène Marion •
Jean-Sébastien Marsan • Louis-Philippe
Messier • Lisa-Marie Noël • Anick
Perreault-Labelle • Denise Proulx • Julie
Rémy • Sylvie L. Rivard • Valérie Simard •
Pierre St-Arnaud • Emmanuelle Tassé

**Secrétaire à la rédaction**
Stéphane Plante

**Réviseures**
Johanne Girard • Diane Grégoire

## Production

**Chef d'équipe**
Nathalie Renauld

**Coordonnateur de la production**
Sylvain Legault

**Directrice artistique**
Mélanie Dubuc

**Infographie**
Gestion d'impressions Gagné inc.

**Photographie de la couverture**
Nathalie St-Pierre

**Distribution**
Messageries ADP

## Ventes publicitaires

**Directeur des ventes – produits imprimés**
Denis Timotheatos

**Représentants**
Geneviève Carrier • Marie Chantal Lang •
Vicky O'Connor

## Canoë

**Président**
Bruno Leclaire

**Vice-présidente DG, Jobboom**
Julie Phaneuf

**Directrice générale des contenus, Jobboom**
Patricia Richard

**Dépôt légal**
Bibliothèque nationale du Québec
ISBN : 978-2-89582-097-0

Bibliothèque nationale du Canada
ISSN : 1702-3300

**Date de publication**
Janvier 2008

Le guide *Les carrières d'avenir* est publié
par Les éditions Jobboom, une division de
Jobboom.com, le site d'emploi de Canoe.ca.

Le genre masculin est utilisé au sens neutre
et désigne aussi bien les femmes que les
hommes. Les articles de cette publication
ne peuvent être reproduits sans l'autorisation
des éditeurs.

Les opinions exprimées dans cette publication
ne sont pas nécessairement partagées par
les éditeurs et les commanditaires.

### Les éditions Jobboom

800, rue du Square Victoria
Mezzanine – Bureau 5
Case postale 330
Montréal (Québec)  H4Z 0A3
Téléphone : 514 504-2000
Télécopieur : 514 373-9117
www.jobboom.com/editions